LA FORMATION
DES DÉPARTEMENTS

Marie-Vic OZOUF-MARIGNIER

LA FORMATION
DES DÉPARTEMENTS

LA REPRÉSENTATION
DU TERRITOIRE FRANÇAIS
À LA FIN DU 18e SIÈCLE

PRÉFACE DE MARCEL RONCAYOLO

ÉDITIONS DE L'ÉCOLE DES HAUTES ÉTUDES
EN SCIENCES SOCIALES

Recherches d'histoire et de sciences sociales / 36
Studies in History and the Social Sciences

Cet ouvrage a été publié avec le concours
du Centre National de la Recherche Scientifique

Les cartes ont été réalisées
par le Laboratoire de Graphique
de l'École des Hautes Études en Sciences Sociales

Éléments de catalogage avant publication
établis par la Bibliothèque de la Maison des Sciences de l'Homme :

Ozouf-Marignier, Marie-Vic
La Formation des départements : la représentation du territoire français à la
fin du 18e siècle / Marie-Vic Ozouf-Marignier ; préf. de Marcel Roncayolo. —
Paris : Éd. de l'École des hautes études en sciences sociales, 1989. — 363 p. :
graph., cartes ; 23 cm. — (Recherches d'histoire et de sciences sociales =
Studies in history and the social sciences ; 36).

Bibliogr. p. 331-357. Notes bibliogr. en fin de chapitre. —
ISBN 2-7132-0908-0

Préface

Ce livre ne porte pas, pour l'essentiel, sur l'histoire de l'administration ou la géographie historique, telle qu'on la concevait au siècle précédent. En cela, il n'aurait rien donné d'original. S'ils n'épuisent pas tout à fait la liste des départements, les monographies ou les chapitres consacrés ici et là à la formation de nos circonscriptions administratives ne manquent pas. Cet ouvrage répond à une autre ambition : celle de saisir comment, à travers une littérature parfois fastidieuse de plaidoyers, de justifications et de projets, les réformateurs de 1789 se représentaient le territoire, son fonctionnement, le rôle et la hiérarchie des villes en particulier. Il vise donc à rechercher les conditions intellectuelles d'un débat ; il regarde du côté de l'histoire des mentalités, des « catégories de pensée » et de sensibilité ; il s'insère dans la tradition du *Rabelais* de Lucien Febvre plus que dans celle d'études strictement juridiques ; il illustre ce que pourrait être une nouvelle géographie historique.

L'anachronisme était donc l'ennemi principal, car le débat de 1789-1790 n'est pas sans échos dans notre histoire politico-administrative, ni sans parenté avec les théories économiques sur l'espace. L'échelon départemental a subi les feux de la critique autour de 1900 et en 1940 ; plus près de nous, il a figuré dans les conflits et enjeux de la régionalisation. D'autre part, le travail des Constituants peut apparemment préformer les modèles d'explication du réseau urbain. Thouret devient l'ancêtre de Christaller et de Loësch. L'historien devait déjouer le piège, sans renoncer à détecter d'éventuelles filiations ou affinités. À chercher des leçons, des légitimations, des démonstrations, il était préférable de substituer une quête plus modeste : comprendre comment nos réformateurs avaient constitué leur système d'idées sur l'espace national, et vécu — tant bien que mal — ses contradictions. Les représentations qui touchent au territoire, comme à l'architecture ou à l'urbanisme, ajoutent une autre difficulté : elles associent (d'une manière exceptionnelle) le constat et le reflet des réalités et le normatif. Produit de l'histoire et projet, tout à la fois. Marie-Vic Ozouf-Marignier a le grand mérite de dominer ces risques et de mettre en pleine lumière ces ambiguïtés.

La formation des départements est donc replacée dans son temps : un temps long, que l'on peut identifier au développement de la philosophie des Lumières ; un événement de « rupture » — la nuit du 4 août — qui, du fait de l'abandon des statuts privilégiés, conduit nécessairement l'Assemblée à franchir le pas entre l'établissement d'un régime électoral, fondant la représentation nationale, et le remaniement global des divisions et de l'organisation administratives. Philosophie des Lumières : la découverte du territoire s'inscrit dans cette tradition ; la réflexion et les enquêtes des Constituants prennent place dans un mouvement plus vaste qui mène de Montesquieu, des topographies médicales encouragées par la Société Royale de Médecine, de la carte de Cassini, aux « statistiques » impériales, à la carte de l'État-Major et aux premiers travaux de géologie régionale. Les thèses physiocratiques sur l'origine des richesses et le rôle des villes marquent fortement l'esprit des Constituants. La plupart des discours reprennent, comme s'il s'agissait d'un consensus ou d'une langue obligée, les arguments méfiants à l'égard de la concentration et des dominations urbaines. Plus encore, le postulat écologique paraît situé au cœur du travail des Constituants : c'est la qualité et la pertinence de la division territoriale qui assure le fonctionnement de l'État et sa vraie nature. En fin de compte, l'espace fonde le pouvoir.

Dès lors, les conflits et les contradictions que l'on relève dans l'argumentation des Constituants relèvent d'une nébuleuse commune, où l'on cherche les justificatifs, quitte à en retourner les conclusions. Le sens même du mot *nature* — tantôt les lois physiques, tantôt celles de l'esprit — facilite ces joutes ; mais, plus au fond, raison géographique et raison géométrique s'affrontent dans ces représentations de l'espace national, au service du conservatisme (du maintien des provinces au respect des particularités régionales et locales) ou de l'établissement d'une nouvelle carte. Le débat est à l'intérieur du champ intellectuel et social, dans lequel puisent les intérêts divergents. Marie-Vic Ozouf-Marignier nous aide ainsi à mieux comprendre ce jeu, comme la nature et la valeur réelle des contradictions. Elle nous explique, en particulier, comment on ne peut attribuer la réforme territoriale à une volonté de centralisation ou à son contraire. Vieux conflit entre historiens, que notre auteur tranche en les renvoyant au double objectif que paraît viser la Constituante : *diviser pour unir*. L'organisation territoriale que l'Assemblée cherche à établir répond à une sorte d'optimum : des divisions qui ne menacent pas l'unité du royaume, tout en laissant l'administration au plus près du citoyen. Le maintien des anciennes provinces paraît alors tout aussi dangereux que le morcellement excessif des instances territoriales. Entre le fédéralisme et l'anarchie, le département — négocié dans ses réalités et moins « artificiel » qu'on ne le croit — répond à un module conforme à ce critère général, « rationnel ». Ce n'est qu'en un second temps que l'on met en avant les commodités de fréquentation et les normes de distances-temps entre un chef-lieu et la périphérie de son ressort.

Le débat devant le comité de constitution et l'Assemblée touche donc à un certain degré d'abstraction. Il repose, quels que soient les partis défendus, sur des affrontements de principes. Il privilégie le champ intellectuel de l'époque. Aussi, dans sa méfiance à l'égard des privilèges, des villes et des intérêts particuliers, subordonne-t-il la discussion sur le choix des chefs-lieux au dessin et à la hiérarchie des circonscriptions : commune, canton, district, département. Les intérêts s'expriment vigoureusement au contraire dans la correspondance du Comité, qui fait état des suggestions, plaintes, demandes de révision ou plaidoyers *pro domo*, parfaitement enracinés ceux-ci et dont les avocats sont logiquement des représentants des villes de tout calibre, hommes de loi pour la plupart. Si les références philosophiques persistent, le débat prend alors plus de couleur et change d'éclairage.

Les représentations portent ici, principalement, sur l'armature urbaine, sur le ressort des villes, sur les rapports entre ville et plat pays, même si l'étude « fonctionnelle » reste sommaire, parfois implicite. L'enjeu demeure la fixation des administrations (et des assemblées correspondant à chaque étage de la pyramide). Dans cette course à la dignité et à l'activité, on saisit la transition visible à la fin du 18ᵉ siècle entre la conception classique de la ville où prévalent l'ancienneté, l'histoire, la tradition institutionnelle, la qualité culturelle et le prestige physique — les murs ou l'urbanisme — et l'ébauche d'une analyse de réseau et de hiérarchie. Jean-Claude Perrot avait attiré l'attention sur cette articulation. Marie-Vic Ozouf-Marignier apporte sur ce point des nuances et un correctif considérable.

Parmi les nuances, accordons-nous sur le caractère apparemment « archaïque » des arguments. La rupture, si rupture il y a, n'est pas acquise en 1789-1790, en raison de la nature du débat (il est question d'administration) et des conceptions dominantes de la ville ; d'autre part, la géométrie ne suscite pas nécessairement la compréhension des mécanismes économiques. Pourtant Thouret, à l'échelon national, insiste sur la solidarité entre villes et territoires et quelques plaidoyers (à propos de la fixation des tribunaux de commerce, notamment) font écho aux nouvelles thèses libérales, plus aptes à juger des effets positifs de l'économie urbaine. Mais on se trouve ici à la frontière du système intellectuel. De plus, les effets d'entraînement reconnus aux villes risquent de privilégier le conservatisme, en courant à l'appui des cités déjà fortes économiquement.

Le correctif décelé par Marie-Vic Ozouf-Marignier intervient alors. Dans la correspondance, l'armature urbaine n'est pas considérée comme homogène. On oppose souvent, au contraire, les villes agricoles et les villes exerçant une fonction spécifique, commerciale (c'est-à-dire le grand commerce, en particulier maritime) ou industrielle. Les premières ne doivent leur mouvement d'affaires qu'à leur clientèle proche, habitants de la ville ou des campagnes voisines. « Villes de terroir » : petites unités enracinées, « enterrées » même dans leur aire rurale, c'est l'administration ou les fonctions juridiques qui maintiennent la fréquentation et, selon de nombreux correspondants du comité, perpétuent leur rôle de marché. Et cette série va jusqu'à Clermont-Ferrand ou même Aix. Marie-Vic Ozouf-Marignier rappelle cette déclaration des habitants de Clermont, réclamant le maintien de leur juridiction : « Le commerce ne crée pas, ne forme pas la ville. C'est le maintien de notre ville qui peut soutenir le commerce. » À l'opposé, les villes plus puissantes, extraverties, capables de tenir des marchés lointains et de vivre au rythme des grands échanges. La répartition des villes obéit donc à des logiques différentes : on ne s'étonne guère que l'idée en soit présentée avec éclat par un représentant de Marseille. On envisage même de créer des départements particuliers pour Lyon, Marseille ou Rouen.

La notion de centralité est donc au cœur de tout le débat. Mais cette notion n'aboutit pas à une théorie unifiée des lieux centraux. Il faut choisir une sorte de norme des « localisations administratives » (renforcement de l'acquis ou jeu de compensations) et trancher entre centralité géométrique et centralité historique ou fonctionnelle. Travail d'autant plus difficile que les candidatures de villes ou de bourgs ne manquent pas et que l'on peut varier les limites des circonscriptions pour modifier les leçons de la géométrie. Relativité de la centralité, dans un pays aux fondations urbaines denses et nombreuses, comme la France. Bref, plus qu'à une évidence, on se heurte à des concurrences, des rivalités entre acteurs urbains multiples. On comprend mieux le souci des Constituants de discuter en priorité des circonscriptions. Il est regrettable toutefois que rien n'existe, dans le corpus étudié par Marie-Vic Ozouf-Marignier, sur la pratique et les critères de choix entre les chefs-lieux possibles.

On se félicitera, en revanche, que l'auteur, formée à la discipline géographique, porte son attention sur la descendance épistémologique de ce débat. Période d'émergence, sans doute, où les questions commencent seulement à se dessiner. On vient d'en mesurer la limite par rapport aux théories des lieux centraux. On saisit mieux la continuité, quand on pense à l'histoire de la géographie française à la fin du 19ᵉ siècle et à la distinction entre divisions naturelles et divisions administratives. La géographie régionale vidalienne se constitue alors, parallèlement au réveil de la polémique sur la valeur du découpage départemental.

Reportons notre regard sur l'idéologie et les représentations qui animent les Constituants et leurs correspondants. Marie-Vic Ozouf-Marignier, soulignant le rôle exceptionnel des hommes de loi parmi eux, n'a pas voulu fractionner son analyse, faire éclater l'unité du milieu. Elle insiste au contraire sur le champ intellectuel, comme global. Ne peut-on, plus audacieusement, rapporter les représentations qui en émanent à des groupes, à des types de personnages mieux identifiés ? L'histoire sociale de l'aménagement et du territoire y gagnerait sans doute. Invitons donc l'auteur à approfondir sa réflexion dans ce sens. De même, les discours et les arguments se nuancent selon les régions, au contact de la réalité géographique. Pensons, bien entendu, à Marseille et aux arguments sur les villes de commerce ; pensons aussi à Laval où se réconcilient centralité géométrique et centralité fonctionnelle, à partir de la distribution dans les campagnes du travail industriel — autre principe d'organisation de l'espace, qui est loin de prendre la même valeur et la même intensité partout en France. Rappelons la multiplicité des fondations urbaines dans la France méditerranéenne, alors que l'ouest du Bassin Parisien paraît préformer quelque réseau répondant aux mécanismes des lieux centraux. La France de 1789 charrie des héritages ; le nouvel intérêt pour le territoire en fait surgir la diversité et l'Ancien Régime n'est pas un monde figé. Marie-Vic Ozouf-Marignier montre, à plusieurs reprises, que les représentations du territoire elles-mêmes sont en « transition ». On souhaiterait qu'elle puisse compléter l'acquis considérable présenté dans ce premier ouvrage, par un autre regard porté sur la diversité et le mouvement. L'armature urbaine, même si elle obéit à des fonctionnements relativement simples, ne peut être comprise hors d'une certaine pluralité des explications.

Entre l'histoire des mentalités, celle des disciplines et celle des politiques d'aménagement, Marie-Vic Ozouf-Marignier a établi un pont. Démarche légitime, qui en douterait ? Mais les résultats, jusqu'ici, restaient minces. La réussite de cet ouvrage nous pousse à de nouvelles curiosités.

MARCEL RONCAYOLO

Introduction

Les départements auront bientôt deux siècles d'existence. Depuis leur création, en 1790, les ouvrages qui ont évoqué leur formation, ou qui les ont jugés, n'ont pas manqué : monographies ou analyses d'ensemble, histoires de la Révolution, manuels de droit administratif ou géographies générales de la France, thèses universitaires ou essais politiques, toutes les approches semblent avoir été envisagées. Aussi peut-on s'interroger sur les raisons justifiant une nouvelle étude de ce thème.

Nous analyserons, le moment venu, le contenu de ces différents éléments d'historiographie, mais nous pouvons dès à présent en donner une idée générale. Ces ouvrages traitent de l'histoire factuelle et institutionnelle de la réorganisation territoriale et administrative réalisée au cours de la Révolution. Le projet et les décisions d'ensemble sont connus, et le détail monographique l'est également pour une bonne partie des départements. L'état des circonscriptions administratives, judiciaires, religieuses et militaires de l'Ancien Régime a, par ailleurs, souvent été décrit en préalable à l'étude de la départementalisation ; il en va de même des modifications du cadre territorial et de l'institution départementale à partir de sa création. Sans doute, on ne peut considérer ces thèmes comme épuisés. Certains d'entre eux sont même encore aujourd'hui objets d'études, comme par exemple le tracé des circonscriptions d'Ancien Régime, à propos duquel subsistent beaucoup d'interrogations[1]. Ce n'est toutefois pas un apport dans ce domaine que nous avons cherché à fournir.

Objet de recherches historiques, le département a, d'autre part, fait l'objet de prises de position politiques postérieurement à sa création ; il a été confronté à l'alternative du régionalisme, ce qui fait que, à plusieurs reprises, le débat qui avait présidé à sa création a été en quelque sorte reproduit, investi cependant d'enjeux et d'arguments nouveaux. Un moment privilégié de cette réévaluation a été la charnière des 19e et 20e siècles, à l'occasion du développement des revendications régionalistes. La réflexion géographique sur la notion de région a alors joué un rôle décisif dans l'élaboration d'une base scientifique pour la discussion.

Au regard de cette double orientation, historique d'une part, et polémique d'autre part, de la littérature consacrée aux départements, il semble que les textes d'origine aient été quelque peu négligés, dans ce

Voir notes p. 15.

qu'ils nous livrent à propos des débats d'idées. Discours prononcés à l'Assemblée Nationale, mémoires rédigés à propos du projet de réforme, pétitions et lettres envoyées en masse depuis toutes les provinces en réaction à l'annonce des décrets, tous ces documents révèlent pourtant la manière dont s'élaborent à la fois une représentation mentale et une volonté d'action, dont l'objet était le territoire. Notre projet est ici de tenter l'histoire de catégories de pensée, de démarches mentales situées à l'articulation de ce qu'on peut appeler commodément l'espace perçu et la volonté d'organiser le territoire. Le terme de représentation est pris ici dans sa double acception : chaque auteur se représente l'espace, mais il le représente aussi à un public, afin de le faire reconnaître. Nous nous attachons donc à examiner les systèmes d'idées, les logiques qui sont au fondement de l'intervention sur le territoire, telles qu'ils apparaissent dans ces textes. Au cours de l'analyse, nous envisageons comment interviennent dans le raisonnement de leurs auteurs certaines notions géographiques. De cette manière, la perspective que nous adoptons se situe à l'intersection de l'histoire des idées, de la géographie historique et de l'histoire de la géographie. Cette nouvelle lecture des textes d'archives permet aussi d'éclairer les interprétations qui en ont été faites et de voir comment les auteurs des divers ouvrages évoqués plus haut ont saisi cet épisode au travers de leurs propres débats et représentations mentales. À notre tour, nous sommes consciente d'introduire les notions d'aujourd'hui dans l'analyse de ce corpus ; mais dans notre étude, à la différence des précédentes, la confrontation des concepts passés et présents est un choix délibéré.

Par l'ensemble de ces démarches, nous faisons nôtres les difficultés méthodologiques et conceptuelles propres au « genre » scientifique que constitue l'étude des représentations mentales. Tout d'abord, nous privilégions la pensée de la réalité par rapport à la réalité elle-même, la représentation par rapport à l'objet représenté. Ce parti pris n'est pas à l'abri des critiques, malgré l'essor de l'histoire des mentalités au cours des dernières décennies. Au début d'une réflexion sur l'identité et la représentation dans le processus de constitution du concept de région, Pierre Bourdieu répond pourtant à l'hostilité que peuvent susciter de telles études :

« À ceux qui verraient dans ce projet de prendre pour objet les instruments de contruction de l'objet, de faire l'histoire sociale des catégories de pensée du monde social, une sorte de détournement pervers de l'intention scientifique, on pourrait objecter que la certitude au nom de laquelle ils privilégient la connaissance de la " réalité " par rapport à la connaissance des instruments de connaissance n'est sans doute jamais aussi peu fondée que dans le cas d'une " réalité " qui, étant d'abord *représentation*, dépend aussi profondément de la connaissance et de la reconnaissance. »[2]

La représentation est bien elle-même réalité. L'objet que nous nous proposons d'étudier paraît suggérer d'autant mieux cette conviction que, comme nous l'avons dit, la représentation du territoire présente dans les archives de la formation des départements n'est pas seulement une image mentale de l'organisation spatiale existante ; elle préforme et projette l'espace idéal, tel qu'il doit être *réalisé* par la Révolution. Il reste précisément à examiner avec quel héritage conceptuel est fabriqué cet idéal. La représentation joue donc un rôle fondamental dans le passage d'une réalité à une autre. Ainsi, nous ne voulons pas la considérer comme simple reflet du réel et l'en isoler, mais au contraire l'examiner dans sa fonction de relais intervenant dans l'évolution d'une configuration spatiale. Nous voudrions par ailleurs accompagner cette mise en perspective d'une attention aux décalages existant entre ces représentations et leur objet : décalages temporels, archaïsmes ou éléments de modernité, ou encore hiatus entre la volonté et la réalisation.

Nous avons conscience de privilégier les intentions, par opposition aux actes et aux décisions. L'étude d'une réforme ne nous y incite-t-elle pas ? L'examen des décalages que nous venons de mentionner nous empêchera quelque peu, nous l'espérons, de céder à des interprétations trop déterministes et de faire fi de la part d'incertitude que comporte l'explication historique. Et d'ailleurs, répétons que nous n'étudions pas isolément l'intention, mais plutôt le jeu des représentations qui fait la médiation entre la volonté d'action, et l'action elle-même.

Nous consacrons une première partie aux écrits qui ont trait au projet parlementaire, à sa genèse et aux débats qu'il suscite. Une seconde partie porte sur la correspondance envoyée par les provinces, villes, bourgs et villages pour solliciter une délimitation, un rattachement, l'attribution d'un chef-lieu, etc. Dans ces deux types de textes, le projet ou la revendication sont toujours étayés d'une justification, d'une démonstration. Ce sont ces arguments qui constituent le terrain privilégié de notre analyse.

NOTES

1. Voir notamment les travaux du Laboratoire de Cartographie Thématique du CERCG (CNRS) et du Centre de Recherches Historiques (EHESS) sur les subdélégations françaises à la fin de l'Ancien Régime.

2. P. Bourdieu, « L'identité et la représentation », *Actes de la Recherche en Sciences sociales*, 35, nov. 1980, p. 63.

PREMIÈRE PARTIE

Le projet de découpage

CHAPITRE PREMIER

La genèse de l'idée de découpage et les représentations du territoire avant 1789

Nous nous proposons d'envisager ici les enjeux dont le territoire faisait l'objet dans les années et les mois précédant la Révolution. Il ne paraît pas inutile en effet de voir sur quel terrain conceptuel et idéologique prit place le projet de découpage de la France en départements, afin d'en évaluer l'originalité et la nouveauté et, plus largement, de s'interroger dans le cadre de ce problème particulier sur les formes de continuité entre l'Ancien Régime et la Révolution. La question continue depuis Tocqueville à susciter les réflexions des historiens. Tout en souhaitant nous dégager de l'alternative tranchée entre partisans de la thèse de la Révolution-rupture et défenseurs de l'idée d'une continuité rigoureuse, nous ne pouvons éviter de rencontrer ce thème, qui est sous-jacent à tout le débat sur la départementalisation[1].

Les auteurs, sans doute gênés dans leur interprétation par l'ambiguïté intrinsèque des documents, enregistrent la présence conjointe, dans la France de la fin du 18e siècle, de forces unitaires et de forces séparatistes, de tendances conservatrices et d'une volonté de réforme. Suivant le poids accordé à tel ou tel document, les auteurs s'opposent dans le bilan qu'ils dressent de la situation politique et administrative de la France.

Par exemple, Georges Mage sélectionne tous les documents permettant de brosser le tableau d'une France désordonnée, incohérente. Il passe en revue les différentes divisions territoriales en mettant l'accent sur leur complexité, leur enchevêtrement et leur mobilité. Il insiste ensuite sur l'esprit conservateur qui s'exprime dans les cahiers de doléances, ceux-ci demandant, selon lui, le respect des particularismes et des privilèges. Il place donc le projet de réforme en totale rupture avec l'héritage de l'Ancien Régime : la réorganisation territoriale du royaume découlerait des principes acquis durant la nuit du 4 août et de la crainte que s'établisse une situation d'anarchie à la suite de cette table rase.

Ernest Lebègue s'attache au contraire à rechercher les racines de la réforme de 1789 dans les expériences des années précédant la Révolution. Il insiste sur ce qu'a représenté la création des assemblées provinciales, principalement celle de Normandie en 1787. À la différence de Georges Mage, il retient les revendications des cahiers de doléances

Voir notes p. 33.

allant dans le sens de la réforme de 1787 et du futur projet de 1789, et passe en revue les diverses mentions d'une volonté unificatrice chez les économistes et ministres du 18ᵉ siècle. Dans son interprétation, la Révolution est donc présentée comme un processus qui s'intègre dans un mouvement plus ancien qu'elle continue et qu'elle achève.

Rupture ou continuité ? Il serait vain de trancher entre ces présentations. Leurs divergences sont révélatrices de la diversité des témoignages et des choix opérés dans la documentation disponible. En effet, l'éclairage privilégié donné tantôt à un aspect de la situation, tantôt à un autre, est plus facile à assumer du point de vue historiographique qu'une analyse qui prendrait en compte des données contradictoires. Charles Berlet, qui mène de front l'étude des tendances unitaires et des aspirations autonomistes de la période prérévolutionnaire, aurait pu être mis en demeure de choisir, au terme de son analyse, entre les deux termes de l'alternative. Sa démarche dialectique ménage au contraire une interprétation plus nuancée permettant de mesurer où se situent véritablement la rupture et la continuité : continuité des aspirations de part et d'autre de l'opinion, rupture dans les faits, par l'avènement des conditions qui ont permis à une partie de ces aspirations d'aboutir. Il s'agit pour nous de conserver cette appréhension globale des documents afin de dégager — au-delà ou tout au moins à côté du schéma d'explication par la rupture ou la continuité qui met en relief une partie seulement des revendications concernant le territoire — la diversité ainsi que la rivalité des conceptions, traits significatifs, nous semble-t-il, d'un rapport plus nuancé entre l'avant et l'après 1789.

1. Les projets de division du royaume

Des espaces plus petits

Au cours du 18ᵉ siècle, un certain nombre d'écrivains, d'économistes et d'administrateurs exprimèrent l'idée qu'une nouvelle division du royaume était nécessaire. Ainsi Fénelon, le marquis de Mirabeau, Diderot, le marquis d'Argenson, Le Trosne, Necker, Turgot, Condorcet.

L'accord se fait sur le principe d'établir des divisions plus petites que celles qui existent, gouvernements, généralités, provinces. Mais les raisons qui déterminent ce choix sont diverses. Dans la majeure partie des cas, il s'agit d'améliorer l'administration. Certains auteurs préconisent la division pour opérer une déconcentration bénéfique à l'exercice du pouvoir central. Fénelon propose d'« augmenter le nombre des gouvernements de province en les fixant à une moindre étendue, sur laquelle un homme puisse veiller soigneusement avec le lieutenant-général et le lieutenant du Roi. Vingt au moins en France serait la règle du nombre des États particuliers. »[2]

Le marquis d'Argenson développe considérablement cette idée et inaugure une conception des rapports qui relient le pouvoir central et les corps intermédiaires entre celui-ci et les sujets, que l'on retrouvera chez les Constituants de 1789. Il fait état de la nécessité de trouver l'équilibre entre une certaine autonomie de gouvernement local et le respect de l'autorité centrale :

> « Si l'union fait la force, la désunion fait la faiblesse ; ainsi on peut diviser les parties d'un État et subdiviser les sphères d'autorité jusqu'au point où elles se suffisent à elles-mêmes pour bien se gouverner ; mais où elles ne puissent ombrager en rien l'autorité générale d'où elles relèvent.
>
> Ce serait donc un bon plan de gouvernement que celui où l'on morcellerait plus ou moins les corps nationaux et municipaux, trouvant l'art d'en écarter le danger et de leur imprimer une indépendance qui fît leur force. »[3]

L'importance du pouvoir central comme facteur d'union nationale est reconnue. Le Trosne salue l'intérêt de la centralisation : « En effet, quelle plus grande étendue l'autorité d'un seul homme peut-elle jamais obtenir, que de faire mouvoir toute une maison, de réunir des millions d'individus pour n'en faire qu'un corps, de le diriger comme un seul homme par une impression directe, et de gouverner même sa volonté en la conformant à la sienne ? »[4] Le marquis de Mirabeau exprime une opinion identique, en affirmant la nécessité de conserver à l'autorité royale toute sa force[5].

Toutefois, l'adhésion au système monocéphale contient sa propre critique, par le biais de celle de son représentant le plus éclatant, l'absolutisme monarchique. Tous les auteurs s'accordent en effet pour poser que le roi et ses ministres ne peuvent exercer une bonne surveillance sur tout le royaume. Cette prise de conscience s'allie à la constatation des insuffisances du processus de déconcentration opéré par la monarchie : les intendants, personnalisant par excellence la centralisation royale, font l'objet d'une critique unanime. On leur reproche leur absence de résidence dans leur circonscription, leur peu d'intérêt pour les problèmes particuliers à leur généralité ou intendance, leur irresponsabilité devant l'autorité royale. De là vient l'idée de créer dans tout le royaume des assemblées comparables à celles que possèdent les pays d'États, dont la bonne marche administrative est connue et louée. Fénelon dresse la liste des avantages d'une pareille organisation politique :

> « États du royaume entier seront paisibles et affectionnés comme ceux de Languedoc, Bretagne, Bourgogne, Provence, Artois, etc. — Conduite réglée et uniforme, pourvu que le Roi ne l'altère pas. — Députés intéressés par leur bien et par leurs espérances à contenter le Roi. — Députés intéressés à ménager leur propre pays, où leur bien se trouve, au lieu que les financiers ont intérêt de détruire pour s'enrichir. — Députés voient de près la nature des terres et le commerce de leur province. »[6]

À son tour, le marquis de Mirabeau se fait l'un des plus ardents théoriciens et défenseurs du principe des États provinciaux, insistant sur l'idée qu'une bonne administration nécessite une connaissance locale qui ne peut être fournie que par des représentants des provinces. Le marquis d'Argenson, Le Trosne et Necker formulent des opinions semblables.

Le plan d'organisation politique proposé est d'une remarquable similarité d'un auteur à l'autre. Il s'agit d'une hiérarchie d'assemblées, à trois degrés : ville ou groupe de paroisses rurales, district, province. Voyons comment Turgot, peut-être héritier de la pensée de ses prédécesseurs, présente ses idées en 1787 :

> « Pour faire disparaître cet esprit de désunion qui décuple les travaux de vos serviteurs et de Votre Majesté, et qui diminue nécessairement et prodigieusement votre puissance ; pour y substituer au contraire un esprit d'ordre et d'union qui fasse concourir les forces et les moyens de votre nation au bien commun, les rassemble dans votre main et les rende faciles à conduire, il faudrait imaginer un plan qui les liât par une instruction à laquelle on ne pût se refuser, par un intérêt commun très évident, par la nécessité de connaître cet intérêt, d'en délibérer, de s'y conformer ; qui liât, dis-je, les individus à leurs familles, les familles au village ou à la ville à qui elles tiennent, les villes et les villages à l'arrondissement dans lequel ils sont compris, les arrondissements aux provinces dont ils font partie, les provinces enfin à l'État. »[7]

De l'hommage rendu à la centralisation, on est donc passé à l'idée d'une nécessaire décentralisation puisque, chez l'ensemble des auteurs, apparaît l'idée d'une consultation nécessaire des provinces et des autres instances locales.

L'ambivalence de cette pensée politique, tout à la fois centralisatrice et décentralisatrice, est fondamentale. C'est elle qui détermine l'identification d'une taille idéale des circonscriptions territoriales. Cela était sensible dans le texte du marquis d'Argenson cité plus haut, remarquable par la notion d'équilibre, typique du siècle, qui y est introduite. Plus généralement, la représentation mentale de la circonscription idéale procède du mouvement « décroissant » que constitue la division territoriale, par opposition au mouvement « croissant » que décrit le regroupement. En effet, après avoir envisagé les bienfaits du principe des États provinciaux, les auteurs reviennent très rapidement à l'exposé des mesures de prudence visant à garantir l'intégrité du pouvoir central. D'où ressort la primauté d'une circonscription suffisamment petite (mouvement décroissant) pour ne pas mettre en danger l'exercice de l'autorité suprême.

Ainsi, le marquis d'Argenson, en dépit de son souci d'équilibre, a néanmoins tendance à privilégier le procédé de division en espaces suffisamment petits pour ne pas s'élever entre la base et le sommet : « On remarquera que plus les assemblées sont petites, mieux elles sont gouvernées et hors des atteintes de la résistance ou de la révolte. Tels sont les collèges de la Flandre maritime, les différents Pays le long des Pyrénées et principalement les communautés de Provence. »[8] Les subdivisions internes qu'il proposait d'établir dans les départements avaient la même finalité, c'est-à-dire le maintien de l'ordre public. L'esprit policier d'une organisation qui encadre, surveille et limite les individualités est donc présent, bien que non exclusif, dans cette planification politique et spatiale.

Face aux hésitations de la pensée politique, entre la nécessité de ne pas compromettre les gains de la monarchie (le pouvoir qu'elle s'est assuré sur le royaume entier) et l'intérêt que pourrait avoir un développement de la consultation et de l'autonomie locale, l'espace apparaît comme une médiation mais aussi comme la garantie de la viabilité du système politique. Cette façon d'envisager la planification fait appel au principe du déterminisme spatial, suivant lequel l'organisation sociale doit correspondre à l'agencement territorial. Les théoriciens du 18ᵉ siècle pensent implicitement qu'en agissant sur l'espace on peut obtenir un nouveau dispositif social et politique. Ainsi, en choisissant soigneusement la taille de la circonscription, on peut assurer l'avènement de la monarchie éclairée en écartant à la fois le despotisme et l'anarchie. La démarche des Constituants de 1789 se situera dans le droit fil de ces idéaux.

Des espaces autonomes

Cette pensée propre aux réformateurs trouvait-elle un écho généralisé dans toute la France ? Il semble que les opinions se répartissent en deux camps : dans le premier, on trouve bien des partisans d'une division des circonscriptions, mais à des fins autonomistes, ce qui les distingue fondamentalement de la volonté d'en haut ; dans le second se rassemblent les fervents défenseurs des grands corps de province, violemment opposés au morcellement. Si les deux camps se rejoignent sur la revendication d'une autonomie locale, ils sont rivaux puisque le premier recrute ses adeptes dans les contrées politiquement et administrativement dépendantes des grands corps de province.

Les cahiers de doléances rédigés pour la convocation des États généraux sont éloquents sur ce sujet. Il est tout d'abord important d'insister sur cette existence d'une volonté de réforme territoriale, niée dans certains ouvrages qui font valoir les aspects conservateurs de l'opinion exprimée dans les cahiers. Même si ceux qui demandent explicitement une nouvelle division et proposent un plan de réforme sont très rares, le contenu et les implications d'autres textes des cahiers — notamment ceux qui réclament la constitution d'États provinciaux — invitent à ne pas minimiser la part de cette aspiration réformatrice.

Certains cahiers expriment, par exemple, le souhait d'une émancipation politique par la création d'États particuliers. Ils aspirent par là même à une nouvelle division qui morcellerait les grandes provinces en circonscriptions plus petites. Sens demande que la généralité de Paris, dont elle dépend, soit divisée en deux parties et que le siège des États provinciaux de la partie méridionale lui soit attribué. L'Agenois veut fonder une administration distincte de celle de la Guyenne et de Bordeaux. Le Rouergue veut se séparer du Quercy. D'autres cahiers souhaitent la réunion de territoires morcelés entre plusieurs circonscriptions administratives. En retrouvant le cadre d'une ancienne entité territoriale, il s'agit de récupérer l'indépendance politique ou d'y accéder. Le Nivernais et le Donziais avaient des territoires qui dépendaient des généralités de Paris, Orléans et Bourges. Les députés de la noblesse et du clergé demandent alors le regroupement des « parties de la province qui en sont détachées et qui dépendent d'autres généralités, pour en former, avec les deux élections de Nevers et de Château-Chinon, des États particuliers »[9].

À côté de cette volonté réformatrice se manifeste une opinion conservatrice émanant des grands corps de province attachés à leurs privilèges. La volonté de division se traduit alors par une pression « fédéraliste » qui a pour but de maintenir l'indépendance des territoires rattachés à la Couronne. La noblesse de Dijon réclame, dans son cahier, « le droit des habitants de chaque province de conserver leurs lois, leurs coutumes, usages et tribunaux particuliers, et dans les pays d'État leur constitution et forme d'administration sans que, dans aucun cas, il pût être fait aucun changement que par la volonté de la province »[10].

L'exigence d'autonomie et d'indépendance était particulièrement violente sur les frontières : Lorraine, Alsace, Béarn et Navarre, ainsi que dans les provinces plus tardivement conquises : Dauphiné, Provence, Roussillon. L'un des organes les plus virulents de l'autonomisme provincial furent les Parlements qui, par leur droit de remontrances et d'enregistrement des édits, disposaient d'une force anti-absolutiste conséquente. Ernest Lebègue évoque à plusieurs reprises l'opposition du Parlement de Rouen aux décisions monarchistes visant à l'unification judiciaire du royaume.

Ce qui est caractéristique de ces revendications autonomistes, que la séparation soit envisagée par rapport aux grandes provinces (comme dans les premiers exemples évoqués) ou par rapport à l'absolutisme royal, c'est le lien toujours établi entre pouvoir politique et cadre territorial. Les représentations mentales convergent autour de la notion de province. Bien que les provinces correspondent à des conceptions variées et floues et qu'on ne puisse, même à l'époque, leur donner de délimitation précise, la province catalyse l'opposition autonomiste aux circonscriptions administratives de la monarchie et, plus largement, par rapport à toute instance centralisatrice.

2. Circonscriptions administratives, provincialisme et notion de région

Les justifications apportées à cette volonté de division font référence à l'existence d'unités régionales qui doivent servir de base au découpage.

Les écrivains réformateurs et les économistes, lorsqu'ils assurent qu'une administration, pour être bonne, doit s'appuyer sur une connaissance des particularités locales, suggèrent cette idée. Voici même, d'une façon plus explicite, les instructions proposées par le marquis d'Argenson pour procéder à la division du royaume : « On suivra le besoin des affaires, les usages différents, les mœurs et les rapports de situation et de commerce. »[11] Dupont de Nemours relate, dans le *Journal de Paris*, que Turgot, dans son plan d'assemblées provinciales, voulait « que l'on parlât des limites naturelles des territoires dont l'administration pourrait être confiée aux différents degrés de municipalités »[12]. L'idée est donc de faire coïncider les circonscriptions administratives avec les divisions naturelles, ethnographiques et économiques. À côté de ces propositions d'économistes, on trouve une tendance généralisée des prises de position autonomistes à s'appuyer sur une énumération des éléments constitutifs de l'individualité « géographique » du territoire qui réclame son indépendance politique.

L'Angoumois, qui est partagé entre les généralités de La Rochelle, de Limoges et de Poitiers, demande à former une unité administrative pour ne pas nuire au commerce des territoires concernés : « La navigation de la Charente, les bois, les vins, les fers, les eaux-de-vie, les sels et les négociations mettent tant de liaisons dans leurs affaires, qu'il n'est pas possible de les scinder sans un désavantage réciproque. »[13] Maine et Anjou invoquent, à propos de leur séparation et de leurs limites communes, la différence des sols, des productions, du commerce, des mœurs et des coutumes.

Identification de l'unicité de chaque province, vision plus globale des disparités territoriales par le biais de l'identité ou de la différence, reconnaissance des liens économiques, tout cela forme la base d'une géographie régionale qui sera au centre du débat sur la formation des départements.

3. Rationalisation : uniformité, égalité et géométrie

La volonté d'une réforme territoriale trouve aussi son fondement dans l'objectif de rationaliser la disposition existante. Ici, la fidélité aux principes de la philosophie des Lumières est évidente. L'idéologie s'appuie sur la prise de conscience de l'irrationalité et de la confusion qui caractérisent l'administration du royaume.

Les administrateurs sont très nettement conscients des imperfections de leur gouvernement, spécialement en matière de divisions administratives. La monarchie a manifesté à plusieurs reprises sa volonté de parfaire sa connaissance des ressorts et attributions de son administration, et a sollicité, à défaut d'une rationalisation, tout au moins une fixation invariable de ses limites, et des usages ayant cours à l'intérieur de celles-ci. Cette considération des défauts du système administratif liés au territoire alimente chez les philosophes et les économistes l'ambition réformatrice d'une uniformisation et d'une rationalisation. L'*Encyclopédie* s'exprime clairement dans ce sens, pour le sujet particulier qui nous intéresse, lorsqu'elle évoque, à l'article *Généralité*, la nécessité d'un nouveau partage. Mais cette idéologie unificatrice n'est pas seulement le fait de l'élite intellectuelle d'avant 1789 ; on la rencontre dans certaines prises de position locales, par le biais des cahiers de doléances ou de mémoires isolés. Les principes posés par les gentilshommes des cinq sénéchaussées d'Angers en sont un bon témoignage :

> « L'assiette et la perception des impôts et l'administration de chaque province exigent qu'il soit fait par les États Généraux un règlement qui fixe positivement les limites de chaque province, en sorte que ces limites soient les mêmes pour les diocèses, les coutumes, les sénéchaussées ou baillages, les gouvernements et la fiscalité, et qu'il en résulte à l'avenir des députations aux États Généraux formées par l'assemblée de chaque province dans le baillage principal, sans que les provinces éprouvent sur cet objet important les démembrements que présente la convocation actuelle. »[14]

Il existe d'autres exemples de cette revendication. Il est sûr que les difficultés rencontrées lors de la convocation des États Généraux, à cause de la méconnaissance de la liste exacte des communautés renfermées par chaque baillage, ont rendu plus présente à l'esprit des réformateurs révolutionnaires la nécessité de fixer d'une manière certaine les ressorts électoraux et administratifs.

L'égalité d'étendue est également réclamée pour ces circonscriptions. L'idée apparaît que l'égalité des territoires détermine l'égalité de représentation. Le clergé du baillage de Dourdan propose une réflexion similaire à celle du futur comité de constitution de septembre 1789 :

> « Le Roi sera très humblement supplié de prendre en considération l'inégalité des baillages ; elle donne lieu nécessairement à une inégalité de représentation. Sa Majesté sera suppliée de rechercher dans Sa Sagesse des moyens de remèdes, tels qu'une nouvelle division du royaume ; cette division pourrait se faire sans distinction de province, de pays d'État, de généralités ; elle serait en raison combinée de l'étendue et de la population, de manière à donner à la représentation toute l'égalité dont elle est susceptible. »[15]

Cette égalité des circonscriptions est parfois exigée au nom de raisons à la fois économiques et politiques. Il s'agit de « rapprocher l'administration des administrés », suivant la formule que consacrera la correspondance des provinces en 1789-1790. La règle est fournie par les conditions matérielles d'accès au chef-lieu administratif. On ne s'étonnera pas de trouver un pareil programme de planification chez les économistes physiocrates. Dupont de Nemours rapporte les idées de Turgot qu'il partage entièrement :

> « Il jugeait que les arrondissements ou districts devaient être déterminés de manière qu'ils ne renfermassent aucun village distant de plus de huit à dix mille toises du chef-lieu, parce qu'il faudrait que chacun pût y aller réclamer son droit, faire ses affaires, et revenir coucher chez soi. Il trouvait que les provinces ne devaient jamais avoir plus de dix lieues de rayon, afin que, de la partie la plus éloignée de la capitale, on pût s'y rendre dans un jour, et retourner chez soi dans un autre. »[16]

Cette règle de l'accessibilité est préconisée dans des termes similaires par Le Trosne, et plus tard, par Condorcet.

Les bienfaits de ces vues décentralisatrices réalisant l'adéquation du système administratif à la réalité économique en même temps qu'étaient réunis bien général et bien particulier, avaient un écho dans la volonté locale ; le cahier de la ville de Vierzon demandait « qu'il soit fait un nouvel arrondissement des provinces et des bailliages, l'un pour la facilité de l'administration et du paiement des impôts, l'autre pour éviter au peuple des transports ruineux et lui procurer une prompte justice »[17].

Telles sont les différentes représentations du rapport entre territoire et pouvoir qui s'expriment dans les années précédant la Révolution. Elles dénotent une très large part d'hésitation, sinon de contradiction interne. En effet, au-delà des oppositions majeures que l'on peut établir entre autonomistes et agents (ou militants) de la centralisation, entre partisans du respect des différences régionales et promoteurs du principe d'unification, d'« adunation » suivant l'expression de Sieyès et Thouret, entre conservateurs et réformateurs, on entrevoit un certain flottement à l'intérieur du système de pensée des divers témoins, chacun pris séparément.

Nous avons déjà évoqué l'ambiguïté de la pensée des réformateurs et économistes qui, tout en plaçant le principe de la centralisation monarchique au premier rang des exigences de la planification, envisagent par ailleurs le besoin d'opérer une décentralisation pour mener à bien l'exercice de l'autorité centrale elle-même. Des hésitations similaires peuvent être repérées à propos de la question des différences régionales. Condorcet en fournit un exemple significatif. Il apparaît comme l'un des meilleurs représentants de l'idéologie unificatrice et égalisatrice des Lumières. Voici comment il envisage le sort à réserver aux différences locales dans son *Essai sur la constitution et les fonctions des assemblées provinciales* :

« Nous avons supposé que cette Constitution devait être uniforme pour toutes les provinces, parce qu'il nous a été impossible d'imaginer un motif réel d'établir quelque différence entre elles. Il n'en est aucune en France, ni dans les distinctions personnelles, ni dans la nature des propriétés, ni dans la forme des impôts, ni dans la législation, qui puisse fournir le plus léger prétexte d'y établir des formes d'assemblées diversement combinées. Ceux qu'on pourrait chercher dans les différences du sol, du climat, des mœurs, des opinions, de l'esprit des habitants, seraient encore plus frivoles. En général, la même forme d'administration municipale doit convenir, si elle est bonne, à toutes les constitutions, à toutes les habitudes de vivre, à tous les climats. »

Dès la page suivante, il lève pourtant sa condamnation en prenant le contre-pied de sa propre pensée :

« Mais il faut observer en même temps qu'on doit avoir égard, pour ces différentes divisions, à la géographie physique, pour ne réunir entre elles que les parties dont la communication est facile, et auxquelles une ressemblance dans le climat et dans le sol donne une culture, des habitudes, des usages communs : voilà ce que prescrit la nature. Le respect pour ce qui est établi, respect qui doit disparaître devant la justice, mais auquel on peut quelquefois sacrifier des convenances raisonnables en elles-mêmes, peut exiger, pour les premiers temps, des dispositions sur lesquelles on se permettrait de revenir dans la suite. Ainsi, comme il existe des divisions d'élections, de diocèses, etc., dans presque toute la France, on a eu raison de suivre ces divisions pour celles des districts, comme celles des généralités pour les provinces. Dans la suite, on doit chercher à faire disparaître la trop grande inégalité des provinces ou des districts, leur forme trop irrégulière ou trop allongée, leurs enclavements réciproques, mais en cherchant d'abord à concilier ces changements avec les convenances locales relatives aux coutumes, à certains usages locaux et la forme des impôts, jusqu'au moment où l'uniformité pourra être rétablie. »[18]

D'une façon moins accusée, on retrouve de semblables contradictions dans certaines adresses locales, qui hésitent entre la normalisation géométrique et la conformité aux caractéristiques effectives du territoire.

L'ambiguïté d'une échappatoire comme la notion de solidarité des intérêts particuliers et généraux, chère aux Physiocrates, ne dissipe pas de manière convaincante le flottement d'une telle pensée, préconisant à la fois la régularisation et le respect des irrégularités, puisque des cas précis font apparaître nettement qu'en matière de politique, cette solidarité implique, d'un côté ou de l'autre, un sacrifice qui annule par là même la notion d'intérêt. L'idéologie élaborée par Sieyès fera notamment basculer le principe de la solidarité du côté de l'assujettissement et il sera clairement dit que l'intérêt particulier doit s'incliner devant l'intérêt général. C'est également dans ce sens qu'il faut comprendre la renonciation aux privilèges qui s'effectue durant la nuit du 4 août 1789.

Il est très important de tenir compte de ces hésitations dans les textes réformateurs. Elles nous conduisent à refuser les jugements ou les interprétations à l'emporte-pièce, fondés sur une sélection des informations. Privilégier la volonté centralisatrice et unificatrice ou l'autonomisme, ou bien même dresser le tableau d'une France partagée entre l'absolutisme et la contestation fédéraliste, tout cela revient à tronquer la masse des informations dont on dispose, pour orienter les résultats de l'analyse dans un sens ou dans un autre. Nous avons vu au contraire que s'il y a bien deux tendances divergentes de la pensée réformatrice, elles trouvent souvent leurs représentants dans les mêmes catégories (l'unification a des adeptes dans les provinces et chez les administrateurs, de même que les particularités locales sont prises en compte dans les deux camps) ; en outre, un même discours oscille parfois entre les deux tendances. L'intérêt de cette contradiction n'est pas tant de mettre en évidence une incohérence de la pensée, que de révéler une caractéristique sinon permanente, tout au moins durable de l'idéologie française concernant les rapports entre le pouvoir central et les collectivités locales. L'ambiguïté et la contradiction prendront une ampleur particulière dans le débat de l'automne 1789 à propos de la division du royaume.

L'identification de cette contradiction ménage également pour l'historien une appréhension convenable de l'articulation entre les représentations de l'espace et son aménagement. La question se pose en effet de savoir comment la pensée réformatrice contenue dans les textes que nous avons examinés devient opératoire. C'est ici qu'il faut revenir à la réalité de l'événement et voir dans quelle mesure il a privilégié tel ou tel type de représentation.

4. *De la représentation à l'action*

Les tentatives de réforme de la période prérévolutionnaire

Tout d'abord, examinons les tentatives de réforme effectuées par les ministres de Louis XVI. Elles traduisent les mêmes hésitations que celles que nous décrivions plus haut. Notamment, l'ambivalence de la pensée réformatrice, soucieuse à la fois de centralisation et de décentralisation, est particulièrement nette dans la réforme de Necker. Celui-ci est conscient de l'incapacité du pouvoir central à bien diriger le royaume d'en haut. Les assemblées provinciales sont destinées à entraver la résistance des parlements au pouvoir royal, et à déposséder les intendants des attributions dont ils usaient déloyalement envers le roi. Mais en même temps, suivant les principes que nous avons évoqués plus haut, la réforme vise à promouvoir une bonne administration en se fondant sur la connaissance locale qu'aurait possédée une assemblée de propriétaires résidant obligatoirement dans la province. Il est vrai que les assemblées étaient révocables et, pour leur plus grande partie, nommées par le roi et non élues, ce qui en faisait un organe de déconcentration ; mais leurs attributions étaient suffisamment importantes, l'intérêt manifesté aux considérations locales assez net, pour qu'elles soient vues comme un encouragement à la liberté locale et une entreprise décentralisatrice.

Des essais furent tentés en Dauphiné, Bourbonnais, Berry, Haute-Guyenne. Ils ne s'avérèrent fructueux que dans ces deux dernières provinces où furent prises de nombreuses mesures en faveur d'une meilleure répartition de l'impôt. L'hostilité des parlements et des intendants triompha, et Necker tomba. Ses successeurs, Calonne et Loménie de Brienne, s'efforcèrent de ressusciter la réforme en lui apportant quelques modifications et rencontrèrent l'opposition farouche des parlements et des privilégiés.

Les parlements étaient hostiles au but unificateur et égalitaire de la réforme et sensibles à la menace qui pesait sur leurs privilèges, spécialement dans le projet de Calonne qui préconisait la confusion des ordres. Ils s'insurgèrent contre les réformes proposées en 1788 par le garde des sceaux, Lamoignon, qui les privaient de leur droit d'enregistrement au profit d'une cour plénière nommée par le roi. De leur côté, les intendants voyaient d'un mauvais œil leurs prérogatives diminuer du fait de la concurrence des assemblées provinciales. Par ailleurs, ils conservaient, suivant les prescriptions mêmes du règlement de 1787, un certain pouvoir de contrôle sur ces assemblées. Ils faisaient fonction d'intermédiaires entre les assemblées et le conseil. C'est pourquoi certains se servirent de ces attributions pour faire barrage aux décisions des assemblées.

La position idéologique des interlocuteurs locaux de la monarchie était également ambiguë. Certes, ils luttaient en faveur du maintien des privilèges locaux dans le cadre d'une monarchie fédérative, arguant de la personnalité et de l'unité des territoires qui auraient vocation à entrer dans cette fédération. Mais l'on comprend que leurs objectifs consistaient pour une bonne part à assurer les pouvoirs centralisateurs qu'exerçaient les instances locales — intendants, parlements — sur les territoires constituant leur ressort. En outre, si le mot d'ordre faisant l'unanimité des visées anti-absolutistes était bien la restitution et le maintien des États provinciaux, ce qu'on attendait de ces organes de l'autonomie locale était très variable. Les privilégiés les concevaient suivant le mode traditionnel, avec inégalité de représentation des ordres. Les héritiers des doctrines égalitaristes de la philosophie des Lumières voulaient une représentation proportionnelle, que l'on aurait pu assurer en doublant la députation du tiers. Ils n'excluaient pas une renonciation aux privilèges, dans la mesure où ceux-ci devaient faire place à une nouvelle organisation du royaume fondée sur l'expression de la volonté nationale. Lorsque le Dauphiné réunit spontanément ses États à Vizille, durant l'été 1788, cette revendication fut formulée clairement. Par ailleurs, on demandait non seulement des États provinciaux mais aussi la réunion d'États Généraux suivant le même mode de représentation. Le roi céda et décida, le 8 août 1788, de convoquer les États Généraux pour le 1er mai 1789. Hésitation de la monarchie entre déconcentration et décentralisation ; revendications autonomistes déterminées par le souci de maintenir le second pouvoir de contrôle du territoire après l'autorité royale ; ébauches diverses d'une théorie de la décentralisation orientée vers la démocratisation et l'égalité, ou bien vers une consolidation, voire une restauration du système féodal — tout cela dénote la confusion de la période qui, dans les actes, laisse quelque peu de côté la mise en œuvre des projets et représentations concernant le territoire, tandis que les événements touchent plus directement aux rapports de pouvoir, revendiqués dans les termes ambigus que nous avons repérés. On assiste donc à un jeu de réactions au coup par coup, souvent contradictoires les unes avec les autres. François Furet et Denis Richet montrent bien, notamment, l'absence d'engagement et même la dérobade du Roi devant l'arbitrage nécessaire des forces politiques au printemps 1789[19].

Les premiers acquis révolutionnaires

Une fois connus d'une part le contenu des volontés d'aménagement de l'espace, d'autre part cette oscillation du pouvoir de décision entre la concession à l'autonomisme et les tentatives de réforme unificatrice, la question de pose de savoir comment on a pu en venir à une politique de découpage de la France en départements.

Nous venons de voir qu'il existait un certain nombre de modèles de planification spatiale émanant d'instances politiquement rivales, sans que rien n'autorise à privilégier l'un ou l'autre pour présager de la suite des événements, ni pour interpréter le mouvement historique en termes de rupture ou de continuité avec ce qui suivra. Pour comprendre comment un de ces modèles a été « activé », est passé de l'état de schéma mental prospectif à celui de projet concerté et formulé publiquement, il faut faire appel au mouvement révolutionnaire lui-même, au jeu d'effets des événements les uns sur les autres, qui ont fait que l'on s'est trouvé dans la situation où certains hommes ont pu promouvoir certaines idées, quelquefois nouvelles, plus fréquemment héritées de réflexions antérieures.

L'événement décisif est l'avènement des principes d'égalité et d'unité, avec, comme faits-charnières, les serments prêtés et les décisions prises la nuit du 4 août. La renonciation aux privilèges, qu'ils soient sociaux ou spatiaux, marque à la fois la victoire de l'égalité et l'instauration d'une situation de table rase. Ces deux composantes déterminent assez étroitement le passage à la planification, dans un but de rationalisation et d'encadrement de l'organisation sociale et territoriale.

Les auteurs du projet

Cette opportunité créée par le mouvement révolutionnaire permet aux
théoriciens de réformes de mettre à l'épreuve de l'opinion publique et
de la pratique les projets qu'ils ont élaborés dans les années précédant la
Révolution et au cours des premiers mois suivant la réunion des États
Généraux. Les hommes qui retiennent notre attention sont, on s'en
doute, les futurs auteurs du projet de découpage de la France, Sieyès et
Thouret.

Thouret avait été confronté à la pratique de l'administration à l'occasion de la création des assemblées provinciales en 1787. Il fut en effet
membre de la commission intermédiaire de l'assemblée de Haute-Nor-
mandie. De cette expérience, il tira son hostilité à l'égard des parlements. Il était partisan des États provinciaux, mais avec le doublement
du tiers, et non selon l'ancien modèle de la séparation des ordres. Il préconise le système hiérarchique d'assemblées emboîtées, telles que le plan
de septembre 1789 les envisage : les députés devront demander
« l'organisation, par les États Généraux, d'États particuliers dans
chaque province qui, comme autant de ramifications de l'Assemblée
Nationale, participeront à l'exécution de ses arrêtés et seront chargés de
tous les détails de l'administration intérieure de chaque territoire ». Par
ailleurs, Thouret défend la priorité du bien général sur le bien
particulier : « Quand les députés de chaque bailliage seront réunis en
assemblée d'États, ils ne représenteront pas exclusivement leur
bailliage : ils seront les représentants de la nation entière, abstraction
faite de toute division territoriale. »[20]

De son côté, Sieyès avait clairement formulé sa théorie de la représentation et de l'administration, de ce qu'il appelait la double action ascendante et descendante, la raison d'être de cette organisation politique
étant l'unité nationale. Les développements les plus éloquents de sa
pensée se situent dans la période précédant immédiatement la Révolution, ou même dans ses débuts ; de sorte que nous leur consacrons une
plus large part dans les prochains chapitres.

Le projet de division du royaume de Thouret et Sieyès est un document privilégié pour saisir le point de contact entre une idéologie et son
« actualisation », sa traduction par la planification. Nous savons certes le
risque qu'il y a à faire parler les textes ; il est d'autant plus grand ici que
le rapport établi sur le projet, et par lequel il nous est connu, est un texte
isolé. Aucun document ne nous permet, en effet, de connaître les
conversations et idées débattues entre la demande adressée au comité de
constitution par plusieurs députés souhaitant qu'il soit présenté un plan
de formation des assemblées provinciales et des municipalités, et le rapport prononcé au nom de ce comité par Thouret. Un intervalle d'un
mois environ sépare pourtant ces deux épisodes dont nous ne savons
rien. Le décryptage du texte du rapport ne constitue pas pour autant,

nous semble-t-il, une entreprise vouée à l'interprétation abusive. Car si le rapport n'est pas éclairé par ce qui précède, il l'est par ce qui suit : à l'occasion du débat, les argumentations avancées viennent confirmer ou préciser les propositions contenues dans le texte initial. Elles permettent également de repérer, au sein du programme de réforme, la mise en application de vœux hérités de la période prérévolutionnaire et les éléments nouveaux.

Expression d'un passage des systèmes d'idées à l'action, de la théorie à la pratique, ce projet suggère tout naturellement une interrogation sur les intentions qui président à la réforme, et donc sur sa finalité.

NOTES

1. A. Brette, *Les limites et les divisions territoriales de la France en 1789*, Paris, Cornaly et Cie, 1907.
C. Berlet, *Les tendances unitaires et provincialistes en France à la fin du 18e siècle : la division des provinces en départements*, Nancy, Impr. Réunies de Nancy, 1913.
E. Lebègue, *La vie et l'œuvre d'un Constituant : Thouret, 1746-1794*, Paris, Félix Alcan, 1910.
G. Mage, *La division de la France en départements*, thèse doct., Toulouse, Impr. Saint-Michel, 1924.
A. Mirot, *Manuel de géographie historique de la France*, Paris, Picard et Cie, 2 vol., 1948 et 1950.

2. Fénelon, « Plans de gouvernement concertés avec le duc de Chevreuse, pour être proposés au duc de Bourgogne », in : *Œuvres complètes*, Paris, Lille, Besançon, 1851-1852, t. 7, p. 183.

3. R. L. de Voyer, marquis d'Argenson, *Considérations sur le gouvernement ancien et présent de la France*, Amsterdam, Marc Michel Rey, 1764, p. 30-31.

4. Le Trosne, *De l'administration provinciale et de la réforme de l'impôt*, Bâle, 1779, p. 324.

5. Marquis de Mirabeau, *Mémoire concernant l'utilité des États Provinciaux*, Rome, 1750, p. 4-5 et 13.

6. Fénelon, *op. cit.*

7. P. S. Dupont de Nemours, *Œuvres posthumes de M. Turgot, ou Mémoire de M. Turgot sur les administrations provinciales...*, Lausanne, 1787, p. 12-13.

8. D'Argenson, *op. cit.*, p. 214.

9. Cahiers du clergé du Nivernais et Donziais et Instructions particulières de la noblesse du Nivernais, cité par Berlet, *op. cit.*, p. 93.

10. Mage, *op. cit.*, p. 142-143.

11. D'Argenson, *op. cit.*, p. 237.

12. P. S. Dupont de Nemours, *Lettre aux auteurs du Journal de Paris*, 183, lundi 2 juillet 1787, p. 804.

13. Députés du tiers d'Angoulême, cité *ibid.*, p. 95-96.

14. Pouvoirs donnés par Messieurs les Gentilshommes des cinq sénéchaussées d'Angers à leurs députés aux États libres et généraux du royaume, cité *ibid.*, p. 100-101.

15. Cahiers de doléances de l'ordre du clergé du bailliage de Dourdan, cité *ibid.*, p. 101-102.

16. Dupont de Nemours, *Lettre..., op. cit.*, p. 804.

17. Cahiers de doléances du bailliage de Bourges et des bailliages secondaires de Vierzon et d'Henrichemont pour les États Généraux de 1789, cité par Berlet, *op. cit.*, p. 99.

18. J. A. N. de Caritat, marquis de Condorcet, *Essai sur la constitution et les fonctions des assemblées provinciales*, s.l., 1788, p. 188-190.

19. F. Furet et D. Richet, *La Révolution française*, Paris, Marabout, 1979, ch. 3.

20. Thouret, cité par Lebègue, *op. cit.*, p. 101 sq.

CHAPITRE II

Le projet Sieyès-Thouret

Sieyès avait proposé à l'Assemblée Nationale le 7 septembre 1789 « qu'il soit nommé dans la journée un comité de trois personnes pour présenter, le plus tôt possible, à l'Assemblée un *plan de municipalités et de provinces,* tel qu'on puisse espérer de ne pas voir le royaume se déchirer en une multitude de petits États sous forme républicaine ; et qu'au contraire, la France puisse former *un seul tout,* soumis uniformément, dans toutes ses parties, à une législation et une administration communes »[1]. Ce plan fut élaboré dans le courant du mois de septembre 1789 et Thouret en fit le rapport, au nom du comité de constitution, le 29 septembre 1789, à l'Assemblée Nationale. C'est dans ce rapport qu'il faut chercher les propositions du comité à propos d'un nouveau découpage de la France.

Signalons ici la composition du comité après son renouvellement du 15 septembre 1789 : il comprend Talleyrand-Périgord, évêque d'Autun, député du clergé du bailliage d'Autun ; Sieyès, député du tiers-état de Paris-ville ; le comte de Lally-Tollendal, député de la noblesse de Paris-ville ; Démeunier, député du tiers-état de Paris-ville ; Le Chapelier, député du tiers-état du bailliage de Rennes ; Rabaud de Saint-Étienne, député du tiers-état de Paris-hors-les-murs ; Thouret, député du tiers-état du bailliage de Rouen.

1. *Les fondements de la réforme*

Si l'on s'en tient au rapport du 29 septembre, le principal fondement de la réforme est contenu dans la dénomination même donnée au texte prononcé par Thouret : *Rapport sur les bases de la représentation proportionnelle.* Ce n'est qu'à partir du mois de novembre que l'on met à l'ordre du jour « la discussion sur la division du royaume » ; auparavant, les débats s'engagent sur « la question des municipalités », faisant implicitement référence aux objectifs initiateurs de la réforme et notamment à la proposition de Sieyès. Ainsi, la division du royaume, qui prit par la suite les dimensions d'une réforme « à part entière », ne fut présentée initialement que comme partie intégrante d'une opération plus large touchant à la représentation.

Voir notes p. 42.

Dans le courant du 18ᵉ siècle les propositions d'un nouveau découpage de la France apparaissent souvent associées à des projets de réforme
fiscale ou dans des sortes de traités de droit administratif où les auteurs
établissent ce que devraient être les rapports entre l'autorité royale et les
provinces, abordant ainsi la question de la centralisation et de la décentralisation. Les Constituants, laissant en dehors de leurs justifications la
refonte de l'impôt — qui fera l'objet d'une réforme particulière —,
conservent par ailleurs présente la seconde préoccupation, puisqu'il
s'agit toujours d'évaluer la part respective de pouvoir possédé par
l'autorité royale et par ceux sur qui elle s'exerce. Ce thème de réflexion
prend cependant une importance accrue puisque l'idéologie révolutionnaire est fondée pour une grande part sur les principes d'égalité, de
liberté, de souveraineté nationale. Le système représentatif découle de
ces idéaux. En effet, comme l'expose l'un des hommes les plus attachés à
la théorie de la représentation, Sieyès, le droit civique ne peut s'exercer
directement, comme ce serait le cas dans une véritable démocratie. La
majorité des citoyens, absorbés par leur travail et manquant d'instruction, est dans l'incapacité de contribuer à la formation de la loi. De plus,

> « puisqu'il est évident que cinq à six millions de citoyens actifs, répartis sur
> vingt-cinq mille lieues carrées, ne peuvent point s'assembler, il est certain
> qu'ils ne peuvent aspirer qu'à une législature par *représentation* [...] Sans
> aliéner leurs droits, ils en commettent l'exercice. C'est pour l'utilité com-
> mune qu'ils se nomment des représentations bien plus capables qu'eux-
> mêmes de connaître l'intérêt général, et d'interpréter à cet égard leur
> propre volonté. »[2]

Sieyès repousse donc le souhait formulé par Rousseau d'une démocratie
directe.
    Les députés, dont le statut relevait déjà du principe de la représenta-
tion, se mirent aisément d'accord sur ce point de la Constitution. Il leur
restait à en fixer les modalités, et notamment à élaborer une représentation égalitaire et proportionnelle. Ce fut l'objet du travail du comité de
constitution, dont Thouret fit le compte rendu le 29 septembre 1789.
    L'originalité de la réforme provient du fait que l'on établit la nécessi-
té d'une représentation double, électorale d'une part, administrative
d'autre part (c'est la double action ascendante et descendante dont parle
Sieyès). À un même degré de représentation doit correspondre à la fois
une assemblée électorale et un corps administratif. Tel est le contenu du
texte introductif du rapport. Le discours enchaîne directement sur la
question des bases de la représentation, qui sont triples : territoire,
population, contribution. C'est ici que l'on trouve formulée la proposition d'un découpage ; un plan précis de division est soumis à l'Assemblée. Il faut donc souligner que, tel qu'il prend place dans le rapport, le
nouveau découpage apparaît comme un moyen de constituer une bonne
représentation, proportionnelle et égalitaire, et non comme une fin en

soi. Ainsi n'est-il que secondairement destiné à régulariser la complexité et l'enchevêtrement des circonscriptions administratives d'Ancien Régime (diocèses, gouvernements, généralités, bailliages, etc.). Même si les Constituants en connaissent les inconvénients et s'ils auront à cœur d'y remédier par une rationalisation géométrique, ce n'est pas là ce qui détermine fondamentalement leur volonté de créer une nouvelle circonscription. L'objet de la réforme est d'établir un nouveau mode de représentation et par là même de transformer la structure de l'administration, les administrateurs étant élus ; la division du royaume est un des moyens d'y parvenir.

Voici donc les mobiles qui ont poussé les Constituants à entreprendre une nouvelle division du territoire, tels qu'ils sont officiellement et explicitement exposés par ces derniers dans le rapport du 29 septembre. Il importe également de se tourner vers l'immédiat amont de cet énoncé du projet, préalablement à l'analyse de son contenu. Face à la table rase que constitue la première période révolutionnaire, qui abolit plutôt qu'elle ne crée de nouvelles institutions, de nombreux députés prennent conscience du danger de prolonger une situation aussi instable et proposent de prendre d'urgence certaines mesures. Quelques-uns, sans penser à une nouvelle division du territoire, parlent simplement de former de nouvelles assemblées provinciales et municipales. La révolution municipale qui se manifeste d'elle-même, et l'abolition des corps provinciaux et locaux dictent ce projet. Pour Duport, c'est une des premières tâches à accomplir, ainsi qu'il l'exprime dans un texte très probablement daté du 30 juillet 1789[3]. Après la nuit du 4 août, la crainte du désordre et de l'anarchie se fait plus grande encore. Bureaux de Pusy s'en fait l'écho, le 27 août 1789 :

> « Le colosse gothique de notre ancienne Constitution est enfin renversé. La nation applaudit à sa chute ; mais aux premiers moments de la joie ont succédé ceux de la crainte et des alarmes.
>
> Les lois sont sans force, les tribunaux sans autorité ; les troupes prennent le désordre pour le patriotisme, et le peuple la licence pour la liberté. [...]
>
> Ce n'est qu'en établissant les assemblées provinciales et les assemblées municipales que vous pouvez faire renaître l'ordre ; ces assemblées recevront de vous les lois que vous prononcerez et vous recevrez d'elles les instructions qui manquent dans vos cahiers. »[4]

Ainsi aboutit-on à la mise à l'ordre du jour de la préparation d'un plan de municipalités et de provinces, confiée au comité de constitution le 7 septembre 1789.

Du coup, la nouvelle division devient l'une des premières entreprises d'élaboration institutionnelle de la Révolution. Elle manifeste la préoccupation des Constituants de s'assurer la maîtrise du territoire français et apparaît à cet égard presque comme une mesure de police intérieure. Mais en même temps, elle est une manière d'instaurer la souveraineté nationale par le biais de la représentation. Enfin, une autre finalité est assignée à la réforme. Elle n'apparaît pas dans le texte du rapport du 29 septembre, mais elle est néanmoins fondamentale. Il faut en rechercher la trace dans des documents datant de la première moitié de l'année 1789, mais c'est surtout au cours du débat qui suit la présentation du projet qu'elle sera pleinement reconnue. Le comité avait en effet quelque raison de taire dans une première phase certains des objectifs visés par la nouvelle division, ou tout au moins de ne pas trop les faire valoir. En affectant les prérogatives électorales et administratives à une nouvelle circonscription, la réforme dépossédait les provinces, en particulier celles qui avaient des États, d'un de leurs privilèges les plus chers. Or, les provinces commencent à prendre conscience des conséquences exactes des décisions prises durant la nuit du 4 août, et elles les acceptent souvent avec réticence. Georges Mage écrit à ce propos :

> « Les députés se sont très vite aperçu que la renonciation générale aux privilèges de toutes sortes avait été proposée et votée dans un moment d'enthousiasme et que, de toute part, les anciens bénéficiaires s'agitaient pour faire revenir la Constituante sur son vote ou tout au moins pour en limiter les effets. »[5]

Mage signale, en outre, la lenteur du roi à transmettre sa sanction aux décrets des 4 et 11 août, ainsi que les premières manifestations des résistances provinciales qui surgirent notamment à Toulouse et dans le Dauphiné.

Parfaire l'unification du royaume par l'anéantissement des pouvoirs provinciaux et par la création de nouvelles circonscriptions, tel est bien pourtant le but de la réforme, ainsi qu'on le trouve exprimé par l'abbé Sieyès dans un texte très certainement antérieur de quelques mois à l'exposé du projet :

> « Base de représentation : il serait bien essentiel de faire une nouvelle division territoriale par espaces égaux [...]. Ce n'est qu'en effaçant les limites des provinces qu'on parviendra à détruire tous ces privilèges locaux, utilement réclamés lorsque nous étions sans constitution, et qui continueront à être défendus par les provinces, même lorsqu'ils ne présenteront plus que des obstacles à l'établissement de l'unité sociale. [...] Les assemblées représentatives, une fois établies partout, opposeront aux vieilles réclamations des Pays d'État une force irrésistible de raison et d'intérêt lié avec l'intérêt national. Je ne connais pas de moyen plus puissant et plus prompt de faire, sans troubles, de toutes les parties de la France un seul corps et de tous les peuples qui la divisent, une seule Nation. »[6]

La volonté unificatrice et l'idée de nation apparaissent ici avec toute la vigueur que Sieyès leur imprime, et dans la droite ligne de l'esprit du 4 août. L'idée développée, tout à la fois originale et paradoxale[7], consiste à poser que c'est une nouvelle division qui permettra de faire l'unité du royaume. Suggéré dans les textes des décennies précédentes, le principe déterministe qui relie espace et pouvoir se radicalise. Diviser pour unir, telle est bien la maxime de ce projet, qui va orienter tous les débats. Comment, suivant le plan des Constituants, s'y prendra-t-on ?

2. *Le contenu de la réforme*

La France devait être partagée en 80 parties appelées départements, chacune ayant 18 lieues sur 18 (324 lieues carrées). Le découpage s'effectuerait en partant de Paris et en allant vers les frontières et la mer. On ajoutait un département supplémentaire pour Paris, portant ainsi le nombre des divisions à 81. Chaque département devait être divisé en 9 districts appelés communes, de 6 lieues sur 6 chacun (36 lieues carrées), chaque commune en 9 cantons de 2 lieues sur 2, formant ainsi 720 communes et 6 480 cantons.

Pour que la représentation fût plus égalitaire, la base d'étendue devait être contrebalancée par celle de population, appelée aussi base personnelle, c'est-à-dire que les cantons, égaux et invariables en surface, pouvaient avoir un nombre variable d'assemblées primaires suivant le nombre de votants. Le comité de constitution prévoyait également de faire intervenir la base de contribution.

Quelques remarques s'imposent dès à présent. La caractéristique fondamentale de cette division est sa géométrie qui choqua ou bien séduisit les interlocuteurs du comité de constitution. Le comité avait emprunté son modèle aux travaux d'un géographe du Roi, Robert de Hesseln. Celui-ci avait entrepris en 1780 la publication d'une carte en plusieurs feuilles, dont la légende était la suivante : « La France en des cartes de dix grandeurs uniformes régulièrement graduées par le nombre neuf dont la mesure et le nivellement établis à perpétuité sur le terrain offriront enfin des bases certaines aux propriétaires et à l'administration. »

Cette carte était accompagnée d'un ouvrage où Robert de Hesseln s'expliquait sur les principes utilisés pour cette cartographie[8]. La France est divisée en neuf régions, chacune divisée en neuf contrées, chacune partagée en neuf districts, etc., suivant un quadrillage rigoureusement géométrique. Les divisions inférieures sont, par ordre décroissant de surface, les territoires, les bancs, les cantons, les tènements, les carreaux, les pièces et les mesures. Il y a donc au total dix catégories de divisions. Hesseln justifie le choix de cette progression par neuf : « Les 8 points principaux de l'horizon, autour d'un centre, indiquent cette division générale et uniforme par 9 ; c'est ce qui nous a fait choisir ce nombre pour unique multiplicateur et pour unique diviseur. »

Quant à l'utilité de cette carte, ce devait être celle d'un cadastre :

« Tous les citoyens en général, et surtout les seigneurs, les chapitres, les maisons conventuelles, les autres propriétaires fonciers et les cultivateurs, pourront donc tirer une grande utilité des cartes et des plans qui auront pour base les principes simples, certains et invariables de la topographie projetée ; et qui seront accompagnés de descriptions propres à éclairer les détails qui forment la consistance de leur domaine, à les améliorer et à en assurer la possession. »

C'est de toute évidence à Sieyès qu'il faut attribuer l'élaboration du projet de septembre et la connaissance des travaux de Robert de Hesseln. Les propositions du comité ne sont rien d'autre, en effet, qu'une reproduction des idées contenues dans un petit écrit datant de juillet 1789[9]. Ernest Lebègue rapporte d'ailleurs que Sieyès, interrogé par Mignet, reconnut le rôle qu'il avait tenu dans la réforme :

> « Quoique cette dernière mesure, dit Mignet, ait été présentée à l'Assemblée Constituante par Thouret, elle était l'œuvre de M. Sieyès. Il y tenait comme à une propriété exclusive, et je me souviens que, lui ayant demandé, après 1830, s'il n'était pas le principal auteur de la division de la France en départements : Le principal ! répondit-il vivement et avec un juste orgueil ; mieux que cela, le seul ! »[10]

On peut se demander pourquoi Sieyès ne rapporta pas lui-même le projet et pourquoi cette tâche fut confiée à Thouret. Ernest Lebègue l'explique par le peu de talent oratoire de Sieyès. Peut-être aussi Thouret fut-il choisi parce qu'il avait reçu le maximum de voix (303) lors de l'élection du comité de constitution alors que Sieyès, en seconde position, n'en avait reçu que 211. Recherchant l'adhésion du plus grand nombre, le comité aurait laissé la parole au bénéficiaire de la majorité des suffrages.

Notons, par ailleurs, que l'utilisation du mot *département* dans le sens de circonscription administrative n'était pas nouvelle. Francisque Mège, auteur d'une monographie sur la formation du département du Puy-de-Dôme, pense qu'elle remonte à la fin du 17ᵉ siècle où l'on prit l'habitude de désigner le ressort des intendants (appelés aussi commissaires *départis*) par le terme de département[11]. L'usage de ce mot se répandit dans toute la langue administrative au cours du 18ᵉ siècle : plusieurs provinces étaient « le département » d'un secrétaire d'État, les circonscriptions soumises à l'administration des Ponts et Chaussées portaient aussi le nom de départements. Le marquis d'Argenson, lorsqu'il proposait de découper la France, utilisait déjà le mot, qui est repris en 1789. On le trouve aussi dans l'article *Normandie* du dictionnaire d'Expilly. Enfin, quand furent créées les assemblées provinciales en 1787, on appela souvent assemblées de département les corps secondaires formés par élection.

Une dernière remarque concerne le mode de découpage proposé : le rapport est peu explicite sur la façon exacte de procéder, la seule indication étant qu'il faut partir de Paris. Notons la manifestation de l'esprit centralisateur du projet, même si elle n'a ici qu'une valeur anecdotique.

La deuxième partie du rapport du comité de constitution était consacrée à l'établissement des assemblées administratives et des municipalités. Il devait être établi une assemblée administrative dans chaque département, composée d'un conseil (appelé conseil provincial) et d'un directoire, subordonnés directement au Roi. De même, il y aurait dans chaque commune une administration communale avec un conseil et un directoire, étroitement soumis aux administrations provinciales.

À propos de ces assemblées provinciales et communales, le comité demandait

> « qu'il soit statué constitutionnellement par des dispositions expresses :
> 1) qu'elles sont dans la classe des *agents du pouvoir exécutif* et dépositaires de l'autorité du Roi pour administrer en son nom et sous ses ordres ;
> 2) qu'elles ne pourront exercer aucune partie ni de la puissance législative ni du pouvoir judiciaire. »

Le comité proposait en outre la création de 720 municipalités dans les 720 communes du royaume. Ce nouveau régime, remplaçant la multiplicité des petites municipalités, impuissantes, livrées à l'intrigue des seigneurs, des curés et des notables dans les campagnes, à celle des « principaux citadins » dans les petites villes, devait permettre de développer l'esprit public et de faciliter l'administration devenue plus vigoureuse par l'extension de son ressort. La correspondance avec les villes et les paroisses de campagne serait assurée par l'établissement en leur sein d'une agence ou bureau municipal.

Voilà donc résumé le contenu du projet tel qu'il est présenté à l'Assemblée le 29 septembre. Avant d'aborder le débat auquel il donne lieu, nous voudrions revenir, en guise de conclusion, sur l'articulation existant entre les représentations spatiales de la fin du 18e siècle et celles qui apparaissent dans le projet révolutionnaire de division du royaume. À l'actif de la continuité historique, on relève la volonté de concevoir une nouvelle forme de rapport entre le royaume et ses parties, fondée sur un système d'assemblées emboîtées combinant la représentation électorale et l'encadrement administratif. À cet égard, le plan de réorganisation territoriale et administrative de 1789 se situe dans le droit fil des propositions de réforme du marquis d'Argenson, du marquis de Mirabeau, de Turgot, etc. L'acceptation de ce que nous avons appelé le déterminisme spatial constitue une autre forme de permanence reliant le 18e siècle et la période révolutionnaire. Nous nous trouvons ici devant un type de représentation très proche de celui que l'on rencontre dans les récits de voyageurs ou dans les topographies médicales : la représentation mentale procède bien en effet de l'utilisation d'un postulat écologique[12], bien que cette formule ne soit que partiellement adaptée au cas qui nous intéresse. La pensée réformatrice pose qu'en transformant de façon adéquate l'agencement territorial, on peut réaliser les modifications souhaitables de la société. En revanche, l'esprit du projet ne fait pas spécifiquement appel à la notion d'écologie, et même il s'en démarque. Quoi de commun entre l'espace rationnel et géométrique dont les planificateurs attendent qu'il promeuve l'égalité civique et la parfaite administration, et d'autre part ce qu'on pourrait définir comme le milieu d'origine, sur lequel va s'opérer la planification ? On voit bien qu'il ne peut y avoir alors qu'antinomie.

Pourtant, nous avons vu que la pensée réformatrice d'avant 1789 associait souvent dans un même discours les deux exigences contradictoires d'une rationalisation géométrique et d'une prise en compte du milieu (les climats, les mœurs, etc.). C'est ici qu'apparaît sans doute une certaine forme de rupture entre ces deux moments historiques. À côté des textes hésitants de la période prérévolutionnaire, les discours de l'automne 1789 prennent position d'une façon beaucoup plus catégorique. Nul ne songeait à détruire les provinces parmi les auteurs du 18ᵉ siècle, leurs projets trouvaient même place dans des plans de formation des assemblées provinciales. Et chez eux le souhait de faire des divisions égales et régulières était exprimé conjointement avec celui de respecter les particularités du milieu. Le discours révolutionnaire introduit une modification radicale dans ce schéma de pensée. La volonté d'anéantir les provinces, même si elle n'est pas toujours affirmée de façon insistante, apparaît clairement ; en outre, l'esprit géométrique triomphe, balayant, en continuité avec les acquis du 4 août, toute attention aux particularités et aux différences. Ainsi, les Constituants, même s'ils ont présente à l'esprit l'idée d'une causalité écologique, l'évacuent et déplacent le postulat déterministe sur le plan d'un idéal très strictement rationaliste.

NOTES

1. J. Mavidal et E. Laurent, eds, *Archives parlementaires de 1787 à 1860, recueil complet des débats législatifs et politiques des chambres françaises*, Iʳᵉ série : *1789 à 1799*, Paris, Librairie Administrative de Paul Dupont, 47 vol., 1867-1896, t. 8, p. 597.

2. *Ibid.*, p. 594.

3. A. J. F. Duport, *Motion pour l'établissement des assemblées provinciales proposée par M. Duport dans les Bureaux*, Paris, Le Clère, s.d., p. 3-5.
   « Faut-il donc s'occuper d'abord de l'unité ou de la division des Assemblées nationales, de la prérogative de la Couronne, ou du mode des élections ? Laisserons-nous, pendant les longs débats que ces questions entraîneront nécessairement, la France dans l'inquiétude et dans l'anarchie ? [...] Il faut, en un mot, que le peuple édifie au plutôt [*sic*] les hommes qu'il aime à croire, parce qu'il les aura choisis, des hommes qu'il place lui-même comme intermédiaires pour recevoir vos décrets, et en faciliter, et assurer l'exécution.

On ne saurait trop tôt créer parmi nous une espèce d'autorité, à laquelle tous les intérêts les plus chers de l'homme se rallient, ceux qui touchent à son existence, à sa propriété, et à son industrie, et qui concentrent cette multitude de besoins locaux, qui affectent plus vivement ceux qui les éprouvent, que les intérêts plus grands mais plus éloignés d'eux qui nous occupent. Les assemblées provinciales peuvent seules remplir cet intervalle trop grand qui sépare l'Assemblée Nationale des dernières classes du peuple. »

4. Mavidal et Laurent, *op. cit.*, t. 8, p. 492.

5. G. Mage, *La division de la France en départements*, thèse doct., Toulouse, Impr. Saint-Michel, 1924, p. 153.

6. E. J. Sieyès, *Instructions envoyées par M. le duc d'Orléans pour les personnes chargées de sa procuration aux assemblées des bailliages, relatives aux États Généraux*, s.l., 1789, p. 42-44 : « Délibérations à prendre dans les assemblées de bailliages. » À Noter que Sieyès envisage ici les rapports entre représentation et administration d'une manière complètement contraire aux idées contenues dans le projet de découpage dont il est en grande partie l'auteur. S'agit-il d'une évolution de sa pensée au fil des événements révolutionnaires ? Cela paraît probable : les débuts de la Révolution et la période qui précède sont marqués par les problèmes posés par la convocation des États Généraux tandis que l'administration telle qu'elle est constituée reste en place. En revanche lorsque, plus tard, l'élaboration de la Constitution fut mise à l'ordre du jour, et surtout après la nuit du 4 août, du fait même que l'existence des États provinciaux, organe à la fois représentatif et administrateur, était en question, on prenait en considération conjointement les deux volets de l'organisation politique.

7. Si l'existence des provinces est incompatible avec l'unité du royaume, on en conclurait volontiers que n'importe quelle autre division territoriale le serait tout autant.

8. R. de Hesseln, *Nouvelle topographie ou description détaillée de la France divisée par carrés uniformes, ouvrage utile à tous les citoyens et principalement aux seigneurs, aux propriétaires fonciers et aux cultivateurs*, Paris, Lambert, 1780. La carte est conservée aux Archives Nationales (NN*6).

9. E. J. Sieyès, *Quelques idées de constitution applicables à la ville de Paris*, Versailles, Baudoin, juil. 1789.

10. E. Lebègue, *La vie et l'œuvre d'un Constituant : Thouret, 1746-1794*, Paris, Félix Alcan, 1910, p. 181.

11. F. Mège, « Formation et organisation du département du Puy-de-Dôme, 1789-1800 », *Mémoires de l'Académie des Sciences, Belles-lettres et Arts de Clermont*, 15, 1873, p. 178.

12. Nous utilisons l'expression de « postulat écologique », telle qu'elle a été précisée dans les travaux et séminaires animés par M. Roncayolo.

CHAPITRE III

Le morcellement des provinces

La base de notre étude est ici l'ensemble des discours ou interventions prononcés à l'Assemblée sur le thème de la nouvelle division du royaume durant le dernier trimestre de l'année 1789. C'est à l'issue de ces débats parlementaires que furent votées les différentes lois de la Constitution organisant la formation des départements. Les textes de ces discours sont regroupés pour la plupart dans les recueils des *Archives parlementaires*[1] ou bien dans les procès-verbaux de l'Assemblée Nationale déposés aux Archives Nationales. Nous leur avons adjoint un certain nombre de brochures qui n'ont pas été annexées aux procès-verbaux et qui contiennent les réflexions exprimées par écrit par certains députés.

L'analyse que nous proposons de ces textes les traite en bloc, sans préoccupation chronologique. Si l'on met à part quelques interventions isolées datant du mois d'octobre, l'essentiel des débats se concentre sur une dizaine de jours, du 3 au 12 novembre 1789. De plus, s'il y a une évolution de la pensée des députés à propos de la division territoriale, elle n'est pas due à des modifications d'ordre événementiel ni à l'influence d'une conjoncture historique, comme c'était le cas pendant la genèse du projet. On l'expliquera bien plutôt par la rencontre des différents types de représentations du territoire eux-mêmes. C'est ce qui nous amène à envisager une approche thématique : il nous faut repérer ces idéologies concernant l'espace, les analyser, voir comment elles se conjuguent ou se heurtent entre elles pour constituer peu à peu le plan final. Il ne s'agit donc pas de s'intéresser ici aux décisions proprement dites concernant la formation des départements, mais d'examiner les intentions, les idées et les processus mentaux qui ont conduit à les prendre.

Cette démarche n'est pas sans inconvénients. Le premier est de morceler les discours, ce qui a pour conséquence qu'on cerne malaisément le profil des personnalités participant au débat, car tous les éléments de leurs interventions sont dispersés entre les grandes catégories de représentations. On sera par suite contraint, malgré des exemples variés, de s'en tenir à l'opposition grossière entre le comité de constitution d'une part, avec l'omniprésence de son rapporteur Thouret, et d'autre part les provincialistes. Il y a par ailleurs quelque artifice à « isoler » les notions concernant l'espace, si l'on songe qu'elles font partie d'un même débat de contenu politique et philosophique, auquel on est sans cesse renvoyé pour les expliquer et qui les relie toutes entre elles. On ne pourra éviter la répétition des références aux grands thèmes de réflexion révolutionnaires : rapport entre les parties et le tout, entre le bien particulier et le bien général, égalité, fidélité à la raison, etc. Cette approche thématique est cependant celle qui nous a paru le mieux convenir à l'étude de la façon dont la planification territoriale et les rapports entre espace et pouvoir sont conçus dans ces discours.

1. L'accueil réservé à la réforme

Le débat commence immédiatement à propos des modalités suivant lesquelles le découpage devra être effectué. Il est probable que la nécessité d'une réforme des circonscriptions territoriales quelle qu'elle fût, apparaissait clairement à tous les esprits de l'Assemblée, car aucun débat ne s'engage à ce propos. La seule question litigieuse dans ce domaine est celle de l'ordre à suivre. Le comte d'Antraigues et M. d'Eymar trouvent qu'il est dangereux d'entreprendre une réforme aussi profonde sans avoir auparavant établi les bases de la Constitution. « Comment le corps législatif a-t-il pensé que le moyen de ramener l'ordre fût de désorganiser en un instant l'État tout entier, d'accélérer sa dissolution presque totale, et qu'une nation composée de plus de vingt-quatre millions d'individus pût rester un seul instant abandonnée à elle-même, sans frein, sans lois, sans autorité coercitive et du moins provisoire ? »[2]

Plusieurs députés forment le vœu que l'on commence par établir les municipalités avant de s'occuper de la division en départements, districts et cantons. C'est le cas du baron de Jessé, de Defermon, de l'abbé Gouttes, de Gaultier de Biauzat, Tronchet, Prieur et Pellerin, comme ils le déclarent le 14 octobre 1789. À nouveau le 5 novembre, alors que la discussion porte depuis plusieurs jours sur la division proprement dite, Sinéty affirme la priorité de l'organisation des municipalités par rapport au partage du royaume en départements. Mais la question formelle du calendrier des réformes est déjà noyée par le flot des échanges verbaux que suscitent les propositions elles-mêmes. Et celles qui concernent le découpage retiennent particulièrement l'attention.

2. L'objection provincialiste

La teneur de la réforme est fondamentalement appréhendée comme une atteinte à l'intégrité des provinces. Les premières réactions dans ce sens dont nous ayons le témoignage se manifestent le 14 octobre 1789. Il est probable qu'elles se sont fait sentir bien avant, sans que nous en possédions toutefois la preuve écrite. Quelques faits nous portent à le croire. Aussitôt après la fin du rapport de Thouret un député, Richier, demande « qu'il soit fait une carte suivant le nouveau projet de division de la France pour être distribuée et examinée dans les bureaux, afin que chaque membre puisse offrir ses réflexions ». Target, membre du comité, répond affirmativement : la carte sera soumise aux députés et envoyée aux provinces, puis elle sera corrigée en fonction de leurs commentaires. Cette carte est affichée le 3 octobre, plusieurs jours après le discours prononcé par Thouret. Cela explique sans doute les profondes modifications qu'elle enregistre par rapport aux principes exposés le 29 septembre. Loin d'observer le procédé rigoureusement géométrique de division que le projet de réforme comprenait, le découpage exécuté sur la carte affichée respecte sensiblement les limites anciennes, en particulier les frontières des provinces[3]. Comment expliquer cette contradiction ? Charles Berlet, citant Aulard, nous propose une première interprétation. Selon ce dernier, la carte aurait été « un ingénieux travail d'adaptation de l'idée géométrique à la réalité territoriale, économique, historique, ou, plutôt, c'était comme la réfutation même ou la contradiction de cette idée géométrique. Déjà la méthode expérimentale se substituait à la méthode logique, à la méthode de Sieyès. »[4]

Plutôt qu'à un écueil méthodologique, nous pensons que le comité s'est surtout heurté à une résistance idéologique. De même qu'ils avaient craint d'exprimer clairement la véritable finalité de la réforme, il est probable que les Constituants ont voulu ménager un accueil favorable à l'entreprise et devancer l'objection du morcellement des provinces. Bien que nous n'en ayons pas de trace dans les procès-verbaux, des conversations ont certainement eu lieu à ce propos en dehors des séances et durant les trois jours qui séparent la présentation du projet de l'affichage de la carte. Sans doute, l'hostilité au caractère rigoureusement géométrique de la réforme s'y est manifestée. Ainsi, le comité, tirant la leçon de ces réactions, aurait exécuté une carte où la division respecte autant que possible les limites des anciennes circonscriptions. Cette hypothèse trouve un appui dans la publication par Sieyès, le 2 octobre, d'un écrit où, selon la même tactique, il anticipe les objections[5].

Toutefois, Sieyès et le comité ne réussissent pas totalement à désamorcer la polémique et la réaction qu'a suscitées le projet de découpage en échiquier, et le débat parlementaire s'engage précisément sur les questions posées par la géométrie du partage et le morcellement des provinces. Le 14 octobre, Aubry du Bochet expose que la division en carrés est impraticable et propose un découpage qui respecterait les limites provinciales. De son côté, l'abbé Gouttes demande qu'on préserve l'unité des provinces. On compte plus d'une douzaine de discours exprimant la même idée, avec plus ou moins d'éloquence et d'argumentation, entre cette date et le 11 novembre, jour où le principe de la division est enfin décrété[6].

Les justifications apportées à ces opinions sont diverses mais elles procèdent toutes, semble-t-il, d'une volonté conservatrice et d'un attachement aux provinces et à leurs prérogatives. Cela ne nous surprend pas si l'on songe au statut d'élus locaux que possédaient les membres de l'Assemblée Nationale. La fréquence des débats portant sur le code déontologique à respecter par les représentants, sur le bien-fondé des mandats impératifs, les efforts de persuasion oratoire déployés par Sieyès pour faire admettre que les élus agissent non pour le compte de leurs commettants mais au nom de la nation entière, tout cela prouve la vigueur de l'esprit provincial et local au sein de la représentation nationale, dans ces débuts de la Révolution.

Toutefois, l'idéologie unificatrice prônant la soumission des parties au tout, la priorité du bien général par rapport au bien particulier, a déjà fait son chemin dans les esprits et ce provincialisme va se manifester de façon déguisée. Les opposants au morcellement vont défendre l'idée suivant laquelle le respect des provinces est une mesure de prudence politique. Ils jugent la réforme « dangereuse » parce qu'elle choque les préjugés et risque de provoquer le désordre. Ainsi s'interroge le baron de Jessé le 19 octobre :

> « Comment vaincre le sentiment qui attache l'habitant des provinces autant au nom de son sol qu'au sol même ? On dira peut-être qu'il faut fondre les esprits ; mais un tel essai sur le corps politique ne doit être tenté que quand il aura assez de santé et de force pour supporter cette opération. Je conclus à la conservation de la division par provinces. »[7]

Quelques jours plus tard, Duport manifeste à son tour sa crainte de voir le royaume plongé dans le désordre si le démembrement des provinces est effectué. Ultérieurement, Mirabeau exprimera sa volonté de préserver l'organisation provinciale, pour ne pas heurter des préjugés enracinés.

C'est la foi en l'ordre nouveau créé par la Révolution qui dicte la réponse du comité à ces objections. Les bienfaits de la Constitution seront tels que plus personne ne songera à conserver les institutions du régime révolu. Ainsi s'exprime Thouret le 3 novembre 1789, reprenant les termes de l'intervention de Duport :

> « Je sais bien qu'on paraît craindre qu'en ce moment où les hommes sont, comme malgré eux, entraînés vers leurs anciennes liaisons, parce que le gouvernement, dit-on, n'a pas la force de les rallier à lui, on ne risquât à augmenter la confusion, en voulant rompre les unités provinciales. [...] Mais c'est la nation qui va tout rallier à elle par la Constitution. Qui ne sentira pas que l'attachement à la grande union nationale vaut mille fois mieux que l'état de corporation partielle qui sera désavoué par la Constitution ? »[8]

Thouret revient plusieurs fois sur ces idées au cours de son discours. En ces débuts de la Révolution où triomphe une ferveur optimiste, il n'est pas de bon ton de craindre l'avenir quand celui-ci s'annonce si prometteur. Même si l'idéal révolutionnaire exige des sacrifices, ceux-ci ne représentent rien au regard de l'acquisition du bien général.

Utilisant un type d'objections assez similaire à celui que nous venons d'analyser, les députés sont nombreux à invoquer les inconvénients d'ordre matériel auxquels la réalisation d'un nouveau découpage se heurterait. Ils font état des dettes contractées par les provinces. Comment s'effectuerait le remboursement ? Le comte d'Antraigues évoque le cas du Languedoc : « La division par département morcellera tous les diocèses. Chaque fragment doit cependant supporter sa part des charges générales et des charges du diocèse où il entre et du diocèse qu'il va quitter. »[9]

Le problème des dettes, notamment celles du Languedoc, s'inscrit dans le domaine plus vaste des problèmes que posent les pays d'États. Ceux-ci, qui détenaient au sein du royaume la plus forte autonomie politique et administrative, sont, plus encore que les pays d'élection, menacés par la réforme. Les adversaires les plus farouches du projet sont d'ailleurs souvent députés de pays d'États : Brillat-Savarin, député du Bugey ; Bouche, député d'Aix ; Pellerin, député du Comté Nantais. Ce dernier souligne les difficultés que l'on rencontrerait pour diviser les pays d'États, notamment la Bretagne à cause des dettes et des travaux entrepris pour l'ensemble de la province.

Thouret ne pense pas que ces difficultés soient insurmontables. Il propose la solution suivante :

> « Chacune des nouvelles administrations d'une même province nommerait trois ou quatre députés de son sein, qui se réuniraient, pour former un comité général, au lieu de la séance des États actuels. Ce comité, composé de représentants de toutes les parties de la province, serait chargé de la liquidation des affaires communes, et ne s'anéantirait que lorsqu'elles seraient terminées ou lorsque la division aurait pu s'en faire entre les nouveaux départements. »[10]

D'autres députés, par une démarche astucieuse, démontrent que le morcellement des provinces est inutile parce que l'on peut obtenir les résultats escomptés tout en les conservant intactes. C'est le cas de Pétion de Villeneuve dans son discours du 9 novembre ; Ramel-Nogaret reprend la même idée deux jours plus tard. Leur faisant écho, Martin affirme que l'abolition des privilèges garantit l'absence d'esprit corporatif :

> « Mais quel inconvénient pourrait avoir cette intégrité, cette unité de provinces, du moment que leurs privilèges sont abolis ? Ce sont les privilèges seuls qui font l'esprit particulier, parce que ce sont eux qui font autant de

centres qui marquent des jouissances exclusives ; mais, les privilèges abolis, il ne reste plus à leur place que l'intérêt général et l'esprit public. »[11]

Ces idées vont à l'encontre de celles sur lesquelles repose le projet de réforme. On se rend ainsi compte que les interlocuteurs de Thouret ont fort bien saisi les véritables intentions du comité qui veut anéantir les provinces ; et s'ils n'osent pas défendre l'esprit corporatiste, dans son expression provincialiste, ils s'appliquent à critiquer la conviction suivant laquelle il faudrait diviser le territoire pour faire l'unité politique. Pour eux, ce ne sont pas les provinces en elles-mêmes qui génèrent l'esprit de corps, mais ce sont bien plutôt les vices de la législation d'Ancien Régime. Une bonne constitution assurera l'unité nationale. Voilà donc abandonné le déterminisme spatial qui fondait le discours de Thouret.

Si pertinent soit cet argument de la séparation de l'espace et de l'organisation politique, il n'en est pas moins paradoxal : les mobiles du discours formulé par les détracteurs du projet sont bel et bien de préserver les provinces dans leur assise territoriale, celle-ci matérialisant et garantissant leurs prérogatives. Le déterminisme spatial, nié pour les besoins de la démonstration, reste néanmoins très présent dans les motivations.

En réplique à ces critiques, Thouret récupère l'argument de ses interlocuteurs et le retourne contre eux. Si donc, territoire et union politique sont deux domaines séparés et indépendants, pourquoi attacher tant d'importance aux provinces puisqu'elles seront toutes égales :

« Puisque le gouvernement est devenu national et représentatif, puisque tous les citoyens y concourent, puisque les lois, les impôts et les règles d'administration vont être les mêmes dans toutes les parties du royaume, qu'importe à quelle division de son territoire on soit attaché, les avantages politiques et civils étant parfaitement égaux dans toutes ? »[12]

À vrai dire, Thouret ne reprend la démarche de pensée de ses adversaires que pour rendre nul leur argument. Pas plus qu'eux, il n'abandonne l'idéologie du déterminisme spatial.

3. *La légitimation du provincialisme*

Parmi les raisons invoquées par les députés pour refuser le morcellement des provinces, celles que nous venons d'envisager, même les dernières, ne mettent pas radicalement en cause la réalisation du projet. Le comité, par l'intermédiaire de Thouret, peut trouver dans l'arsenal des idéaux révolutionnaires (notamment dans l'idée d'unité nationale), matière pour réfuter les arguments et déjouer les critiques. En revanche, les députés formulent à l'égard du projet des attaques plus redoutables dans la mesure où elles s'appuient sur un raisonnement pseudo-scientifique et sur des postulats métaphysiques. Certains orateurs prennent ainsi la parole pour défendre l'idée que le démembrement des provinces est impossible parce que contraire à la nature. Si l'on accepte le principe de la division en plus petites unités, on refuse celui de la transgression des limites existantes, en tant qu'infraction à un ordre transcendant. C'est ce qu'exprime Sinéty le 5 novembre 1789 :

> « Je pense que, sans démembrer, comme le propose votre comité, toutes les provinces du royaume, dont la nature a fixé les limites, il suffit de former dans chaque province dont l'administration est trop étendue dans le mode actuel, un plus grand nombre de départements ou administrations provinciales supérieures, conformément à la population et à l'étendue territoriale de chaque province. »[13]

De son côté, Mirabeau, sans prononcer le mot de nature, construit tout un discours sur la nécessité de respecter une certaine conformité à une réalité dont on verra plus loin ce qu'elle recouvre exactement.

> « Je voudrais une division matérielle et de fait, propre aux localités, aux circonstances, et non point une division mathématique, presque idéale, et dont l'exécution paraît impraticable. [...]
> En l'étendant [la division] de Paris jusqu'aux frontières, et en formant des divisions à peu près égales en étendue, il arriverait souvent qu'un département serait formé des démembrements de plusieurs provinces ; et je pense que cet inconvénient est des plus graves. Je sais bien qu'on ne couperait ni des maisons, ni des clochers ; mais on diviserait ce qui est encore plus inséparable, on trancherait tous les liens que resserrent depuis si longtemps les mœurs, les habitudes, les coutumes, les productions et le langage. »[14]

Ces deux textes traduisent bien l'inspiration d'une grande partie des discours prononcés contre le projet, ou tout au moins contre telle ou telle modalité de son exécution.

On est d'ailleurs amené à s'interroger sur ce que les députés désignent par les mots *nature* et *naturel, localités, circonstances*, etc. Il existe en fait deux types de représentation des divisions souhaitables : d'une part un régionalisme particulariste fondé sur l'identification de la personnalité des provinces ; d'autre part, la différenciation d'ensembles homogènes assimilés soit aux provinces, soit à des portions de provinces. Nous verrons que les deux démarches de pensée sont souvent présentes chez un même auteur, et qu'elles procèdent toutes deux d'une même volonté de défendre les provinces ainsi que d'une même conception de l'idée de nature.

Le particularisme, les localités

Ce système de pensée apparaît très nettement dans les textes des discours de Sinéty et de Pison du Galand. On le trouvera également dans les interventions de Châteauneuf-Randon, Pellerin et Bouche. Il se confond largement avec les tendances conservatrices que nous avons évoquées plus haut. Il s'agit de défendre une division qui respecterait les provinces comme expressions d'une certaine individualité géographique. On se place déjà sur le terrain d'un débat à propos de l'arbitraire des limites historiques, administratives et politiques, débat dont on connaît le retentissement au sein de la discipline géographique. Dans la discussion de l'automne 1789, tout se passe comme si les provincialistes répondaient à une critique imaginaire semblable à celle que les géographes adresseront plus tard à l'œuvre révolutionnaire, suivant laquelle il faudrait rejeter les limites historiques et politiques parce qu'elles sont artificielles et changeantes. Ils vont s'employer à démontrer que les provinces ne sont pas le produit de contingences et d'aléas, mais qu'elles sont l'expression d'une rationalité profonde qu'il importe de respecter. Ainsi le thème de la personnalité géographique des régions devient-il l'un des arguments fondamentaux du plaidoyer en faveur des provinces. Et les termes vagues de « localités », « circonstances », ne signifient pas autre chose à notre sens, que cette idée de personnalité, d'identité régionale — il faudrait dire ici « provinciale » car le mot région est inexistant dans tout ce débat. On retrouve ce terme de « localités » ou bien des expressions voisines chez la plupart des auteurs[15], mais il est rarement explicite. Il semble que ces mots suffisent à englober toute représentation d'un territoire individualisé. On en trouvera la confirmation dans l'intervention de Delandine, le 4 novembre :

> « Combien, par exemple, la province que je représente n'aura-t-elle pas à se plaindre, si elle est réunie à la ville de Lyon ? Le Forez est divisé sur la carte en deux parties, l'une réunie au Beaujolais, l'autre au Lyonnais ; bornée de toutes parts par des montagnes presque inaccessibles, concentrée en elle-même, ayant des intérêts particuliers par des localités et des circonstances qui n'existent que dans elle, il est important pour sa prospérité, pour son avantage politique, qu'elle se régisse elle-même : elle avait autrefois demandé une administration particulière, elle la demande encore. »[16]

Mais la personnalité, l'unicité régionale fournirait une raison un peu légère et surtout bien mal à propos, dans un moment historique dominé par le souci de l'unification nationale, de renoncer au démembrement des provinces. C'est ici qu'intervient la caution de la « nature ». Le mot a une double signification, parfois génératrice d'ambiguïté.

On voit tout d'abord apparaître une exigence inauguratrice de la tradition géographique : celle qui veut établir une division (en l'occurrence, la division faite par nécessité politique et administrative ne diffère pas profondément de la division élaborée pour fournir le cadre adéquat de la description géographique, toutes deux répondant à un souci d'objectivité, de rationalité) fondée sur des faits physiques : fleuves, montagnes, mers, etc.

> « La nature, autant que les hommes, a fait le plus souvent les limites des provinces, comme celles des empires. L'empire français est borné au levant par des montagnes ; au nord, par des places fortes, obstacles factices, mais imitatifs des obstacles naturels ; au couchant, par la mer, etc.
> Plusieurs provinces connaissent des causes semblables de limitation : le Dauphiné est borné au levant et au nord par les Alpes ; au midi et au couchant par un grand fleuve. La Provence et d'autres provinces ont pareillement des limites naturelles. Comment désunir, pour unir ailleurs, des choses dont la nature elle-même à déterminé le rapprochement ? »[17]

Dans ce cas, le mot « nature » désigne les éléments physiques par opposition aux éléments humains. Il s'agit de choisir une base de division immuable, permanente, qui résiste aux aléas de l'histoire, aux créations artificielles, à l'irrégularité et aux transformations des phénomènes humains. Les provinces offrent une pareille conformation, leurs limites coïncidant avec des éléments naturels. Telle est tout au moins l'affirmation des provincialistes. Ils auraient trouvé de vifs adversaires en la personne des fondateurs de l'école de géographie française, certes soucieux de rechercher dans la nature les critères de division régionale, mais convaincus que les limites historiques — y compris celles des provinces — ne coïncident pas, sinon par hasard, avec les faits physiques, et qu'il faut donc les abandonner.

Lucien Gallois compte parmi ceux qui se sont particulièrement intéressés à ces questions de délimitation. Il établit une distinction rigoureuse entre d'une part les divisions physiques, et d'autre part les divisions économiques, politiques et administratives. Il considère que seules les premières sont géographiques, tandis que « les unités politiques et les divisions administratives appartiennent à une autre catégorie ». Et il souligne le caractère occasionnel de la coïncidence des deux types de division :

> « Certes, il existe à la surface du globe des contrées si régulièrement encadrées par la mer ou la montagne qu'un groupement politique devait presque nécessairement s'y constituer.
> Mais, dans les pays de plaines surtout, combien d'exemples ne pourrait-on pas citer de groupements politiques indépendants de toute frontière fixée par la nature ? »[18]

Une telle opinion n'est pas isolée et Lucien Gallois s'inscrit dans une lignée de géographes de la fin du 19e siècle parmi lesquels on peut citer Reclus, Vidal de La Blache, Foncin, Chantriot, etc.

On pourra nous reprocher ici de confronter des raisonnements séparés par un siècle de réflexion et, par nature, impossibles à comparer, puisque l'un émane de politiciens, et l'autre d'initiateurs d'une discipline scientifique munie de concepts et de méthodes. Pourtant, à bien y regarder, des analogies semblent pouvoir être décelées entre le premier et le second, notamment une préoccupation commune de cerner la notion de région à des fins tactiques pour les uns, scientifiques pour les autres, l'objet d'investigation étant identique. Les deux réflexions sont similaires dans leur première phase (volonté d'asseoir la division sur les faits physiques) et divergent seulement dans leur développement (distinction ou non des provinces comme divisions politiques d'avec les divisions naturelles). Leur parenté provient aussi de leur exigence de raisonnement scientifique, désintéressée dans le cas des géographes, alors qu'en 1789 elle est soumise aux besoins de la rhétorique.

Par ailleurs, l'opposition établie entre les deux types de circonscriptions ne naît pas à la fin du 19ᵉ siècle avec la fondation de l'école de géographie. Elle est issue d'une tradition qui prend racine à l'époque même de la formation des départements puisque Gallois l'attribue à Giraud-Soulavie, auteur d'une *Histoire naturelle de la France méridionale* en 1780-1784. Voici ce qu'on y lit :

> « Le partage physique de ce royaume est bien différent du partage politique en diocèses, en généralités, ou en gouvernements. Le hasard, ou divers événements politiques occasionnèrent ces divisions arbitraires, dans l'établissement desquelles la nature ne fut jamais consultée : la plupart trouvent d'ailleurs leur origine dans des âges obscurs d'une ignorance profonde.
> Le partage véritable et naturel de la physique de ce grand royaume est fondé sur des principes plus relevés.
> Quatre grands départements ou quatre provinces naturelles, dont les limites furent placées dans la nature même, font tout le système de cette division. Ces départements sont les quatre contrées arrosées par les eaux qui forment nos quatre grands fleuves, le Rhône, la Seine, la Loire et la Garonne. »[19]

On pourrait même trouver des racines plus anciennes à cette tradition de pensée puisque François de Dainville l'identifie dans l'ouvrage du Père Jean François, *La science de la géographie,* publié en 1652[20]. Il s'agit donc d'une réflexion fort ancienne. Les orateurs de l'automne 1789 connaissaient-ils et avaient-ils présentes à l'esprit les idées de Giraud-Soulavie ? On n'en sait malheureusement rien. Quoi qu'il en soit, les provincialistes s'opposent à l'idée selon laquelle on ne trouve pas de correspondance entre le partage physique et le partage politique du royaume, et prennent en quelque sorte le contre-pied de la tradition qui s'instaure à la même époque. Il est probable qu'ils escomptaient beaucoup de cet argument pour légitimer leur revendication. La défense des

provinces, issue d'aspirations essentiellement autonomistes et largement politiques, aurait pourtant pu, en bonne logique, être conduite sur
un terrain purement politique, mais nous voyons les orateurs faire appel
à des arguments scientifiques (inspirés du naturalisme, et notamment
des débuts de la géologie), voire métaphysiques (l'homme doit, dans ses
actions, respecter la loi naturelle équivalente à la loi divine). Ils adaptent
ainsi leur discours aux exigences de l'idéologie dominante qui leur
interdit le particularisme politique.

C'est au second sens du mot « nature » que nous pensons en évoquant
l'aspect métaphysique du discours provincialiste. Duquesnoy — par ailleurs ardent défenseur du projet du comité et adversaire d'un « esprit
local et particulier » qui doit faire place à un « esprit rationnel et
public » — affirme que la division « ne doit être assujettie qu'aux lois
naturelles, aux bornes physiques que rien ne peut surmonter »[21]. L'évocation conjointe des « lois naturelles » et des « bornes physiques » n'est
pas une simple redondance, la seconde expression ayant pour but
d'expliciter la première, et toutes deux renvoyant au sens du mot
« nature » précédemment évoqué. Certes, le terme de « lois naturelles »
peut être ici le témoignage de l'intérêt naissant pour le naturalisme en
tant qu'étude des phénomènes physiques. Mais est-il déplacé de penser
qu'il peut aussi faire référence à une acception du mot « nature » très
répandue au 18ᵉ siècle et qu'André Lalande définit ainsi dans son *Vocabulaire technique et critique de la philosophie* : « Principe fondamental de
tout jugement normatif. Les " lois de la nature ", prises dans ce sens,
sont alors les règles idéales, parfaites, [...] dont les morales ou les législa-
tions humaines sont une imitation imparfaite. »[22] La nature est envisagée comme le principe organisateur de l'univers, englobant les phénomènes physiques et humains.

Pison du Galand, dans le texte cité plus haut, attribue un même rôle
de délimitation territoriale à la nature et aux hommes. Montagnes et
places fortes se confondent en un même statut et créent en quelque sorte
un ordre qui transcende l'homme et doit être respecté par celui-ci.
Même les produits de l'action humaine participent à cet ordre puisque le
comportement de l'homme est régi par des lois naturelles, comme tout
ce qui existe. Il semble que les orateurs de 1789 soient ici fidèles au principe de pensée décrit par Jean Ehrard pour la première moitié du
18ᵉ siècle : ils soumettent l'homme à une fatalité naturelle qui ne diffère
guère de la volonté divine[23]. Les textes issus du débat qui nous retient
ne permettent cependant pas de préciser si la confiance accordée à la
nature correspond à des conceptions théistes supposant une providence
divine ou bien à une philosophie de la nécessité naturelle. Il reste que
l'interprétation de ces textes est à rechercher dans la référence à un
acquis.

Dans les années 1780, l'idée de nature conserve le prestige dont elle
jouissait dans la période précédente. On admire la nature pour la ratio-

nalité qu'elle introduit dans l'univers et pour sa sagesse. Paul Hazard le souligne :

> « Un mot exaltait les audacieux qui se mettaient à la besogne, un mot talisman qui s'ajoutait à ceux que nous avons déjà vus, la Raison, les Lumières ; et c'était le mot Nature. Ils lui attribuaient une vertu encore plus efficace, puisque la nature était la source des lumières, et la garantie de la raison. Elle était sagesse et elle était bonté ; que l'homme consentît à écouter la nature, et jamais plus il ne se tromperait ; il lui suffisait d'obéir à sa bienfaisante loi. »[24]

Comme cette dernière phrase semble le montrer, ce principe philosophique de l'ordre naturel est indissociable d'une doctrine morale : l'homme doit modeler son action sur les lois naturelles. L'ambiguïté subsiste au sein d'une pensée qui soumet l'homme à une certaine nécessité, que Dieu ou la nature seule en soient les artisans, en même temps qu'elle lui accorde une part de libre-arbitre, puisque c'est à lui qu'incombe la responsabilité de conformer la société à l'ordre suggéré par la nature.

Aussi, dans son œuvre de planification, l'homme doit-il s'efforcer de respecter l'ordre naturel dont il fait lui-même partie, et ceci au moyen d'une quête « scientifique » des lois naturelles. On retrouve ici Montesquieu :

> « Le dernier mot de la sagesse politique n'est pas, selon Montesquieu, de transformer la nature, mais de s'y adapter le mieux possible. Tout l'art du législateur sert à inscrire la vie d'une société dans le cadre immuable qui lui préexiste. Son rôle se borne à faire l'inventaire des données naturelles qui délimitent ses possibilités d'action : données de la géographie, de l'histoire, enfin de la morale universelle, qu'il ne lui appartient pas de transformer, mais seulement d'équilibrer et d'harmoniser. »[25]

Le mode d'action préconisé par les provincialistes consisterait donc à repérer le plan de division que suggère la nature et à l'utiliser comme modèle pour le nouveau découpage électoral et administratif.

Apparemment contradictoires, ces deux sens donnés au mot « nature » (la nature physique et l'ordre naturel) — dont l'un exclut l'homme et l'autre l'inclut — se rapprochent dans la mesure où ils renvoient tous deux à l'idée de quelque chose qui transcende les volontés particulières et tout ce qui est contingent et éphémère. La convergence des deux idées se réalise notamment par le biais de la notion de limite infranchissable. De ce point de vue, les montagnes ou les fleuves deviennent équivalents aux lois de la nécessité universelle, les uns comme les autres étant impossibles à transgresser.

L'occurrence des mots « nature », « naturel », « naturellement » dans cette double acception chez un même auteur, comme on l'a vu chez

Duquesnoy ou Pison du Galand, est extrêmement fréquente dans la correspondance émanant des provinces et adressée à l'Assemblée Nationale. Elle atteste la parenté intellectuelle et culturelle qui existe entre les notables locaux et les députés de l'Assemblée Nationale. Toutefois, ce qui n'apparaît ici que d'une façon très discrète fait l'objet, dans les revendications locales, de développements plus précis, comme nous aurons l'occasion de le montrer plus loin.

L'homogénéité territoriale

Certains députés, cherchant toujours à défendre l'intégrité des provinces, s'engagent dans un raisonnement plus approfondi. Ils ne se contentent pas d'évoquer la personnalité des provinces au moyen de quelques termes vagues, ni de mentionner le caractère inviolable d'un territoire borné par des limites infranchissables, mais ils s'appliquent à décrire les provinces comme les aires d'extension de phénomènes s'exerçant de façon différentielle dans l'espace. Soulignons que, de même que toutes les représentations du territoire présentes dans le débat de l'automne 1789, cette description n'est ni didactique, ni purement spéculative : elle a ici une valeur tactique et polémique. Il s'agit toujours de convaincre. Notons aussi que cette démarche n'est jamais que le prolongement de ce que nous analysions plus haut : mettre en évidence l'individualité d'un territoire suppose en effet une perception différentielle de l'espace, et l'originalité des textes que nous voulons envisager ici est seulement de généraliser cette différenciation, de la rendre plus systématique. Cette attitude était déjà sensible dans le texte de Mirabeau cité (p. 51) : l'auteur y soulignait les solidarités créées par les mœurs, les habitudes, les coutumes, les productions et le langage. Il s'agit là de liens d'identité permettant de mettre l'accent sur l'homogénéité existant à l'intérieur d'un territoire.

L'objectif revendiqué serait donc de diviser le territoire en portions homogènes suivant un ou plusieurs critères. Duport propose deux bases de division : « Il est des provinces, dit-il, où ces divisions sont indiquées par la différence du sol et de la culture. »[26] Bengy de Puyvallée fait référence aux usages et aux coutumes. De son côté, Barère de Vieuzac critique le principe de la base d'étendue (surface égale pour chaque circonscription), au nom de l'hétérogénéité spatiale :

> « La base territoriale est fausse ; un pays est couvert de moissons, un autre de bruyères ; ici les hommes sont entassés dans des villes ; à côté, les campagnes sont désertes ; des habitations nombreuses couvrent une province ; des forêts, des sables, des marais couvrent la surface d'une autre ; ainsi par les différences qui se trouvent dans les qualités du terrain, dans les degrés de fertilité et dans la nature de ses productions, la mesure territoriale est trop inégale, trop injuste pour être adoptée. »[27]

De nombreux critères d'homogénéité ou d'hétérogénéité spatiale sont présents ici : nature du paysage végétal, densité d'habitat, fertilité, productions. En les ajoutant aux précédents, on pourrait dresser une liste de rubriques presque identique à celle que comprennent les descriptions géographiques traditionnelles. Cette similarité dépasse l'apparence formelle de la présentation rhétorique et touche la démarche de pensée elle-même. Nous notions plus haut la ressemblance entre les aspects particularistes de la pensée provincialiste fondant sa démonstration sur la nécessité de respecter la personnalité et l'unicité des territoires et, d'autre part, l'esprit des descriptions géographiques régionales soucieuses elles aussi de faire apparaître les singularités. Le procédé de différenciation spatiale d'espaces homogènes rapproche encore davantage les provincialistes des géographes.

La parenté des deux démarches va plus loin. En effet, les provincialistes comme les géographes délaissent manifestement le problème du degré de finesse de la différenciation. On sait que la notion de région dépend étroitement du degré d'exigence du critère utilisé et du nombre de critères employés conjointement. L'étude d'un cas précis nous a permis de le vérifier en ce qui concerne la littérature géographique[28]. Mais les géographes eux-mêmes en ont rarement été conscients. Peu enclins à s'interroger sur les fondements de la notion de région lorsqu'ils entreprennent la description d'un territoire, ils adoptent la région comme une réalité a priori qui leur fournit un cadre d'étude, à l'intérieur duquel ils s'efforcent d'envisager tout ce qui a un intérêt géographique. Ils sont alors prisonniers du cadre qu'ils s'imposent à eux-mêmes : ou bien le type d'homogénéité mis en évidence fait coïncider l'espace caractérisé avec l'espace cadre d'étude, et l'analyse est alors cohérente ; ou bien la différenciation spatiale se fait plus précise et le cadre d'étude, devenu pur prétexte, n'a pas de rapport avec la traduction dans l'espace du phénomène étudié.

En quoi les provincialistes nous rappellent-ils les démarches géographiques ? De même que les géographes enferment parfois leur étude dans des limites conventionnelles à l'intérieur desquelles ils recherchent divers types d'homogénéité, alors que c'est l'identification de cette homogénéité qui devrait fonder la délimitation, la différenciation spatiale à laquelle se livrent les provincialistes est bornée à l'avance par un choix idéologique qui postule que les limites obtenues doivent coïncider avec les limites provinciales. Ils privilégient alors les types d'homogénéité, d'ailleurs très vagues, qui délimitent des territoires souhaités, ignorant volontairement qu'il puisse en exister d'autres regroupant éventuellement des portions de provinces différentes. Ils posent en outre que chaque critère de différenciation (mœurs, langage, productions, etc.) détermine toujours la même délimitation, le territoire linguistiquement homogène se calquant exactement sur celui où les mœurs sont identiques, etc. Ainsi, le procédé suivant lequel en regroupant de proche en proche des territoires identiques on parviendrait à circonscrire une région homogène perd toute sa raison d'être puisque les limites sont fixées a priori. Le représentant le plus typique de cette ambiguïté discursive est Mirabeau, dont les arguments eurent un retentissement remarquable à l'Assemblée. Il est en quelque sorte un champion de l'utilisation de l'hétérogénéité voire de l'homogénéité spatiale comme objection à l'adoption du projet. Non content de demander le respect des provinces au nom des liens tissés entre leurs parties par les mœurs, le langage et les productions, il critique violemment la priorité donnée à la base d'étendue en introduisant un nouveau critère, la densité de population :

> « L'égalité d'étendue territoriale que l'on voudrait donner aux quatre-vingts départements, en les composant chacun à peu près de trois cent vingt-quatre lieues de superficie, me paraît encore une fausse base.
> Si par ce moyen l'on a voulu rendre les départements égaux, on a choisi précisément la mesure la plus propre à former une inégalité monstrueuse. La même étendue peut être couverte de forêts et de cités ; la même superficie présente tantôt des landes stériles, tantôt des champs fertiles ; ici des montagnes inhabitées, là une population malheureusement trop entassée ; et il n'est pas vrai que, dans plusieurs étendues égales, de trois cent vingt-quatre lieues, les villes, les hameaux et les déserts se compensent.
> Si c'est pour les hommes et non pour le sol, si c'est pour administrer et non pour défricher qu'il convient de former des départements, c'est une mesure absolument différente qu'il faut prendre. L'égalité d'importance, l'égalité de poids dans la balance commune, si je puis m'exprimer ainsi, voilà ce qui doit servir de base à la distinction des départements ; or, à cet égard, l'étendue n'est rien, et la population est tout. Elle est tout, parce qu'elle est le signe le plus évident ou des subsistances qui représentent le sol, ou des richesses mobilières et de l'industrie qui le remplacent, ou des impôts dont le produit, entre des populations égales, ne peut pas être bien différent. »[29]

Comme on le voit, l'intérêt de la population comme base fondamentale de la division est qu'elle constitue le principe premier de la différenciation. Elle sert en quelque sorte de révélateur (Mirabeau parle de « signe ») à toute une série d'autres critères, unis à elle par des liens de causalité, parfois inversés. Là où l'on trouve des hommes, on trouve aussi la production et la richesse financière, celles-ci étant fabriquées par ceux-là. L'homme est encore le signe « des subsistances qui représentent le sol » ; mais on peut se demander si Mirabeau veut seulement placer les subsistances, comme produit du travail agricole, sur le même plan que les autres fruits du travail humain : n'y a-t-il pas aussi l'idée que c'est le sol qui fournit à l'homme les produits nécessaires à sa survie, et qui détermine même toute l'action humaine puisque, lorsqu'il fait défaut, l'homme doit y remédier en exerçant son génie (les richesses et l'industrie qui le remplacent) ?

On retrouve dans cette argumentation la tradition du déterminisme physique, remarquablement vivace au 18ᵉ siècle, notamment dans les textes de la pratique, les récits de voyageurs, les topographies médicales, les mémoires d'intendants, les ouvrages d'économie, comme dans les écrits théoriques de Buffon et de Montesquieu. Dans ces textes aussi il s'agit d'affirmer, on le sait, que les caractères et les phénomènes humains dépendent étroitement des éléments physiques, du milieu naturel qui les déterminent. Le problème des subsistances prend alors tout son sens en tant qu'expression privilégiée des rapports de dépendance entre l'homme et la nature. L'importance accordée au sol et à la fertilité s'intègre également dans cette démarche écologiste. Cette pensée déterministe, telle qu'on la rencontre chez Mirabeau, se situe toujours au confluent de deux façons d'envisager la nature : la conception naturaliste et la conception philosophique, le déterminisme lui-même assurant le passage de l'une à l'autre.

L'écho rencontré par le discours de Mirabeau fut considérable. L'utilisation de la population comme principe premier de la différenciation spatiale remporta une adhésion massive. Sans doute l'intérêt porté alors aux questions démographiques — avec les travaux d'Expilly, de Messance et de Moheau notamment — ne fut-il pas étranger au succès de cet argument. Témoignage de son influence, la plupart des orateurs reprirent par la suite l'argument de Mirabeau en le formulant d'une façon identique.

À l'Assemblée, il proposait une solution de rechange. Il demandait que l'on partageât les provinces en cent vingt départements et prévoyait deux opérations distinctes. La première consistait à déterminer en combien de départements serait divisée chaque province ; elle incomberait à un comité composé d'un député pour chaque province. La seconde opération, effectuée entre députés d'une même province, aurait pour objet la division proprement dite de chaque province « de manière que les départements soient égaux, autant que l'on pourra, non point en étendue territoriale, ce qui serait impossible, ce qui serait même contradictoire, mais en valeur foncière, en population, en importance »[30].

On se souvient des exigences d'homogénéité territoriale formulées par Mirabeau et qu'il rappelle lors de la présentation de son plan. Gardons aussi en mémoire sa volonté de ne pas rompre les limites provinciales : « Ce n'est pas le royaume que je veux faire diviser, mais les provinces ; et cela seul fait déjà disparaître une grande partie des difficultés. » Comment concilier l'ensemble de ces principes ? Tout d'abord, ainsi que nous le suggérions plus haut, le respect des limites provinciales suppose que celles-ci coïncident avec les limites d'espaces homogènes du point de vue de la morphologie, des productions, des mœurs, du langage, etc. Tout au moins est-il nécessaire que le fractionnement en territoires homogènes destinés à devenir des départements soit compatible avec l'inscription de ces territoires à l'intérieur des pro-

vinces. Il paraît hasardeux de trouver cette coïncidence aussi systématiquement que le souhaiteraient Mirabeau et les esprits rationalistes de la
Révolution, alors qu'on pouvait assez facilement assimiler aux provinces la réalité plutôt vague désignée alors par le terme de « localité »,
équivalant à la « personnalité régionale », plus tard mise en évidence par
des géographes comme Vidal de La Blache ou Brunhes.

Le glissement de l'identification de la personnalité géographique d'un
territoire à la conception d'espaces rigoureusement homogènes
— glissement facilité, nous l'avons dit, par l'identité du processus
mental (seul le degré de précision de la différenciation change) — pourrait rendre compte de l'ambiguïté des implications finales (conformité
des espaces différenciés avec des espaces préexistants). Mirabeau unit en
effet les deux tendances : l'individualité des provinces lui est chère, mais
sentant que les arguments sentimentaux et particularistes sont mal venus
au regard de l'élan rationaliste hostile aux privilèges et à l'esprit de clocher, il recherche un plaidoyer conforme aux exigences idéologiques de
son auditoire et le trouve dans des notions de plus ample teneur scientifique, comme celle d'homogénéité spatiale. Mais, pour parachever son
plan aux yeux de ses interlocuteurs, il lui adjoint un principe
supplémentaire : celui de l'égalité, certes bien accordée avec l'esprit
révolutionnaire, mais en opposition totale avec les démarches précédentes, puisque la différenciation spatiale comme le repérage des individualités régionales procèdent de la mise en évidence des irrégularités,
des inégalités. Les contradictions internes du discours de Mirabeau
apparaissent alors clairement et l'explication par un raccourci de pensée
ne peut les effacer, comme nous en faisions l'hypothèse plus haut.

En effet, l'incompatibilité est flagrante à double titre ; d'une part,
entre un partage fondé sur des portions de territoire également peuplées
et une division respectant les provinces ; d'autre part, entre ce même
partage égalitaire et une division fondée sur l'homogénéité. Expli-
quons-nous. Mirabeau préconise des divisions de deux cent mille habitants environ. Supposons une province de trois cent mille habitants.
Comment concilier la conservation de ses limites et son partage en
départements égaux ? Si l'on découpe un département de deux cent
mille habitants, que faire des cent mille habitants restants ? Si l'on en
découpe deux cent cinquante mille habitants environ, on s'éloigne
fortement de l'égalité de population requise. On voit d'après ce premier
cas que le plan de Mirabeau avait plus de séduction rhétorique que de
véritable rigueur. Supposons d'autre part une province comprenant
trois portions homogènes au point de vue du relief, du climat, des productions, des habitudes. Comment imaginer que ces trois portions
auront une population égale et que celle-ci comprenne environ deux
cent mille habitants, sinon par un hasard exceptionnel ? Est-il sûr enfin
que la France soit divisible en cent vingt portions homogènes ?

Ces difficultés, qui n'échapperont pas à Thouret, rendent aléatoire l'exécution du plan de Mirabeau parce que le cadre préexistant de la province, tout imprécise soit-elle, se refuse aussi bien à coïncider avec des limites induites de l'observation de régularités spatiales, qu'à se partager en divisions égales en population. Ce qui nous intéresse particulièrement ici, par référence à la future habitude géographique, c'est le fait de procéder à l'envers, c'est-à-dire de partir du cadre et de faire état des différences spatiales existant à l'intérieur de ce cadre, alors que ces différences elles-mêmes fondent une notion de région beaucoup plus cohérente et pertinente, les limites étant établies à l'issue du raisonnement au lieu d'être posées en axiome initial.

Mais si cette incohérence nous apparaît comme significative et caractéristique d'une représentation de l'espace, il ne faudrait pas en exagérer la portée lors du débat, ni lui attribuer trop d'importance. Mirabeau était probablement conscient des contradictions de son propre discours. Par ailleurs, si celles-ci furent soulignées par Thouret, ne passaient-elles pas au second plan derrière l'astuce, l'originalité et le bien-fondé de l'invocation des différences territoriales ? Rappelons-nous que toute la critique des départements formulée par les régionalistes de la fin du 19ᵉ et du début du 20ᵉ siècle sera appuyée à son tour sur de semblables arguments. Il n'est pas inutile de souligner que cette critique avait eu sa place lors même du débat de novembre 1789. Elle a participé à l'infléchissement de la décision vers une définition moins géométrique du département, et plus conforme à la réalité ; la méconnaître contribuerait à donner crédit à la thèse de l'arbitraire du découpage en départements.

À la suite de Duport, Barère de Vieuzac, Bengy de Puyvallée et surtout Mirabeau, les orateurs vont souvent faire allusion aux disparités territoriales, sans toutefois proposer systématiquement, à la façon du grand député provençal, que ces inégalités forment le principe d'une division en territoires homogènes. Que la diversité (des parties) soit mise au service de l'unité (l'intégrité des provinces) n'est pas le moindre des paradoxes de ce débat, surtout si l'on songe que c'est précisément cette même dialectique qu'utilisent les membres du comité pour répondre aux objections. De la sorte, provincialistes et départementalistes parlent le même langage, si ce n'est qu'ils revendiquent des territoires d'étendue différente. La nécessité de dissimuler les motifs politiques, particularistes d'une part, visant l'adunation (politique) d'autre part, contribue pour beaucoup à structurer l'ensemble du débat sur la base d'une même thématique, à savoir les rapports tout/parties, unité/diversité. Çà et là, les véritables enjeux se manifestent cependant, mettant en relief les antinomies fondamentales qui donneront naissance à l'opposition idéologique entre ce qu'on appelle volontiers aujourd'hui le jacobinisme et, d'autre part, le provincialisme, voire le fédéralisme.

4. *La riposte du comité*

La réponse aux objections provincialistes s'oriente suivant deux lignes directrices : tantôt le comité cherche à justifier l'abandon des provinces au nom de la rationalisation de l'administration et du bonheur commun, tantôt il s'efforce de démontrer que son plan ne bouscule en rien les provinces. Curieusement, la contradiction résidant dans le fait d'utiliser conjointement les deux argumentations ne sera pas dénoncée à l'Assemblée. Elle prend appui sur une double conception de ce que sont les provinces elles-mêmes.

Dans de nombreux textes, le comité défend son projet en exaltant les bienfaits que l'on retirerait de l'unification, de l'égalisation de tous devant la loi. L'opposition du bien général et du bien particulier fait l'objet de longs développements dont Sieyès est l'inspirateur, bien qu'il ne s'exprime pas publiquement durant le débat. Cependant nul ne doutait semble-t-il qu'il fût l'auteur de la brochure publiée le 2 octobre 1789 sous le titre d'*Observations sur le rapport du comité de constitution concernant la nouvelle organisation de la France, par un député à l'Assemblée Nationale.* Par ailleurs, ses prises de position durant l'été 1789 sont suffisamment éloquentes pour prouver son influence au sein du comité de constitution, spécialement en ce qui concerne l'élaboration du projet de division.

Nous avons cité certains de ses écrits du courant de l'année 1789 à propos de la finalité de la réforme. N'oublions pas également que les semaines du débat parlementaire sur la division territoriale sont également consacrées à la question des mandats impératifs, du veto royal ; on met l'accent sur la souveraineté nationale qui ne doit pas se confondre avec la somme des souverainetés particulières. Lors de l'ouverture du débat, le 3 novembre, Thouret dénonce explicitement le particularisme territorial et non plus seulement le particularisme social. Il conclut ainsi son exposé :

> « Ne désespérons pas que le jour viendra où l'esprit national étant mieux formé, tous les Français réunis en une seule famille, n'ayant qu'une seule loi, et un seul mode de gouvernement, abjureront tous les préjugés de l'esprit de corporation particulière et locale. »[31]

L'individualité aussi bien que les différences n'ont donc pas de place dans le plan du comité puisqu'elles génèrent la scission et le particularisme. Dans le prolongement des principes affirmés lors de la nuit du 4 août, les différences et le corporatisme, qu'ils touchent le domaine social comme le territoire, doivent être abolis. L'un des ennemis du morcellement des provinces, Pellerin, l'a fort bien compris :

> « Votre comité de constitution vous a présenté un plan qui embrasse sous un seul point de vue toutes les parties de ce vaste empire, qui n'en fait qu'un

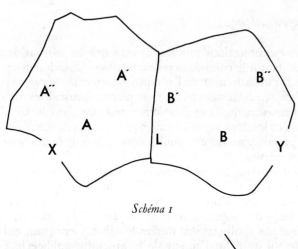

Schéma 1

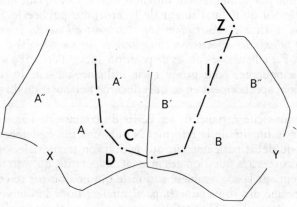

Schéma 2

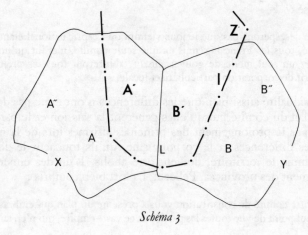

Schéma 3

tout homogène ; qui, faisant disparaître les inégalités morales, civiles et politiques qui distinguent encore les différentes provinces de France, successivement conquises, échangées, données ou réunies, les soumettra toutes à un seul et même régime, à une seule et même administration principale, à laquelle toutes les administrations particulières seront subordonnées. »[32]

L'abolition des différences renvoie toujours au postulat déterministe selon lequel l'organisation territoriale est responsable de l'intégrité ou, au contraire, de la désagrégation politique. Le comité, se fondant sur ce principe, ne craint pas d'avouer à plusieurs reprises que son objectif est bien la destruction de l'esprit de province. Rabaud de Saint-Étienne le dit en clair :

« Le régime nouveau, décrété par l'Assemblée Nationale, remplace donc avantageusement cinq ou six régimes imparfaits. Il n'y a plus diverses nations dans le royaume ; il n'y a que des Français ; et de même que Louis XIV disait un jour, d'un simple pacte de famille : *Il n'y a plus de Pyrénées*, nous pourrons dire du pacte solennel qu'ont juré douze cents représentants de la nation : *Il n'y a plus de provinces*. »[33]

Mais cette franchise est loin d'être présente à tous les moments du débat et, assez souvent, le comité saura faire preuve d'esprit de conciliation.

Suivant le procédé que nous avons déjà évoqué, la réponse aux objections provincialistes consiste dans une large mesure à taire les véritables objectifs de la réforme, c'est-à-dire l'anéantissement de l'esprit de province par le biais du démantèlement de l'entité territoriale qui lui correspond. Mieux, les membres du comité s'attachent à annuler l'objection en affirmant que la départementalisation ne touche en rien les provinces, et que l'on a eu au contraire le souci de respecter leurs limites. Ils prennent en quelque sorte devant le public le contre-pied des buts qu'ils se sont fixés, cédant par là à la pression de l'opinion, mais ils sont de ce fait contraints à un jeu assez acrobatique au regard de la cohérence et de la raison.

L'un des moyens de rassurer le public est de modérer l'exigence de géométrie que contenait le projet initial :

« Il faut calmer d'un seul mot ces alarmes conçues trop légèrement à l'idée des provinces confondues ou morcelées. La nouvelle division, dont le comité n'a jamais entendu que l'exécution serait rigoureusement géométrique, peut se faire presque partout, en observant les convenances locales, et surtout en respectant les limites des provinces. Si quelques-unes de leurs frontières présentent des irrégularités, dont le redressement serait désirable pour la perfection du plan, je ne crains pas de dire que ce redressement serait avantageux aux lieux mêmes sur lesquels il s'opérerait. »[34]

Thouret reprend ici les arguments formulés dès le 2 octobre par Sieyès, qui proposait une division dont le tracé tiendrait compte des limites provinciales tout en corrigeant çà et là les trop grandes irrégularités. L'auteur condescend même à un respect rigoureux des frontières de certaines provinces, comme la Bretagne, pourvu que l'on ne dépasse pas deux ou trois exceptions de ce type. On ne reconnaît pas l'écrivain des *Quelques idées de constitution applicables à la ville de Paris* et des *Délibérations à prendre dans les assemblées de bailliages,* ni l'orateur du 7 septembre.

Une fois posée l'adaptation de la géométrie à la réalité préexistante, le débat se précise et suit deux directions principales : il se focalise d'une part sur le problème des limites, qu'il s'agisse des tracés existants ou des futures lignes de partage ; il envisage d'autre part le sort que l'on réservera à la province en tant qu'unité pourvue d'une certaine intégrité. Autrement dit, l'approche est tantôt linéaire, tantôt « aréolaire ».

La réfutation du plaidoyer provincialiste est dans l'ensemble assez superficielle, ce qui explique sans doute pour une part le fait que les objections triompheront finalement, et infléchiront la réalisation effective du projet dans le sens d'un respect assez large des « localités ». Thouret, voulant ruiner l'attachement que ses adversaires portaient aux limites provinciales, s'efforce de montrer que la pertinence en est toute relative. Mais son propre raisonnement pourrait être retourné contre lui-même, comme lorsqu'il déclare :

> « Enfin, aux frontières respectives des provinces, les mœurs, les habitudes, les relations d'affaires et de commerce, n'apportent aucun obstacle à la transposition des districts administratifs, parce que les paroisses qui se touchent aux extrémités de deux provinces ont beaucoup plus d'affinité entre elles, sous tous les rapports physiques et moraux, qu'avec les paroisses du centre ou de la frontière opposée de leur propre province. »

Si nous voulions traduire le texte et la pensée de Thouret par un schéma, les données en seraient les suivantes (Schéma 1). Soit deux provinces nommées respectivement X et Y et séparées par une limite L. Thouret affirme que les paroisses A' et B' « ont beaucoup plus d'affinité entre elles » que A' n'en a avec A ou A'', et que B' n'en a avec B ou B''. Un département Z, séparé de son voisin par la ligne *l*, aura donc toute sa raison d'être (Schéma 2).

Ne peut-on lui objecter qu'il n'y a pas de raison de séparer C et D puisqu'ils ont plus d'affinités entre eux que, par exemple, C n'en a avec A' ? Et l'on pourrait reproduire la question suivant le modèle grec de la division à l'infini (Schéma 3).

Les inconvénients de la séparation ou de la réunion sont les mêmes quelle que soit la circonscription, et l'on ne voit pas pourquoi les relations d'affinité et de proximité existant de part et d'autre de la limite seraient prises en compte dans un cas et pas dans l'autre. Ce raisonnement, même s'il ne suscite pas de réaction particulière, avait donc par nature une faible portée.

Les auteurs du projet doivent également répondre à l'hostilité manifestée à l'égard du morcellement de chaque province en plusieurs départements. Thouret s'emploie à modérer l'impression de table rase qu'avait laissée le projet :

> « La division d'une province en plusieurs districts de représentation et d'administration ne la désunit pas plus que les autres divisions en diocèses, en généralités, en bailliages, en élections, entre lesquels son territoire est partagé. Je peux citer la Normandie pour exemple : elle a eu depuis très longtemps trois administrations ; elle est divisée en trois généralités formant trois ressorts d'intendance ; elle a trois districts d'assemblées provinciales ; elle n'en subsiste pas moins sous son nom, et en un seul corps de province ; elle aurait, dans le plan proposé, quatre administrations, et ne cesserait pas pour cela d'être la Normandie. Ainsi, l'inconvénient supposé n'a point de réalité. »[35]

L'idée qui apparaît ici, quelque peu contradictoire avec la volonté des réformateurs telle qu'on la connaît, c'est que la nouvelle division n'empêchera pas les provinces d'exister. Thouret établit deux catégories de divisions : d'une part les divisions administratives dont font partie les départements ; de l'autre un second type de circonscription représenté par la province. Cette distinction est intéressante dans la mesure où elle laisse entrevoir l'existence d'une certaine conception de la notion de province, sur laquelle nous reviendrons plus loin. Lorsqu'on connaît la polémique engagée à propos de ce thème au début de notre siècle, avec notamment la publication de l'étude d'Armand Brette[36], il paraît fructueux d'envisager, par-delà toute l'information réunie par cet auteur et ses contemporains qui cherchaient à préciser ce qu'étaient les provinces avant 1789, comment les hommes de la fin du 18e siècle eux-mêmes se représentaient la notion de province. La façon dont Thouret répond aux arguments provincialistes nous suggère déjà quelques hypothèses.

Après les premières objections adressées aux aspects les plus conservateurs en même temps qu'élémentaires de l'opposition, il faut bien que Thouret réagisse à l'argument de ce que nous avons appelé la personnalité régionale et les différences spatiales, génératrices d'homogénéité ou d'hétérogénéité territoriale. Sur ce point, Thouret répond un peu malhonnêtement en prétendant que ces interprétations n'ont pas échappé au comité, et qu'il en tient bien évidemment compte, autrement dit que l'objection est déplacée :

> « Si quelqu'un a pu croire que la division s'exécuterait par carrés géométriques parfaits, qui feraient de la surface du royaume un échiquier, il a dû regarder que les montagnes, les fleuves, les villes existantes ne permettraient pas en effet de tirer de l'est à l'ouest de la France, et du nord au midi, des lignes parfaitement droites. Mais puisque l'exécution n'est pas cela, et

que les sinuosités nécessaires que le local ou la convenance économique occasionne sont observées, et n'empêchent pas la division, cette première partie de l'objection s'évanouit. »

Une telle affirmation, tout hypocrite qu'elle soit, témoigne néanmoins du fait que le comité cède déjà à la pression des provincialistes avant même que leur meilleur porte-parole, Mirabeau, se soit expliqué publiquement là-dessus.

Que respectera la nouvelle division ? Thouret cite les montagnes, les fleuves, les villes, le local, la convenance économique. Rabaud de Saint-Étienne, toujours au nom du comité, renouvelle les paroles rassurantes, affirmant que les intérêts et les habitudes, les localités, les bornes naturelles et celles des frontières seront ménagés. Selon le député Target, ce sont encore les fleuves, les rivières, les montagnes, et, en second lieu, les frontières des provinces, la situation des lieux et la considération des habitudes qui guideront les opérations.

On voit l'importance concédée aux limites naturelles par le comité, ce qui suggère que, parmi les critères de division revendiqués par les provincialistes, les bornes physiques sont celui qu'il retient avec le moins de déplaisir. Là encore, il faut ramener la pensée des départementalistes à son principe directeur, le déterminisme spatial. Si l'organisation politique est le reflet de l'organisation territoriale, les éléments les plus dignes d'attention et de vigilance sont les caractéristiques humaines qui assurent une médiation minimale entre le terrain et les revendications politiques qui y sont inscrites. Au contraire, les formes physiques de l'organisation territoriale sont beaucoup plus « aseptiques », plus rarement susceptibles de fournir une base solide à l'autonomisme du fait même qu'elles sont inertes, elles permettent aussi de focaliser l'attention sur les limites (« les bornes naturelles »), aux dépens des régularités de surface introduites par les communautés d'intérêts et d'habitudes qui sont précisément à l'origine des régionalismes.

Toutefois, il faut le noter, cette forme de pensée est plus le résultat d'une adaptation aux exigences de la polémique, qu'une conviction profonde et délibérée. Par ailleurs, les auteurs du projet accordent tout de même quelque concession aux phénomènes humains puisqu'ils évoquent les villes et les convenances économiques. Mais leur discrétion sur ces points semble cependant prouver leur restriction. L'attachement à la base d'étendue, autrement dit au territoire aux dépens des bases de population et de contribution, domine en revanche leur pensée. Pour Sieyès, la base territoriale, par son inertie, constitue une sorte de moyen d'équilibrage, une garantie d'égalité qui profite aux hommes eux-mêmes :

> « Il semble qu'il est un point au-dessous duquel on ne doit pas permettre au faible de descendre. Une sorte d'équilibre est nécessaire en politique, entre tous les membres de l'association [...]. Le territoire est certainement

ici un élément très important. Le maintien du territoire est même le premier motif, la première condition de l'union politique des communes. Lors donc qu'une commune serait encore presque nulle par l'impôt et le nombre des hommes, il faut encore qu'elle puisse figurer à raison du territoire, et être assurée, au moins sous ce rapport, d'une force certaine de représentation. »[37]

Les interlocuteurs du comité n'ont-ils pas eux-mêmes préconisé la conformité du plan de division avec la disposition des éléments naturels vus comme des limites immuables ? Démeunier observe que, à s'en tenir aux bases de population et d'imposition, par nature variables, on s'obligerait à modifier sans cesse le nombre des départements. Le 9 novembre, Thouret reprend l'objection et repousse plus catégoriquement encore le projet adverse. Il s'adresse notamment à un député d'Auvergne, Gaultier de Biauzat, qui avait revendiqué quelques jours auparavant la priorité de la base démographique :

> « Cette méthode me paraît la plus vicieuse de toutes. Son exécution expose, bien plus que le plan du comité, à l'inconvénient d'enfreindre les limites connues, et de sacrifier même les convenances naturelles et économiques : car, former un département par cinq ou six cent mille âmes, c'est réunir et coalitionner autant de lieux et de communautés qu'il en faut pour trouver ce nombre d'hommes ; il faudra donc joindre au pays voisin celui qui n'aura pas cette somme de population, ou une partie de celui qui aura une population excédente. Il faudrait donc violer les limites actuelles, franchir les montagnes, traverser les fleuves, et confondre, comme on nous l'a tant reproché, les habitudes, les coutumes et les langages. Ce n'est pas que je trouve cela si désolant, si terrible, si impraticable sans faire le moindre mal à personne, qu'on s'est plu à le supposer ; mais je suis bien aise de montrer que le plan de l'honorable membre n'est pas plus exempt de cette sorte d'embarras que celui du comité, qui d'ailleurs a, par-dessus le sien, plusieurs grands avantages. »[38]

On s'amusera des paroles prononcées presque en aparté par Thouret et qui en disent long sur sa véritable opinion quant à la nécessité de préserver limites naturelles, « convenances naturelles et économiques », et traditions provinciales. Thouret dénonce ainsi les contradictions du plan ébauché par les partisans de Mirabeau. Il souligne l'incompatibilité de l'égalité de population des divisions avec les délimitations suggérées par la topographie d'une part, avec le respect de l'homogénéité territoriale créée par les habitudes, les coutumes et les langages, d'autre part. Il objecte en outre qu'il est impossible de faire coïncider des divisions également peuplées avec les limites provinciales, « car une province très faible, comme il y en a quelques-unes, qui ne serait qu'un demi cent vingtième du royaume, ne pourrait pas faire seule un département. Et si d'autres provinces se trouvent former un cent vingtième et demi, ou deux cent vingtièmes et demi du royaume, que ferait-on de l'excédent ? »

Il s'agit bien de la double contradiction que nous repérions plus haut. Mais la clairvoyance de Thouret à l'égard des impossibilités présentes dans le plan de Mirabeau n'a d'égale que son propre aveuglement à propos du plan du comité. En effet, de même que la base de population, la base d'étendue (les trois cent vingt-quatre lieues carrées) ne saurait coïncider régulièrement ni avec les limites naturelles, ni avec les « régions » homogènes, ni même avec les limites provinciales que Thouret propose gracieusement de respecter. Et ce n'est pas un des moindres paradoxes de cette pensée constituante, que de vouloir concilier la rationalité quantitative de la planification avec les inégalités spatiales. La tactique de compromis idéologique utilisée conjointement par les différents protagonistes nous fournit peut-être une explication : concession à l'irrégularité naturelle de la part de rationalistes épris d'égalité, ou bien réhabilitation du raisonnement provincialiste conservateur par l'entremise de la revendication de l'égalité de population, ces deux comportements polémiques rapprochent finalement les deux camps, puisque leurs contradictions respectives sont homologues.

5. *Vers une identification de la notion de province*

Comment interpréter l'attitude du comité oscillant entre la volonté d'anéantir les provinces et des tentatives pour montrer que le plan ne contrarie en rien la division provinciale ? Nous sommes ici amenée à faire le point de la notion de province telle qu'elle apparaît dans les textes du projet parlementaire. L'historiographie de la fin du 19ᵉ et du début du 20ᵉ siècle a été très prolifique sur la question de l'existence des provinces en 1789. Le livre qui fait référence est, nous l'avons signalé, celui d'Armand Brette, publié en 1907. L'auteur y dénonce longuement l'imprécision de la notion de province et montre que le mot était utilisé pour désigner des groupements très différents : étendue de la juridiction des métropoles ecclésiastiques, bailliages, généralités ou ressorts des intendances. Il souligne que le pouvoir royal lui-même avait une conception très floue des circonscriptions de sa propre administration.

À la fin du 18ᵉ siècle, du fait même qu'on en avait une notion très vague, il était impossible non seulement de délimiter les provinces mais aussi de les dénombrer. Alors que le *Coup d'œil général sur la France* de Brion en compte cinquante-huit, le décret du 26 février-4 mars 1790 sanctionnant la division en départements en mentionne quatre-vingt-neuf. Brette rejette donc les provinces en raison de leur incapacité à donner une idée claire des divisions territoriales de la France en 1789. Il insiste surtout sur l'idée qu'elles ne correspondent à aucune réalité administrative précise et ne retient finalement que les divisions énumérées par Thouret le 29 septembre : diocèses, gouvernements, généralités et bailliages.

Au cours des deux décennies suivant la publication de l'ouvrage de Brette, l'intérêt porté à la notion de province est à rechercher du côté du mouvement régionaliste, plus souvent mû par sa propre idéologie que par le souci de retracer la façon dont les contemporains de 1789 se représentaient les provinces. Les régionalistes reprennent les thèmes de l'imprécision des provinces et leurs limites, mais se montrent moins catégoriques quant à l'absence de signification de la notion elle-même. On voit apparaître chez eux deux façons d'envisager la province.

La première s'appuie sur les motivations sentimentales et géographiques du régionalisme. Camille Bloch, très en accord avec Brette, concède pourtant à la province une certaine existence, attestée par la place qu'elle occupe dans la mémoire collective[39]. Maurice Brun, de son côté, s'exclame : « Les provinces n'avaient pas de frontières, mais elles avaient une âme. »[40] Le vicomte de Romanet, partisan maurrassien de la restauration des provinces dans le cadre d'une monarchie fédérative, écrit : « La population de chaque province a, au physique comme au moral, sa physionomie à part, son caractère distinct, le plus souvent reconnaissable aujourd'hui, et dus tant à la communauté de race qu'à l'empreinte séculaire du climat, du sol, du genre de vie et des circonstances historiques. »[41] On approche ici de la notion de physionomie régionale développée par la géographie traditionnelle de l'époque. Ces idées seront remises à l'honneur à chaque renouveau des revendications régionalistes (par exemple dans le livre de Jean Bancal publié en 1945[42]). Identité d'intérêts, de coutumes, tradition, souvenir, âme, personnalité, physionomie, se regroupent pour caractériser la notion de région dans le sens de l'ethnographie, de la géographie et de la sentimentalité.

La seconde façon de concevoir la province en fait une notion politique. Camille Bloch admet la nature politique de groupements comme la Bretagne et la Provence. Et si les auteurs s'accordent pour refuser à la province le statut de division administrative, ils la définissent volontiers par ses composantes politiques. Le vicomte de Romanet oppose les provinces aux divisions administratives, qu'elles soient ecclésiastiques, militaires, financières ou judiciaires : « La division administrative est un organe du gouvernement central dont l'objet est l'unité nationale. La province, au contraire, est un organe de l'autonomie locale. »[41]

La distinction établie entre gouvernement central et autonomie locale, ébauche de ce que sera l'opposition des juristes entre déconcentration et décentralisation, marque bien la séparation entre les provinces, organes politiques de décentralisation, et les circonscriptions administratives, organes de déconcentration d'un régime posé ici comme centralisé. Gustave Dupont-Ferrier, auteur d'un article bien documenté sur l'histoire de la notion de province depuis l'époque romaine, montre que la diffusion du mot dans la langue non ecclésiastique à partir du 16e siècle correspond à l'édification de l'unité française[43]. La notion de province renvoie donc bien à une évaluation de la répartition des pouvoirs entre le gouvernement central et les groupements locaux, répartition traduisant un rapport de forces politique.

Bien qu'il soit difficile, dans ces textes des années 1910-1930, de distinguer ce qui est analyse des représentations mentales des hommes de 1789 et ce qui provient de la vision propre des auteurs, étroitement liée à l'idéologie régionaliste, il semble que la dualité de signification attribuée à la notion de province nous fournisse une bonne base de lecture des textes révolutionnaires. On y reconnaît bien, en effet, la double représentation présente à la fois chez les provincialistes et chez les départementalistes de 1789.

On a vu chez les premiers prendre forme un plaidoyer de type philosophico-géographique alliant des arguments sentimentaux, voire métaphysiques, à un raisonnement pseudo-scientifique faisant appel aux caractéristiques objectives des provinces. Le tout était doublé, en arrière-plan, de considérations très nettement politiques qui consistaient à essayer de sauvegarder les attributions des provinces face au mouvement révolutionnaire d'unification et de centralisation. À cette tendance d'opinion, les défenseurs du projet répondent de deux manières contradictoires : en affirmant la nécessité d'anéantir les provinces et en assurant que le nouveau plan ne les bouleversera pas.

La contradiction ne réside-t-elle pas dans la façon dont le comité joue sur la notion de province ? Thouret et Target s'approprient les thèmes provincialistes de la conformité souhaitable de la division avec l'organisation territoriale créée par le relief, le climat, le sol, les productions, les mœurs, etc. De la sorte, ils se placent du côté de la première conception de la notion de province. En revanche, lorsqu'ils demandent le démantèlement des provinces, ils envisagent celles-ci comme des entités politiques et refusent un régime qui accorderait une trop grande autonomie locale, mettant en danger l'intégrité de la nation.

Cette ambivalence de la notion de province, unité naturelle, culturelle et économique ou bien groupement politique, est bien entrevue par Malouet, hostile à la fois aux projets de Thouret et de Mirabeau, lorsqu'il déclare le 12 novembre :

« Tel est le véritable but auquel vous devez tendre : diminuer les grandes masses, renforcer les petites, supprimer toutes les différences de régime, anéantir les prétentions exclusives ; lorsque ces conditions essentielles seront remplies, votre division sera bonne ; toutes les sous-divisions, toutes les bases de représentation lui seront applicables ; l'esprit de corps, l'esprit de province ne sera plus à craindre ; vous en aurez détruit ce qu'il faut en détruire : mais un système qui tendrait à l'effacer complètement, s'il n'était dangereux, serait au moins d'une impossible exécution ; car l'esprit de province considéré sous le rapport des habitudes, du sol, du climat, des coutumes, des mœurs locales, du genre d'industrie et de culture, cet esprit se compose d'une multitude de combinaisons qui échappent à l'autorité de la législation et qu'elle doit même respecter. »[44]

Le balancement qu'effectue le comité d'une notion à l'autre n'est certes pas innocent, et lui donne la possibilité au contraire de céder sur un terrain et de maintenir ses positions sur l'autre ; de même qu'il y avait quelque artifice de raisonnement de la part des provincialistes à rechercher des arguments dans le domaine philosophique et géographique pour asseoir des revendications politiques, c'est pour les besoins de la polémique que le comité dissocie les deux conceptions et leur fait tour à tour référence. Car en vérité, chez Sieyès et Thouret, les deux notions sont étroitement liées par les rapports de causalité. Leur volonté est sans nul doute de détruire non seulement « l'esprit de province », mais aussi ce sur quoi il se fonde, c'est-à-dire son enracinement dans le territoire.

*

Au fil du débat se sont donc individualisés deux camps : l'un s'agrège autour de Mirabeau, l'autre suit la ligne tracée par le comité. La pensée réformatrice d'avant 1789 s'est scindée en deux tendances représentées respectivement par les héritiers du provincialisme autonomiste de la fin de l'Ancien Régime, et par les rationalistes épris de géométrie et d'uniformité conformément à l'esprit des Lumières ; de la sorte, cette division actualise la contradiction entre la régularisation géométrique et le respect des particularités et des différences. Chacun des deux mouvements d'opinion prend appui sur une argumentation philosophique. De la part des provincialistes, il s'agit d'une ignorance feinte des facultés de l'homme à modifier son environnement, qui sert de justification à un conformisme militant à l'égard des dispositions acquises. La pensée s'organise alors à partir d'une idée presque archaïque de la nature : celle-ci, assimilée à la puissance divine ou bien vue comme le principe qui régit et détermine tout l'univers, dépossède l'homme de son libre-arbitre et, au mieux, lui reconnaît la capacité de découvrir par la raison les lois de l'ordre universel et de modeler son action sur ces prescriptions. À cette conception fidèle à la théorie physiocratique s'opposent les partisans d'une refonte complète de la société, qui font appel à des principes philosophiques plus humanistes, conférant à l'homme la possibilité d'agir sur la nature, voire le devoir de la corriger.

Cette dichotomie se retrouve dans les formes que prend le raisonnement déterministe, que l'on a souvent retrouvé chez les uns et les autres. Si ce procédé dialectique rapproche les deux partis, il ne faut pas négliger les particularités propres à chacune des utilisations qui en sont faites. Pour caractériser la démarche de pensée provincialiste, l'expression de postulat écologique conviendrait bien, alors que nous nous refusions plus haut à l'appliquer à la pensée réformatrice d'avant 1789 et au projet de septembre 1789. En effet, l'argumentation provincialiste consiste précisément à invoquer le milieu (relief, climat, mœurs, langage) comme clé d'organisation de la société, qu'il s'agisse d'un schéma strictement déterministe, ou que cette géographie de l'environnement fournisse un modèle pour l'action humaine.

Le déterminisme qui apparaît dans la pensée du comité est tout autre. Ici, le rôle de l'homme, presque équivalent à celui d'un démiurge, est fondamental. Le déterminisme se situe en aval de l'action humaine et non en amont, comme précédemment. Si les membres du comité fondent tout leur projet sur la réorganisation territoriale comme source de rationalisation de la société et des institutions, ils posent comme principe premier l'action planificatrice de l'homme, en tant que sujet pourvu de raison.

Toutefois, gardons-nous de figer le débat dans cette interprétation étroitement dichotomique. Si l'on soustrait les implications philosophiques de chaque idéologie, la démarche déterministe qui consiste à mettre en rapport l'espace et la société reste une caractéristique commune aux deux camps, qui les rapproche et les fond dans une même originalité de pensée. Par ailleurs, il ne faut pas perdre de vue les résonances du calcul rhétorique et polémique de chacun des adversaires. Nous avons insisté sur le chemin parcouru par les représentants de chaque tendance vers l'opinion adverse pour se la concilier afin que l'exigence d'unanimité de la volonté générale soit satisfaite. Concession des uns à l'irrégularité et aux « localités », souci de géométrie et d'uniformité affiché par les autres, tout cela fait partie d'un même procédé discursif. Les conséquences en sont les distorsions, les contradictions qui existent à l'intérieur d'une même prise de position, dont le revers est l'identité des principes à partir desquels se structure la pensée des uns et des autres : nous avons évoqué le lien établi entre espace et pouvoir, mentionnons aussi les rapports tout/parties, bien général/bien particulier, et unité/diversité qui organisent toute la dialectique révolutionnaire dans ces premiers mois et réunissent les divers protagonistes sur un même terrain de discussion.

Devant ce mélange de divergences et de parentés, il est parfois difficile de se faire une idée exacte des vrais choix des uns et des autres, et à plus forte raison, de retrouver des catégories d'opinion nettement cloisonnées. De là le risque d'interpréter les réformes d'hier dans les termes où se posent les débats d'aujourd'hui. Ainsi a-t-on pu voir la réforme comme le triomphe de la géométrie sur le régionalisme bafoué. C'est notamment le cas du mouvement d'opposition au département, tel qu'il s'est manifesté au début de notre siècle, et dont certains géographes comme Pierre Foncin ont été de très ardents défenseurs. À l'opposé de cette conception on voit aujourd'hui un historien, Claude Manceron, affirmer un peu hâtivement à propos de l'Assemblée Constituante de 1789 :

« Elle n'a pas, ainsi qu'on le croit souvent, arbitrairement découpé la nation en quatre-vingt-dix morceaux aux lignes géométriques (comme les Américains allaient le faire pour certains de leurs États du centre) ; elle a d'abord voulu redonner vie aux provinces dans leurs réalités concrètes puis, à partir et à l'intérieur d'elles, découper des circonscriptions administratives faciles à administrer depuis leur chef-lieu. [...] Ainsi s'est amorcée, dans la France de 1789 déjà, une révolution tranquille, celle d'une régionalisation bien comprise. »[45]

Négliger l'analyse des intentions ou bien l'effectuer d'une manière partielle, laisser de côté tout le cheminement du débat révolutionnaire avec ses points de résistance et ses éléments de conciliation, voilà qui aboutit à ces interprétations un peu sommaires, même si elles sont fondées sur un matériau historique incontestable, et qui ancre des idées reçues[46]. Nous nous sommes efforcée de montrer que celui-ci ne pouvait se résumer à une position idéologique unique et tranchée, et que coexistaient au contraire en 1789 plusieurs volontés et plusieurs formes de représentations mentales du territoire. En outre, l'idéal révolutionnaire d'union nationale, de volonté unique, univoque par son caractère rationnel, poussent les diverses tendances à des concessions réciproques ; il en est d'autant plus délicat d'identifier des programmes fixes et contradictoires. Divergences et convergences alternées restent l'image de ce débat à propos de l'enjeu « géographique » du découpage, image qui se confirme à l'analyse des représentations concernant les rapports entre territoire et pouvoir politique.

NOTES

1. Mavidal et Laurent, *op. cit.*

2. D'Eymar, « Opinion de M. d'Eymar, député de Forcalquier », in : AN, ADXVIII^C4, Supplément au procès-verbal de l'Assemblée Nationale, Constitution, t. 2, Organisation et division du territoire, part. 2.

3. Cette conformité du découpage en départements avec les limites provinciales demande à être évaluée à sa juste valeur. A. Brette a montré, dans son livre sur *Les limites et les divisions territoriales de la France en 1789* (Paris, Cornély et Cⁱᵉ, 1907), que la notion de province était extrêmement floue au 18ᵉ siècle et que, a fortiori, les hommes de gouvernement et cartographes de l'époque étaient incapables de donner les limites précises aux provinces ainsi qu'aux circonscriptions administratives de la monarchie. La coïncidence du partage en départements avec les provinces n'a donc qu'une valeur très relative en l'absence de définition et de délimitation claires de ces dernières.

4. A. Aulard, « Départements et régionalisme », *La Grande Revue*, 75, p. 14, cité par C. Berlet, *Les tendances unitaires et provincialistes en France à la fin du 18ᵉ siècle : la division des provinces en départements,* Nancy, Impr. Réunies de Nancy, 1913, p. 228.

5. [E. J. Sieyès], « Observations sur le rapport du comité de constitution concernant la nouvelle organisation de la France », in : AN ADXVIII^C3, Supplément au procès-

verbal de l'Assemblée Nationale, Constitution, t. 2, Organisation et division du royaume, part. 1.

6. Voici la liste des auteurs des principaux discours concernant la question du morcellement des provinces. On les trouve regroupés dans le recueil des *Archives parlementaires* de Mavidal et Laurent, *op. cit.*, t. 9 :
   14 octobre 1789 : Aubry du Bochet, abbé Gouttes
   19 octobre 1789 : Bouches, baron de Jessé
   22 octobre 1789 : Duport
   3 novembre 1789 : Verdet, Mirabeau
   5 novembre 1789 : Pellerin, Sinéty
   9 novembre 1789 : Pétion de Villeneuve
   10 novembre 1789 : Pison du Galand
   11 novembre 1789 : Ramel-Nogaret, Martin

7. Mavidal et Laurent, *op. cit.*, t. 9, p. 461.

8. *Ibid.*, p. 655-656.

9. Comte d'Antraigues, « Observations sur la nouvelle division du royaume proposée par le comité de constitution, par le comte d'Antraigues », in : AN, ADXVIII^{C}3, Supplément au procès-verbal de l'Assemblée Nationale...

10. Mavidal et Laurent, *op. cit.*, t. 9, p. 658.

11. *Ibid.*, p. 753.

12. *Ibid.*, p. 656.

13. *Ibid.*, p. 689.

14. *Ibid.*, p. 659-660.

15. *Ibid.*, p. 441 (Aubry du Bochet), p. 461 (Bouche : « dispositions locales »), p. 658 (Verdet : « convenances locales »), p. 659 (Mirabeau), p. 673 (Barnave : « circonstances locales »), p. 673 (Delandine, Démeunier et Gaultier de Biauzat), p. 675 (Châteauneuf-Randon), p. 680 (Faydel), etc.

16. *Ibid.*, p. 673.

17. *Ibid.*, p. 740. Discours de Pison du Galand, 10 novembre 1789.

18. L. Gallois, *Régions naturelles et noms de pays : étude sur la région parisienne,* Paris, Colin, 1908, p. 227.

19. J. L. Giraud-Soulavie, *Histoire naturelle de la France méridionale,* Paris, J. F. Quillan, 1780, t. 1, p. 5-6.

20. F. de Dainville, *La géographie des humanistes,* Paris, Beauchesne et ses fils, 1940, p. 280.

21. Mavidal et Laurent, *op. cit.*, t. 9, p. 671.

22. 11e édition, Paris, PUF, 1972, art. « Nature », p. 671.

23. J. Ehrard, *L'idée de nature en France dans la première moitié du 18e siècle,* Paris, SEVPEN, 1963.

24. P. Hazard, *La pensée européenne au 18e siècle, de Montesquieu à Lessing,* Paris, Boivin et Cie, 1946, t. 1, p. 151.

25. Ehrard, *op. cit.*, t. 2, p. 731-732.

26. Mavidal et Laurent, *op. cit.*, t. 9, p. 480.

27. *Ibid.*, p. 691.

28. M. V. Ozouf, *La Limagne : étude de l'évolution d'une notion régionale,* mémoire de maîtrise, dact., Paris, 1978. On a vu notamment que la Limagne avait fait l'objet de descriptions différentes suivant l'évolution de la discipline géographique. Les premiers travaux de géographie la définissaient volontiers comme une terre de culture caractérisée par un

paysage d'openfield et un habitat groupé, par opposition aux montagnes environnantes vouées à l'élevage et bocagères. La Limagne possède alors une extension spatiale assez large.

Petit à petit, les géographes ont approfondi leur analyse et précisé leurs critères de différenciation. On aboutit dans les années 1940, avec les travaux de Max Derruau, à un éclatement de la Limagne en sous-régions caractérisées par des types de culture et des paysages ruraux distincts : le Pays des Buttes, les Plaines marneuses, les Varennes. L'unité de la Limagne est alors mise en cause au profit d'homogénéités plus rigoureuses s'exerçant dans des territoires plus restreints. Ainsi, suivant que les critères d'analyse utilisés sont plus ou moins précis, le territoire affecté par le phénomène étudié est plus ou moins étendu. Pourtant, les géographes ont souvent gardé l'espace régional que leurs prédécesseurs avaient « défini » en conformité avec un certain type de critères, et s'en sont servi comme cadre d'étude, négligeant le fait que l'analyse qu'ils menaient pour leur part vidait en quelque sorte le cadre utilisé de sa signification géographique en le transformant en simple délimitation des bornes matérielles de l'étude.

29. Mavidal et Laurent, *op. cit.,* t. 9, p. 660. Mirabeau exprimait la même chose à propos de la division en districts (*ibid.*).

30. *Ibid.,* p. 661-662.

31. *Ibid.,* p. 656.

32. *Ibid.,* p. 686.

33. *Ibid.,* p. 669.

34. *Ibid.,* p. 656.

35. Sieyès avait tenu les mêmes propos en octobre : « Vous alliez au marché deux fois par semaine : eh bien, dût la fatale ligne être tirée entre vous et le marché, vous pourrez continuer vos approvisionnements comme par le passé. Les chemins n'en seront pas plus mauvais, au contraire. Vos relations avec vos amis, vos connaissances resteront les mêmes. Le commerce, dans toutes ses branches, n'en aura pas moins de débouchés ; il suivra le cours que lui indiquaient les facilités naturelles, et si on lui en ouvre de nouvelles, comme cela pourrait bien arriver, il saura en profiter. Encore une fois, tranquillisez-vous. — Mais cesserai-je d'être Breton, d'être Provençal ? — Non, vous serez toujours Breton, toujours Provençal ; mais vous vous féliciterez bientôt avec nous d'acquérir la qualité de citoyen, nous porterons tous un jour le nom de *Français*, et l'on pourra s'en glorifier ailleurs qu'au théâtre, lorsque ce nom désignera un homme libre. » [Sieyès], *op. cit.*

36. Brette, *op. cit.*

37. [Sieyès], *op. cit.*

38. Mavidal et Laurent, *op. cit.,* t. 9, p. 724.

39. C. Bloch, « La nouvelle formation territoriale de la France », in : coll., *Les divisions régionales de la France,* Paris, Alcan, 1913, p. 17-37.

40. M. Brun, *Départements et régions,* thèse pour le doctorat, Paris, Presses Modernes, 1938, p. 70.

41. Vᵗᵉ de Romanet, *Les provinces de la France,* Paris, Nouvelle Librairie Nationale, 1913, p. 23.

42. J. Bancal, *Les circonscriptions administratives de la France : leurs origines et leur avenir,* Paris, Sirey, 1945, p. 137 : « Les pays et provinces étaient d'anciens fiefs ayant eu, pendant le Moyen Âge, leur destin historique propre, générateur chez les habitants appartenant déjà à un même groupe ethnique, d'une profonde communauté de mœurs, de caractère et de sentiments et ayant ainsi constitué des unités géographiques traditionnelles, antérieures et extérieures à toute organisation administrative. »

43. G. Dupont-Ferrier, « Sur l'emploi du mot *Province*, notamment dans le langage administratif de l'ancienne France », *Revue Historique*, 160, 1929, p. 260.

44. Mavidal et Laurent, *op. cit.,* t. 10, p. 4.

45. C. Manceron, « La régionalisation : une idée révolutionnaire », *Le Matin,* 17 juillet 1981, p. 4.

46. Il est vrai que l'article de quotidien ne se prête pas à une démonstration très strictement argumentée. Néanmoins, il serait possible d'adopter une formulation plus nuancée.

CHAPITRE IV

Centralisation et décentralisation

> « Le département était donc une petite répu-
> blique qui s'administrait librement. L'auto-
> rité centrale n'y était représentée par aucun
> agent direct. [...] On passait brusquement de
> la centralisation bureaucratique étouffante de
> l'Ancien Régime à la décentralisation la plus
> large, à une décentralisation américaine. »
>
> A. Mathiez[1]

> « En même temps qu'elle faisait ainsi la cen-
> tralisation politique à son profit et au mépris
> du principe tutélaire de la séparation des pou-
> voirs, la Constituante faisait également la cen-
> tralisation administrative. »
>
> Comte de Luçay[2]

Les deux textes cités en exergue constituent un échantillon significatif
des représentations contradictoires que l'on a pu se faire de l'œuvre de la
Constituante en matière d'organisation territoriale et administrative.
De part et d'autre, les occurrences sont nombreuses, les unes et les
autres attestées aux mêmes époques (depuis le milieu du 19e siècle
jusqu'à nos jours) et venues d'horizons disciplinaires variés (droit, économie, histoire, géographie, science politique). Comment expliquer la
présence conjointe de deux positions historiographiques totalement
opposées, alors que toutes deux prennent en considération les mêmes
événements et les mêmes documents ? Il y aurait beaucoup à dire sur le
contexte dans lequel prend place la formulation de ces interprétations :
époques de renaissance du débat sur les rapports entre l'État et les collectivités territoriales, durant lesquelles les préoccupations du présent
conditionnent fortement la lecture de l'héritage révolutionnaire.
L'évaluation du bien-fondé de chacune des options historiographiques, ou, plus modestement, l'éclaircissement des processus mentaux
qui les sous-tendent, passent aussi et en premier lieu par une nouvelle
analyse des textes d'origine. L'étude de ces textes permet de restituer la
complexité du débat de 1789 qui se prête mal, à notre sens, aux interprétations tranchées. Il faut certes distinguer les diverses tendances qui se
font face au sein de l'Assemblée. Cependant, leur identification ne suffit

pas à expliquer toute cette ambiguïté et, à s'en tenir à elle seule, on risque au contraire d'être entraîné à son tour dans une interprétation catégorique qui réduit la richesse constitutive du débat. Aussi voudrions-nous décrire, par-delà l'opposition entre provincialistes autonomistes et partisans de l'unité nationale, les principales formes que prennent les idéaux révolutionnaires en matière d'organisation des rapports de forces politiques et administratifs régissant le territoire. L'examen détaillé des textes met en évidence les multiples hésitations et les incertitudes d'une pensée qui est à l'origine de l'aménagement du territoire non seulement à l'époque révolutionnaire, mais encore tel qu'il subsiste aujourd'hui.

1. Décentraliser ou centraliser : une alternative ?

L'idéal démocratique

Malgré les réserves formulées par Sieyès à l'encontre de la démocratie véritable, la préoccupation des députés pendant les premiers mois révolutionnaires est bien de rendre possible la participation effective et proportionnée de toutes les parties du royaume à la vie politique et administrative. Une certaine unanimité d'opinion se dégage au sein de l'Assemblée Nationale sur ce point. L'affiliation de cet idéal révolutionnaire aux principes des Lumières est manifeste. Et si l'on envisage plus précisément la période précédant immédiatement la Révolution, la continuité apparaît nettement entre la pensée constituante et la volonté des économistes et administrateurs de rapprocher l'administration et la vie politique des sujets du royaume en leur donnant la possibilité d'une plus grande et plus égale participation.

Le vocabulaire utilisé témoigne également de la permanence des préoccupations : dans les premières propositions de constitution, de même que dans le rapport de Thouret, il s'agit de former des « assemblées provinciales », selon l'appellation qui a été donnée aux corps politiques dans les tentatives de réforme pré-révolutionnaires. Le manque de cohérence terminologique d'un discours qui entremêle une part d'innovation (si le mot « département » était courant dans la langue administrative, le comité de constitution l'affecte à une réalité concrète et précise) et une certaine forme de conservatisme traduit, encore une fois, le caractère particulier de la période et du débat qui l'occupe : hésitation entre l'affranchissement et le respect du passé, jeu de concessions entre les diverses idéologies.

Dans le projet de réorganisation administrative de l'automne 1789, la décentralisation est envisagée dans le cadre bien délimité du système représentatif proportionnel, tel qu'il est conçu par les membres du comité de constitution. Elle ne correspond pas à l'instauration d'un

régime strictement démocratique, conforme à la conception rous-
seauiste par exemple. Ce choix provoque une divergence d'opinion au
sein de l'Assemblée Nationale. La question qui retient l'attention est
celle du nombre de degrés d'élection. Duport est parmi les premiers à
manifester son opposition au système proposé par le comité :

> « Vouloir établir trois degrés pour la représentation nationale ou adminis-
> trative, c'est à mon sens, dénaturer la constitution qui va s'établir, en
> bannir tout l'esprit populaire, y substituer l'aristocratie des riches, favo-
> riser les intrigues secrètes, les seules dangereuses puisqu'elles ont pour base
> l'intérêt particulier. Les mandataires du peuple cessant d'être responsables
> de leurs choix au peuple, cessent aussi d'être mus par ces motifs d'espérance
> et de crainte qui les portent à le bien traiter, à être justes et bons, généreux
> et humains. »[3]

Par ailleurs, Duport trouve trop restrictives les conditions à réunir
pour être électeur[4], jugeant que le paiement d'un impôt direct conviendrait et devrait même être associé au statut de propriétaire, si la représentation était immédiate, mais que dans le cas d'une élection à deux, à
plus forte raison à trois degrés, la participation du peuple est déjà suffisamment limitée pour qu'on ne la restreigne pas par des mesures supplé-
mentaires.

Pour remédier à l'éloignement de l'élu par rapport à ses commettants,
Verdet propose de ne conserver que la division en sept cent vingt com-
munes elles-mêmes divisées en municipalités, éliminant ainsi l'échelon
départemental et cantonal. Ce sont les communes et les cantons que
Mirabeau choisit de son côté de supprimer, afin d'éviter la corruption.
À leur tour, Duquesnoy, Barnave, le marquis de Châteauneuf-Randon,
Barère de Vieuzac, Pétion de Villeneuve et Pison du Galand expriment
des idées semblables et proposent des modes de représentation qui
réduisent à deux ou même à un seul le nombre de degrés d'élection.
C'est également le cas de Martin, député de Franche-Comté, qui prend
modèle sur le système électoral anglais et américain.

À l'issue du débat, il est décidé que l'on supprimera un des degrés
d'élection et que les électeurs, réunis au chef-lieu de district, nomme-
ront directement les députés à l'Assemblée Nationale.

Le débat sur les bases de la représentation trouve dans cet idéal démocratique un terrain privilégié pour s'établir. Il s'agit toujours de critiquer la base d'étendue au nom de la priorité de l'élément humain, seule
règle de proportionnalité. Les discussions sur ce thème vont être extrêmement longues et virulentes. Face à un faisceau de revendications
humanistes, le comité de constitution s'efforce toujours de ramener la
discussion à la question territoriale, contenant l'enjeu démocratique et
la portée de la réforme dans les limites strictes de la rationalité matérielle
et spatiale.

Pourtant, si l'on accepte les restrictions apportées à l'expression de la pleine liberté civique pour chacun, qu'il s'agisse de la fixation des conditions d'éligibilité ou du mode de suffrage, ou bien du principe même de la médiation de l'opinion par la représentation, le projet constitue tout de même un pas dans le sens d'une participation plus large du peuple au pouvoir politique. Il est en tout cas apprécié comme tel par cette part de l'opinion qui avait réclamé la généralisation à la France tout entière de la structure politique dont bénéficiaient les seuls pays d'États. Thouret lui-même n'envisageait-il pas ainsi les bases de la future constitution, lorsqu'il déclarait, dès le 1er août 1789 : « Il sera créé en chaque province une assemblée provinciale revêtue des mêmes droits, pouvoirs et fonctions qu'auraient eus les États provinciaux, dont elle ne différera que de nom. »[5]

La volonté de décentralisation se fait sentir également dans la réforme de l'administration. Tout d'abord, elle se traduit par la suppression des principaux instruments de la centralisation monarchique : les intendants et leurs subdélégués, remplacés par des assemblées d'élus, conformément aux vœux réformateurs d'avant 1789.

Dans ses divers travaux, Maurice Bordes s'est attaché à décrire les conflits qui ont suscité l'impopularité des intendants au cours du 18e siècle[6]. L'institution rencontrait l'opposition des principaux artisans des revendications provincialistes, c'est-à-dire les États et les parlements, ainsi que celle des administrations municipales. L'un des principaux griefs retenus contre les intendants était, on l'a vu, leur qualité d'étrangers dans les provinces, prenant des décisions arbitraires parce qu'ils ignoraient les besoins locaux. C'est pourquoi, en 1789, un certain nombre de cahiers, souvent rédigés par la noblesse, demandent la suppression de l'intendance. De fait, les hommes disparaissent au cours de la révolution municipale qui suit le 14 juillet 1789. Quel sort devait être réservé à l'institution ?

Après la table rase du 4 août, l'intendance ne connaît pas un traitement plus favorable que les autres circonscriptions d'Ancien Régime. Comme nous l'avons vu, le comité de constitution souhaite affranchir le nouvel édifice administratif des dispositions héritées de la période antérieure, plaçant sur un pied d'égalité diocèses, gouvernements, généralités, bailliages, etc. Et si le comité est, dans un premier temps, absorbé par son travail d'élaboration des nouvelles dispositions de la constitution, il ne tarde guère à proposer la suppression de l'intendance. C'est l'objet de l'article 10, décrété le 10 décembre 1789 :

« Il n'y aura aucune autorité intermédiaire entre les administrations de département et le pouvoir exécutif suprême. Les commissaires départis, intendants et subdélégués, cesseront toutes fonctions aussitôt que les administrations de département seront entrées en activité. »[7]

Ce que le comité propose d'établir en lieu et place de l'intendance s'oppose fondamentalement aux caractéristiques de l'administration monarchique[8], et répond pour une part aux vœux décentralisateurs exprimés dans les dernières années de l'Ancien Régime. De la sorte, le projet constituant s'inscrit dans la continuité des idées soutenues par les esprits réformateurs du 18e siècle, comme le marquis de Mirabeau, Dupont de Nemours, Necker et Le Trosne, et dans le prolongement des expériences d'assemblées provinciales de 1778-1779 et des années 1780. Il s'agit de créer des assemblées élues d'administrateurs issus de la notabilité locale, de telle sorte que les territoires étant mieux connus de leurs mandataires et ceux-ci étant plus présents, l'administration s'en trouvera plus adéquate et plus rapprochée de ses ressortissants.

Les différences sont cependant nombreuses entre les modalités pratiques de formation des assemblées prérévolutionnaires et celles de leurs héritières, notamment en ce qui concerne le choix des membres, le contrôle exercé par le pouvoir central sur ces administrations, les fonctions de ces dernières[9]. En 1790, les assemblées doivent être entièrement élues alors qu'en 1778 et en 1787, elles étaient formées par nominations et cooptation[10]. Une autre rupture fondamentale réside dans les modifications apportées aux attributions des assemblées et à leur rapport avec le gouvernement. Avant la Révolution, le fait caractéristique était la rivalité opposant l'intendant à l'assemblée provinciale, et l'empiétement mutuel de leurs fonctions. Créée principalement pour permettre l'amélioration de la répartition des impôts, l'administration provinciale d'avant 1789 devait rendre compte de toutes ses délibérations à l'intendant. Elle n'était dotée d'aucun pouvoir de décision, celui-ci revenant au roi ou à ses délégués exprès, les intendants. Elle ne pouvait que rédiger des vœux ou des projets et n'était pas autorisée à engager des dépenses sans l'accord du pouvoir central. C'est sur ce point que porte l'innovation principale de la réforme révolutionnaire. En regroupant l'ensemble des prérogatives administratives et notamment fiscales dans une seule et même instance, le comité de constitution supprime le conflit d'attribution qui était en partie responsable de l'échec des assemblées provinciales prérévolutionnaires.

Les administrations doivent être dotées d'assez larges pouvoirs, comme en témoigne la liste des fonctions énumérées à l'article 1er du projet de décret (répartition et perception des contributions, surveillance des travaux publics, police, organisation de l'enseignement, etc.). L'assemblée administrative dispose en outre de deux organes : le conseil (« en quelque sorte, la législature ») et le directoire (ou commission intermédiaire) chargé de l'exécution des affaires.

> « Le conseil provincial tiendrait tous les ans une session, dans laquelle il fixerait les principes convenables pour chaque partie d'administration, ordonnerait les travaux et les dépenses générales du département, et rece-

vrait le compte de la gestion du directoire : mais ses arrêtés ne seraient exécutoires que lorsqu'ils auraient été approuvés et confirmés par le roi. »[11]

Malgré cette réserve à la liberté du conseil, le plan accorde, on le voit, une assez large capacité d'initiative à l'administration locale.

On retrouve le même souci de favoriser l'autonomie locale dans l'organisation des municipalités. La reconnaissance de l'existence et de la légitimité des intérêts locaux y est manifeste. Les pouvoirs dont elles disposent font de ces municipalités de véritables « petits États » suivant l'expression utilisée dans le projet lui-même[12].

L'esprit de décentralisation caractérise également la composition des administrations locales. La question s'est posée notamment de savoir s'il faudrait choisir les membres de l'administration départementale parmi les éligibles du département ou parmi les éligibles de tous les départements du royaume. À cette occasion, on fait à nouveau valoir la nécessaire prise en charge des intérêts locaux. Mougins de Roquefort fait observer que « des administrateurs choisis dans le sein même du département, connaissant davantage ses localités, connaîtront mieux ses besoins »[13]. Il est appuyé par le marquis d'Ambly et par Loys. Christin propose, lui, que les deux tiers des députés soient choisis parmi les éligibles du département. La réponse de Malès à cette suggestion résume bien, et avec éloquence, la position de ceux que l'on peut, en utilisant le vocabulaire d'aujourd'hui, qualifier de décentralisateurs :

> « Si vous permettez que le tiers des représentants d'un département soit pris hors de ce département, aussitôt que le Roi aura publié des lettres de convocation pour une assemblée nouvelle, vous verrez se répandre dans les provinces un essaim de prélats et de gens de cour, que nous avons appelés dans la dernière élection des coureurs de bailliages. N'espérez pas que vous aurez toujours des rois citoyens et des ministres honnêtes gens. »[14]

Cette position l'emporte finalement et l'article concernant la restriction du choix des administrateurs aux éligibles du seul département électeur est adopté.

Enfin, l'esprit décentralisateur se manifeste par l'absence de contrôle exercé par le pouvoir central sur les nouvelles assemblées. En effet, l'autorité centrale n'y a aucun représentant direct. Le procureur-syndic qui siège auprès du directoire et représente le roi n'est nullement nommé par ce dernier mais élu par les citoyens, comme les membres de l'assemblée.

On comprend donc qu'une partie de l'historiographie puisse affirmer que la Constituante a établi un régime électoral et administratif fondé sur la liberté et la décentralisation. Mais comment alors interpréter le crédit souvent accordé à la thèse opposée, selon laquelle l'œuvre de la Constituante serait fondamentalement centralisatrice ? Faut-il partir du postulat qu'il est incompatible de vouloir centraliser et décentraliser à la fois ? À nouveau, la lecture attentive des textes du projet et du débat parlementaire est notre guide le plus sûr. Elle nous apprend aussi que les positions exprimées et les problèmes abordés sont singulièrement plus complexes et indécis que ne le laisse supposer l'assurance des auteurs à formuler des interprétations catégoriques.

Le centralisme

Le centralisme est présent dans les idéaux de cette première période révolutionnaire, tels qu'ils apparaissent pendant l'élaboration de la Constitution. Lorsqu'ils réclament l'uniformisation, l'unité de pensée et d'action, lorsqu'ils refusent les différences et l'individualité, au nom de la soumission des parties au tout, les Constituants préconisent nécessairement la centralisation. On se reportera aux textes analysés à propos du morcellement des provinces et, plus particulièrement, à ce que nous écrivions sur la défense du comité, dont le rationalisme unitaire exclut le particularisme, c'est-à-dire l'autonomie des parties et, par voie de conséquence, la décentralisation, dans la mesure où elle consisterait à favoriser cette autonomie.

Qu'on prête attention au vocabulaire utilisé par l'abbé Sieyès dans son discours du 7 septembre : telle que l'envisage l'auteur, l'administration « partant d'un centre commun, va frapper uniformément les parties les plus reculées de l'empire ». Sieyès évoque ailleurs la législation idéale, « dont les éléments fournis par tous les citoyens se composent en remontant jusqu'à l'Assemblée Nationale, chargée seule d'interpréter le vœu général, ce vœu qui retombe ensuite avec tout le poids d'une force irrésistible sur les volontés elles-mêmes qui ont concouru à la former ». On trouverait difficilement une pensée plus nettement centralisatrice, et le fait qu'elle émane du principal auteur du projet lui donne tout son poids.

En fait, ces expressions du centralisme, de même que la préoccupation de décentraliser, caractérisent à nouveau les deux versants de l'édifice constitutionnel, c'est-à-dire la représentation électorale et l'administration.

Nous ne reviendrons pas sur le versant électoral, pour lequel nous avons déjà repéré les marques de l'esprit centralisateur. Contentons-nous de rappeler les maximes du comité : les députés ne doivent pas voter au nom de leurs mandataires, mais au nom de la nation tout entière. Les mandats impératifs sont condamnés. L'objectif unique est le bien général et la législature commune, dont les bienfaits seront redistribués ensuite sur le royaume tout entier. Ainsi le mouvement est convergent avant d'être divergent ; dans tous les cas, le centre tient dans le projet une place fondamentale.

Plus originale, à notre sens, est l'expression du centralisme administratif. Avec elle se met en place une idéologie extrêmement vivace, qui répond à une volonté très ferme et révèle en même temps toute son ambiguïté.

Il faut tout d'abord rappeler les conditions du débat. Nous avons évoqué le sentiment de crainte de certains députés à l'égard de l'anarchie et du désordre qui pouvaient faire suite à la table rase du 4 août. Les journées d'octobre 1789 ne font qu'accentuer chez les membres de l'Assemblée le désir d'établir un contrôle du territoire à partir de l'organe central du pouvoir.

Cette préoccupation centralisatrice va s'exprimer dans un certain nombre de propositions législatives, tout au moins dans leur version initiale : c'est le cas pour la réglementation des rapports existant entre les administrations locales et le gouvernement central. Voici comment Thouret définit la position des assemblées administratives, le 29 septembre 1789 :

« Subordonnées directement au roi, comme administrateur suprême, elle recevront ses ordres, et les transmettront, les feront exécuter, et s'y conformeront. Cette soumission immédiate des assemblées administratives au chef de l'administration générale est nécessaire ; sans elle, il n'y aurait bientôt plus d'exactitude ni d'uniformité dans le régime exécutif, et le gouvernement monarchique que la nation vient de confirmer, dégénérerait en démocratie dans l'intérieur des provinces. »[15]

Les assemblées communales se voient donc assigner à la même subordination à l'égard du roi, par l'intermédiaire des assemblées départementales auxquelles elles doivent l'obéissance.

La discussion qui a lieu à propos de l'article 37, qui met les assemblées administratives, organes du pouvoir exécutif, sous la tutelle du roi, conduit les membres de l'Assemblée à préciser encore leur pensée.

L'article fut interprété par une part des députés comme un retour à la centralisation de l'Ancien Régime. Telle est l'opinion de Defermon :

« Je me suis dit, en examinant cet article, qu'il était impossible de décréter plus entièrement et plus continuellement la conservation des pouvoirs des commissaires départis. Le roi ne pourra voir par lui-même toutes les opérations des assemblées administratives ; il faudra donc créer pour cet objet un agent du pouvoir exécutif qui, quelque nom qu'on lui donne, sera réellement un intendant.

En établissant ces assemblées, vous avez voulu soustraire les provinces aux bureaux des intendances ; votre intention ne peut être de les y replonger constitutionnellement. »[16]

Lanjuinais tient des propos semblables, ainsi que Reubell, Regnaud de Saint-Jean-d'Angély et Populus.

Il est vrai que le contenu de cet article du projet va à l'encontre des préoccupations d'autonomie exprimées dans d'autres articles rédigés par le comité, comme ceux que nous avons évoqués plus haut et qui concernent le statut électif des assemblées, la suppression des intendants, etc. Et l'on voit qu'il s'agit ici d'établir les règles d'une déconcentration administrative avec emboîtement hiérarchique des assemblées depuis la base jusqu'au sommet, bien plutôt que de doter les différentes instances locales de l'autonomie de décision propre à un régime décentralisateur.

Notons à ce propos que la suppression des intendants n'est pas dépourvue de toute équivoque. Car si les intendants étaient considérés par une bonne partie de l'opinion comme les agents du despotisme et de la centralisation monarchiques, il n'est peut-être pas exagéré de penser que ceux qui se voulaient à l'automne 1789 les artisans d'une nouvelle organisation de la France jugeaient l'institution des commissaires départis comme génératrice d'une centralisation mal faite. On connaît en outre, grâce aux travaux de Maurice Bordes, les efforts déployés par la monarchie à la fin du 18e siècle par l'intermédiaire des contrôleurs généraux (notamment Laverdy) pour restreindre la liberté d'action des intendants. Le pouvoir central désapprouvait en effet l'indépendance prise à ses dépens par certains d'entre eux, comme par exemple La Coré, intendant à Besançon.

On trouve chez Sieyès l'aspiration à une centralisation rendue plus parfaite par une tutelle efficace. Paul Bastid doute qu'il ait adhéré avec beaucoup d'enthousiasme au plan d'administration proposé par le comité et fondé sur une hiérarchie d'assemblées[17] ; il montre que le député se méfiait de l'élection pour la pente descendante de l'édifice politique, et qu'il aurait préféré que fût établi un corps de fonctionnaires proposés par les assemblées représentatives mais désignés par les supérieurs hiérarchiques de ces assemblées. Sieyès se serait efforcé, avec de plus en plus d'insistance au fil de la Révolution, d'aboutir au système d'un administrateur unique par échelon local, avec un mode de subordination hiérarchique strict.

C'était d'une certaine manière reconstituer, en l'améliorant dans le sens de la centralisation, l'institution des commissaires départis.

Mais, pour s'en tenir à la première période révolutionnaire, ces expressions de la volonté centralisatrice sont tenues en échec par une opinion hostile aux institutions de la monarchie et qui défend les principes démocratiques. En vertu de l'article 10, en même temps que l'on supprime les intendants, on décide qu'il n'y aura « aucune autorité intermédiaire entre les administrations de département et le pouvoir exécutif suprême »[18]. En outre, le décret du 22 décembre rend possible l'expédition des affaires particulières aux instances locales sans l'autorisation du roi.

Un projet ambigu

Lors donc, la réforme est-elle centralisatrice ou décentralisatrice ? On voit bien ici que la réponse ne peut être tranchée. Comme à propos de la

continuité entre l'avant et l'après 1789, la divergence des interprétations s'appuie sur l'ambiguïté et les oscillations de la pensée révolutionnaire dans sa première période.

Le plan proposé allie des éléments de décentralisation à des visées largement centralisatrices. Ce n'est pas en opposant les deux versants de la
Constitution, la pente ascendante et la pente descendante, que l'on
expliquera cette contradiction, celle-ci portant indifféremment sur
chacun d'eux. La décentralisation touche à la fois la représentation et
l'administration. Mais en excluant la défense de l'intérêt particulier et
local du mandat des députés, pour limiter leur rôle au seul registre de
l'intérêt général, le Comité fait œuvre de centralisation législative. Par la
finalité affectée au projet, c'est-à-dire l'anéantissement des autonomies
et des privilèges locaux, et par l'institution d'un système d'assemblées
emboîtées, responsables les unes devant les autres suivant une hiérarchie
allant de la base jusqu'à l'exécutif suprême, la Constituante pose les
jalons d'une véritable centralisation administrative, même si elle ne crée
pas l'appareil juridique nécessaire à sa garantie.

Selon que les auteurs prennent en compte et privilégient tel ou tel élément de ce dispositif, ils aboutissent à l'une ou à l'autre des interprétations. Il nous paraît important, au contraire, de laisser au projet toute
son ambiguïté. Le fait de vouloir à la fois centraliser et décentraliser est
significatif d'un esprit de conciliation en même temps qu'il révèle certains présupposés philosophiques. Il s'agissait notamment de fonder
conjointement la liberté et l'unité en matière de législation, de faire de
l'administration non seulement un service public mais aussi un organe
d'État. Tous ces idéaux sont présents dans les déclarations des premiers
mois révolutionnaires ; les Constituants se sont efforcé de les respecter le
plus rigoureusement possible dans les applications qu'ils envisageaient.

L'une des difficultés rencontrées renvoie à la théorie même de l'État :
tout ou parties, nation ou collectivités locales. Suivant le point de vue
adopté, l'action sera jugée centralisatrice ou bien décentralisatrice. Dans
la mesure où les constituants s'attachent à organiser tout l'édifice, ils
adoptent tantôt le point de vue de l'administré, tantôt celui de
l'administrateur ; celui du mandataire, ou bien celui du mandant. Cela
explique en partie les contradictions de leur propos, tout en les rendant
caduques. En effet, la jonction se fait finalement entre centralisation et
décentralisation par le biais de postulats idéologiques. D'une part, on
pose que le bien général coïncide avec le bien particulier. De la sorte,
l'administration, dans la mesure où elle fait respecter la loi générale,
satisfait par là même les particuliers, et les intérêts locaux convergent
avec ceux de l'État. Par ailleurs, les administrateurs seront des personnes de confiance, pénétrées de l'esprit civique, et s'appliqueront à
gérer leur territoire en vue du bien national, de même que les députés,
également éclairés, agissant dans le souci du bien national, satisferont
conséquemment les intérêts particuliers.

La dualité des interprétations possibles est également éclairée par les divergences existant entre l'esprit de la réforme tel qu'il apparaît dans les discours, et le contenu des décisions finales qui traduisent de manière privilégiée la décentralisation. Caractère électif des assemblées et des administrations, étendue des fonctions, absence de contrôle effectif par le pouvoir central, toutes ces mesures sont sanctionnées dans des articles du décret. En revanche, on aura plus de difficulté à trouver des mesures expressément centralisatrices dans le texte du décret, et dans le mode de fonctionnement pratique qu'il réglemente. Il est vrai que le terrain d'expression du centralisme semble être resté, en ces débuts de la Révolution, en aval de l'organisation juridique du régime politique, limité à la seule réflexion sur ce que devrait être un gouvernement idéal, sur ses garanties idéologiques. Force est donc de constater que le centralisme des discours n'a pas été traduit par des dispositions législatives, comme si l'expérience de l'Ancien Régime en hypothéquait toute nouvelle application.

Dès lors, une hypothèse pourrait être que le centralisme a principalement été le fait du comité et du premier projet, lequel, étant soumis à l'Assemblée, aurait été modifié dans le sens de la décentralisation à cause de la pression autonomiste et provincialiste. De nombreux éléments viennent à l'appui de cette interprétation du débat. Renvoyons notamment à nos analyses des chapitres précédents : l'identification de la finalité véritable du projet, la description des deux camps idéologiques qu'il suscite au sein de l'Assemblée nous ont amenée à souligner à plusieurs reprises les concessions du comité à des revendications provincialistes. Les débats sur les conditions d'éligibilité ou sur la responsabilité des administrations devant l'exécutif confirment la réalité de cette opposition idéologique.

Il est clair que c'est sur cette base des décisions finales que les historiens fondent leur conviction du caractère décentralisateur de l'œuvre constituante. On y verra la trace d'une tradition positiviste plus soucieuse de faire l'histoire de ce qui s'est fait effectivement que de ce qui ne s'est pas fait, plus attentive aux décrets qu'aux débats les précédant, aux actes qu'aux intentions. Il faut noter à quel point les historiens de la Révolution française négligent le contenu du projet lui-même, pour ne s'intéresser qu'à la formation des assemblées administratives et à l'organisation des premières élections. Bien souvent, il se produit même une sorte de téléscopage temporel qui consiste à lire un phénomène ou un fait au travers de ses conséquences. Dans le cas qui nous intéresse, il s'agit de juger l'œuvre de 1789 d'après le fédéralisme et l'opposition girondine des années suivantes. Nous retrouvons, à propos d'un exemple particulier, la tendance que François Furet dénonçait en pensant à la Révolution française dans son ensemble, « la maladie professionnelle de l'historien, éternel réducteur des virtualités d'une situation à un futur unique, puisque seul ce dernier a eu lieu »[19].

2. *La pensée des rapports entre espace et pouvoir*

À s'en tenir aux seules décisions consécutives au débat, on négligerait pourtant l'originalité d'un propos qui occupe une place fondamentale dans la discussion, par le temps qui lui est consacré comme par la réflexion qu'il mobilise. Et c'est une tout autre démarche que nous nous efforçons de poursuivre en essayant d'identifier la mise en place des processus mentaux ayant trait à l'espace, dans leur continuité ou leurs modifications. À travers l'interrogation sur les rapports à établir entre l'État et ses parties, prend forme un des stéréotypes du discours sur les liens existant entre espace et pouvoir.

Dans la lignée de théoriciens comme le marquis d'Argenson ou le marquis de Mirabeau, les Constituants croient que l'organisation de la société et de l'État découle de celle du territoire ; autrement dit qu'en agissant sur l'espace de manière adéquate, on peut obtenir l'organisation politique idéale.

Nous avons déjà eu l'occasion de souligner l'expression de cette idéologie dans les discours révolutionnaires. Nous avions alors en vue les représentations du territoire lui-même et le recours de l'argumentation à la géographie. C'est sur l'effet politique recherché dans tel ou tel agencement territorial que nous voulons maintenant faire porter l'analyse. À cette occasion, nous reviendrons sur la réalité de l'opposition idéologique évoquée plus haut, entre provincialistes et unificateurs.

L'élaboration du modèle

L'idéologie qui sous-tend le projet du comité consiste, nous l'avons dit, à fonder l'union politique sur la division territoriale. Le découpage est pensé, pour une part, par opposition à ce qui existait auparavant, c'est-à-dire par rapport au partage du royaume en provinces. Aussi retrouve-t-on ici une volonté semblable à celle des réformateurs de la période pré-révolutionnaire, cherchant à former des divisions administratives plus petites que les provinces. Cet objectif s'articule avec les résolutions centralisatrices. Le discours de Thouret du 3 novembre 1789 est fondamental à cet égard :

> « Mais c'est des départements administratifs surtout, qu'il importe essentiellement de borner l'étendue. Cette précaution est nécessaire politiquement et d'ailleurs l'intérêt de chaque territoire administré l'exige.
> La position n'est plus la même qu'elle était avant la révolution actuelle. Lorsque la toute-puissance était par le fait dans les mains des ministres, et lorsque les provinces isolées avaient des droits et des intérêts particuliers à défendre contre le despotisme, chacune désirait avec raison d'avoir son corps particulier d'administration, et de l'établir au plus haut degré de puissance et de force qu'il était possible ; mais toutes les provinces sont maintenant associées en droits et en intérêts, et la liberté publique est assurée par la

permanence du corps législatif. Il ne s'agit plus aujourd'hui que de conserver l'esprit, et d'assurer les effets de la Constitution actuelle. *Craignons donc d'établir des corps administratifs assez forts pour entreprendre de résister au chef du pouvoir exécutif, et qui puissent se croire assez puissants pour manquer impunément de soumission à la législature.* Les membres de ces corps seront déjà très forts par leur caractère de députés élus par le peuple, n'ajoutons pas à cette force d'opinion *la force réelle de leurs masses.*

Considérons ensuite que l'intérêt des gouvernés se joint ici à la nécessité politique. Cet intérêt consiste à ce que le district de chaque administration soit mesuré, de manière qu'elle puisse suffire à tous les objets de surveillance publique, et à la prompte expédition des affaires particulières. En administration, c'est aux effets réels et à l'efficacité de l'exécution qu'il faut principalement s'attacher ; parce qu'une administration n'est bonne qu'autant qu'elle administre réellement. Or elle ne remplit bien cet objet que *lorsqu'elle est présente, pour ainsi dire, à tous les points de son territoire,* et qu'elle peut expédier avec autant de célérité que d'attention toutes les affaires des particuliers. Cette exactitude sans laquelle le bien ne se fait pas ou ne se fait qu'à demi, serait impossible *à des administrations qui auraient un trop grand territoire.* »[20]

La surface de la nouvelle circonscription, inférieure à celle de la province, est le garant de la parfaite maîtrise de l'exécutif sur tout le territoire et doit permettre que l'action émanant du centre ne soit pas entravée. Une circonscription plus grande risquerait d'engendrer des tentatives de fédérations. Par ailleurs, si la surveillance adéquate du territoire est rendue possible, le découpage suivant un tel module assure la bonne qualité du service public en rapprochant l'administration de l'administré par le fait de la déconcentration.

Quel crédit accorder à un découpage en mailles plus petites encore ? Dès le 7 septembre 1789, Sieyès dénonce le risque séparatiste que représenterait à ses yeux la parcellisation de la nation en trop petites unités. Il craint que la France ne devienne un État fédéral, « composé d'une multitude de républiques unies par un lien politique quelconque »[21]. C'est pourquoi le comité souhaite que la division inférieure soit la commune (le district), ce qui fixerait à sept cent vingt le nombre des circonscriptions administratives élémentaires, à sept cent vingt également le nombre des municipalités dont le ressort coïnciderait avec ces circonscriptions.

On retrouve ici de façon caractéristique le processus mental qui associe une géométrie territoriale à l'esprit politique d'un régime. Pourtant il faut bien remarquer que l'association manque un peu de rigueur, puisque de grandes comme de petites divisions sont en même temps soupçonnées de donner naissance au fédéralisme. Si la taille de la circonscription détermine véritablement le caractère plus ou moins centralisé du régime, comment un maillage très lâche peut-il provoquer les mêmes résultats — à savoir la scission des parties par rapport au tout — qu'un maillage très serré ? Il ne semble pas que le comité se soit posé la question, se contentant de reproduire ici et là le même type de discours sans en appréhender la cohérence.

Il faut pourtant retenir la foi des Constituants dans le plan qu'ils ont élaboré, dans le module qu'ils ont choisi. Les trois cent vingt-quatre lieues carrées de la division de base apparaissent en effet comme une exigence fondamentale de la part du comité. L'historiographie a coutume de l'attribuer à la volonté des planificateurs d'adapter la constitution politique aux réalités économiques. Une bonne géométrie aurait donc consisté à fixer la taille de la circonscription en fonction des conditions contemporaines de la circulation. Les Constituants auraient repris à leur compte les idées de Turgot et de Condorcet et auraient déterminé l'étendue des circonscriptions de telle sorte qu'on pût parcourir en un jour la distance séparant du chef-lieu les parties les plus éloignées. Le critère utilisé aurait donc été une mesure double d'espace et de temps, le rayon de la circonscription étant évalué en durée avant d'être transcrit en lieues.

C'est bien l'argument que Target fait valoir au nom du comité :

> « Voici ce que nous avons voulu : c'est que de tous les points d'un département, on puisse arriver au centre de l'administration en une journée de voyage. Or, tel est l'avantage que cette division nous procure le plus généralement. Nous avons calculé que si la figure du département pouvait être régulière, la demi-diagonale jusqu'au centre serait de onze à douze lieues. »[22]

Il faut néanmoins souligner que cette justification n'est avancée que le 11 novembre, alors que le débat sur le nombre et la taille des départements est engagé depuis plusieurs jours et met en jeu des arguments politiques. Aussi faut-il bien mesurer cette place qu'occupe véritablement la rationalité économique : dans le débat de l'automne 1789, elle est seconde par rapport à l'enjeu politique. Nous l'avons déjà noté en évoquant le fait que le respect de la réalité économique n'était généralement qu'une concession accordée aux provincialistes par les membres du comité. On ne discerne pas de volonté de fonder des circonscriptions économiquement cohérentes, a fortiori des régions économiques ; bien plutôt se mettent en place les règles discursives des revendications concernant les rapports entre les collectivités territoriales et l'État : un déterminisme géométrique s'impose suivant lequel le degré de finesse de la partition est la condition, en même temps que la garantie, de l'esprit politique de l'ensemble constitué. Au sein de cette géométrie, l'économie a sa place, mais il s'agit d'une économétrie normative plutôt que d'une politique s'attachant à modeler son action sur la diversité des réalités économiques.

La notion d'équilibre est essentielle pour expliquer cette foi obstinée en un module précis de partition du territoire. On trouve là une nouvelle forme de continuité avec les écrits prérévolutionnaires. On craint à la fois le défaut et l'excès de subdivision ; les mêmes reproches et les mêmes avantages sont attribués indifféremment aux grandes et aux petites circonscriptions. Rabaud de Saint-Étienne nous donne un bon aperçu de ce balancement de la pensée constituante :

> Le comité « a dû chercher une division de superficie telle que l'administration qui serait chargée d'en surveiller les intérêts pût le faire avec promptitude et facilité. Il fallait ensuite que les subdivisions d'un département ou administration provinciale ne fussent pas trop multipliées ; trop de degrés entre la communauté de village et l'Assemblée Nationale auraient embarrassé la marche des affaires ou l'auraient du moins retardée.
>
> Par le premier de ces motifs, le comité a dû calculer de quoi est capable une assemblée d'hommes qu'il devait se garder de former trop nombreuse, et jusqu'où peuvent s'étendre la force et l'activité habituelles d'une telle assemblée pour qu'il n'y ait jamais aucune opération en retard.
>
> Par le second de ces motifs, il a dû proportionner l'étendue d'une administration provinciale ou de département aux degrés dont, sans embarras, il fallait composer sa subdivision, depuis le département jusqu'à la municipalité. Et, en sens inverse, il a dû calculer de quelle étendue de terrain une municipalité devait être composée, et par combien de degrés il fallait monter jusqu'au département.
>
> Si le département avait été trop étendu, il aurait fallu multiplier les degrés de sa subdivision ; s'il avait été trop resserré, il aurait fallu les réduire à un trop petit nombre ; et il a paru au comité que le nombre de quatre-vingt un départements était le plus proportionné à la surface du royaume, à la force physique des assemblées de département, de district et de canton, et à la force relative de ces trois subdivisions ; et que le nombre de neuf et celui de trois, dont la grande division est susceptible jusque dans le plus bas degré, donnait aux opérations une facilité et à l'esprit une clarté qui permettait de saisir l'ensemble et le détail de l'organisation générale. »[23]

Le découpage du territoire est donc conçu de telle sorte que la division soit suffisamment petite pour que la surveillance et l'administration s'exercent de façon adéquate mais qu'elle ne soit pas trop petite, de façon à ne pas gêner l'organisation générale. Ce qui fournit la mesure de ce module est la force qu'un corps est capable de déployer. L'emprunt à la physique newtonienne est manifeste. La fièvre rationaliste et mathématique se pique de quantifier cette « force physique des assemblées de département, de district et de canton ». Il en résulte cette confiance exclusive vouée au nombre de quatre-vingt-un départements et à la progression de la hiérarchie administrative selon le chiffre neuf. On dépasse alors le modèle suggéré par les travaux de Robert de Hesseln, qui se contentait de proposer un mode de quadrillage commode, mais dont la base mathématique n'avait pas pour but de respecter une réalité objective.

Suivant les membres du comité de constitution, le nombre quatre-vingt-un n'est pas arbitraire ; il correspond à une entité de mécanique dynamique, où la force se trouve rapportée au territoire. L'analogie de cette idéologie avec la biologie — sensible dans le lexique (dans la partie de texte qui précède la citation, le corps administratif est d'ailleurs assimilé au corps humain) — renvoie à une théorie implicite. La taille de la cellule de base ressortirait à des faits de dynamique de la même façon que, suivant les analyses de certains biologistes, la géométrie de l'alvéole d'une ruche correspond à des lois particulières de mathématique et de mouvement auxquelles obéit le corps animal.

En cette fin du 18ᵉ siècle, la confluence de l'économie politique, de la biologie et de la physique, ne nous étonnera pas, surtout si l'on songe qu'elle s'établit en liaison avec la notion d'équilibre. J. C. Perrot a montré le fonctionnement de cette convergence, le jeu des emprunts d'une discipline à l'autre et les déformations qu'enregistrent ces procédés analogiques[24].

Par ailleurs, il s'agit d'une économétrie beaucoup plus abstraite que celle qui procède des distances-temps, plus normative que conformiste. Et si l'on voulait donner une image moderne de ces représentations mentales des découpages possibles du territoire, il faudrait situer cette idéologie à proximité de l'univers de Von Thünen et Christaller[25], par opposition à la démarche de l'école de géographie régionale française. On y trouve bien la même notion maximaliste : la force maximale qu'un corps administratif peut déployer évoque la distance radiale maximale des cercles de Von Thünen, et le rayonnement maximal des lieux centraux que décrivent Christaller et Lösch.

Plus généralement, et par le fait de leur caractère normatif, toutes ces démarches de pensée renvoient à un modèle d'optimisation. Mais alors que chez Von Thünen, Christaller et Lösch, celui-ci reposera sur le postulat — critiquable — suivant lequel les groupes sociaux se répartissent spontanément dans l'espace de façon à utiliser au mieux les richesses, à gérer au mieux les ressources et les besoins, l'exigence révolutionnaire se fonde sur un modèle d'aménagement qui procède de la table rase et d'objectifs rationalistes.

L'égalité des cellules spatiales est une composante commune des deux modèles, le modèle d'aménagement de 1789 et le modèle d'analyse des économistes allemands. Il en est de même pour la hiérarchie des divisions territoriales fondée sur une progression régulière et homogène.

Une autre caractéristique commune qui intéresse l'historien des idées tient à la valeur révolutionnaire des deux pensées. Qu'il s'agisse de la normalisation géométrique du mode de gestion territoriale, intervenant sur le fond du laisser-faire propre au libéralisme physiocratique et de la croyance en un ordre naturel, ou du schéma d'explication quantitatif et économique ignoré ou rejeté par une géographie conservatrice plus soucieuse de décrire les disparités, les individualités, que de rechercher les régularités, l'élément novateur et subversif est présent. Qu'on en juge plutôt par l'hostilité dans le premier cas, l'indifférence suivie de critique dans le deuxième cas, qui ont accueilli ces idées.

Pourtant, il faut arrêter là le parallèle établi entre la pensée réformatrice de 1789 et les théories de Von Thünen ou de Christaller et Lösch. Un trait différencie fondamentalement les deux démarches de pensée que nous avons mises en relation. La première consiste en un modèle d'aménagement spatial, la seconde en un modèle d'analyse spatiale. La première a donc toute latitude pour prendre forme, jusqu'à se faire utopique, alors que la seconde, que l'on pourrait qualifier de scientifique, par sa prétention à coller au réel, peut être jugée pour sa pertinence ou son invraisemblance. En revanche, pour ce qui est des préoccupations d'accessibilité, de champ de diffusion d'une puissance administrative ou autre, il nous paraît tout à fait légitime de parler de convergence intellectuelle.

Où le principe déterministe apparaît comme un stéréotype

Ce rationalisme de l'équilibre découlant d'un double mouvement croissant et décroissant d'agrégation et de morcellement, s'il constitue véritablement un stéréotype du discours révolutionnaire à propos de la réorganisation territoriale, nous étonne par la multiplicité de ses expressions.

Nous avons cité Rabaud de Saint-Étienne. Quelques jours plus tard Target reprend les mêmes idées toujours au nom du comité :

> « [Si le comité] a diminué l'arrondissement des administrations publiques, pour les rendre plus utiles et pour qu'elles ne déployassent pas contre l'autorité nationale une force qui n'était bonne que sous le despotisme, il a étendu les municipalités pour qu'elles pussent se maintenir et échapper à toutes les petites autorités locales ; il ne les a pas soumises à un intendant, à un subdélégué, à Dieu ne plaise ! mais à des administrations formées par elles-mêmes et composées de leurs représentants. »[26]

On retrouve ici l'ambiguïté d'un discours à la fois centralisateur et décentralisateur qui veut en même temps départir et réunir, et dont la cohérence ne tient qu'à cette notion d'équilibre : diminuer d'une part et étendre d'autre part, balancer. Dans le discours de Target, centraliser est synonyme de départir, décentraliser de réunir et le flottement vient de vouloir faire les deux à la fois. Le 11 novembre, contraint de justifier à nouveau le nombre de départements choisi, Thouret préconise d'éviter à la fois l'excès et le défaut de subdivision en prenant comme justifications des associations inverses de celles qu'établit Target :

> « Il est impossible de ne pas sentir qu'on ne doit pas [...] diviser [les fonctions administratives] au point de trop scinder l'administration générale, de trop multiplier les expéditions et les correspondances, de trop déprécier les corps administratifs dans leur propre opinion et dans celle du public par leur exiguïté, de priver enfin leur émulation et leur zèle d'une suffisante importance d'occupation et d'influence [...].

J'ai fait remarquer que, dans le même plan [Thouret fait ici allusion au plan de Mirabeau, fondé sur l'égalité de population], il arrivera, par l'excès contraire, que d'autres administrations auront un ressort si étendu que l'habitant des extrémités correspondra péniblement avec le centre. »[27]

Dans ce texte, la division excessive est présentée comme un obstacle à la centralisation, et de trop grandes circonscriptions sont contraires à la décentralisation.

Parfois, au lieu que l'ambiguïté réside dans le fait de vouloir à la fois centraliser et décentraliser, elle provient du fait que l'on attribue les mêmes effets politiques à l'abus et à l'insuffisance de subdivision. Dès le 30 juillet 1789, Duport, prônant la même organisation en assemblées ni trop grandes, ni trop petites, aboutissait au nombre de soixante-dix départements, proche de la proposition que fera ultérieurement le comité :

« La première question paraît devoir être le nombre même des assemblées. Deux idées également extrêmes, doivent être évitées dans cette formation. La première serait une trop grande multiplicité, qui compliquerait les ressorts de l'administration, avec laquelle on ne peut jamais voir que des détails, ni former ces vues générales et d'ensemble, qui seules peuvent servir de base aux délibérations législatives. La seconde, j'ai déjà eu l'honneur de vous l'exposer, Messieurs, ce serait d'établir des Assemblées Provinciales trop considérables, qui, concentrant les intérêts d'un grand nombre d'individus, pourraient opposer quelque résistance aux décrets de l'Assemblée Nationale. En portant à soixante-dix environ le nombre de ces assemblées, il semble que l'on évite les deux excès. La division de la France en carrés à peu près égaux serait la plus belle et la plus utile des opérations à cet égard. »[28]

Dans ce discours, comme dans ceux de Thouret et Sieyès, à la seule volonté centralisatrice est associée la double crainte des grandes et des petites divisions.

Envisageant le problème des municipalités, Duquesnoy soutient que leur trop grande multiplicité est à la fois cause de mauvaise coordination avec le pouvoir exécutif, et de fragilité soumettant le pouvoir municipal au bon vouloir des administrations supérieures. C'est craindre en même temps que ces municipalités soient la source de fédéralisme et qu'elles soient victimes du centralisme administratif, même s'il est de rang inférieur.

On voit donc le flottement et l'ambiguïté d'un discours qui s'efforce de rendre compte d'une rationalité politique. Sans cesse est réaffirmé le principe déterministe, mais dans des termes extrêmement variés, voire contradictoires. Et, dans cette confusion, il est difficile de distinguer les causes des effets : on ne sait si c'est le choix du modèle de découpage qui appelle ce discours de justification ou bien si, celui-ci étant premier, la fixation du nombre de départements en est déduite.

Nous avons sélectionné jusqu'à présent les textes de membres du comité ou de députés adhérant au modèle proposé. Mais c'est exactement le même raisonnement que tiennent les adversaires du projet. Le mode de pensée déterministe paraît s'imposer semblablement à tous. Bengy de Puyvallée critique le plan du comité à la fois au nom de la décentralisation et de la centralisation. Il refuse l'organisation de la représentation en ce qu'elle ne garantit pas suffisamment, juge-t-il, les droits des citoyens, étant fondée principalement sur le territoire et non sur la population ; il se pose ainsi en partisan d'une plus grande décentralisation électorale. Mais, par ailleurs, il accuse le projet du comité de ne pas assurer convenablement la sûreté publique et affirme la nécessité de créer des dispositions constitutionnelles concernant la surveillance des corps municipaux et administratifs, et la subordination de ceux-ci aux pouvoirs centraux.

Évoquant les municipalités telles qu'elles sont envisagées dans le plan du comité, Bengy de Puyvallée formule des réserves à l'égard de « corps réunis en grande masse, [...] dépositaires d'une autorité redoutable et par le nombre, et par la force d'une milice nationale »[29]. C'est alors qu'il utilise l'argument déterministe qui rend la grandeur de la circonscription responsable de l'effet politique. Mais, conformément à ce que nous décrivions plus haut, suivant qu'est adopté le point de vue de l'administré ou celui de l'administrateur, le même phénomène est qualifié de centralisateur ou de décentralisateur.

Si l'on suit la pensée de l'auteur, en augmentant la force des municipalités le comité fait courir le risque de l'anarchie :

« Votre comité, au lieu de se rapprocher de l'ancienne division du royaume par généralités, qui paraissait la plus simple et la mieux adaptée au génie et au goût des peuples qu'un législateur doit consulter, votre comité, dis-je, a coupé la France comme un morceau de drap, en quatre-vingt-une pièces, pour en faire quatre-vingt-un départements ; par conséquent, il a diminué l'influence des corps administratifs ; au contraire, il augmente la consistance, il accroît la force des municipalités qu'il veut rendre indépendantes ; mais il ne fait pas attention que, de cette combinaison erronée, il résulte deux inconvénients majeurs : le premier, c'est que si les corps municipaux opposent trop de résistance à l'action des corps administratifs et du pouvoir exécutif, il n'y a plus dans l'Empire de subordination, et par conséquent plus d'ensemble, plus d'accord et plus d'unité. »

Mais en même temps, par la même opération, le comité augmente la centralisation urbaine :

« Les assemblées municipales, réunies en grande masse, seront établies, d'après le plan proposé, dans la ville la plus considérable de l'arrondissement de la commune. Pour peu qu'on ait connaissance des provinces pauvres et désertes de l'intérieur du royaume, et de l'espèce de ses habitants, il est aisé de concevoir que le conseil municipal sera toujours composé des propriétaires les plus aisés ; la portion la plus pauvre sera subjuguée, et bientôt victimée par la plus riche. L'ascendant des villes se manifestera avec les efforts les plus destructeurs et les plus tyranniques pour les campagnes, et lasses enfin d'un joug accablant, les campagnes provoqueront à leur tour un nouvel ordre de choses. »

Dans le premier cas, la force municipale est envisagée par rapport à l'État et, dans le second, elle est rapportée à la base, c'est-à-dire aux campagnes.

En revanche, Bengy de Puyvallée apprécie les départements au regard des généralités. Il les juge, on l'a vu, trop nombreux et trop petits. Leur faiblesse les empêche de constituer un organe capable de tenir en respect les municipalités ; c'est donc un obstacle à la centralisation. Ce trait est renforcé par leur multiplicité qui est une entrave à la bonne surveillance du pouvoir central.

On voit les diverses ambiguïtés de cette pensée : augmenter signifie à la fois centraliser et décentraliser ; mais par ailleurs, diminuer signifie aussi entraver la centralisation, ce qui a pour conséquence de rendre d'une certaine manière équivalents l'élargissement et le rétrécissement des circonscriptions. Et pourtant chacune des assertions est bien une application du principe déterministe. Ainsi, à une volonté déjà marquée par certaines contradictions se superpose le flottement d'un discours pour partie rationaliste, mais en même temps très hésitant sur ses préceptes[30].

Combien de départements ?

Au regard de cette complexité, qui finalement élimine tout argument décisif et péremptoire, il semble que la seule manifestation tangible d'une position idéologique précise soit à rechercher dans le nombre de départements que propose l'un ou l'autre. Non que ce choix fasse lui-même l'objet d'une justification plus cohérente, mais il est par nature précis puisque chiffré et, de la part des Constituants, il est investi d'une vocation fondamentale. Nous avons vu que, entre ces deux pôles du trop grand ou du trop petit, il apparaissait comme la traduction de la notion d'équilibre.

Les propositions furent très diverses. Après que le comité eût demandé quatre-vingts ou quatre-vingt-un, Aubry du Bochet fit un plan de découpage en deux cents départements, puis un autre en cent dix. Mirabeau souhaitait cent vingt divisions, Pison du Galand trente[31] ; Bengy de Puyvallée soixante-dix.

Chacun rencontrait des soutiens parmi les membres de l'Assemblée. Dans certains cas, cela s'explique aisément. Ainsi, le marquis de Châteauneuf-Randon appuyait le plan de Mirabeau : il souhaitait en effet que son pays commettant, le Gévaudan, formât une unité indépendante et distincte du Languedoc sous la tutelle duquel il avait été jusqu'alors placé. Or, disait-il, le Gévaudan forme la $1/120^e$ partie du royaume. Il convenait donc d'appliquer le plan de Mirabeau. Par ailleurs, nombreux sont les députés qui prennent position en faveur d'une trentaine de divisions : c'est le cas des provincialistes fervents comme Pellerin, Ramel-Nogaret, Martin et Bouche. Celui-ci, hostile au démembrement de la Provence, critique violemment ce qui pourrait favoriser un retour à la centralisation et au despotisme gouvernemental. Bel exemple de mise en œuvre du principe déterministe, le nombre de divisions territoriales étant conçu comme la garantie de la couleur politique du régime :

> « Dans tous les pays de la terre, le gouvernement peut être comparé à un loup affamé, sans cesse brûlé par une faim dévorante. Si vous voulez essayer de le contenir en lui opposant soixante-quinze ou quatre-vingt-cinq petits roquets, il les dévore ; mais si, au contraire, vous lâchez contre lui trente-deux dogues, il est effrayé, se retire, et le troupeau est sauvé. C'est l'histoire des départements et des provinces. »[32]

L'adversaire le plus redoutable du projet du comité est Mirabeau. Il critique le plan du comité qui associe un trop petit nombre de départements à la complication des degrés d'élection et des ressorts intermédiaires. Au nom de la décentralisation, il demande la multiplication du nombre des départements, pour que l'administration soit plus rapprochée des administrés, la représentation des représentés. Il propose donc cent vingt départements sans subdivision intermédiaire, au lieu de quatre-vingts départements et sept cent vingt communes. Mais, en même temps qu'il reproche donc à un découpage en quatre-vingts divisions de ne pas suffisamment décentraliser, il l'accuse de recréer trop bien l'esprit de corps en restaurant les gouvernements, et donc de réintroduire « le germe des anciennes prétentions » particularistes :

> « Je me suis dit ensuite : le principal objet de la nouvelle division du royaume est de détruire l'esprit des provinces, comme on a cherché à détruire l'esprit de tous les corps ; or, est-il bien vrai que quatre-vingts divisions remplissent ce but important ?
> Les gouvernements actuels sont inégaux : vingt d'entre eux, en ne supposant que quatre-vingts divisions dans le royaume, subiraient trois ou quatre divisions ; par cela même, vingt autres gouvernements, restant tels qu'ils sont, conserveraient, avec leurs anciennes limites, le germe des anciennes prétentions. Voilà la première idée qui m'a fait porter le nombre des départements jusqu'à cent vingt. »

Aussi, alors même qu'il élabore son plan au nom de la décentralisation, il le défend contre celui du comité au nom de la centralisation ; lui aussi réunit les deux objectifs dans le même texte :

> « La division par cent vingt départements a trois avantages qui lui sont

propres. Elle rapproche l'administration des personnes administrées et fait concourir un plus grand nombre de citoyens à la surveillance publique.

Elle n'exige plus aucune sous-division, ni l'établissement des assemblées communales, et par cela seul la marche de l'administration est considérablement simplifiée.

Enfin, elle est plus propre que toute autre à détruire l'esprit des grands corps. »[33]

L'ambiguïté du mot « division »

Comment concilier, dans un même discours, le respect des provinces et la destruction de l'esprit de corps ? Comment concéder à la fièvre unificatrice — à ce qui se fait déjà l'ébauche d'une notion de salut public au travers des idéaux plus modérés de bien général, de bonheur commun — sans compromettre les droits, voire les privilèges individuels ou locaux ?

On a vu ce que le recours à la notion de nature permettait de faire valoir dans le débat ; les provinces, dépossédées de leur image politique et sociale d'Ancien Régime par les premiers moments révolutionnaires et la nuit du 4 août, retrouvaient leur crédit par leur caractère de réalités naturelles. Dans le cadre du principe déterministe, le compromis se fonde sur la dualité sémantique du mot division.

Il faut souligner à ce propos la pauvreté du langage en matière de notion de région. Ce dernier mot n'existe pas dans la langue de 1789 et les seules désignations d'ordre général sont les mots « circonscription », « portion de territoire », et le plus répandu : « division ». Mais ce dernier terme est par ailleurs largement employé dans le sens de l'action elle-même de partage. Thouret et Mirabeau, les deux représentants des principales tendances d'opinion, ne cessent de jouer sur ce double sens du mot, de telle sorte que l'intérêt est porté tantôt à l'action de diviser et à son expression spatiale, la limite, la ligne de partage, tantôt à la division en tant qu'unité territoriale pourvue d'une certaine surface. Ainsi Mirabeau revendique-t-il le respect des limites provinciales tout en préconisant le morcellement interne des provinces. Il affirme de cette manière que l'esprit de corps est mieux détruit par un plus grand morcellement (cent vingt divisions au lieu de quatre-vingts). Pourtant il est par là-même fidèle au principe déterministe du comité, selon lequel il faut diviser pour unir. Jouant d'un côté le jeu de l'adversaire, il espère préserver de l'autre ses intérêts. Voici comment il répond à l'objection de Thouret suivant laquelle son plan multiplie « les découpures des provinces et [...] les morcelle davantage » :

> « Il est vrai que je multiplie davantage les divisions de chaque province et en cela, je crois détruire plus efficacement l'esprit de ces grands corps ; mais je m'exposerai moins à réunir les citoyens d'une province avec ceux d'une

autre ; j'aurai moins de grandes fractions, je blesserai moins d'intérêts et j'arriverai au même but. »[34]

Si la substitution de quatre-vingts départements à la trentaine de provinces constitue bien, dans l'esprit du comité, une application de la même maxime (diviser pour unir), il faut lui adjoindre sa variante, l'anéantissement des divisions, au sens des limites préexistantes. La réplique que Thouret adresse à Mirabeau va dans ce sens :

> « M. de Mirabeau fait valoir encore, à l'appui de sa division, qu'en découpant davantage les territoires, il affaiblit plus l'esprit de province. Je ne crois point à cet effet, puisqu'il respecte presque religieusement les frontières, pour flatter davantage l'opinion. »[35]

De la sorte se fait jour une nouvelle expression des facettes du principe déterministe, par le jeu de cette dualité linguistique. Cette dichotomie correspond, nous semble-t-il, à une charnière historique. La division dans son sens de délimitation, de frontière est une notion privilégiée sous l'Ancien Régime aussi bien en ce qui concerne l'unité interne du royaume que sa sécurité extérieure. En revanche, avec l'épisode révolutionnaire, par l'avènement de la philosophie du bien général, du tout, la notion de division se charge de l'idée de surface ; elle désigne la partie, comme image réduite du tout. Les lignes de partage perdent de leur importance au profit de l'union des parties dans le tout.

Les Constituants se situent au confluent des deux notions. Les provincialistes, dans leur désir de préserver les limites, les départementalistes dans leur volonté de les détruire, font la preuve de la vivacité de la notion stratégique, de la valeur qui est toujours attribuée à la ligne de partage. En considérant que c'est la taille (la surface) de la division, plus ou moins petite, qui est pourvoyeuse d'unité, ils traduisent clairement l'esprit des idées nouvelles. La continuité idéologique entre les deux notions réside dans la fonction assignée à l'espace, au territoire, qui déterminent les conditions et la nature du pouvoir.

Quelle est finalement la pertinence du débat sur le nombre de départements, si ce n'est de donner lieu à la même ambiguïté, aux mêmes contradictions de part et d'autre, mais aussi de révéler les caractéristiques fondamentales de la conception des rapports entre espace et pouvoir ? Pourtant, les Constituants eux-mêmes sont loin de reconnaître cette communauté intellectuelle et s'obnubilent au contraire sur ce qui les sépare. Il faut noter que le nombre des circonscriptions est l'un des points sur lesquels le comité défend le plus farouchement sa position. S'il accepte des concessions en ce qui concerne le morcellement des provinces, ou certains éléments de l'organisation administrative et municipale, il ne le fait que dans une marge très limitée pour ce qui est du nombre des départements, puisqu'il n'accepte qu'une fourchette de soixante-quinze à quatre-vingt-cinq par rapport aux quatre-vingt-une circonscriptions proposées.

Les conceptions extra-déterministes

En dehors du stéréotype déterministe, y a-t-il une autre manière d'envisager la centralisation et la décentralisation dans ces textes ? Il est clair que le degré de centralisation dépend moins de la surface territoriale des instances que de leur surface autoritaire, de la répartition des pouvoirs entre elles, du mode de désignation des administrateurs, de l'autonomie financière accordée aux collectivités locales, etc.

Pourtant, ces derniers critères apparaissent comme très nettement secondaires dans le débat de 1789 par rapport aux assertions de type déterministe. Bengy de Puyvallée fait à ce titre figure d'exception lorsqu'il objecte au comité le 5 novembre 1789 :

> « Je dois d'abord observer que la forme et la consistance qu'on doit donner aux assemblées municipales dépendent nécessairement de l'influence qu'elles auront dans le corps politique, et de l'étendue des fonctions qu'on voudra leur attribuer ; il me semble donc que votre comité aurait dû d'abord déterminer d'une manière claire et précise quelles sont les parties d'administration que l'on doit confier aux municipalités avant de proposer l'organisation qu'on veut leur donner.
>
> Il serait imprudent de construire un édifice avant d'avoir examiné l'emploi qu'on veut en faire ; de même, avant de fixer la composition et le régime d'un corps, il aurait fallu déterminer l'usage auquel il était destiné. »[36]

De même, si l'idée de service public apparaissait avec la préoccupation de rapprocher l'administration des administrés pour leur éviter des voyages trop longs et trop coûteux, rares sont ceux qui l'envisagent comme la réponse concertée aux besoins propres à chaque contrée. À propos des districts (ou communes), le comte de Custine propose une subdivision à la carte, variable suivant la densité des objets d'administration. Aussi la taille de la circonscription n'est-elle pas dotée d'un pouvoir magique de bonne répartition de l'autorité, mais conçue de telle sorte qu'elle corresponde à la diversité des besoins. Dans un de ses comptes rendus à ses commettants, Custine précise à propos des districts

> « qu'à la vérité, ces subdivisions paraissaient trop multipliées, que leur uniformité de nombre dans tous les départements du royaume semblait inutile ; que telle partie qui avait beaucoup de travaux de route, d'établissements publics, beaucoup de biens communaux à administrer, exigeait une subdivision plus circonscrite ; que d'autres qui n'avaient que des pays incultes, sans surveillance de biens de communautés, avec peu d'établissements publics, peu de routes à surveiller, pouvaient avoir plus d'étendue. »[37]

*

Une ambiguïté fondamentale

L'œuvre de la Constituante est-elle centralisatrice ou décentralisatrice ? La question n'est pas vaine si l'on songe qu'en dépit de l'inexistence de ces deux termes en 1789, le débat concernant le nouveau découpage de la France s'identifie pour une large part à la mise au point de positions ayant trait aux rapports entre l'État et les collectivités locales.

Ce que l'analyse révèle d'abord est l'ambiguïté fondamentale des volontés régissant l'élaboration de la Constitution. Ce flottement est intimement lié à l'interrogation propre aux esprits des Lumières dont les révolutionnaires prennent la suite et qui concerne les rapports entre bien général et bien particulier, entre collectivité et individu, entre organe administratif et objet (chose ou individu) administré. Un consensus s'établit finalement sur la base de cette ambiguïté qui touche les pensées, moins dans leurs rapports les unes avec les autres, que dans leur cohérence interne respective. En ce sens, une interprétation qui opposerait farouchement le centralisme du comité aux revendications décentralisatrices d'un Mirabeau n'est pas plus justifiée que celles qui, masquant les divergences, ne retiennent que l'un ou l'autre des deux qualificatifs pour caractériser la réforme.

La fermeté de la volonté centralisatrice est à opposer à la tradition suivant laquelle centralisme et jacobinisme sont deux termes synonymes. Si, depuis Tocqueville, on a souvent montré que la centralisation révolutionnaire avait ses racines dans les institutions monarchiques de l'Ancien Régime, il est moins courant de souligner que le relais avec la structure administrative napoléonienne date, pour ce qui est de l'esprit, de la Constituante et non de la dictature montagnarde. N'en faudrait-il retenir qu'une expression, l'itinéraire de Sieyès suffirait à convaincre : les textes que nous avons analysés laissent penser que les principes mis en application par le Consul étaient très largement présents à l'esprit du Constituant. Le fait de rencontrer cet esprit centralisateur bien avant la fondation du club des Jacobins, a fortiori avant l'assemblée montagnarde, a pour première conséquence de bannir de notre travail le mot jacobinisme. On ne saurait accepter de voir « l'adjectif servir à désigner l'esprit de la révolution tout entière »[38], comme on l'a trop souvent fait.

Si, par-delà les mots, on ne retient que la réalité qu'ils désignent, on peut effectivement trouver en 1789 les prémisses des préoccupations jacobines, ce qui revient légitimer l'extension prise par le terme en amont de la chronologie stricte à laquelle il renvoie : préoccupations de salut public ou importance attachée à la formation de l'esprit civique. En revanche, en ce qui concerne le thème du centralisme, notre dossier confirme l'antériorité du phénomène par rapport à l'épisode jacobin.

Dire si 1793 est contenu dans 1789, et reprendre ainsi l'interrogation des historiens du 19e siècle[39], sort du cadre de la présente analyse. Il nous semble cependant que la connaissance de ce caractère centralisateur du projet de 1789 (même s'il n'en touche qu'une partie) serait un acquis précieux pour qui entreprendrait aujourd'hui d'y répondre. En mettant l'accent sur les actes de décret et sur leur application, qui vont dans le sens de la décentralisation, les historiens ont souvent négligé une articulation fondamentale permettant d'évaluer l'existence d'une continuité entre 1789 et 1793, voire entre l'Ancien Régime et ce qui lui fait suite.

Ne tenons pas pour autant pour négligeable tout ce qui fait de l'œuvre de 1789 une réforme décentralisatrice. Celle-ci vient bel et bien couronner les revendications libérales du 18ᵉ siècle — pour autant qu'on en admette les restrictions sociales. Et ce fait est à opposer au stéréotype idéologique des régionalistes aux yeux desquels département équivaut à centralisation, province ou région à décentralisation. Cette récupération du principe déterministe, qui voudrait indexer la qualité politique d'un régime sur la taille de ses circonscriptions ou sur leur coïncidence avec les divisions géographiques, n'est décidément pas pertinente.

Ces constats nous invitent à défendre une interprétation fondée sur la reconnaissance d'une dualité au cœur du processus historique révolutionnaire, qu'on la voie comme une complémentarité ou comme une contradiction. À ce titre, ce que Maurice Agulhon décrit comme l'héritage double de la gauche française[40] correspond non seulement à l'acquis de la Révolution dans son ensemble, dans la somme de ses épisodes, mais plus généralement à un système d'idées inauguré dès les premiers mois révolutionnaires. L'ambiguïté caractéristique des volontés gagne les discours de justification et s'amplifie. Alors qu'il n'y avait pas vraiment de contradiction radicale à vouloir à la fois centraliser et décentraliser, l'introduction du principe déterministe dans la dialectique du débat nourrit des incohérences. Ainsi peut-on difficilement rendre des circonscriptions de taille très différente responsables des mêmes méfaits, ou bien attribuer à une même circonscription la responsabilité de deux effets contraires (centralisation et décentralisation).

Mais l'ampleur de la confusion et des contradictions échappe aux consciences de l'époque et s'efface au profit du seul « dogme » déterministe : aussi, alors que s'estompe peu à peu le point de départ, c'est-à-dire la volonté politique, la discussion se concentre sur le choix du nombre de circonscriptions, par un jeu de renversement de la causalité ; ce n'est pas l'idéal politique qui détermine le nombre de départements mais celui-ci qui est la condition de celui-là. Balayant finalement les oppositions et les ambiguïtés, l'unanimité se fait sur la base de ce postulat déterministe. Il n'est plus paradoxal d'asseoir une république une et indivisible sur un territoire divisé, de faire de la division elle-même le fondement de l'union. C'est en effet ce que l'Assemblée Nationale proclamera en août 1791, mettant côte à côte deux affirmations apparemment incompatibles : « Le royaume est un et indivisible : son territoire est divisé en quatre-vingt-trois départements, chaque département en districts, chaque district en cantons. »[41] Thouret justifiera cette juxtaposition en ajoutant : « C'est dans la grande division des départements, c'est-à-dire dans leur grand nombre, dans leur multiplicité, qu'est la garantie centrale pour la subordination de chacun d'eux : c'est aussi là une garantie contre le danger des institutions fédératives. »[42] L'ambiguïté avait été levée dès le mois de janvier 1790, dans l'instruction législative du 8 qui mentionnait : « L'État est un, les départements ne sont que des sections du même tout. »[43]

L'unité dans la division : le vocabulaire permet lui-même tous les développements polémiques et toutes les positions idéologiques. Division qui anéantit les frontières et crée ainsi l'union, ou bien division dans son sens mathématique de partage en plusieurs portions égales de l'unité initiale, afin de fabriquer des circonscriptions plus petites : le va-et-vient d'une notion à l'autre explique en partie les composantes du débat sans se confondre pour autant avec les camps d'opinion puisque chacun use à la fois des deux significations possibles.

Face à ce dogme déterministe, il faut noter la rareté des esprits aptes à proposer une rationalité politique d'un autre type et en particulier à faire de la centralisation ou de la décentralisation une affaire d'arsenal législatif et juridique concernant le mode de formation des assemblées locales et le fonctionnement de celles-ci, leurs pouvoirs et leur autonomie.

Cette orientation de l'idéologie à propos des rapports entre l'État et les collectivités locales va d'ailleurs manifester une remarquable longévité. Lors du renouveau régionaliste de la fin du 19e siècle, il s'agira toujours d'associer espace et pouvoir suivant le même stéréotype déterministe : la région sera alors investie de la fonction thérapeutique de décentralisation nécessaire à un État malade de son partage en départements.

Province ou département, décentralisation ou centralisation, la question se pose en termes de surfaces, l'étendue territoriale étant associée au déploiement de l'autorité, du pouvoir politique. Mais qu'en est-il du centre proprement dit ?[44]

NOTES

1. A. Mathiez, *La Révolution française*, t. 1 : *La chute de la Royauté, 1787-1792*, Paris, Armand Colin, 1922, p. 117-118.

2. Comte de Luçay, *La décentralisation*, Paris, Guillaumin, 1895, p. 54.

3. Mavidal et Laurent, *op. cit.*, t. 9, p. 481.

4. Pour avoir le statut de citoyen actif, il fallait être français, majeur, payer une contribution égale à trois journées de travail, être domicilié dans le canton depuis au moins un an, ne pas être dans une condition servile. Pour être éligible, il fallait payer une contribution

plus forte, égale à dix journées de travail (éligibles aux municipalités, aux assemblées de district et de département) ou au marc d'argent (éligibles à l'Assemblée Nationale).

5. Mavidal et Laurent, *op. cit.*, t. 8, p. 329.

6. M. Bordes, *L'administration provinciale et municipale en France au 18ᵉ siècle*, Paris, SEDES, 1972 ; *idem*, « Les intendants de province aux 17ᵉ et 18ᵉ siècles », *Information Historique*, mai-juin 1968, p. 107-120.

7. Mavidal et Laurent, *op. cit.*, t. 10, p. 494.

8. Il faudrait toutefois mettre de côté les quelques expériences de décentralisation effectuées par les ministres de Louis XVI à partir de 1778.

9. Les variations existant entre les tentatives prérévolutionnaires de création de telles assemblées sont elles-mêmes très grandes.

10. Les réformes de Calonne et de Loménie de Brienne proposaient en revanche le système de l'élection mais conservaient cependant la distinction par ordres. En outre, Loménie de Brienne revint en arrière en fixant que les premières assemblées seraient nommées par le roi.

11. Mavidal et Laurent, *op. cit.*, t. 9, p. 206.

12. « Cette assemblée serait le *conseil d'administration*, et exercerait une sorte de législature pour le gouvernement du petit État municipal, composé du territoire entier de la commune ; et le *pouvoir exécutif* tant pour le maintien des règlements généraux que pour l'expédition des affaires particulières du ressort de la municipalité, serait remis à un *maire* élu par toutes les assemblées primaires.

Le conseil municipal déciderait, dans toute l'étendue de son ressort, de tout ce qui concerne la police municipale : la sûreté, la salubrité, la régie et l'emploi des revenus municipaux, les dépenses locales, la petite voierie des rues, les projets d'embellissements, etc. Cette autorité du conseil s'étendrait ainsi non seulement aux choses communes au district entier, mais encore aux choses particulières à chaque ville, bourg ou paroisse, qui lui adresserait ses *requêtes* ou *pétitions*. Les villes et les paroisses de campagne auraient chacune une *agence* sous le titre de bureau municipal, qui veillerait à leurs intérêts locaux, et correspondrait pour leurs besoins avec le conseil de la municipalité commune. Enfin, le maire, chef du pouvoir exécutif municipal, comptable et responsable de ses fonctions au conseil, en ferait exécuter les arrêtés et les décisions par les bureaux municipaux qui lui seraient subordonnés. » *Ibid.*, p. 208.

13. *Ibid.*, t. 10, p. 88.

14. *Ibid.*, p. 89.

15. *Ibid.*, t. 9, p. 206.

16. *Ibid.*, t. 10, p. 226.

17. Sieyès, principal artisan de la réforme territoriale, aurait joué un moindre rôle dans la réorganisation administrative.

18. Mavidal et Laurent, *op. cit.*, t. 10, p. 494.

19. F. Furet, *Penser la Révolution française*, Paris, Gallimard, 1978, p. 37.

20. Mavidal et Laurent, *op. cit.*, t. 9, p. 656 (c'est nous qui soulignons).

21. *Ibid.*, t. 8, p. 594.

22. *Ibid.*, t. 9, p. 744.

23. *Ibid.*, p. 667.

24. On se reportera notamment à J. C. Perrot, *Genèse d'une ville moderne : Caen au 18ᵉ siècle*, Paris-La Haye, Mouton, 1975, et « Premiers aspects de l'équilibre dans la pensée économique française », *Annales ESC*, sept.-oct. 1983, p. 1058-1074.

25. Si l'on nous permet de mettre dans la même catégorie des auteurs qui ont écrit à un bon siècle d'intervalle.

26. Mavidal et Laurent, *op. cit.*, t. 9, p. 747.

27. *Ibid.*, p. 756-757.

28. A. J. F. Duport, *Motion pour l'établissement des assemblées provinciales proposée par M. Duport dans les Bureaux*, Paris, Le Clère, s.d. [juillet 1789], p. 10-11.

29. Mavidal et Laurent, *op. cit.*, t. 9, p. 682-683.

30. Voir l'Annexe I où sont regroupés les différents « schémas mentaux » représentés à l'Assemblée.

31. Il proposa d'abord 30 puis 36 divisions.

32. Mavidal et Laurent, *op. cit.*, t. 9, p. 701.

33. *Ibid.*, p. 732 sq.

34. *Ibid.*

35. *Ibid.*, p. 757.

36. *Ibid.*, p. 682.

37. Comte de Custine, *Cinquième compte rendu par le comte de Custine à ses commettants*, Paris, Baudoin, 1789, p. 41-42.

38. M. Ozouf, « L'héritage jacobin : fortune et infortunes d'un mot », *Le Débat*, 13, juin 1981, p. 29.

39. On lira à ce propos l'article de F. Furet, « L'héritage jacobin : la Révolution sans la Terreur ? », *Le Débat*, 13, juin 1981, p. 40-54.

40. M. Agulhon, « L'héritage jacobin : plaidoyer pour les Jacobins », *Le Débat*, 13, juin 1981, p. 55-65.

41. Cette formulation fut suggérée par Rabaud de Saint-Étienne le 9 août 1791. Tel qu'il était énoncé dans l'acte constitutionnel du 5 août 1791, l'article était le suivant : « La France est divisée en quatre-vingt-trois départements, chaque département en districts, chaque district en cantons », Mavidal et Laurent, *op. cit.*, t. 29, p. 209.
   Rabaud proposa une adjonction : « Dans tous les décrets constitutionnels concernant la division du royaume, l'Assemblée a tout rapporté au principe d'unité qui doit assurer la stabilité d'un Empire ; le royaume y est toujours représenté comme une chose une. Afin qu'on ne puisse jamais dans la Constitution trouver un argument pour une subdivision en républiques fédératives, je demande que ce principe-là soit consacré et qu'il soit dit : " Le Royaume est un et indivisible ; son territoire est distribué pour l'administration en quatre-vingt-trois départements, chaque département en districts, chaque district en cantons. " » (*Ibid.*, p. 301.)

42. *Ibid.*

43. *Ibid.*, t. 11, p. 203.

44. À la différence des mots « centralisation » (ou même « centralisme ») et « décentralisation », le mot « centre » fait bien partie du vocabulaire révolutionnaire.

CHAPITRE V

L'appréciation des villes

Dans un débat consacré pour une très large part au thème de la centralisation et de la décentralisation, on peut se demander quel intérêt est accordé au centre proprement dit. On aura en effet remarqué que la discussion se concentre de manière privilégiée sur le problème des limites. L'interrogation sur la taille des circonscriptions, et l'idée de puissance des corps administratifs s'exerçant jusqu'à un certain point, ne viennent que renforcer la tendance, décelée dans le débat géographique, consistant à penser le territoire par surfaces et non par points.

1. *Un centralisme sans chefs-lieux ?*

Se pose pourtant le problème de la fixation des chefs-lieux administratifs. Mais celui-ci est visiblement relégué à l'arrière-plan des préoccupations des Constituants. Ce fait n'est pas fortuit et se rattache étroitement à la façon dont les députés se représentent les villes. On trouve là une nouvelle forme de contradiction intéressante puisque, tout en mettant le centralisme au cœur de leur réflexion, les Constituants en négligent et en nient l'expression privilégiée, la matérialisation : les centres urbains. Cette indifférence − il faudrait plutôt parler d'hostilité − est générale au sein de l'Assemblée.

Aussi la seule règle prescrite par le comité pour la fixation des chefs-lieux est-elle la centralité géométrique, encore que cette ordonnance soit évoquée assez rarement, et surtout tardivement dans le débat de l'automne 1789. Cette préoccupation apparaît à l'occasion de la discussion sur le nombre de districts. Ainsi Reubell déclare-t-il le 12 novembre : « Il faut établir six districts, de telle manière qu'on puisse aller et venir au chef-lieu du district dans une journée. »[1] Il reprend ici l'idée avancée la veille par le comité à propos de l'égale accessibilité du chef-lieu, qui suppose la centralité de celui-ci. D'autres orateurs font état par la suite de cette exigence de centralité, mais le plus souvent elle prend place dans une argumentation concernant les dimensions des circonscriptions (départements, districts ou cantons) et ne s'intègre pas dans une réflexion plus générale sur la localisation des chefs-lieux.

Voir notes p. 121.

Ceci nous conduit à envisager le problème de la représentation des villes de manière plus directe. En l'absence de lien explicitement établi entre les chefs-lieux à fixer et le réseau urbain déjà existant, il s'agit de savoir quelle est l'attention prêtée aux villes et à travers quelles représentations mentales elles sont appréhendées.

2. *La représentation des villes*

Villes et découpage du territoire

Dans le meilleur des cas, les Constituants admettent qu'il faille tenir compte des villes, mais ce principe reste extrêmement vague et cette attention ne constitue nullement un privilège. Les villes font partie du lot des « localités » à respecter et Thouret, lorsqu'il rassure son auditoire effrayé par l'excès de géométrie, place les villes sur un pied d'égalité avec les fleuves et les montagnes.

Il y a bien quelques députés pour proposer de procéder au découpage en partant des villes. C'est le cas de Brun de Lacombe qui soumet à l'Assemblée le 19 octobre 1789 un mode de découpage fondé sur le choix par les communautés de leur rattachement à telle ou telle ville chef-lieu :

> « Lorsque les communes et communautés auront élu leurs officiers municipaux, elles tiendront une assemblée de ville et de communauté, dans laquelle il sera arrêté, à la majorité des suffrages, de demander à faire partie du district, ou département, que le voisinage et la facilité des communications feront préférer. »

Encore ce système suppose-t-il que les villes chefs-lieux soient fixées, ce qui laisse le problème entier, la seule règle prescrite étant fondée sur l'équilibre mathématique et non pas sur une géographie ou une économie urbaine :

> « La règle qui devra diriger ces délibérations, concurremment avec celle tirée des raisons locales, c'est que les moindres districts devront comprendre au moins cinquante municipalités, et les plus forts en comprendre au plus cent ; observant surtout qu'un homme puisse dans un jour aller de sa commune au chef-lieu du district, et en revenir sans effort. »[2]

À son tour, le 3 novembre, Verdet imagine de former les communes « en arrondissant autour des villes et bourgs, et à leur défaut autour des grands villages, une population de six à sept mille citoyens actifs ; et, dans ce premier arrangement, on aurait pu avoir égard aux convenances locales, et du terrain et des habitants des lieux qu'on aurait annexés à chaque arrondissement »[3]. Mais, là encore, l'orateur ne se préoccupe pas du choix à opérer entre les villes, de leur hiérarchie, mais bien plutôt de l'égalité démographique des circonscriptions. L'intérêt porté à la ville ne se manifeste que par l'attention accordée à une volonté de rattachement émanant des communautés — si tel est bien le sens de la référence aux « convenances locales ».

Un parti pris antiurbain

Dans la plupart des textes, on trouvera d'innombrables mises en garde, expression d'une méfiance incessante à l'égard de l'urbain dans toutes ses formes. Nous avons analysé plusieurs aspects de cette hostilité : dans beaucoup de discours, elle vise Paris et l'on rejoint alors pour une part la discussion sur la centralisation ; ou bien elle s'adresse plus largement aux « capitales » dans leurs rapports avec les petites villes ou les bourgs. La dernière expression de cette hostilité, nuance de la précédente, concerne les villes en général dans leurs relations avec les campagnes. Quelles qu'en soient les formes, ce parti pris antiurbain ne constitue pas, il faut le rappeler, un trait spécifique de la conscience révolutionnaire : il se situe au contraire dans le droit fil du siècle qui s'achève.

On pourrait penser qu'au sein d'un débat sur le thème de la décentralisation, les idées concernant le centre par excellence, Paris, auraient occupé la première place. Le discours à propos de la capitale ne constitue néanmoins qu'une articulation, certes fondamentale, de la polémique concernant le sort réservé aux provinces. Au travers d'une nouvelle facette de la notion d'équilibre, certains députés cherchent en effet, en évaluant Paris, à justifier le maintien du découpage en provinces. C'est le cas de Pison du Galand, le 10 novembre 1789 :

> « Les provinces sont actuellement au pair avec la capitale, par leur population et l'influence nécessaire qui en résulte ; pourquoi rompre cette heureuse harmonie ? On craint l'esprit de province ! Mais l'esprit de cité n'a-t-il aucun danger ? Il n'existe pas, dira-t-on ; mais a-t-on des garants qu'il ne se formera jamais ; et existe-t-il d'autre moyen de le balancer, de le détruire, que par des influences contraires ? L'esprit de province ne peut plus exister, dès qu'il n'existe plus de distinctions ou de privilèges. Il ne peut plus exister que l'esprit des gens à argent et l'esprit de luxe contre l'esprit d'agriculture et d'économie. »[4]

Aussi, prenant Paris comme mesure-étalon, l'orateur propose-t-il une division en trente-six circonscriptions, ce qui coïncide avec le nombre de provinces. Son discours fait impression, si l'on en croit l'intervention de Martin, député de Franche-Comté, qui reprend le lendemain les mêmes idées :

« Mais je vous le demande, Messieurs, qui est-ce qui peut être à craindre de Paris ou des provinces ? La liberté, la domination, dit M. de Montesquieu, d'après l'histoire, étaient à Rome, et l'esclavage dans les provinces. Aussi rien ne doit plus donner profondément à penser aux députés des provinces, que cette hachure qu'on en fait, jusqu'à les porter à cent vingt, tandis que Paris reste dans son intégrité première et sa colossale énormité. »[5]

Il s'agit bien ici, à travers la critique de la ville, de celle de la centralisation monarchique et de son éventuel relais révolutionnaire.

La réponse du comité à cette objection opposée à son plan ne passe pas par la réhabilitation de Paris en tant que tel, ce qui laisse deviner la force et la prolixité, en même temps que le caractère immuable du jugement négatif porté contre la capitale. Target, rapporteur du comité, se contente de montrer que l'équilibre à établir se situe non pas entre Paris et les provinces prises une à une mais entre Paris et la province dans son ensemble. Il en appelle également à l'esprit public qui doit remplacer le particularisme grâce à l'avènement de la liberté. La règle d'or de la proportionnalité de la représentation, suivant laquelle « il est juste qu'un plus grand nombre de citoyens ait plus de représentants », est aussi invoquée.

Plus exceptionnelle est la réponse fournie par Dumolard aux observations de la Commission intermédiaire des états du Dauphiné : « Vous qui voudriez dans chaque province un centre de ralliement, pourquoi le refuseriez-vous pour toute la France ? »[6] C'est souligner l'incohérence des provincialistes refusant pour Paris la centralisation qu'ils souhaitent pour les provinces.

L'hostilité à l'égard de Paris n'est jamais qu'un cas particulier de la dépréciation de toutes les grandes villes souvent appelées capitales. La mise en cause vient à nouveau à l'appui d'une tactique polémique visant à faire triompher un projet particulier. Ainsi Thouret défend le plan du comité, fondé sur la multiplication des corps administratifs, en lui attribuant le mérite de ne plus privilégier les grands villes. L'argument — opposé à ceux qui refusent le démembrement des provinces — est repris par Mirabeau qui soutient que cent vingt départements conduiront mieux encore que quatre-vingts aux mêmes résultats. Duquesnoy apprécie surtout la subdivision en districts, toujours pour les mêmes raisons :

« Soyez assurés que si l'opération que vous propose le comité éprouve quelques obstacles, ils viendront uniquement des grandes villes qui voudront perpétuer l'aristocratie terrible qu'elles exercent sur les campagnes et les petites villes. Ces dernières recevront avec joie le projet de votre comité, parce que ceux qui les habitent désirent par-dessus tout que l'administration soit rapprochée d'eux et soit faite pour eux. [...] Je ne connais pas de plan plus propre à vivifier les villages et les petites villes ; et le défaut de sous-division en concentrant toute administration dans les grandes villes, tue l'agriculture et ceux qui s'y donnent et augmente encore l'affreuse et redoutable immensité des villes qui, comme des polypes, usent le royaume et l'épuisent. »[7]

On notera dans ce texte la métaphore organiciste du polype. L'utilisation de l'image du corps humain pour décrire le fonctionnement du corps social est aujourd'hui fréquemment soulignée et a fait l'objet de travaux récents[8]. L'application de ce système métaphorique à l'urbain est également bien connue[9]. Or si l'on a fréquemment repéré les cas où cette métaphore servait à évoquer l'organisation interne des villes, ici on envisage leurs rapports avec les territoires voisins.

Mais si l'analogie entre l'urbain et le biologique se porte préférentiellement sur le thème de la circulation[10], il est plus rare qu'elle concerne ses aspects pathologiques, c'est-à-dire à la formation des tumeurs et excroissances. L'image du polype est pourtant répandue dans les représentations non seulement de la ville mais aussi de toute la société. Elle est par ailleurs caractéristique du siècle puisque le polype, au même titre que le corail, fait à cette époque figure de cas privilégié pour mettre au clair la distinction naturaliste du monde animal et du monde végétal[11].

D'ailleurs, les différentes caractéristiques du polype disent bien les griefs nourris contre les villes. Suivant Judith-E. Schlanger, « le polype possède [...] comme un végétal la faculté de bourgeonner et de se reproduire par bouture ; mais aussi, comme un animal, le pouvoir de se mouvoir et de s'alimenter. »[12] On retrouve dans le discours de Duquesnoy ces mêmes facultés attribuées aux villes. La prééminence de la bouche et de la fonction alimentaire est contenue dans l'idée de concentration urbaine. Il s'agit en outre d'un organisme qui se nourrit aux dépens des autres (les campagnes et l'agriculture), d'un parasite dont la croissance est insensible aux mutilations et aux déformations qu'il subit. Si la métaphore est particulièrement significative à propos des aspects fonctionnels, elle touche également la morphologie[13] : centralité de la bouche du polype et centralité urbaine ; fixation pédonculée du polype sur le tissu aux dépens duquel il se développe et, pour les villes, disproportion entre leur assise territoriale minime et l'importance des richesses qu'elles tirent de leur arrière-pays. Même si ces dernières allusions ne sont pas développées, on peut, sans trop exagérer, considérer qu'elles sont implicites dans le raccourci métaphorique lui-même. Ce qui prime cependant, c'est la coïncidence entre le constat d'une pathologie et l'élaboration d'un jugement péjoratif. La ville est perçue à la fois comme un organisme vivant et comme une maladie dont pâtirait un autre organisme vivant. Et si cette vision a le mérite de mettre en évidence les composantes fonctionnelles de la ville — encore qu'il s'agisse là d'une analyse très sommaire de ces fonctions — c'est pour rejeter aussitôt la réalité entr'aperçue, conformément au clivage bien ressenti à l'époque

entre sain et malsain[14]. En ce sens, alors que dans les deux cas la ville est
envisagée avec sa région, on est ici bien loin de *La Métropolitée* de 1682
où, avec enthousiasme, Le Maître démontrait l'utilité des villes[15].
Tandis que celui-ci en restait à l'anatomie, les esprits du 18e siècle font
entrer la ville dans le domaine de la pathologie. Leur arsenal thérapeutique, si l'on s'en tient à leur discours, consiste, comme on le verra, à
isoler le mal, à défaut de le supprimer.

L'opposition aux grands centres urbains se manifeste à nouveau à
divers stades du débat. À propos de l'élection des membres de l'Assemblée Nationale, les partisans de la décentralisation — comme le marquis
d'Ambly, Loys ou Malès — redoutent notamment que les villes principales soient privilégiées si les députés peuvent être choisis parmi les éligibles de tous les départements.

La critique des grandes villes ressort également des propositions
concernant les municipalités. De nombreux députés refusent en effet
que leur nombre soit limité à sept cent vingt et demandent qu'il soit
établi une municipalité dans chaque ville, bourg et village. C'est le cas
de Sinéty, Barère de Vieuzac, Pison du Galand, Martin et Malouet.
Chez ces députés, il ne s'agit donc pas d'un parti pris antiurbain. La critique des grandes villes prend place au contraire dans une revendication
en faveur des petites. Mais parfois, la critique se généralise et concerne
alors l'aristocratie des villes exercée aux dépens des villages. Chez
Ramel-Nogaret, député de Carcassonne, elle vient justifier la demande
de municipalités plus nombreuses et séparées :

> « Je soutiens que les grandes municipalités proposées par le comité met-
> tront une division intestine dans ses communes, anéantiront l'esprit public
> et établiront une aristocratie en faveur des villes ou des gros bourgs sur les
> villages. »[16]

Les dangers de la domination exercée par les villes sur les campagnes
sont largement dénoncés. Mirabeau souhaite que l'on supprime l'intermédiaire des communes, qui privilégie les villes. Il reprend une argumentation similaire à celle de Ramel-Nogaret concernant les municipalités :

> « Il est évident que l'on trouverait plusieurs surfaces de trente-six lieues
> carrées, où il n'y aurait qu'une seule ville ; je demande si, dans un tel dis-
> trict, l'assemblée communale serait autre chose que l'assemblée de la ville ?
> [...]
> Le but de toute bonne société ne doit-il pas être de favoriser les habita-
> tions de la campagne, je dis plus, de leur faire sentir à elles-mêmes leur
> propre importance ? »[17]

Thouret objecte que le plan de Mirabeau établira encore plus sûre-
ment l'aristocratie urbaine. Il défend à nouveau la priorité de la base
d'étendue par rapport à celle de population :

« M. de Mirabeau devrait-il faire cette objection pour les communes, lorsqu'il établit ce reproche d'une manière infiniment plus grave contre ses départements ? Dans ceux qu'il propose, toutes les villes auront une influence marquée, puisque Lyon, par exemple, Rouen, Bordeaux, Marseille, domineraient invinciblement les faibles campagnes qui leur seraient adjointes pour compléter le taux de population du département. C'est par là que le plan du comité a de grands avantages, parce qu'en attachant les députés au territoire, même par commune, il assure aux campagnes une part importante de députation qui balance ce que les villes ont de plus en population. »[18]

Tout au long du débat sur le mode d'élection transparaît la crainte d'accorder trop d'influence aux villes au détriment des campagnes. Pour la formation des assemblées primaires, on pense que le chef-lieu de canton aura trop d'importance, alors que l'aristocratie des gens riches ne se fera pas sentir si l'élection a lieu dans chaque communauté. Telle est l'opinion exprimée le 16 novembre par Pison du Galand, Villaret, Thibault et Gaultier de Biauzat.

Au regard de cette conception de la ville, envisagée comme un élément nuisible et redoutable, quelles formes prend la planification des rapports constitutionnels entre villes et campagnes ?

Le plus souvent, et même dans les cas rares où il n'existe pas d'hostilité déclarée à l'égard des villes, les députés préconisent d'affecter aux unes et aux autres des statuts indépendants. Les villes doivent notamment être séparées des campagnes pour ce qui a trait à la représentation. C'est l'opinion exprimée par Bengy de Puyvallée le 5 novembre :

« Dans quelques cantons de la province [de Berry], les paroisses des villes s'étendaient fort au loin dans les campagnes. Cette partie des campagnes était tyranniquement subjuguée par les villes, surtout dans la répartition de l'impôt et dans la contribution aux charges publiques. L'administration n'a pu parvenir à soustraire les campagnes à l'inquisition et aux vexations municipales, qu'en mettant une ligne de démarcation entre les villes et les campagnes, et en établissant deux collectes distinctes et séparées. »[19]

Le plan proposé ensuite attribue aux villes et aux campagnes des représentations séparées. Le même jour, Sinéty reprend ces idées en affirmant l'incompatibilité des intérêts des villes et des campagnes. C'est encore la séparation qui est invoquée comme la seule mesure permettant de ménager les uns et les autres :

« Il est impossible d'espérer jamais que les opérations des grandes villes de commerce et leurs intérêts puissent être dirigés et mis en action par l'administration supérieure des villes et pays agricoles, auxquels on veut les subalterner [sic]. De deux choses l'une, Messieurs, ou l'administration supérieure sera composée d'un plus grand nombre de citoyens actifs des villes de commerce, et alors l'intérêt du commerce dominera l'intérêt de l'agriculture, ou les citoyens actifs agricoles seront en plus grand nombre que les commerçants ; et dans ce cas, le commerce sera mal représenté et sacrifié. Gardons-nous, Messieurs, de mettre les hommes et les intérêts en opposition. »[20]

Sinéty prétend se rallier ici à l'opinion de Delandine, député du Forez, qui revendiquait la séparation de son pays commettant d'avec Lyon. Pourtant, il représente lui-même Marseille, et n'est pas hostile aux centres urbains, puisqu'il reproche au plan du comité de défavoriser les deux tiers des villes du royaume en n'établissant que sept cent vingt municipalités. Il adhère cependant au clivage traditionnel établi entre l'agriculture et le commerce, qu'il veut sceller par des dispositions législatives. L'originalité de sa pensée vient du décalage qu'il opère sur la séparation entre villes et campagnes. Il distingue en effet les villes commerçantes des villes agricoles. Ces dernières peuvent être réunies à leurs campagnes. En revanche, les villes commerçantes doivent avoir une administration autonome et indépendante, reliée directement au pouvoir exécutif.

En réclamant la séparation administrative, dans un discours qui frappe par sa complaisance à l'égard des intérêts ruraux et agricoles, Sinéty contribue paradoxalement à assurer la pérennité de l'idéologie physiocratique et de l'anathème communément jeté sur les grandes villes commerçantes[21]. Songeons que son intervention vise principalement à obtenir une administration particulière pour Marseille, menacée d'être supplantée par Aix, sa rivale dans la compétition pour les chefs-lieux. Et il est remarquable de voir son plaidoyer s'appuyer sur la réticence stéréotypée qui, logiquement, devrait ruiner la légitimité de la revendication.

Pour poursuivre plus avant l'analyse, il faudrait savoir ce qu'entend Sinéty par villes agricoles. On suppose évidemment qu'il s'agit des villes qui vivent essentiellement de la rente foncière. Le député range dans la même catégorie les villes et les pays agricoles à cause de leurs intérêts communs, ce qui laisse penser qu'il fait sienne l'idée plus moderne de l'économie libérale suivant laquelle villes et campagnes sont solidaires. Il y aurait donc effectivement une certaine reconnaissance des liens associant les villes aux campagnes, mais assortie de l'exclusion des grandes villes commerçantes. C'est donc, en dernière analyse, sur un argument territorial que se fonderait la distinction, les villes agricoles ayant une région, les grandes villes commerçantes en étant dépourvues. Le mot « territoire » apparaît d'ailleurs à la fin du discours pour marquer la différence entre ces grandes villes et le reste du territoire :

> « Ces villes ont toutes contracté des dettes considérables qu'elles seules et leur banlieue doivent acquitter. Il ne serait ni juste ni praticable de faire participer à l'acquit de ces dettes anciennes les territoires intérieurs des provinces, que votre comité de constitution réunit, dans son plan, à l'adminis-

tration communale ou provinciale de ces grandes villes. Elles ont en outre des charges particulières, nécessitées même par les intérêts du commerce, et qui seront toujours étrangères et indifférentes aux administrations territoriales. »[20]

On retrouve cette coïncidence d'un cloisonnement fonctionnel des villes et des campagnes et d'une revendication de statuts administratifs séparés chez Bouche et chez Pison du Galand.

Ainsi, dans l'ensemble de ce débat, il s'agit toujours de nier les effets de la centralité urbaine, mais cette attitude prend toutefois des formes distinctes. Chez certains, comme Bengy de Puyvallée, la volonté de séparation correspond à l'idée, répandue à l'époque, surtout chez les Physiocrates, d'une incompatibilité des intérêts urbains et ruraux. La centralité urbaine est envisagée comme la traduction d'un pouvoir de domination néfaste, à l'image de ceux qui régissent la société. Aussi condamne-t-on les privilèges urbains de la même manière que les privilèges sociaux. Le mouvement révolutionnaire assure la pérennité d'une idéologie déjà quelque peu combattue par les conceptions des économistes libéraux et qui va à l'encontre des représentations de la ville telles qu'elles émanent des notabilités locales.

D'autres au contraire, tout en demandant pour elles un traitement particulier, défendent les villes, comme c'est le cas de Sinéty. Le recours au stéréotype idéologique de la séparation des villes et des campagnes ne doit pas alors faire illusion : identique dans sa forme au mot d'ordre physiocratique, il en inverse la finalité. S'il s'agit bien de réhabiliter la ville, il le fait conformément à une conception de l'urbanité[22] beaucoup moins moderne que ne le laisse penser l'affirmation d'une spécificité fonctionnelle de la ville. Il ne s'agit pas de faire reconnaître, par-delà les idées reçues, la place que doivent occuper dans le royaume les grandes villes de commerce, mais plutôt de leur faire gagner les qualifications qui leur manquent pour être conformes aux canons de l'urbanité.

La période révolutionnaire, dès ses premiers temps, oriente en effet les représentations et les volontés de politique urbaine dans un sens très précis. L'abolition des privilèges et l'annonce de la refonte complète de l'édifice politique infléchissent la conception de la ville dans le sens d'une plus grande attention portée aux prérogatives administratives et politiques. À travers le dépit des villes qui viennent d'en être dépossédées, à travers l'espoir que toutes manifestent d'en acquérir de nouvelles, l'idée s'impose que la ville par excellence, la ville la plus puissante est celle qui est dotée des attributions politiques et administratives. Il faut remarquer que si l'événement révolutionnaire suscite un regain de vitalité de cette opinion, celle-ci n'en a pas moins des racines beaucoup plus lointaines. Bernard Lepetit a noté sa permanence pour la période 1650-1850 dans les tableaux et descriptions géographiques de la France[23].

Cette convergence d'opinion vient renforcer la rivalité ancienne entre villes de commerce et d'artisanat (voire manufacturières) et villes administratives (qui détiennent des pouvoirs dans le domaine financier aussi bien que judiciaire, ecclésiastique, militaire, etc.).

Mais cette vision en partie fonctionnaliste de la ville n'implique pas pour autant l'inscription territoriale de ces fonctions urbaines. On conçoit bien l'activité (la spéculation ou l'administration), non les espaces qu'elle met en relation, les flux et les échanges qu'elle fait naître puisque, comme nous l'avons vu, on veut au contraire l'isoler des territoires environnants. Le seul élément de relation reconnu entre les villes et les campagnes — mais il s'agit expressément d'une autre catégorie de villes — consiste dans la parité des intérêts liés à l'agriculture, ce qui ne fonde pas nécessairement une notion très précise de centralité.

Chez les promoteurs du projet de division, l'hostilité à la domination urbaine ne se traduit pas par une exigence d'isolement administratif de la ville. L'idée est au contraire de neutraliser l'aristocratie urbaine par une égalisation des rapports de forces entre villes et campagnes. Ce sont la base d'étendue et celle de contribution qui doivent produire cet effet. On se reportera au texte de Thouret précédemment cité[24]. Le territoire est donc remis à l'honneur, mais toujours suivant une conception géométrique et pondérale et non comme l'espace de relations d'une ville. Pourtant, ville et campagne se trouvent bien réunies dans une même circonscription administrative.

Finalement, les uns et les autres ont conscience de l'importance de l'armature urbaine, mais comme l'idéologie révolutionnaire la rejette en tant que phénomène de domination (l'analogie entre les faits spatiaux et les faits sociaux est alors fondamentale) le seul discours « orthodoxe » sur la ville procède des préjugés antiurbains.

Chez les membres du comité, qui sont les meilleurs représentants de cette hostilité, la crainte est aussi sensible de devoir évaluer les pouvoirs et les fonctions de la ville. Le pragmatisme se superpose à la conviction philosophique et politique, comme dans la vision rétrospective que Sieyès a de ses propres plans :

> « J'étendais cette déférence [envers les provinces] bien plus loin, lorsque je proposais, comme moyen d'exécution plus facile, de choisir sur la carte de la France, à distances à peu près égales, quatre-vingt-une villes, pour servir de chefs-lieux de département ; je croyais qu'il suffisait de les indiquer aux provinces, et de laisser les municipalités choisir elles-mêmes le centre auquel elles voulaient appartenir, sauf à diviser ensuite chaque département en neuf communes, et à régler de la même manière les neuf chefs-lieux et leur ressort tout aussi librement formés.
>
> Cette idée a paru devoir entraîner dans l'exécution un trop grand nombre d'inconvénients, et il est vrai qu'elle en aurait beaucoup. La division territoriale expliquée d'abord est certainement la meilleure, et puisqu'elle est praticable, il faut s'y tenir. »[25]

Cette prémonition des difficultés qui naîtront de la rivalité des villes est présente chez Thouret également : le rapporteur appréhende une division qui obligerait à évaluer les villes et à les comparer entre elles. Le parti pris antiurbain apparaît donc comme un dogme intangible. Face à ce consensus, n'y a-t-il point d'hérétiques ? Target, membre du comité de constitution, est un des seuls à s'aventurer dans une analyse plus précise des rapports entre villes et campagnes. En guise de réponse à l'objection formulée par Bengy de Puyvallée, il déclare :

> « Le comité est loin de penser ainsi. C'est dans l'état de séparation que ces haines sont nées ; c'est dans l'union qu'elles doivent s'éteindre. Il est étrange, à ce qu'il nous semble, que le désir de la paix conduise au projet de diviser. Chaque canton rural, chaque assemblée primaire, où les campagnes domineront, enverra un député au chef-lieu de la municipalité. Les campagnes auront plus de députés que la ville. Occupés ensemble du bien commun de tous, ils apprendront des villes que la terre les nourrit ; ils apprendront des villes que la consommation est l'agent de la culture ; le commerce ne sera plus indifférent aux productions ; les producteurs sauront que le commerce donne l'impulsion, le mouvement et la valeur aux denrées : c'est alors, seulement alors, que nous formerons une nation. Ce n'est pas en séparant les gens, de crainte qu'ils ne se battent, c'est en les rapprochant, en les forçant à s'aimer, qu'on tue l'aristocratie et qu'on fait des citoyens. »

Voilà curieusement abandonné ici le principe déterministe selon lequel la division fait l'union. Mais cet écart a le mérite d'être fondé sur une appréciation plus juste, encore que relativement sommaire, des rapports entre les villes et les campagnes. L'orateur poursuit en s'opposant à la séparation des villes de commerce et du reste du territoire, telle qu'elle a été proposée par Sinéty :

> « Est-ce que le commerçant n'a pas un intérêt sensible à la prospérité du pays où il est établi ? Vendra-t-il à qui ne pourra acheter ? L'abondance des denrées ne diminuera-t-elle pas le prix de la main-d'œuvre ? N'est-ce pas de la culture que les fabriques tirent leurs matières premières ? S'il craint que le propriétaire ne veuille rehausser le prix de ses productions, ne veut-il pas lui-même vendre ses marchandises au plus haut prix possible ? »[26]

Target exprime les convictions de l'économie libérale qui considère que les intérêts de la production et du commerce sont liés. La ville de commerce se trouve alors réunie à son arrière-pays. Target formule l'idée, peu répandue dans ces débats, de la nécessité de réunir des territoires caractérisés par des activités économiques différentes. Apparaît le thème de la complémentarité en matière de territoire, fondée sur « les rapports naturels de proximité, de correspondance et de commerce ». Il n'est cependant pas question de reconnaître le rôle prépondérant de la ville dans l'organisation de l'espace : par sa volonté de mélanger les citoyens dans les assemblées politiques, c'est plutôt une égalisation, une homogénéisation du territoire qu'il préconise. Target ne va donc pas jusqu'à entériner une division qui se ferait à partir de la ville. Notons d'ailleurs qu'il n'envisage la fixation des chefs-lieux qu'une fois effectuée la division en quatre-vingts parties.

L'ensemble du débat est donc bien marqué par une opinion qui, lorsqu'elle n'est pas franchement hostile à la centralité urbaine, la relègue tout au moins à l'arrière-plan des préoccupations. Le fait de rejeter le moment de la fixation des chefs-lieux dans un futur flou en est à la fois la conséquence et la traduction. Mais, alors même que l'Assemblée et le comité perdurent dans cette attitude d'indifférence ou d'ignorance feinte, affluent les lettres et pétitions émanant de tous les bourgs et villes du royaume qui sollicitent l'attribution d'un chef-lieu et d'un ressort administratif. Devant ces revendications, en l'absence de toute discussion préalable, le comité se trouve totalement démuni de principes de décision et d'arbitrage, de critères d'attribution si ce n'est celui de la centralité géométrique qui suppose, nous l'avons dit, que les délimitations soient formées, ce qui n'est pas encore le cas. Au moins le comité se met-il à l'écoute des aspirations locales et reconnaît-il la légitimité du principe de la consultation. Voici qui vient atténuer l'image de réformateurs indifférents à l'égard des acteurs de l'organisation spatiale, même s'il s'agit d'abord chez eux d'une concession à la pression des événements.

*

Un projet indifférent à l'organisation du territoire

Dans un débat qui aborde, par la voix des provincialistes, les modèles d'organisation du territoire, par celle des planificateurs, le projet d'assurer une parfaite maîtrise de l'espace par le biais de la centralisation, les villes sont largement laissées pour compte.

Les provincialistes invoquent plus volontiers les obstacles naturels ou les facteurs économiques et culturels d'homogénéité spatiale et ne mobilisent qu'exceptionnellement l'argument urbain. La première motion en faveur des villes émanant d'un député à l'Assemblée Nationale est celle de Bouche, député d'Aix, le 5 novembre, et elle paraît faire l'objet d'une indifférence marquée puisque aucun commentaire ne lui fait suite dans les procès-verbaux. Chez les membres du comité, le faible intérêt marqué au phénomène urbain renvoie, d'une manière plus cohérente, à un refus de principe des privilèges, des différences et des hiérarchies tant sociales que spatiales.

Pourtant, nous l'avons vu, la mise à l'écart des villes n'est pas seulement une marque d'indifférence. Elle est souvent militante et traduit une franche hostilité. La critique urbaine a certes de solides précédents dans tout le siècle qui s'achève, qu'il s'agisse d'un stéréotype littéraire ou d'un motif d'inspiration physiocratique. Dans les discours, elle apparaît pourtant chargée d'une fonction rhétorique précise autre que celle qu'elle fournit en substance. En effet, le parti pris antiurbain prend souvent valeur de cliché. Il permet de légitimer une manifestation d'opinion au regard des idéaux révolutionnaires.

Plus généralement, l'idéal égalitaire agit comme un prisme orientant tous les discours suivant des passages obligés. De sorte que, chez les provincialistes et députés des villes, soucieux de conformisme à l'égard des diversités géographiques, il n'y a pas de réhabilitation de la ville ; le réalisme se trouve bridé par les préceptes révolutionnaires et ne retient que l'élément flou désigné par le terme de « localités ». Le processus de différenciation, d'analyse de l'organisation territoriale est donc cantonné dans des limites relativement resserrées. Le recours à une planification de type écologique est de ce fait restreint par la pauvreté de la notion de milieu.

Mais, d'autre part, des restrictions identiques rendent sommaire le modèle de planification spatiale proposé par le comité. Celui-ci ne retient de la centralité que son expression géométrique, aux dépens de tout ce qui en fait un phénomène économique, social et culturel (la centralité politique est d'emblée exclue puisque l'objet du débat est de savoir si elle doit se superposer à la géométrie ou bien à l'économie, etc.). De la sorte, le modèle de partage du territoire reste très peu élaboré, parce qu'il laisse de côté le rôle joué par les villes dans l'organisation de l'espace, a fortiori les hiérarchies et les réseaux urbains. Le seul élément de l'économétrie constituante est l'accessibilité au chef-lieu mesurée seulement en distance, au mieux en distance-temps : le centre n'est qu'un point géométrique, finalement déduit de la délimitation territoriale au lieu de fonder celle-ci.

C'est donc sans doctrine ni critères d'arbitrage que l'Assemblée Nationale et le comité de constitution abordent la proliférante sollicitation urbaine dont ils font l'objet.

NOTES

1. Mavidal et Laurent, *op. cit.*, t. 10, p. 6.

2. *Ibid.*, t. 9, p. 464.

3. *Ibid.*, p. 658.

4. *Ibid.*, p. 737.

5. *Ibid.*, p. 754.

6. M. Dumolard, *Avantages de la nouvelle division du royaume ou Réponse aux Observations de la Commission Intermédiaire des États du Dauphiné*, s.l., 1790, p. 38.

7. Mavidal et Laurent, *op. cit.*, t. 9, p. 671-672.

8. Citons notamment : J. E. Schlanger, *Les métaphores de l'organisme*, Paris, Vrin, 1971. A. Elbaz-Marcovich, *Entre les représentations sociales du corps humain et les représentations sociales du corps social, une continuité ? Lecture d'un médecin anglais du 18ᵉ siècle : J. C. Lettsom, 1744-1815*, thèse 3ᵉ cycle, Paris, EHESS, 1982.

9. J. C. Perrot, *Genèse d'une ville moderne : Caen au 18ᵉ siècle*, Paris-La Haye, Mouton, 1975. Voir notamment t. 1, p. 19. F. Choay, « La ville et le domaine bâti comme corps dans les textes des architectes-théoriciens de la première renaissance italienne », *Nouvelle Revue de Psychanalyse*, 9, printemps 1974, p. 239-251.

10. Un article d'A. Cauquelin le signale : « Autrefois, la matrice métaphorique de l'urbain était organique : la vie, le sang, la lymphe, les artères, la force vitale, etc. » (« Les temps urbains », *Le Monde*, 13-14 mai 1979, p. 16). Au 18ᵉ siècle, le développement de l'intérêt pour les questions d'hygiène, de salubrité, assure la vitalité d'une métaphore qui associe la circulation qui se fait dans l'organisme vivant et celle qui caractérise les villes (qu'il s'agisse de la circulation de l'air et de l'eau ou de celle des hommes et des marchandises).

11. F. Delaporte, « Des organismes problématiques », *Dix-Huitième Siècle*, 9, 1977, p. 49-59.

12. Schlanger, *op. cit.*, p. 72.

13. Ainsi, l'analogie est posée à la fois en termes d'anatomie, de physiologie et de mode de reproduction. Cette dernière expression (analogie de la croissance du polype et de la croissance urbaine) paraît bien être la plus originale en cette fin du 18ᵉ siècle, les métaphores anatomiques et physiologiques étant beaucoup plus fréquentes. On se reportera à ce propos aux interventions de M. Roncayolo et J. C. Perrot au cours de la table ronde « Les miroirs de la ville : un débat sur le discours des anciens géographes », *Urbi*, 2, déc. 1979, p. cxi.

14. On se reportera aux articles du numéro spécial de la revue *Dix-Huitième Siècle* consacré au sain et au malsain (n° 9, 1977).

15. A. Le Maître, *La Métropolitée*, Amsterdam, B. Boekholt, 1682, p. 5.

16. Mavidal et Laurent, *op. cit.*, t. 9, p. 752.

17. *Ibid.*, p. 732.

18. *Ibid.*, p. 758.

19. *Ibid.*, p. 683.

20. *Ibid.*, p. 690.

21. On se reportera à ce propos à l'article de P. Meuriot, « La question des grandes villes et les économistes au 18ᵉ siècle », *Séances et Travaux de l'Académie des Sciences Morales et Politiques*, mai 1914, p. 494-509.

22. Nous avons conscience d'employer ce terme d'une façon incorrecte au regard de la définition qu'en donnent les dictionnaires. On le trouve cependant de plus en plus souvent utilisé pour désigner le caractère urbain de quelque chose, et cet usage est commode pour qui s'intéresse à la notion de ville dans sa généralité.

23. B. Lepetit, « L'évolution de la notion de ville d'après les Tableaux et Descriptions géographiques de la France, 1650-1850 », *Urbi*, 2, déc. 1979, p. XCIX-CVII.

24. *Supra*, p. 115.

25. [E. J. Sieyès], « Observations sur le rapport du comité de constitution concernant la nouvelle organisation de la France », in : AN, ADXVIIIᶜ 3, Supplément au procès-verbal de l'Assemblée Nationale, Constitution, t. 2, Organisation et division du royaume, part. 1, p. 6-7.

26. Mavidal et Laurent, *op. cit.*, t. 9, p. 747-748.

DEUXIÈME PARTIE

La réaction locale

CHAPITRE PREMIER

Les particularités du corpus

Sollicitée par l'Assemblée Nationale, l'expression de l'opinion provinciale et locale se manifeste néanmoins d'une façon très largement spontanée, dès les jours suivant le vote des premiers décrets, parfois même pendant le débat. La rapidité de réaction au projet s'explique sans doute par le précédent tout récent de la rédaction des cahiers de doléances. Par ailleurs, durant tout l'été 1789 l'Assemblée reçoit un volumineux courrier en provenance de la province. Celle-ci fait part de son adhésion ou de son hostilité aux décisions prises. La correspondance concernant la réorganisation administrative et territoriale du royaume vient donc prendre le relais des premières prises de position.

Mais, dans ces temps de réformes et de créations qui font suite à la table rase des premiers mois révolutionnaires, l'enjeu dépasse la seule consultation. Il s'agit maintenant d'avancer des propositions pour de nouvelles dispositions rendues possibles par l'événement révolutionnaire. En ce sens, même si ces textes comportent en large part une évaluation de la situation acquise (et traduisent une représentation « passive » des phénomènes), leur originalité consiste à présenter des plans de réorganisation, ou plus souvent des revendications d'actions concrètes. La représentation, comme structure mentale, se déplace donc de la seule perception pour venir à l'appui d'une action. Telle ville désirant un chef-lieu administratif ou telle communauté désirant un rattachement vont invoquer une série de justifications puisées dans la description de leur situation (c'est souvent le mot qui est employé, et qui signifie tout à la fois la localisation, les pouvoirs exercés, les fonctions) et préconiser un mode d'organisation du territoire qui les favorise. C'est l'ensemble de cette argumentation et de cette façon d'envisager un aménagement du territoire suivant différentes formes de rationalité que l'on examinera ici.

1. Les sources

L'essentiel des délibérations locales qui ont été mises sous les yeux des membres de l'Assemblée est regroupé dans la série D IV bis des Archives Nationales, qui porte le titre de « Comité de Division du

Voir notes p. 130.

Territoire ». On y trouve les archives concernant la division territoriale et la fixation des chefs-lieux administratifs ainsi que l'attribution des différents tribunaux, y compris les tribunaux de commerce. Cet ensemble est réparti dans cent sept cartons. Nous avons choisi de privilégier les dix-huit premiers, qui réunissent les documents de la division territoriale et de la fixation des chefs-lieux administraitfs, ainsi que deux cartons d'archives concernant la localisation des tribunaux de commerce. De ces dossiers, nous avons fait un dépouillement systématique et exhaustif, ce qui nous a permis de « couvrir » régulièrement l'ensemble du royaume.

Les raisons de ce choix sont inhérentes au contenu même de la série d'archives ainsi qu'à nos propres exigences. L'une des caractéristiques fondamentales de la correspondance locale est son volume massif, qui en son temps effraya ceux à qui elle était adressée et qui, de nos jours, rend difficile le travail de relecture et de traitement. Une limitation du corpus s'est par conséquent imposée.

Nous avons donc laissé de côté ce qui concerne les tribunaux ordinaires, ceux-ci ayant suscité des revendications très similaires à celles dont les chefs-lieux administratifs font l'objet[1].

La démarche la plus fréquemment adoptée pour aborder l'histoire de la formation des départements a été la monographie. Les années 1880-1920 ont vu une quantité de publications érudites et documentées portant sur la formation de tel ou tel département ; la justification de telles études est, suivant l'intention déclarée des auteurs, de tenter, à l'occasion du premier centenaire de son existence, un bilan de l'institution départementale. Plus récemment, d'autres recherches monographiques ont été poursuivies, dont la problématique est proche de la nôtre, bien que le thème des représentations ne les intéresse qu'indirectement[2]. Elles laissent toutefois entier le problème de la représentation globale de l'espace français telle que ces textes sur la formation des départements la révèlent. Il n'est à notre connaissance que deux recherches qui se soient attachées à envisager la question au niveau de l'ensemble du territoire. L'une est achevée, il s'agit du travail d'Eugène Stevelberg qui a largement inspiré le nôtre[3], mais qui repose sur l'étude d'un échantillon. Celle de Ted Margadant sur les rivalités urbaines en France pendant la Révolution appréhende elle aussi la totalité du territoire, mais privilégie logiquement l'étude des seules villes[4]. Cherchant à envisager plus largement les représentations du territoire, notre recherche ne retient celles-ci que comme l'un des éléments à partir desquels s'élaborent ces représentations ; comme le principal, certainement, mais non comme le seul.

Notre propre travail ne vise pas néanmoins l'exhaustivité. Cela tient tout d'abord au fait que la série documentaire à laquelle nous nous sommes limitée ne regroupe pas, on l'a dit, la totalité des documents intéressant la création des départements.

Incomplet, notre corpus l'est aussi, vraisemblablement, par rapport aux revendications qui furent effectivement formulées par écrit en 1789-1790. Nous avons connaissance, par d'autres sources, de conflits dont il n'existe aucune trace dans la série étudiée. Des recherches plus approfondies peuvent être envisagées, dans d'autres séries des Archives Nationales, dans les archives locales et les collections privées. Les monographies nous aident également, bien qu'elles ne reproduisent pas toujours les textes originaux. Par ailleurs, on sait qu'une bonne part des revendications fut formulée oralement, par des députés extraordinaires ou non. De nombreuses lacunes restent donc à repérer, à expliquer ou à combler.

2. Le contenu du corpus

Pour reprendre l'image utilisée par Sieyès d'un double mouvement ascendant et descendant existant à l'intérieur de la constitution, nous saisissons à travers ce corpus le volet ascendant de la manifestation d'opinion que suscite la réorganisation territoriale et administrative du royaume, c'est-à-dire sa part la plus spontanée, la plus populaire et démocratique : elle émane de tout le peuple, ou plus justement de tous les points peuplés du territoire, car nous savons bien ne toucher qu'une opinion d'élite, celle de la notabilité locale.

— Une très grande partie de cette correspondance consiste en *demandes d'attribution d'un chef-lieu* (département, district, canton ou tribunal). À l'appui de ces réclamations sont formulées des descriptions de la situation politique, économique et géographique de la localité demandeuse et de ses environs. Les arguments de justification en sont tirés : parfois la description se suffit à elle-même ; dans d'autres cas elle donne lieu à une argumentation idéologique plus ou moins élaborée. Ce trait est plus fréquent lorsque le chef-lieu sollicité fait l'objet d'une rivalité entre plusieurs localités, chacune cherchant à démontrer sa meilleure aptitude à recevoir l'administration.

— Un autre groupe est constitué par des *demandes de rattachement* à une circonscription (département, district ou canton) ou à une ville susceptible de devenir chef-lieu. Des lettres plus tardives, c'est-à-dire postérieures aux décisions des députés, associent souvent cette demande à celle d'un démembrement de la circonscription où la localité a été initialement placée.

— On trouve également un ensemble de *délibérations mettant en jeu un territoire plus vaste,* qu'il s'agisse d'une simple portion de contrée ou bien d'une ancienne division administrative, judiciaire ou religieuse, voire d'une province entière. Ce sont tantôt des demandes séparatistes tantôt des affirmations d'une volonté corporatiste, ou encore des souhaits de réunion. On peut classer dans le même groupe les réclamations concernant le nombre des districts, visant généralement sa multiplication, plus rarement sa restriction.

— Un dernier ensemble est formé par toutes les pièces venant à l'appui des précédentes : cartes, listes de paroisses qui pourraient composer un district ou un canton, tableau des distances des villages à une ville et à sa rivale pour démontrer la position plus centrale de la première, lettres d'avis favorable des communautés pour la fixation du district dans telle ou telle ville, lettre d'appui d'une personnalité locale pour telle ou telle réclamation, etc. La variété de ces pièces est très grande.

Quels sont les signataires de ces lettres ? Ce sont le plus souvent les officiers municipaux de la localité. Ceux-ci mandatent fréquemment des députés extraordinaires pour plaider leur cause auprès de l'Assemblée Nationale. On trouve donc à la fois des délibérations de corps municipaux, et des mémoires ou des lettres souvent anonymes, parfois signés d'une personnalité locale, député ou simple notable. Lorsqu'il s'agit d'affaires plus tardives, les délibérations émanent des nouveaux corps administratifs comme les directoires de district ou de département. On trouve également dans les archives sur les tribunaux de commerce quelques pétitions de commerçants.

Du point de vue social, on peut dire que cette mobilisation d'opinion est très majoritairement celle d'hommes de justice. Voici l'exemple d'une délibération de la viguerie de Mauvezin, enclave du Nébouzan dans le pays des Quatre-Vallées, située entre Bagnères-de-Bigorre et Lannemezan. Elle est signée de deux notaires royaux (dont l'un est syndic général de l'assemblée), d'un avocat en parlement et de quatorze consuls — auxquels il faut ajouter un docteur en médecine, deux bourgeois et deux personnes pourvues du titre de député de leur communauté ; la plupart des signataires ont d'ailleurs ce titre. On voit donc que cette correspondance est le fait d'une part socialement très limitée de la population. À traiter des représentations mentales à propos du territoire, il ne faut pas perdre de vue que nous ne touchons que celles de l'élite qui se mobilise autour des enjeux révolutionnaires.

L'intérêt et l'originalité du corpus est de nous fournir des textes où le phénomène de représentation, où la construction idéologique se trouvent placés au seuil de l'action. Le projet d'un réaménagement de l'espace fait d'une part apparaître des consciences d'appartenance à un territoire délimité et, plus largement, détermine l'expression de la façon dont on se localise. L'enjeu dont l'espace fait l'objet à l'occasion de la réforme révèle également les consciences de domination exercée sur un territoire, et notamment, de la part des villes, celles des rapports qu'elles entretiennent avec leur arrière-pays.

La réorganisation administrative est par ailleurs assimilée, pour une large part, à la fixation de nouveaux chefs-lieux. Les anciens chefs-lieux cherchent à récupérer leurs prérogatives, et les villes et bourgs qui n'avaient pas de pouvoirs administratifs et judiciaires voient alors l'occasion d'en obtenir. Au travers des descriptions venant à l'appui de ces demandes apparaît à nouveau une certaine image de la ville et de la nature de la puissance urbaine. Si l'ensemble des documents fait ressortir l'importance de l'administration comme facteur de prospérité des villes qui en sont dépositaires, la ville est conçue tantôt d'une manière culturaliste comme un lieu d'urbanité, tantôt d'une manière plus fonctionnaliste, du point de vue des relations qui la relient à un territoire. Très souvent, les deux conceptions s'entremêlent et la conscience de la territorialité des phénomènes est plus ou moins développée, de telle sorte qu'entre ces représentations types de la ville, il existe de multiples représentations mixtes. Ceci correspond bien à la méthode mise en œuvre pour faire aboutir les revendications et qui consiste à mobiliser tous les arguments disponibles même s'ils procèdent de conceptions diverses, voire contradictoires.

Cette mixité des représentations est accentuée par la démarche idéologique qui sous-tend les demandes et qui oscille elle-même entre le conservatisme le plus radical et un opportunisme qui veut tirer parti des principes révolutionnaires mis à l'honneur. Là encore, il n'est pas rare de voir mêler un conformisme aux dispositions acquises et une rationalité de l'ordre nouveau. Le débat parlementaire, resté ouvert, comme nous l'avons dit, quant aux principes précis à observer pour la division, a offert à l'imagination des mandants à la fois le registre des idéaux du comité et celui des conceptions provincialistes. Ceux-ci empruntent tantôt à l'un, tantôt à l'autre, et très souvent aux deux en même temps.

C'est en précisant ces différents points que nous voulons tenter de saisir la manière dont les notables locaux se représentaient le territoire et voulaient l'organiser. Nous avons tout d'abord privilégié un point de vue analytique : examinant ces délibérations les unes après les autres, nous avons tiré des principaux arguments utilisés nos catégories d'analyse. Face à cette étude thématique, nous développons des considérations plus synthétiques. Plusieurs orientations se dégagent. Il est notamment intéressant d'envisager d'un point de vue dialectique les rationalités mises en œuvre dans ces textes : conformisme historique, naturel ou économique, promotion d'un ordre nouveau, idéal de la régénération et du progrès qui affranchirait l'homme des déterminismes traditionnels et lui laisserait la liberté de ses institutions, toutes ces tendances sont représentées et parfois associées, et caractérisent de façon éloquente les débats de cette première période révolutionnaire. Nous verrons comment les localités choisissent dans ce fonds des arguments pour étayer une revendication particulière.

L'analyse par thèmes de représentation, même si elle est tout entière appuyée sur des exemples locaux, ne permet pas toujours de saisir très bien les cohérences régionales, lorsqu'elles existent. Aussi nous demanderons-nous dans quelle mesure une régionalisation de ces représentations est pertinente. Si d'ores et déjà nous pouvons annoncer qu'il n'est pas possible d'établir une véritable typologie régionale, certains clivages sont cependant significatifs : l'opposition plaine/montagne en est un, la répartition entre pays d'États et pays d'élections en est un autre. Par ailleurs, certaines régions s'individualisent, non pas tant par l'originalité de leurs représentations que par leur sensibilité à l'événement même de la réorganisation territoriale[5].

NOTES

1. Nous avons vu dans les débats parlementaires qu'après avoir été d'abord séparées, l'administration et la justice ont des sorts associés dans la refonte générale des institutions. C'est le fait même de la réorganisation territoriale puisque celle-ci réunit dans une même circonscription tous les genres de pouvoir.

2. Citons notamment C. M. Zeni, *Urban Networks and the French Revolution in the Nord*, thèse présentée à l'université de Californie, Davis, 1983, dact.

3. E. Stevelberg, *Contribution à l'étude de l'armature urbaine préindustrielle française : essai thématique sur les rapports spatiaux d'après le découpage en départements, 1789-1790*, thèse de doctorat de 3ᵉ cycle, Paris, EHESS, 1977, dact.

4. T. W. Margadant, « A Note on Intermediate Centers of Administration in Eighteenth-Century France », table ronde sur « La cartographie des subdélégations françaises à la veille de la Révolution », Paris, EHESS, 22 avril 1982, dact. *Idem*, « Urban Crisis, Bourgeois Ambition and Revolutionary Ideology in Provincial France, 1789-1790 », communication au 28ᵉ Congrès annuel de la Society for French Historical Studies, 26-27 mars 1982, dact.

5. Dans les chapitres qui suivent, nous donnons les références des pièces d'archives directement dans le courant du texte, et non pas en notes, celles-ci étant réservées à des compléments ou aux références autres qu'archivistiques. Par exemple, lorsque nous indiquons 6/184-10, il s'agit du carton D IV bis 6, de la liasse 184 et de la pièce 10.

   Par ailleurs, nous serons amenée à personnifier les localités en leur prêtant telle ou telle conception, tel ou tel acte. En effet, un grand nombre d'adresses ne sont pas signées, portant seulement le titre de mémoire de la ville de X, ou des officiers municipaux de Y. Lorsque les signataires sont connus, nous les avons nommés.

CHAPITRE II

Les modèles conformistes : ordres historique, naturel et administratif

1. La conservation des unités territoriales anciennes

La situation de table rase créée par l'abolition des privilèges et institutions d'Ancien Régime suscite dans une très large mesure une réaction conservatrice de l'opinion locale qui souhaite maintenir les dispositions du passé. Aussi trouve-t-on fréquemment l'expression d'une conscience d'appartenance à des entités territoriales anciennes comme les provinces (aussi floues soient-elles) ou les circonscriptions administratives de la monarchie. Elle fonde des demandes de délimitation ou de rattachement. D'autre façon plus militante, certains affirment aussi leur volonté que tel ou tel territoire formant unité ne soit pas démembré.

Cette opinion conservatrice fait écho au courant parlementaire d'opposition au démantèlement des provinces. Elle en reprend les arguments mais elle est toutefois beaucoup plus librement exprimée, comme affranchie des idéaux révolutionnaires qui infléchissaient les discours provincialistes dans le débat à l'Assemblée.

Les provinces

Il faut insister sur la pauvreté des sources dont nous disposons pour faire l'histoire de la phase de la division qui a consisté à partager les provinces. Le 11 novembre 1789, l'Assemblée décide que le nombre des départements variera entre soixante-quinze et quatre-vingt-cinq et que chacun d'entre eux sera divisé en districts suivant un nombre ternaire (cette exigence sera supprimée dès le 14 décembre suivant). Il reste à effectuer la division proprement dite. Les provinces sont alors réparties en deux groupes : celles qui peuvent être partagées à l'intérieur de leurs limites (Normandie et Perche, Bretagne, Lorraine, Alsace, Franche-Comté, Bourgogne et Bresse, Haute Guyenne, Languedoc, Dauphiné, Provence et Auvergne), et les autres, obligées de se réunir entre voisines (par exemple Île-de-France, Cambrésis, Généralité de Paris et frontières d'Orléanais, Champagne et Soissonnais). Les députés doivent s'assembler tour à tour entre le 13 et le 18 novembre et sont tenus de remettre un rapport écrit à l'issue de leurs débats. Leurs procès-verbaux ne rendent malheureusement compte que des décisions et non des réflexions et

Voir notes p. 162.

discussions qui les ont précédées. La correspondance locale est plus éloquente à ce propos ; mais ce qui émane des instances provinciales elles-mêmes (États, Parlements, etc.) reste peu abondant. Outre que la question du partage des provinces a été traitée en large part à Paris sans comptes rendus détaillés, les sources pour cette enquête doivent sans doute être recherchées dans les recueils locaux et privés, comme le laissent entendre les monographies, elles-mêmes inégalement documentées sur ce thème. Les pétitions envoyées par les communautés, bourgs et villes comportent néanmoins de fréquentes références aux solidarités provinciales.

C'est à proximité des limites provinciales que la conscience d'appartenir à une entité territoriale ancienne se développe le mieux. En voici des exemples. La frontière entre les futurs départements de l'Allier et du Puy-de-Dôme est litigieuse. Les localités en cause formulent alors leurs vœux, comme la ville d'Ébreuil qui ne veut pas être séparée du « département d'Auvergne », ayant toutes ses habitudes dans cette province alors qu'elle n'en a pas dans le Bourbonnais (5/174-56). La ville de Pradelles, en Vivarais, proteste contre le projet des députés du Velay de comprendre dans leur département la partie du haut Vivarais où elle se trouve. Elle demande a être comprise dans le département du Vivarais, « considérant encore que dans tous les temps les citoyens de cette ville ont manifesté leur attachement intime au sort du Vivarais : surtout lors de la convocation des assemblées de sénéchaussées pour la députation à l'Assemblée Nationale » (4/156-20). On pourrait multiplier les exemples, que l'on rencontre à peu près régulièrement répartis sur tout le territoire français. Signalons seulement quelques limites où ce sentiment s'exprime de manière privilégiée : entre Normandie et Maine, entre Poitou et Berry, entre Nivernais et Bourgogne. Mais, alors, la réalité provinciale prend une acception particulière — la limite entre Normandie et Maine est perçue comme une limite coutumière de même que celle qui sépare Poitou et Berry, et l'affirmation d'une appartenance nivernaise ou bourguignonne s'assimile au rattachement à une capitale, Nevers ou Auxerre par exemple. Aussi la notion de province prend-elle un caractère plus partiel que la réalité globale et complexe à laquelle se référait le débat parlementaire. Nous reviendrons sur ces problèmes.

Parfois, l'appartenance provinciale est invoquée indirectement, pour obtenir autre chose. François de Sainthorens, mandataire des habitants de la portion méridionale du Berry annexée à la Marche, écrit le 31 décembre 1789 à l'Assemblée pour demander qu'on donne un district à la ville de Boussac pour « l'indemniser » de son détachement du Berry (6/185-38). En Normandie, Les Andelys qui sont en concurrence avec Vernon pour un chef-lieu de district, écrivent de leur rivale : « Cette ville qui se trouve au-delà des anciennes limites du Vexin Normand, et à l'extrémité de la province, puisqu'elle n'est qu'à une demie-lieue du Ponceau-Blaru, qui sépare l'Île-de-France d'avec la Normandie, peut-elle prétendre à obtenir un district ? » (6/191-13)

C'est déjà dire toute l'ambivalence de cette correspondance : très fortement empreinte de conservatisme, elle tempère l'entreprise révolutionnaire en faisant preuve néanmoins d'une très grande faculté d'adaptation aux possibilités nouvellement offertes. Le fait de se mettre en bonne place sur les rangs de l'ordre nouveau en prenant appui sur l'héritage du passé n'est pas un des moindres paradoxes de cette revendication locale, et témoigne pour le moins d'un affranchissement par rapport à la rigueur du débat parisien.

La revendication peut aussi porter sur un territoire dans son ensemble et non pas seulement sur une ligne de partage. Elle n'en est alors que plus virulente. Ainsi en est-il des prises de position des grandes capitales hostiles au partage des provinces en plusieurs départements. Aix s'oppose à la division de la Provence. Clermont à celle de l'Auvergne, Besançon à celle de la Franche-Comté, Poitiers à celle du Poitou. Plusieurs députés du Dauphiné refusent son morcellement. Ces cas offrent l'exemple d'une parfaite concordance avec l'argumentation provincialiste des députés à l'Assemblée Nationale. Le marquis de Clermont-Mont-Saint-Jean intervient contre le démembrement du Bugey ou son incorporation dans une autre province :

> « Ce droit [de s'administrer séparément] est le plus beau, le plus ancien et le plus cher de ceux dont elle a constamment joui ; et l'on peut dire que sa position, son étendue quoique circonscrite, l'air, le sol, le caractère de ses habitants, ses productions et surtout la nature des limites qui la séparent de ses voisins lui rendent son administration distincte et séparée nécessaire. »[1]

On voit formuler de véritables partis pris corporatistes dans les termes mêmes que Sieyès utilisait pour s'en garantir, le 7 septembre 1789. Villeneuve-de-Berg parle du Vivarais comme « du même tout, qui n'a fait jusqu'à présent qu'un même corps et qu'une même administration » (4/156-2). On trouve de semblables affirmations de la part des Marches Communes revendiquées à la fois par la Bretagne et le Poitou, de l'Artois qui ne veut céder aucune portion de son territoire aux Flandres, condamnant ainsi la division du nord de la France à se faire suivant une ligne parallèle à la frontière alors qu'il eût été possible de créer deux départements de forme carrée.

Un des terrains où ce particularisme provincialiste s'exprime avec le plus de vitalité est la région pyrénéenne et landaise. Le Pays Basque fait une longue et violente campagne contre sa réunion au Béarn, considérant que

> « la Navarre s'incorporant à la France, elle ne saurait être jointe qu'au Pays de Soule et de Labourt soit pour la provincialité, soit pour l'administration de la justice. Qu'il est hors de doute que l'Assemblée Nationale ne prenne en considération que les trois pays basques, dont l'origine, les mœurs, les

besoins, le langage sont les mêmes, ne peuvent sans les plus grands inconvénients être joints à aucune autre province. » (Lettre de Labastide-Clairence en Navarre : 14/215-5.)

On notera le terme de « provincialité ». De même, la Bigorre désire former à elle seule un département et ce particularisme existe aussi au sein de tout petits pays qui ne peuvent constituer que des districts, comme la Cerdagne, le Nébouzan, les Quatre-Vallées, le pays de Rivière-Basse, la Chalosse, etc. Le territoire et la ville de Bidache en Guyenne demandent un district pour ne pas être rattachés à Ustaritz en Pays Basque, dont la langue leur est inconnue (14/259-15).

Dans tous les cas, l'on a affaire à un corporatisme politique qui n'a pas peur de s'avouer comme tel et qui puise souvent dans l'histoire ancienne pour asseoir ses droits. Azille souhaite reconstituer l'étendue du Pays Minervois, dont elle est la capitale, telle qu'elle était avant sa division au 14e siècle entre le diocèse de Saint-Pons et ceux de Carcassonne et de Narbonne (4/163-1).

Pourtant, malgré cette franchise d'expression, ce corporatisme fait appel, suivant le procédé de légitimation que nous avons noté dans le débat parlementaire, à des arguments « objectifs », c'est-à-dire susceptibles de démontrer que la volonté particulière est conforme aux lois générales. L'un de ces arguments consiste à affirmer que l'on doit faire coïncider les nouvelles divisions avec les unités territoriales homogènes. Nous y reviendrons plus loin.

Par ailleurs, les arguments pratiques et matériels prennent dans ce corpus plus de poids qu'à l'Assemblée Nationale. La Chalosse refuse de céder au Marsan la rive droite de l'Adour car la route qui y est située le long du cours d'eau est entretenue par elle et sert de débouché à sa capitale, Saint-Sever, alors que le Marsan qui n'en a pas besoin la négligerait (9/214-25). Les Marches Communes, dans le cas où elles ne pourraient obtenir une administration particulière, préfèrent leur rattachement à la Bretagne plutôt qu'au Poitou. C'est que la première n'est pas, comme le second, assujettie aux aides :

> « et ceci est d'autant plus important, que partie des Marchetons portent leurs eaux-de-vie à Nantes, seul débouché qu'ils aient pour cette denrée, et que d'autres tirent des vins du Comté Nantais. L'on a sans doute l'espérance très prochaine de la suppression de cet impôt, mais il n'est pas encore détruit » (9/218-15).

Homogénéité territoriale ou lois économique, on se réfère toujours à un ordre préexistant auquel, suivant ces correspondants locaux, le découpage devrait s'adapter. Nous retrouvons les idéaux conformistes déjà repérés dans le débat parlementaire. La correspondance locale va donc dans le sens d'un renforcement de ce conservatisme. Est-ce à dire que les principes réformistes du comité de constitution ne trouvent aucun écho dans la revendication locale ? Il est vrai qu'on ne rencontre pas ici de manifeste contre les réalités provinciales, si ce n'est de la part de petits groupements recherchant une scission au nom d'un corporatisme comparable à celui des grandes provinces ; il en va notamment ainsi du Gévaudan à l'égard du Languedoc. En revanche, lorsque cela concorde avec leurs intérêts particuliers, certaines localités font pression pour une rationalisation et une régularisation des ensembles territoriaux. En plein cœur d'une région de particularisme farouche la viguerie de Mauvezin, qui forme une enclave du Nébouzan entre les Quatre-Vallées et la Bigorre, abandonne sa province d'origine :

> « Vu l'enclavement de notre dite viguerie dans ledit département déjà formé de Bigorre par l'adhésion des Quatre-Vallées et de tout le pays situé à l'orient de notre viguerie jusqu'au-delà de la ville de Mourrejau [Montréjeau], vu la situation de ladite viguerie qui de tout temps a formé une péninsule avec le reste du Nébouzan situé aux environs de Saint-Gaudens, nous nous plaignons de l'inexactitude du compas de géographes qui auraient voulu nous unir avec le Couzerans et le Pays de Foix, puisqu'en ce moment considérant quelle était la confusion, et le mélange des différents pays et élections au pied des Pyrénées ; supplions les mémorables membres occupés de la constitution, d'avoir égard à la topographie du pays [...] ; la viguerie de Mauvezin désire être du département de Bigorre, dont elle n'est distante que d'environ quatre lieues » (15/260-8).

Certaines rivalités restituent au plan pratique le contenu du débat entre les membres du comité et les députés défenseurs des provinces. Montreuil, à la limite de la Picardie et du Boulonnais, désire s'étendre sur ce dernier pour former son district. Les députés de Boulogne refusent énergiquement au nom d'un corporatisme bien compris (14/255-1). L'une des communautés revendiquées par Montreuil proteste elle-même contre cette éventualité parce que « cette ville n'a jamais cessé de vexer Neuville, qu'elle a fait ses efforts pour lui enlever un marais nécessaire à la nourriture de ses bestiaux ; qu'elle a voulu faire assujettir Neuville aux aides et à nombre d'autres droits dont le Boulonnais est exempt » (14/255-6). Le 8 janvier 1790, Montreuil s'insurge contre les démarches effectuées par Boulogne auprès des communautés en question pour qu'elles restent attachées au Boulonnais, et en appelle aux principes observés par l'Assemblée Nationale :

> « Vous avez décrété le partage des provinces, on ne peut donc plus venir s'opposer à ce partage. L'ancienne existence n'est plus à considérer : une carte, un compas, voilà ce qui doit aujourd'hui régler d'après vos décrets. S'il en était autrement, toutes les anciennes bigarrures de bailliages, sénéchaussées, de gouvernement, se reproduiraient sous les titres de districts et de départements. [...] Vous dirait-on, Nosseigneurs, que le Boulonnais a une coutume différente, des mœurs, des usages différents ; mais toutes les provinces ont des coutumes, des mœurs, des usages différents, et cependant

vous en avez ordonné le partage. Quant aux mœurs et usages, il est dans vos principes, Nosseigneurs, de les rendre avec le temps partout les mêmes, par l'uniformité des administrations ; quant aux différentes coutumes, qui peut douter que vous ne prévoyez, dans votre sagesse, qu'elles seront toutes un jour abrogées par une loi générale ? » (14/255-23).

Voici qui annonce les discussions à venir de l'Assemblée sur la réorganisation du pouvoir judiciaire. On rencontre ici un exemple de l'exploitation du flou laissé par le débat parlementaire : les localités sont libres de choisir entre l'uniformisation prônée par le comité, et le provincialisme, selon ce qui convient le mieux à leur intérêt particulier. Elles font plus souvent appel au second, mais certaines ont bien senti que le caractère révolutionnaire du projet peut leur permettre de transgresser l'ordre ancien au bénéfice de leurs intérêts. Montreuil ne constitue d'ailleurs pas un cas isolé.

Ces revendications corporatistes proviennent souvent de pays d'États. Ainsi en est-il de l'Artois, du Bugey, des pays pyrénéens comme les Quatre-Vallées, la Bigorre, les Pays Basques, etc. On a fait remarquer plus haut que les exigences provincialistes s'assimilaient pour une bonne part à la demande d'instauration ou de restauration d'États particuliers. Néanmoins, et sans doute par le fruit d'une remarquable adaptation aux nouveaux enjeux, ces revendications s'estompent derrière la compétition pour les départements et les districts. C'est pourquoi l'invocation de cette différence de statut territorial est peu fréquente, si ce n'est de la part des députés de grandes provinces régies par des États ou récemment conquises, mais qui s'expriment directement à l'Assemblée. Dans la correspondance locale, les allusions à ce statut politique sont plus souvent mises au service d'une réclamation autre que la sauvegarde de ce mode différentiel d'administration du territoire. Ainsi, par exemple, l'Armagnac refuse les prétentions de la Bigorre qui veut lui retrancher une partie du pays de Rivière-Basse, parce qu'il serait fâcheux de joindre un pays d'élection à un pays d'États.

Les circonscriptions administratives de la monarchie

Beaucoup plus qu'à cette division du royaume en pays d'États et d'élections, les revendications locales s'accrochent aux circonscriptions administratives, judiciaires et ecclésiastiques de la monarchie. Cette attitude contraste avec la réticence du comité de constitution à l'égard des divisions anciennes, jugées irrationnelles et fondées sur les seuls préjugés.

« Aucune de ces divisions ne peut être ni utilement ni convenablement appliquée à l'ordre représentatif. Non seulement il y a des disproportions trop fortes en étendue de territoire mais ces antiques divisions, qu'aucune combinaison politique n'a déterminées, et que l'habitude seule peut rendre tolérables sont vicieuses sous plusieurs rapports tant publics que locaux », affirmait Thouret, le 29 septembre 1789[2].

La correspondance donne pourtant la preuve des liens qui subsistent entre les populations et ces circonscriptions. Voici comment se traduit cette volonté de les respecter. Le Clermontois (comté composé de six prévôtés autour des villes de Clermont, Varennes, Dun et Stenay), situé entre la Champagne et les Trois-Évêchés, est revendiqué par ces derniers et par la Lorraine pour composer le futur département de la Meuse. Il est en effet réuni depuis 1787 à Metz, ayant souhaité être séparé de la généralité de Châlons, dont il jugeait les impôts trop élevés. Mais il souhaite maintenant revenir à la Champagne au nom de la proximité : « La majeure partie du Clermontois est enclavée dans la Champagne. C'est un fait sur lequel on n'aura pas de démenti. Rien n'est plus incommode et plus dangereux que le mélange de deux généralités différentes » (11/240-1). Le Clermontois demande donc d'être à nouveau placé dans la généralité de Châlons.

Au mois de juillet 1790, alors que la division est depuis longtemps terminée et décrétée, les communautés de Villegruis et de Louan, situées dans le district de Provins en Seine-et-Marne, demandent leur changement de rattachement en faveur du district de Nogent-sur-Seine dans l'Aube. La raison est qu'elles ont toujours fait partie de la généralité de Champagne et de l'élection de Troyes (4/162-22).

Derrière la mise en évidence de telles solidarités spatiales, se dessine la relation d'un territoire à un chef-lieu et à une ville. On touche ici à la caractéristique majeure de ces témoignages, urbains en large part : ils désignent des espaces polarisés et des relations radiales, tandis que les allusions aux surfaces elles-mêmes, aux étendues spatiales prises isolément, sont moins nombreuses. Et la représentation la plus vivace de la réalité des circonscriptions administratives émane des villes, à travers le processus de prise de conscience de la territorialité des pouvoirs qu'elles exercent. Nous y reviendrons.

2. *Le respect de la nature*

Nous regroupons ici l'ensemble des modes de représentation du territoire qui procèdent de l'idée d'un ordre préexistant, auquel il conviendrait d'adapter l'action humaine, et plus particulièrement l'organisation territoriale. Naturalisme philosophique ou scientifique (pré-scientifique ?), la correspondance locale confirme cette ambiguïté du débat parlementaire. Cette argumentation peut toujours cautionner, voire camoufler un corporatisme et, plus largement, un esprit particulier qui ne peut s'avouer comme tel, ainsi que nous l'avons souligné chez les provincialistes. Plus exactement, la constitution d'une identité territoriale — nous préférons ne pas parler d'une identité régionale qui renverrait trop facilement à une échelle spatiale et à une référence idéologique et politique précises alors que nous envisageons la question d'une manière plus générale —, et son exigence de reconnaissance par un consensus social, passe par la représentation de critères objectifs. La remarque de Pierre Bourdieu à propos de la conscience régionale nous semble s'appliquer plus généralement à tout territoire ou morceau de territoire à partir duquel s'établit une identité[3].

La représentation d'unités territoriales naturelles s'appuie sur plusieurs notions : l'idée d'homogénéité, celle de complémentarité, ainsi que les régularités ou disparités attribuées aux éléments physiques.

L'homogénéité territoriale

Les localités trouvent des justifications à leurs demandes dans l'identification d'unités territoriales dont le principe de cohérence réside dans la parité ou l'homogénéité d'une ou plusieurs caractéristiques sur toute la surface envisagée. Ces régularités sont considérées comme transcendantes par rapport à toute nouvelle institution. Le recours à cet argument est extrêmement fréquent, depuis le terroir différent d'un village à un autre, jusqu'à la véritable région, souvent confondue avec la province. C'est celui qui accompagne le plus volontiers le corporatisme provincialiste.

La ville d'Aubenton demande son rattachement au département des Ardennes de préférence à l'Aisne « parce que le sol de ce district a plus de rapport avec celui de la Basse-Meuse qu'avec celui de l'Aisne » (3/148-2).

De même, en Haute-Auvergne, la ville de Maurs demande le maintien de la division en districts des États provinciaux :

> « Le district de Maurs diffère essentiellement des trois autres par la qualité de son sol, la nature de ses productions et le genre de sa culture [...]. Que le sol du district de Maurs est d'une qualité presque uniforme et consiste uniquement en bois à châtaignes ; peu de terres labourables ; et quelques vestiges de vignobles sur la frontière méridionale. Que celui des autres districts consiste principalement en prairies et pâturages, en bois de haute futaie et en terres agraires. Que cette différence de sol et de culture en produit une nécessairement dans les facultés et les richesses des habitants et doit conséquemment en produire une autre dans la contribution aux charges publiques » (5/174-4).

La dernière phrase témoigne de l'orientation déterministe de la pensée. La particularité de cette démarche est de passer d'un modèle d'explication à une règle pour l'action humaine : les facultés des habitants sont *nécessairement* déterminées par la différence pédologique, mais le système d'impositions *doit* correspondre à cette différence. Les intérêts sociaux parlent bien entendu ici ; le souci de ne pas subir la charge d'une augmentation fiscale motive la référence à l'homogénéité.

Terme, député d'Agen, insiste semblablement sur la différence du mode d'exploitation agricole qui doit faire rejeter les prétentions du Bordelais sur le département d'Agen dont il veut s'annexer une partie : « Le mode de l'exploitation n'est pas le même ; elle se fait, dans le territoire du département de Bordeaux, par des valets à gages ; dans celui qu'on veut y unir, par des colons partiaires, des métayers » (10/225-9). Les différences culturelles existant entre les territoires sont vivement ressenties, mais il est difficile de juger du bien-fondé de ce sentiment. Dans certains cas, il existe certainement une forte propension à faire valoir la différence avec le territoire voisin, les motivations étant essentiellement sentimentales. Dans d'autres, l'homogénéité ou la diversité perçue et décrite semblent correspondre avec plus de justesse à la bigarrure régionale, telle qu'elle pouvait exister à cette époque. Encore faudrait-il vérifier cas par cas. Mais, quelle que soit la part de conformité à la réalité que dénotent ces textes[4], leur caractéristique est de montrer l'ancrage territorial des phénomènes sociaux et culturels dans les images mentales elles-mêmes. Marcel Roncayolo a justement écrit, à propos de la constitution des rapports sociaux et des mentalités, que « si tout ne relève pas de l'inscription territoriale, les perceptions, les croyances et les symboles y trouvent en revanche quelque consolidation, qu'il s'agisse d'ordonnancement physique ou de symbole »[5].

Les textes que nous analysons renvoient à un double déterminisme : d'une part les faits sociaux et culturels imprimeraient au territoire une régionalisation à respecter absolument ; mais, d'autre part, l'idéologie conservatrice se traduit par la crainte qu'en modifiant les divisions territoriales, on porte atteinte aux dispositions sociales.

Saint-Quentin nous fournit l'exemple de la traduction « objective » d'une inimitié et d'une rivalité avec la ville de Cambrai. Située à neuf lieues de cette dernière, elle redoute en effet d'être comprise dans un département dont celle-ci serait le chef-lieu, alors qu'elle-même revendique ce statut. Ainsi affirme-t-elle à propos de Cambrai, le 20 novembre 1789, qu'il existe avec « les habitants de cette ville dont nous ne sommes éloignés que de neuf lieues une différence si marquante de façon de penser, de mœurs, d'usages que peut-être serait-il dangereux d'en faire le chef-lieu de notre pays » (3/146-8).

La Flandre réclame à l'Artois le Pays de Lalloeu qui forme un étranglement sur son territoire. Mais l'Artois refuse :

« Cette observation topographique est vraie ; mais il est bien plus essentiel encore d'observer ce qui ne peut être connu que des naturels du pays, c'est l'invariabilité de mœurs et d'habitudes du Pays de Lalloeu qui semble former une nation neuve et sans mélange au milieu de la Flandre et de l'Artois. Il a fallu beaucoup de temps, de patience, et même de grandes forces militaires pour obliger ce petit peuple à se soumettre à l'administration générale de l'Artois. Il est maintenant tout accoutumé. Il adhère si fortement à ses habitudes qu'on ne le plierait qu'avec beaucoup de contrainte à une nouvelle affiliation » (12/244-13).

Les différences régionales touchant le droit coutumier sont fréquemment invoquées. Les auteurs ont parfois connaissance des projets d'uniformisation du droit dans l'ensemble du royaume, mais la certitude que les nouvelles dispositions ne pourront avoir de valeur rétroactive pour les actes et contrats traités avant la Révolution leur permet de maintenir l'argument. Tel est le cas de Collenot, notaire royal dans la paroisse de Moux. Celle-ci fait partie du bailliage de Saulieu et de la généralité de Dijon ; elle est administrée par les États particuliers de Bourgogne et régie par la coutume de Bourgogne. Mais, lors de la réforme, elle est placée dans le futur département de la Nièvre :

> « Un [...] inconvénient qui résultera infailliblement de la jonction de cette partie de la Bourgogne au Nivernais est la différence des coutumes des deux provinces ; comment des juges étrangers à la coutume de Bourgogne pourront-ils juger les difficultés qui s'élèveront entre les Bourguignons sur différents points de cette même coutume généralement inconnue à tout niverniste ? À la vérité l'on nous fait espérer que les différences de coutumes ne subsisteront plus à l'avenir, et que la nouvelle constitution sera uniforme pour tout le royaume ; mais cela ne peut avoir lieu que pour les traités à faire après la constitution, et les testaments, donations, contrats de mariages et autres actes faits antérieurement, et dans lesquels les parties ont entendu être régies par la coutume de Bourgogne, ces actes, je pense, doivent avoir leur exécution, et toutes contestations qui pourront en naître, doivent être décidées par les principes qui ont servi de base à la formation de ces actes » (12/243-33).

La revendication se répète dans d'autres localités, avec toutefois moins d'éloquence. Énumérons quelques-unes de ces frontières coutumières. Saint-Michel-en-Brenne en Touraine veut être rattaché au district de Châtillon-sur-Indre régi par la coutume tourangelle et non à celui du Blanc où les affaires sont réglées suivant les coutumes de Poitou et Berry (8/209-16). Saint-Benoist (Saint-Benoît-du-Sault) refuse de ressortir à Argenton qui est administré par la coutume du Poitou, alors qu'il a toujours fait partie de celle du Berry (8/209-42). Yvoy-en-Sologne (actuellement Ivoy-le-Marron) désire être distrait du Loir-et-Cher et réuni au Loiret parce que les lois et usages du Blésois sont différents de ceux de l'Orléanais (9/217-1). La frontière coutumière entre Berry et Marche est également fortement ressentie autour de la ville de Boussac (6/185-38). Il en est de même entre la Marche et le Limousin ; la ville de Bourganeuf écrit une première fois à l'Assemblée Nationale qu'elle souhaite être réunie au Limousin et à la généralité de Limoges : « Notre élection est gouvernée par le même régime que celle de Limoges, elle est tarifée et arpentée au lieu que la province de la Marche est encore assujettie à l'arbitraire pour la répartition de l'impôt » (6/184-29). Plus tard, elle apprend que son élection doit être partagée entre le Limousin et la Marche. Elle proteste alors au nom de l'identité des lois, du régime, des habitudes de toute l'élection (6/184-16).

L'argument de l'homogénéité coutumière est également invoqué aux limites de pays de droit écrit et de pays régis par une coutume locale. Les habitants du Mur-de-Barrés (aujourd'hui Mur-de-Barrez) refusent d'être séparés du Rouergue, de droit écrit et dépendant de Toulouse, pour être réunis à l'Auvergne qui ressort du Parlement de Paris et possède une coutume locale (4/165-11).

Dans le futur département de Saône-et-Loire, la petite ville de La Claitte (La Clayette) défend les intérêts du Brionnais. Elle proteste contre le trop petit nombre de districts fixé (sept au lieu de neuf) : « Il en est résulté que la partie de bailliage qui était régie par le droit écrit, se trouve réunie à d'autre qui observe des coutumes locales. » Aussi demande-t-elle un district supplémentaire qui réunirait le Brionnais (6/182-45 et 16/276-23).

Les caractères linguistiques sont vivement perçus dans certaines régions. C'est le cas de la Lorraine allemande qui fonde sur sa différence linguistique une revendication particulariste. Les députés de Lorraine, des Trois-Évêchés et du Barrois ont formé les quatre départements correspondant à leur surface de telle sorte que la Lorraine allemande (la Sarre) est partagée entre les départements de Metz et de Nancy. Elle proteste au nom de l'unité de langue et propose un nouveau partage qui lui attribuerait un département particulier :

> « L'une des plus graves raisons est la différence de la langue de ce pays qui n'est point entendue dans les chefs-lieux des départements auxquels on annexe la Lorraine allemande, et qui met les justiciables dans l'impossibilité de traiter par eux-mêmes leurs affaires et de s'adresser immédiatement à leurs juges et administrateurs [...]. Si nous ne voulons être séparés du reste du monde comme les Japonais, nous ne devons pas refuser de conserver sur nos frontières une langue que parlent nos voisins avec lesquels nous n'aurions plus de relations commerciales sans cette langue » (11/235-38).

Le Pays Basque, de même que la Lorraine allemande, fait de la langue le fondement d'une revendication particulariste qui recueille l'adhésion de nombreuses localités. Ailleurs, l'argument est parfois le fait d'une localité isolée. Ainsi Saint-Marcellin, qui sera placée dans le département de l'Isère, fait valoir qu'elle « a toujours fait partie du haut Dauphiné ; ses paysans en parlent l'idiome, et n'entendent pas celui du bas Dauphiné » (8/211-30).

Saint-Malo se sert de cet argument pour demander la division de la Bretagne en six départements et non cinq, elle-même devant par ce plan en obtenir un. On voit que l'authenticité de la revendication linguistique est quelque peu douteuse dans les cas isolés. Bien que l'on retrouve ici les principales localisations géographiques évoquées dans les futurs rapports de Barère sur les idiomes (8 pluviôse an II) et de Grégoire sur les patois (16 prairial an II), il ne semble pas d'après ces seules archives que la langue constitue un véritable enjeu. L'argument est plutôt invoqué lorsqu'il concorde avec les intérêts politiques et leur peut tenir lieu de « couverture ».

De même que, face aux réclamations provincialistes, on rencontre des localités qui trouvent meilleur compte à puiser dans les principes du comité pour appuyer leurs intérêts particuliers, l'argument des différences culturelles est souvent mis en cause par des localités ou des pays qui ont en vue une annexion. Ainsi, le Béarn a besoin des Pays Basques pour obtenir la surface requise pour un département. Son député, Anouvot, déclare :

> « Les Pays Basques allèguent comme considération l'identité du langage que parlent les habitants de ces petites provinces, l'identité des mœurs et des usages de ces pays.
> Que signifient [...] ces considérations de différence de mœurs et d'usages dans un moment où tous les habitants de ce grand royaume ne doivent être qu'un, n'avoir qu'un même esprit et qu'un même nom.
> Ces considérations suffisent pour répondre à l'argument pris de la différence du langage. Cette différence n'empêche point que les Basques ne plaident en français, ne contractent en français et que tous leurs actes d'administration ne soient écrits en français » (7/258-18).

Il est vrai que cette prise de position émane d'un député représentant toute une province historique, et l'on trouve une opinion semblable chez Sallé de Chou, député du Berry, s'appliquant à défendre les possessions de la sienne (8/209-37). On voit la démarche que peut susciter le double statut de représentant local et de membre de l'Assemblée Nationale : il s'agit de favoriser les intérêts particuliers au nom de l'idéal universaliste.

Alors que certaines localités n'envisagent l'homogénéité qu'à travers un seul critère — nous avons analysé les deux plus répandus : le sol et les faits culturels —, d'autres font référence à une homogénéité générale à l'intérieur des limites d'une contrée.

Les habitants de La Voutte (Lavoûte-Chilhac) veulent que leur localité soit rattachée au district de Brioude de préférence à celui de Langeac ou Saugues : « Des chemins aisés les conduisent vers [...] Brioude où ils trouvent le même climat, le même sol, et les mêmes productions ; que la différence seule du langage des habitants de ces montagnes annonce aussi la différence des mœurs, et l'éloignement de tous rapports, et toutes habitudes avec ces deux villes » (9/222-44). On est parfois plus approximatif encore dans l'ordre des raisons. Ainsi, le village de Lasserre, dans le Lot-et-Garonne, demande le 24 mars 1790 à rester uni à la juridiction de Moncrabeau,

> « considérant que l'attachement de Lasserre pour Moncrabeau, attachement qui est réciproque est encore l'effet de leur position physique et semblable à peu près, position en plein vent sur une haute plaine ; où les habi-

tants respirant un air pur, cultivant eux-mêmes les champs qu'ils possèdent et jouissant ainsi de la médiocrité et d'une force d'indépendance ont entre eux des rapports de sentiment et de caractère, et se trouvent précisément dans le point de vue qu'il faut, pour envisager sainement la présente révolution » (10/226-20).

Il arrive que ce discours se généralise et débouche sur le stéréotype. C'est dans les Landes du sud-ouest que le principe d'homogénéité et son corollaire idéologique, le séparatisme, trouvent leur terrain d'expression le plus fertile. Au-delà des différents critères invoqués (le sol, les productions, le commerce, le caractère et les habitudes des habitants), la conviction s'affirme d'une incompatibilité d'administration des pays riches et des pays pauvres. Le Marsan refuse d'être réuni à la Chalosse ou au Bazadois plus fertiles pour ces raisons (9/215-17 et voir aussi 9/215-19 et 9/216-2). Il en est de même pour les landes de Tartas (9/216-5). Plus au nord, le bourg de Landiras situé dans les landes qui bordent la rive gauche de la Garonne entre Bordeaux et Bazas se distingue, ainsi que ses alentours, de la bande de terres fertiles qui longe immédiatement le fleuve sur la même rive ; il dépeint les calamités qui surviendraient si les deux terroirs étaient unis dans un même canton [6].

Le même type d'argument se retrouve dans la région pyrénéenne. Pour les mêmes raisons, les Pays Basques refusent leur réunion au Béarn, le Couzerans, le Pays de Foix, le Comminges et le Nébouzan se considèrent mutuellement comme des pays étrangers, chacun arguant de l'homogénéité de son territoire, de sa différence irréductible avec ses voisins (voir notamment Couzerans, 4/260-37). Ce principe de différenciation spatiale peut permettre à un particularisme puissant de s'exprimer puisqu'il pousse même une des Quatre-Vallées, le Magnoac, à vouloir se séparer des autres (15/260-19).

Dans certains cas, le constat des différences territoriales se double de considérations visant à justifier aux yeux de la raison philosophique ou scientifique la nécessité d'une démarche conformiste. Le processus discursif est le même que celui des arguments provincialistes que nous avons analysé à propos du débat parlementaire.

La ville de Riez, dans les Basses-Alpes, demande un district le 7 février 1790 :

« Les Alpes immédiatement au-dessus de Moustiers, la Durance qui borne la majeure partie du terroir de Valensole, le Verdon au midi en y joignant quelques communautés riveraines, dont les communications avec nous sont très faciles par des ponts multipliés, présentent des barrières naturelles qui renferment un territoire considérable, peuplé, fertile plus qu'aucun autre du nord de la Provence et dont le point central est presque géométriquement la ville de Riez. C'est une vérité physique dont il est facile de se convaincre par la seule inspection de la carte de cette province [...]. Les productions territoriales, le commerce, l'industrie, les usages, les mœurs, tout est du même genre au physique comme au moral, on voit dans ce canton une parfaite analogie ; et que faut-il de plus pour rendre les erreurs rares dans le régime. [La division proposée, qui partage ce territoire entre les districts de Digne, Forcalquier et Castellane] est en opposition, nous ne craignons pas de le dire, avec la nature elle-même : un autre sol, des différences marquées dans les productions, dans les localités, dans l'industrie, dans les ressources, tout amènera la confusion la plus marquée entre des parties hétérogènes qui ne pourront jamais former qu'un tout informe et monstrueux » (3/153-5).

Dans ce texte, deux arguments s'enchevêtrent pour assurer la reconnaissance de la nécessité de la réalisation : le territoire qui doit former un district a des limites naturelles (montagnes ou rivières) ; il est homogène « au physique comme au moral ». Enfin, l'ensemble se résume dans l'idée d'une configuration naturelle (dans la suite du texte, Riez demande à former les districts « que la nature indique »). L'esprit de cette pensée se situe, de même que dans le débat parisien, au confluent entre une notion philosophique et métaphysique de la nature et un naturalisme géographique, il faut le dire assez sommaire.

Cette association du principe de l'homogénéité à l'argument du caractère naturel d'une organisation spatiale est à la fois très fréquente, et localisée de manière privilégiée dans certaines régions. Les Alpes nous en fournissent à cet égard beaucoup d'exemples. Nous avons cité le cas de Riez ; Seyne, dans le même département, Embrun et Gap dans les Hautes-Alpes (3/151-11 et 3/151-4) mêlent semblablement les arguments d'homogénéité et de délimitation naturelle. Dans le Var, la ville de Draguignan nous offre un exemple particulièrement intéressant puisqu'elle substitue explicitement un conformisme naturel au conservatisme historique et politique manifesté par sa rivale, Lorgues[7].

Cette différenciation territoriale à base d'homogénéité alliée à une philosophie de la nature est plutôt le fait des pays montagnards ou de moyenne montagne. Elle n'est pas inexistance en plaine mais elle y est beaucoup moins systématique. Au risque de glisser à notre tour dans le déterminisme naturel, il nous semble qu'un tel stéréotype correspond assez bien à des contrées caractérisées par un certain cloisonnement du relief. Celui-ci isolerait de petites unités territoriales, tels les pays pyrénéens ou les vigueries provençales, fonctionnant avec une assez forte autonomie et peu d'apports externes. Mais, dans ce processus mental et discursif, le recours à l'homogénéité naturelle paraît bien être un alibi pour exprimer une unité et une homogénéité politique et sociale d'importance majeure. Le procédé est certes bien venu et convaincant de la part d'unités soulignées par des délimitations aussi nettes et par des caractères aussi tranchés. Mais sa contingence apparaît au regard de revendications politiques similaires, prenant appui sur des arguments tout différents, voire contraires.

La complémentarité des territoires

Le principe d'homogénéité est battu en brèche par l'utilisation concurrente de l'argument de complémentarité. Les exemples en sont tout aussi nombreux.

La ville de Pradelles est revendiquée par le département du Velay. Elle souhaite au contraire rester unie au Vivarais et condamne une division qui se ferait précisément sur la base de l'homogénéité :

> « Le département de la Haute-Loire n'a aucun intérêt de retenir dans son enclave la contrée de Pradelles, la nature a donné à leur territoire les mêmes productions, par conséquent aucun échange n'a jamais pu avoir lieu entre eux, aucune correspondance industrielle n'a pu s'établir, et les localités respectives s'opposent à aucun établissement de ce genre » (9/222-1).

Lisieux présente un plan de division de la Normandie qui lui attribue un département et fait remarquer que « en mêlant les cantons fertiles avec les parties moins favorisées, chaque département pourra plus facilement subvenir à ses charges, et se procurer des moyens d'amélioration » (5/172-1). La ville de Tulle demande un département qui unisse les deux parties du Bas-Limousin, l'une produisant du seigle et l'autre des vins, situées de part et d'autre de la ville (6/180-1).

L'une des prises de position les plus éloquentes est celles d'Arçon, député de Besançon, à propos de la division de la Franche-Comté (Fig. 1). Les députés franc-comtois ont formé les départements de telle sorte que les plaines et les montagnes sont séparées. D'Arçon donne une description différentielle des unes et des autres, en passant en revue leur paysage, leurs ressources et leurs activités, et conclut en invoquant les bienfaits de l'administration provinciale, telle qu'elle existait avant la Révolution. La conjugaison d'une démonstration rationnelle et d'une volonté conservatrice trouve là une nouvelle illustration :

> « Tous les soins de l'administration commune à laquelle a jusqu'ici été soumise la province de Franche-Comté ont toujours été de veiller continuellement sur les besoins si différents des montagnes et du pays bas qui partagent sa surface, de mettre ces deux parties dans une mutuelle dépendance, pour les lier et unir ensemble et en former un même tout, dont le pays des montagnes ne peut être séparé quant à l'administration sans le plus grand désavantage. »

Il propose donc un plan de division qui associerait des portions de plaine et de montagne dans chaque département :

> « Par là chaque division réunirait la partie de la montagne qui correspond à une partie égale du pays bas ; de cette manière chaque département trouverait dans son sol toutes les ressources nécessaires pour la subsistance de ses habitants sans avoir recours à ses voisins » (6/188-24).

Ailleurs, d'Arçon différencie trois bandes longitudinales parallèles à l'orientation des monts du Jura, suivant les critères de la fertilité et de la nature des productions. Selon lui, le découpage adéquat doit se faire transversalement à ces bandes (6/188-2).

On voit que cette représentation de la complémentarité relève du même processus de différenciation spatiale que le principe d'homogénéité. Celle-ci s'établit, comme nous l'avons vu, presque toujours négativement, par le biais de la comparaison avec un autre territoire. De même, avant de poser la nécessité d'unir des parties complémentaires, les auteurs commencent toujours par fonder leur distinction. Par ailleurs, dans un cas comme dans l'autre, ces représentations reposent très souvent sur des présupposés d'ordre économique, mais aussi politique. On sent en effet que la résistance est grande — ou que l'adhésion est lente — à l'abolition des barrières existant entre les différents corps du royaume. L'esprit protectionniste demeure, même s'il porte sur de nouvelles entités territoriales. Dans l'exemple analysé plus haut, l'idéal d'autarcie économique est déplacé de la province au département. Résistance et faculté d'adaptation aux enjeux idéologiques nouveaux coexistent dans cette attitude, comme dans l'ensemble de cette correspondance locale. Ici le principe même de la réforme territoriale est bien accepté tandis que l'esprit conservateur se traduit dans la conception de ce qu'est un corps à l'intérieur de la nation. Dans d'autres cas au contraire, l'institution et l'ensemble juridique qui l'accompagne sont bien accueillis et la modification des circonscriptions territoriales est en revanche ressentie avec beaucoup de réticence ou même d'hostilité. Ainsi s'exerce un jeu constant de balancier dans les valeurs et les images associées au territoire et à son contenu politique, social et économique.

Face à ces démarches idéologiques, l'homogénéité et la complémentarité agissent comme des médiations rationnelles de peu d'importance en elles-mêmes, et ne servant qu'à asseoir une revendication ou une autre. Certains textes hésitent même entre l'une et l'autre. La ville de Saint-Gaudens, où se trouve le siège de l'évêché de Comminges, avait espéré obtenir le chef-lieu d'un département qui aurait réuni les Quatre-Vallées, le Nébouzan, le Couzerans, une partie du Pays de Rivère-Verdun et le Pays de Comminges. Le 4 avril 1790, ses vœux étant déçus, elle écrit à l'Assemblée :

« Elle ne s'est pas dissimulé l'étendue du malheur qui menace la contrée, la voyant privée d'un département, que la nature semblait lui avoir réservé dans la nouvelle division du royaume. La position géographique des lieux, le grand éloignement des administrations les plus rapprochées, l'immensité des relations, l'identité des coutumes, la conformité des habitudes avec les peuples des différentes provinces qui nous environnent, le lui assuraient autant que la convenance, la communication facile des productions respectives, et les liens de l'amitié et de la fraternité les plus sincères » (7/197-28).

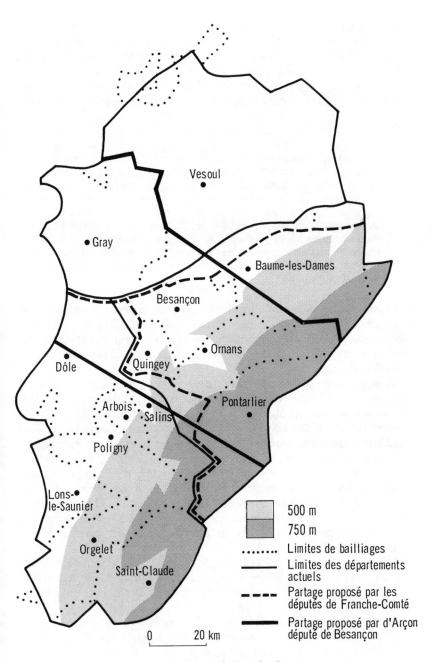

Fig. 1. *Division de la Franche-Comté par un député de Besançon.*

Une vingtaine de communautés du Nébouzan et des Quatre-Vallées, sans doute sollicitées par Saint-Gaudens, s'étaient exprimées dans ce sens en janvier 1790, arguant de la similarité des pays à réunir (7/197-7 à 27). Mais, dans une autre adresse, datant aussi du 4 avril 1790, la ville de Saint-Gaudens insiste sur les rapports de complémentarité qui exigent l'union de ces pays, notamment celle du Comminges et du Couserans :

> « Associés de tous les temps par une communauté d'intérêts, de rapports d'administration, et même de justice, le Comminges et le Couserans ne peuvent être séparés aujourd'hui, sans renverser l'ordre établi par la Providence elle-même. Séparés de tous les pays voisins, par des montagnes d'un difficile accès, une pente naturelle, indiquée par celle des rivières qui en découlent, semble inviter les Couserannais à descendre vers les Commingeois, qui occupent l'entrée de leur pays, et à entretenir avec eux une correspondance d'autant plus étroite que la plus légère division entre eux pourrait priver les premiers des denrées nécessaires à leur subsistance ; denrées pour ainsi dire étrangères à leur sol infertile, et cultivées avec soin dans nos guérets par les mêmes animaux nourris dans leurs pâturages exhaussés » (7/197-31).

On notera au passage l'allusion à cette nature-providence que nous évoquions plus haut. On se rend compte par là même de la liberté que laisse cette philosophie : la conformité à la nature peut tantôt signifier le cloisonnement en territoires homogènes, tantôt la réunion de parties complémentaires.

Homogénéité ou complémentarité, ces arguments n'ont d'autre consistance que leur étroite dépendance à l'égard des revendications politiques et varient au gré de celles-ci. Ils prennent la valeur de « brevets de rationalité » face aux idéaux révolutionnaires, et leur médiation apparaît comme le passage obligé pour ces revendications concernant le territoire. Un constat vient d'ailleurs confirmer la parenté des deux modes de représentation en même temps que leur contingence. L'un et l'autre trouvent leur expression dans les mêmes terrains régionaux : les Pyrénées, le Sud-Ouest, le Jura, le Dauphiné et le Poitou. Par ailleurs, les régions où les allusions à l'homogénéité sont accidentelles proposent également plus rarement des références à la complémentarité.

Quel fut l'accueil réservé par le comité et l'Assemblée à ces arguments ? Aucune priorité ne fut accordée à l'un ni à l'autre des principes de division, et les réponses ponctuelles à chacun de ces plaidoyers sont rares. Le critère d'homogénéité linguistique fut repoussé : la Lorraine allemande fut partagée, et voici la décision qui fut prise à l'égard du Pays Basque : « Le comité n'a pas cru que la différence du langage fût un motif suffisant pour oublier les convenances et s'écarter de l'exécution de vos décrets. »[8] Ainsi, le refus des différences linguistiques, s'il n'entraîne pas encore de mesures réformatrices radicales comme plus tard en l'an II[9], est déjà formulé avec fermeté. En revanche, le principe d'homogénéité fut retenu pour la division du Dauphiné :

> « Si l'on réfléchit bien sur l'intérêt des habitants d'un pays de montagnes tel que ceux du Haut-Dauphiné, on sentira que ce qui pourrait leur arriver de plus funeste serait d'être associés avec ceux d'un pays de plaine ou d'une vallée fertile, telle que celle du Grésivaudan. Ce n'est point la pauvreté qui humilie, qui chagrine le pauvre, c'est la comparaison de sa misère et de ses privations avec le luxe et les jouissances des riches. »[10]

Par ailleurs, le comité refusa la division de la Franche-Comté dans le sens transversal suivant le principe de complémentarité observé par le député de Besançon mais il ne s'en expliqua pas.

Pour beaucoup de ces revendications, seule la décision finale permet de formuler des hypothèses sur le crédit prêté à ces principes. Encore ne sommes-nous jamais certains que les débats les ont pris en compte puisque nous n'avons pratiquement aucune trace d'un éventuel examen point par point des adresses reçues.

Les éléments naturels

Les considérations ayant trait aux éléments physiques sont parmi celles qui occupent la plus large part dans cette correspondance. Il est peu de lettres qui n'y fassent pas allusion. La nature est envisagée tantôt dans ses aspects contraignants et dévalorisants, tantôt comme un élément gratifiant, les deux visions jouant un rôle équivalent dans les démarches entreprises pour infléchir le mode de division dans un sens ou un autre. Sans doute le crédit accordé aux éléments naturels par les membres de l'Assemblée encourageait-il la prise en compte de l'argument par l'opinion locale. Il est vrai que l'exigence de respecter les ensembles physiques était l'un des préceptes les mieux fixés du projet, l'intransigeance géométrique ayant été battue en brèche sans pour autant faire place à des règles précises de division.

La référence aux obstacles naturels est l'un des arguments les plus souvent utilisés dans les demandes de rattachement. Il y a toujours une montagne ou une rivière infranchissable déterminant le refus d'une réunion à une ville chef-lieu située de l'autre côté de l'obstacle.

L'exagération du caractère répulsif de tel ou tel élément morphologique est vraisemblable, bien que difficile à évaluer précisément avec le recul de l'histoire. Ce ne sont que forêts pleines de brigands, marais où l'on s'enlise, etc. Citons à titre anecdotique l'adresse des villages de Saint-Alyre et La Godivelle, situés aux limites de la haute et de la basse Auvergne. La réforme les place dans le département du Cantal alors qu'ils souhaitent faire partie du département de basse Auvergne et du district d'Issoire :

« Si Messieurs les députés de la haute Auvergne connaissaient eux-mêmes les lieux, les suppliants ne craignent pas de le dire, ils seraient les premiers à plaider leur cause. Ceux d'Aurillac ne conviendront-ils pas que quoique pour aller à Clermont ils eussent une journée et demie de moins en passant par La Godivelle et Saint-Alyre, il n'est jamais arrivé à aucun homme raisonnable de s'y hasarder les sept mois d'hiver ; il faut être téméraire et las de vivre que de traverser notre montagne en hiver ; six cordonniers de Salers, venant à Issoire, en ont fait l'épreuve le 1er novembre 1789, deux sont sous les neiges dans le haut de la paroisse de Saint-Alyre si le loup ne les a pas mangés et les autres quatre ont vraisemblablement été mourir chez eux après avoir resté deux jours dans un buron » (14/296-9).

Répandu dans tout le royaume, ce type de représentation est cependant plus fréquent dans les pays montagnards où il donne lieu à de commodes généralisations. Il alimente notamment une critique de la base d'étendue (les trois cent vingt-quatre lieues carrées). De nombreuses localités établissent une distinction entre ce qu'elles appellent la surface (ou la distance) planimétrique et la surface réelle. Champagnole, en Franche-Comté, reprend les mêmes idées :

« Il est difficile, pour ne pas dire impossible, de diviser avec justesse un département quelconque sur une carte bien ou mal figurée, elle n'offre aux yeux qu'une surface sur laquelle glisse à son aise le compas du froid calculateur ; les montagnes s'aplanissent, les forêts disparaissent ; les torrents deviennent des ruisseaux, et les neiges qui ensevelissent les habitations pendant trois ou quatre mois de l'année, ne lui présentent pas le moindre obstacle. Ce serait plutôt à l'observateur placé sur les lieux à calculer les distances réelles, à les combiner avec les difficultés des chemins et du climat » (6/188-28).

Au nom de ces constatations, les localités demandent que le nombre des districts soit multiplié dans les pays de montagne. C'est notamment le cas de La Côte-Saint-André dans l'Isère (8/211-16), d'Arbois dans le Jura (8/212-29), etc. La ville de Saint-Symphorien en Beaujolais associe le même argument à celui d'homogénéité : le relief isole des contrées qui vivent sur elles-mêmes, ne pouvant communiquer qu'avec beaucoup de difficulté, et comportant sur toute leur surface une égalité de sol, de besoins et de mœurs (16/271-10). Il faut donc donner un district à chacune d'entre elles. De son côté, la Bigorre à elle seule n'a pas la superficie requise pour former un département puisqu'elle n'a que deux cent soixante lieues carrées ; son relief nécessite cependant de lui en concéder un (15/261-2).

Ces représentations ne sont pourtant pas le fait exclusif de la montagne. Pont-de-l'Arche dispute un district à Elbeuf et Louviers :

« Les cartes de Cassini, qui ont pu servir de base à ce travail, très bonnes en elles-mêmes pour mesurer les distances à vue de clocher, ne peuvent être adoptées dans cette opération ; il faut avoir marché et vérifié la position et l'étendue du terrain, apprécié les obstacles et les passages des rivières, pour remplir avec satisfaction les vues de l'Assemblée Nationale » (6/192-4).

C'est dans la représentation des limites que les éléments physiques interviennent avec le plus de force. La conception philosophique d'une nature démiurge et l'ébauche d'un discours naturaliste de type scientifique y sont étroitement associées.

Une multitude de pétitions fait état de territoires délimités par la nature et pouvant être transformés en départements, districts ou cantons. Belley demande que le Bugey forme un département particulier : « La nature lui a donné des limites immuables : c'est le Rhône, l'Ain, et les montagnes inaccessibles du Jura » (3/144-1). La municipalité de la ville de Villeneuve-de-Berg, en Vivarais, demande que cette province devienne elle aussi un département car elle possède les bases requises et est séparée des autres provinces par des limites naturelles infranchissables. Le texte de la délibération est exemplaire :

« L'assemblée considérant que le Vivarais a assez d'étendue et de population pour former un département particulier distinct et séparé, puisque sa surface est de plus de trois cent cinquante lieues carrées, et sa population de plus de trois cent mille âmes ; qu'il est séparé du côté du levant de la province du Dauphiné par le fleuve du Rhône qui pendant la plus grande partie de l'année empêche toute communication ; qu'il est également séparé du Velay entre le couchant et le nord, par des montagnes couvertes de neige pendant quatre mois de l'année au point que le sel qui alimente le Velay, et dont les entrepôts sont dans le Bas-Vivarais à La Voute et au Teil, sur la côte du Rhône, ne peut y parvenir qu'après la fonte des neiges, ce qui interrompt toute espèce de communication pendant ce temps-là ; du côté du couchant, par d'autres montagnes du Velay et celles du Gévaudan également impraticables pendant quatre mois de l'année, et enfin du côté du midi par le pays des Cévennes et le Languedoc avec lesquels le Vivarais n'a point de commerce suivi.

Que le Vivarais formant par conséquent par sa nature un pays assez vaste, assez peuplé pour composer un département particulier ayant d'ailleurs par sa situation des limites invariables, qui semblent le circonscrire et le séparer des pays qui l'avoisinent, ce serait intervertir cet ordre naturel que de le diviser » (4/156-2).

Dans cet exemple, par un heureux concours, l'action d'organisation (le projet et ses bases) coïncide avec la configuration naturelle, d'où cette évocation de la Providence que l'on sent sous-jacente. La référence, d'ailleurs fréquente, à un ordre transcendant s'affirme également à travers la notion d'invariabilité des limites et de leur caractère coercitif.

Les rivières suscitent des modes de représentation intéressants parce qu'elles suggèrent deux types de délimitation : l'un retient le cours de la rivière, son tracé et divise le territoire en interfluves tandis que l'autre prend en compte le bassin hydrographique, les limites étant alors les lignes de crêtes et de partages des eaux.

La rivière sépare. Cette représentation est extrêmement répandue dans les demandes de rattachement à des chefs-lieux de canton ou de district. Les adresses font alors valoir la difficulté de la traversée, l'absence de pont ou de bac. Il y a certainement une part d'exagération de ces faits mais son évaluation nécessiterait de confronter chaque cas à d'autres sources, comme par exemple les archives des Ponts et Chaussées. Encore est-il douteux que l'on puisse trouver des informations pour les toutes petites rivières ou les ruisseaux que, le plus souvent, seule une localité juge infranchissables.

En revanche, certains fleuves ou rivières apparaissent comme des coupures majeures, attestées par de nombreuses localités. Viens, petite communauté située à l'est d'Apt, s'oppose à ce que cette dernière soit rattachée à Aix comme c'est le vœu de celle-ci, à cause de la Durance qui les sépare ; elle demande son rattachement à Digne, plus aisément accessible (3/152-9) ; Château-Arnoux refuse que l'on supprime son canton et qu'on le rattache à Volonne qui est situé sur l'autre rive de la Durance (3/190-17). Riez affirme qu'il est impossible de la réunir à Forcalquier et demande un district particulier (3/153-5). Manosque ne veut pas dépendre de Digne mais d'Aix alors que, dans les deux cas, il lui faut traverser la Durance, mais elle juge sans doute périlleuse cette traversée du côté de Digne (5/168-3). Notons que cette revendication est à l'inverse de celle de Viens, alors que ces deux localités ont une situation équivalente par rapport à Digne et à Aix — mais l'argument hydrographique demeure le même.

La Garonne est également représentée comme une coupure majeure dans les demandes de rattachement à un canton ou à un district, ainsi que dans les plans de formation départementale. Dans le Massif Central, l'Allier, le Lot et la Truyère sont souvent évoqués comme des obstacles devant régler et infléchir le mode de division dans un sens ou dans l'autre. Parfois, la séparation établie par la rivière ne concerne qu'une portion du cours d'eau particulièrement difficile à franchir. Ainsi, Villiers-sur-Seine et Athis demandent d'être placés dans le district de Nogent-sur-Seine et non dans celui de Provins, ce qui les obligerait à traverser la Seine alors qu'il n'y a ni pont ni bac (4/161-55).

Il arrive qu'un conflit naisse entre cet argument et d'autres intérêts. Les Bouches-du-Rhône et le Gard se disputent le village de Vallabrègues, administré par le Languedoc, mais situé sur la rive gauche du Rhône (Fig. 2). Le litige porte également sur le décret de l'Assemblée Nationale en date du 16 février 1790, qui prévoit que lorsqu'une rivière est prise pour limite entre deux départements, la frontière se situe au milieu de son lit, les deux administrations devant prendre en charge ensemble le cours d'eau. Le Gard s'oppose à ce mode de découpage dans une lettre du 26 mai 1790 :

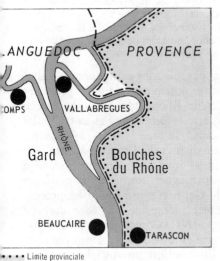

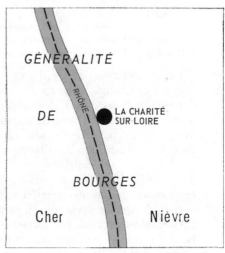

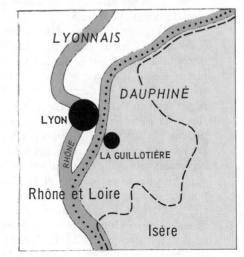

Fig. 2. *Limites naturelles, appartenance provinciale
et relations économiques :
les cas de Vallabrègues, La Charité-sur-Loire et La Guillotière.*

« Nous pensons encore, Messieurs, que s'il fallait partir de la ligne divi-
soire des eaux pour la démarcation des deux départements, les îles du
Rhône seraient morcelées et que les variations et les changements que le
fleuve occasionne sur les rives et dans son cours, soit par des démolitions,
soit par des atterrissements donneraient lieu à des opérations et à des frais
qu'il faudrait sans cesse renouveler » (5/171-15).

Les commissaires du Gard font état des relations existant entre Vallabrègues et Comps, situé en rive droite, notamment de leurs procès et
dettes communs. Ceux des Bouches-du-Rhône répondent le 27 mai
1790 : le décret de l'Assemblée doit être respecté ; par ailleurs, Vallabrègues n'est pas une île, sauf en temps de crue (5/171-18). D'autre
part, l'administration du directoire de district de Tarascon affirme que
les habitants de Vallabrègues viennent tous les jours de marché à
Tarascon (5/171-13). Pourtant, Vallabrègues manifeste à plusieurs
reprises sa volonté de rester dans le Gard, conformément au procès-
verbal de démarcation du département, entériné par le décret de
l'Assemblée Nationale (26 février 1790). Ni la Constituante, ni les légis-
latures suivantes ne supprimeront cette entorse à la règle qui prend le
Rhône comme limite. L'ancienne distribution provinciale triomphe
ainsi de la limite naturelle.

C'est parfois l'inverse. Une affaire exemplaire, parmi d'autres, est
celle de La Charité-sur-Loire. La ville fait partie de la généralité de
Berry mais elle est située sur la rive droite de la Loire et le comité l'avait
placée dans le futur département de la Nièvre. Par ailleurs, le pont qui la
reliait au Berry a été détruit l'année précédente. Elle souhaite cependant
rester unie au Berry. Voici son plaidoyer : le Berry a besoin de La Charité pour y établir un district car c'est la seule ville de cette partie de la
province, alors que le Nivernais n'a pas besoin d'elle. Les habitants du
Berry vont vendre leurs grains à La Charité où ils sont achetés par le
Nivernais. Si la ville est réunie au Nivernais, le Berry perd son débouché
vers les provinces voisines et le Nivernais ne gagne rien ; de plus, le
pont ne sera pas reconstruit, car il n'intéresse pas le Nivernais et La Charité sera privée de son commerce avec le Berry et dépérira. Nous résu-
mons ici les très longs mémoires de Sallé de Chou, député du Berry[11], et
de Butet, maire de La Charité[12]. De leur côté, les représentants extraordinaires de la ville de Nevers font valoir le principe des limites naturelles
et le fait que les habitants de La Charité ont des possessions en Nivernais
(terres, forges, fourneaux, bois) (12/243-10). L'ensemble de ces arguments est mis sous les yeux de l'Assemblée le 16 janvier 1790. C'est un
des rares problèmes à être exposé aussi longuement. Le comité se
montre extrêmement ferme ; il considère comme un avantage l'absence
du pont qui facilite la navigation, et il tranche en faveur des limites naturelles, suivi dans cette décision par le vote de l'Assemblée.

Derrière les revendications de La Charité, de même que derrière
celles de Vallabrègues, s'affirme la conception d'un espace économique

cloisonné par des barrières étanches ; nous l'avons déjà rencontré à propos d'autres modes de représentation. Le comité dénonce ces présupposés dans un cas mais non dans l'autre, et dans l'affaire de La Charité, à l'inverse de celle de Vallabrègues, les droits provinciaux et les circuits économiques acquis sont battus en brèche par l'argument des limites naturelles.

Dans ces deux exemples, le conservatisme provincialiste et la rationalité naturaliste s'affrontent. Beaucoup plus souvent, ils se conjuguent, la seconde dissimulant le premier. Les députés du comté de Nantes refusent de céder La Roche-Bernard, située au bord de la Vilaine, à Vannes qui la réclame en dédommagement de la perte de Redon, réunie au département de Rennes. C'est l'intérêt politique et économique de Nantes qui est en jeu puisque La Roche-Bernard fait partie de son comté et lui vend du blé ; mais il se dissimule sous un argument moins compromettant, plus neutre, plus objectif, celui des limites naturelles :

> « Ce serait donc, s'il est permis de le dire, déshonorer gratuitement le département de Nantes, sans utilité pour celui de Vannes [la Vilaine empêche tout commerce entre Vannes et La Roche-Bernard] que de lui assigner pour bornes une lisière de son propre terrain, et le priver par là de la rive d'un fleuve que la nature elle-même lui a donné pour limites. On ose dire que dans toute la France il ne se trouverait peut-être pas deux exemples pareils ; car où sont les deux départements séparés par un fleuve, dont l'un va prendre sur l'autre une lisière d'une lieue en largeur ? » (9/218-13).

Le cas de Vallabrègues contredit celui de Nantes, celui de La Charité le confirme. Un autre exemple de coïncidence entre l'ancienne appartenance et les limites naturelles se présente avec le cas de Saint-Laurent, faubourg de Mâcon situé sur la rive opposée de la Saône. Mâcon demande la réunion de Saint-Laurent à son département à cause des relations existant entre la ville et son faubourg. Mais Saint-Laurent a toujours appartenu à la Bresse, ce que le député de cette province défend en arguant de la limite naturelle (3/143-2). Il invoque ensuite le précédent de La Charité et la décision de l'Assemblée en faveur du respect des limites naturelles. Le décret du 19 janvier 1790 lui donnera raison en fixant Saint-Laurent dans le département de Bresse[13].

Tous ces exemples montrent que l'argument de la barrière hydrographique est rarement employé pour lui-même. Il vient à l'appui d'autres revendications : volonté d'accroissement comme c'est le cas de Tarascon ou du Nivernais, esprit conservateur à l'égard des anciennes limites comme en Dauphiné, en Bresse ou en Pays Nantais. Les intérêts économiques, tout comme les enjeux politiques s'abritent derrière l'objectivité de préceptes puisés dans l'observation naturaliste. Face à la suprématie d'une telle représentation, la seule référence aux intérêts économiques et politiques est souvent perdante : le Berry perd contre le Nivernais, le Mâconnais contre la Bresse.

Ailleurs, les rivières peuvent apparaître comme facteurs de cohésion territoriale. C'est alors la notion de bassin qui s'impose. Les pays de montagnes demandent souvent une division qui serait fondée sur le réseau hydrographique. Ainsi, par exemple, deux petites villes de l'Ariège, Seix et Oust, se disputent un chef-lieu de canton ; celui-ci est finalement fixé à Oust, à la suite des démarches d'un notable local, M. de Chambon, qui justifie ce choix :

> « J'ai envisagé la position géographique. J'ai cru que les commodités locales étaient la base qui devait me décider. J'ai cherché ce que la nature indiquait et j'ai cru que la crête des montagnes faisant la limite ancienne des communautés était une borne dont je ne pouvais m'éloigner sans contrarier la raison qui la pose. [...]
> J'ai cru que Seix est déjà engagé dans la montagne au lieu qu'Oust est dans la plaine et touche au confluent de deux rivières et deux vallées, j'ai cru d'après cette position que les habitants d'Ercé et autres auraient eu bien plus de peine à se rendre à Seix que ceux d'Ustou et Conflens à se rendre à Oust puisque les premiers n'ont aucune occasion de passer à Seix tandis que les derniers sont dans l'usage de passer à Oust pour aller à Saint-Girons » (4/160-6).

L'idée est de placer le chef-lieu à l'aval parce qu'il est plus facile de descendre que de monter. L'argument est séduisant mais il perd tout son sens si l'on songe que les habitants doivent rentrer chez eux, et donc remonter après être descendus. Pourtant, cet exemple n'est pas isolé, puisque Orchamps-en-Venne (Orchamps-Vennes), dans le Doubs, demande le chef-lieu de district de préférence à Morteau, parce que le val de Morteau peut descendre à Orchamps, tandis que le val de Venne ne peut pas monter à Morteau (6/188-1). L'image des eaux qui descendent n'est pas étrangère à cette représentation de l'aménagement idéal. Ainsi, Pertuis rivalise avec Apt pour un chef-lieu de district et observe qu'« obliger plus de trente mille citoyens d'aller au nord tandis que leurs affaires sont au sud, ce serait faire remonter les eaux vers leur source » (5/170-2). Les habitants d'Apt sont obligés de passer par Pertuis pour aller à Aix tandis que l'inverse n'est pas vrai. L'argumentation de Pertuis est intéressante car elle est mixte : elle invoque à la fois le principe du bassin et celui de la rivière comme coupure. En effet, avant que la compétition ne fût engagée avec Apt, Pertuis avait demandé un district délimité au nord par la montagne du Lubéron, et au sud par la Durance. La représentation qui en résulte est celle d'un demi-bassin hydrographique, où la topographie forme unité et où le cours d'eau principal fait la limite.

Parfois, le fondement du mode de division dans la conformité aux bassins hydrographiques fait l'objet d'une véritable généralisation. Tarbes préconise qu'il soit formé autant de cantons que de hautes vallées pyrénéennes :

« Peut-être serait-il convenable de former autant de cantons qu'il y a de vallées pour conserver les mœurs, les localités, les usages pasteurs qui étaient déjà établis, et qui avaient cimenté une union parfaite entre tous les hauts qui forment le corps de la vallée » (15/262-22).

On retrouve des affirmations semblables dans d'autres régions pyrénéennes (voir notamment Saint-Gaudens 7/197-31), dans le Velay (9/222-50), le Cantal (Massiac 14/256-37) et les Vosges (18/240-21).

Dans d'autres adresses, on présente la cohésion établie par les rivières comme un fait d'ordre économique et politique, parfois même d'ordre culturel. Le Périgord désire étendre son département jusqu'à la Dordogne. Mais les paroisses revendiquées affirment leur appartenance au Bordelais, et plus particulièrement à la région de Libourne et de Sainte-Foy :

« La rivière de Dordogne [...] bien loin d'être une ligne de division entre ces deux territoires n'en est au contraire qu'une de ralliement et d'association entre les habitants respectifs, par une infinité d'actes et d'objets, de navigation, de pêche et de moulins qu'elle leur rend communs » (8/204-20).

Elles évoquent l'identité de nature du sol, de cultures, d'idiome, de mœurs et de religion entre les deux rives. De même, les députés de Dax, Saint-Sever et Bayonne expriment franchement leur répugnance à faire coïncider les limites avec les cours d'eau et se montrent favorables à une division qui se calquerait sur le bassin de l'Adour (9/214-9 et 23).

La présentation de ces exemples peut éclairer d'un nouveau jour les théories de Buache[14]. On sait que ces théories ont été vivement critiquées par les géographes[15]. Ceux-ci ont reproché à la théorie des bassins fluviaux d'assimiler les lignes de partage des eaux à des chaînes de montagnes et d'unir des pays n'ayant entre eux aucune relation naturelle, c'est-à-dire ne correspondant pas à la notion de région naturelle telle qu'ils l'envisageaient, fondée sur la géologie et sur le relief. Sans reprendre ici ce débat, il nous semble important de noter la réalité que pouvait avoir un tel mode de différenciation spatiale dans les représentations mentales des contemporains de ces théories. Fausse aux yeux de la science d'un siècle postérieur, ce type de division correspondait à une façon assez courante de se localiser, certainement favorisée dans les régions où bassin hydrographique, relief et rapports économiques dessinaient le même espace, mais présente également dans des contrées où la pente elle-même, le relief étaient moins accusés, et où la réalité des cours d'eau s'imposait par leur utilisation comme moyen de communication et d'échange.

Les rivières sont-elles un facteur d'union ou de séparation ? Les localités elles-mêmes hésitent et utilisent parfois les deux arguments conjointement. Un député d'Artois invoque la limite naturelle que constitue l'Aa, rivière séparant la Flandre de l'Artois, pour refuser de céder le pays de Langle, situé en rive gauche, à la Flandre dont les possessions ne dépassent pas la rive droite. Mais il refuse que cette même rivière et le canal qui la relie à la Lys forment la limite à proximité de Saint-Omer car un tel choix priverait cette dernière ville des rapports avec sa banlieue, notamment avec la forêt de Rihoult-Clairmarais qui lui fournit du bois (12/244-18).

La séparation opérée par la rivière dépend certainement de son importance (de son débit, de sa pente et de la largeur de son cours). La fréquence du recours à ce critère dans les pays de montagne n'est pas fortuite. Toutefois, l'option pour l'une ou l'autre des représentations paraît être liée plus étroitement à la situation géographique de la localité demandeuse qu'à l'importance réelle des cours d'eau. La présence d'un pont ou d'une ville sur la rivière, ou bien au contraire leur absence, infléchit l'appréciation de son rôle. L'Aveyron nous en fournit un bon exemple. Mur-de-Barrez (4/165-11) et Séverac-le-Château (4/165-16), situés sur des interfluves, arguent des limites naturelles (respectivement la Truyère et le Lot), tandis que Saint-Geniez-d'Olt (en concurrence avec Séverac 4/165-16) et les communautés proches de Saint-Côme-d'Olt et d'Espalion (4/165-11) proposent des districts qui s'étendraient de part et d'autre du Lot, unissant l'Aubrac et le Causse, par l'intermédiaire de ces villes-ponts.

La rivalité entre Dinan et Saint-Malo exprime également le rôle fondamental de la localisation des villes dans la constitution d'une image de la rivière. Le député de Dinan, Gagon, s'oppose à ce que la Rance soit la limite entre le département de Rennes et celui de Saint-Brieuc, car cette disposition séparerait Dinan de ses faubourgs situés en rive droite. Il demande que le district s'étende sur plusieurs paroisses sur la rive orientale. Dans une première phase, Dinan s'était d'ailleurs unie à Saint-Malo pour demander un sixième département breton de part et d'autre de la Rance, mais les députés bretons au complet s'y étaient opposés. Rennes accepte la revendication de Dinan, mais exige en échange les paroisses de la rive gauche situées en face de Saint-Malo et associées à cette ville pour la fabrication de bateaux. Dinan refuse ce marché qui la prive de son débouché sur la mer et de paroisses riches qui font partie de sa justice, de sa subdélégation et de son bureau de marine, et elle réutilise l'argument de la rivière comme coupure en insistant sur les difficultés d'une communication exclusivement par eau entre ces paroisses et Saint-Malo. La décision de l'Assemblée fixera cependant ce partage transversal à la rivière, chacune des villes conservant ses faubourgs situés en rive opposée (8/208-15).

Comme on le voit, ces diverses représentations servent à nouveau de justifications, d'alibis pour des revendications politiques et économiques. L'originalité de cette correspondance réside dans ce recours systématique à une médiation scientifique ou philosophique, quelque capricieuses et diverses que soient ses formes. Au gré des intérêts, c'est l'un ou l'autre des arguments géographiques qui est retenu, donnant au lecteur de l'ensemble de ces textes une impression de bigarrure. De même, la carte du royaume divisé en quatre-vingt-trois départements avec leurs districts laisse penser qu'aucun principe régulier n'a été suivi : tantôt les rivières y servent de limites (le Rhône, la Saône, le cours amont de la Dordogne, etc.) ; plus souvent les départements et les districts s'inscrivent de part et d'autre des cours d'eau (Garonne, Loire sauf son cours moyen, Seine, etc.). Cette image a d'ailleurs donné lieu à une violente critique des départements par les géographes de la fin du 19ᵉ et du début du 20ᵉ siècle :

> « À ces divisions arbitraires on a trop souvent donné des limites conventionnelles. Les uns finissent en plein champ au lieu de s'arrêter à un obstacle naturel ; les autres coupent la crête d'une montagne au lieu de la suivre dans son arête. Là c'est un fleuve qui entre, sort, rentre et ressort dans le même département. Ici, c'est une montagne située tout entière sur le même territoire bien qu'elle établisse une démarcation naturelle entre les divers cantons [...]. N'était-il point préférable, surtout pour la délimitation des frontières, de s'arrêter à des obstacles naturels, montagnes, rivières, ou tout au moins ruisseaux ? »[16]

Cette critique mérite deux commentaires. Elle méconnaît l'importance massive des références à ces faits naturels, aussi bien dans la correspondance locale que dans les débats auxquels celle-ci donnait lieu à l'Assemblée. Mais, surtout, elle ignore cette association d'arguments naturalistes et de logiques économiques et politiques qui, dans leur expression territoriale, sont proprement géographiques. Aussi les géographes eux-mêmes ont-ils à double titre tourné le dos à la dimension géographique de ce débat : ils ont négligé l'intérêt porté en 1789-1790 à ce qui à leurs propres yeux constituait une région naturelle, et par ailleurs, en enfermant la géographie dans l'étroit champ d'étude de la région naturelle — rappelons-nous que, pour Lucien Gallois, seules les régions naturelles étaient géographiques — et même de la région géologique, ils passaient outre à plusieurs formes fondamentales d'organisation du territoire, telles que cette réforme les révèle.

La correspondance locale vient renforcer et illustrer, à propos de situations précises, le conformisme naturaliste qui était présent dans le discours provincialiste. Ainsi se dessine un mode de représentation privilégié de l'espace et, particulièrement, de la notion de région ; il a pour fonction d'exprimer, par-delà ses propres significations, les intérêts politiques et économiques des territoires dont l'unité est mise en jeu dans la réforme. Il apparaît donc comme un langage, d'une nature originale en ce qu'il conforme les revendications aux normes de la raison, transfigurant les volontés particulières en bien public, et les contingences de l'action humaine en accomplissement de l'ordre naturel transcendant.

3. *L'ordre administratif*

Ordre historique, ordre naturel : il s'agit de modeler les nouvelles circonscriptions sur des unités préexistantes correspondant à ces ordres. Mais la vocation administrative de ces divisions semble être oubliée. Province ou territoire homogène, ni l'une ni l'autre n'apparaît comme une entité destinée à être administrée. Parmi celles que nous avons analysées, les seules adresses traduisant quelque peu cette préoccupation sont les demandes de rattachement appuyées sur le signalement d'une appartenance administrative, et les revendications fondées sur le constat d'une homogénéité coutumière. Mais l'arrière-plan idéologique de ces lettres ne traduit souvent qu'un simple conservatisme, et le rôle de l'administration n'est pas véritablement envisagé.

Face à cet ensemble, le petit nombre d'adresses dont les vœux sont formulés en termes de rationalité administrative prend tout son poids.

Les plans de division proposés sont établis de telle sorte que les objets nécessitant une administration commune ne soient pas morcelés en plusieurs unités territoriales.

Les représentants de la commune de Villers-Cotterêts affirment le caractère indivisible de leur forêt et la nécessité de former un bailliage et un district pour la régir. Ils font état des multiples concessions et droits d'usage qui alimentent des contestations et des litiges journaliers. Il existe également des projets de plantations, de coupes extraordinaires qui intéressent toute la forêt. Il faut surveiller les ventes et les adjudications et fonder un système homogène d'impositions. « Ces habitants ne connaissent que la forêt. Leurs droits, leurs propriétés, leurs travaux, leurs procès, tout tient essentiellement à cette forêt. Il faut donc les y maintenir et leur donner un district, que la nature du pays rend indispensable » (1/48, 3/145-7 et 8). Les représentants demandent encore que la forêt ne soit pas morcelée entre les départements de Soissons et de Beauvais.

Une argumentation similaire prévaut à propos de la forêt de Lyons. Les députés extraordinaires, le bailli et les officiers municipaux refusent son morcellement entre le département de Rouen et celui d'Évreux et sont appuyés par vingt-neuf paroisses de la justice de Lyons (il y en a en tout quatre-vingt-sept) (17/283-2 à 9, 11 à 35). Les-Deux-Givet et Charlemont, dans les Ardennes, demandent également un district et un tribunal à cause de l'administration qu'exigent leurs bois (4/246-12).

Les rivières et les canaux suscitent les mêmes développements. Les députés du département des Vosges interviennent à propos des limites de leur département avec celui de Chaumont (Haute-Marne) :

> « Il importe essentiellement de conserver dans le district de Bourmont le cours de la Meuse, pour détruire ses sinuosités, agrandir son lit, rabaisser ses moulins et soustraire ce beau vallon du Bassigny aux fréquents déborde-

ments qui ravagent ses prairies ce qui ne peut se faire si le cours de la Meuse est divisé » (18/299-12).

On retrouve ici le thème du bassin hydrographique, mais toute la différence vient de la position du discours : on parle en termes d'administration alors que les textes évoqués plus haut n'envisageaient qu'une configuration naturelle.

La ville de Bouchain, dans le Hainaut, adresse au comité, par l'intermédiaire du député du bailliage du Quesnoy, une pétition pour demander un district qui, outre sa châtellenie, regrouperait la ville de Saint-Amand en Flandre et quelques paroisses du Cambrésis, situées le long de la Scarpe et de la Sensée, afin de mieux surveiller le cours de ces rivières, coupé par des écluses et des moulins, et affecté au rouissage du lin. Bouchain évoque aussi les canaux (de Cambrai à Valenciennes, celui projeté vers Douai, etc.) et les travaux nécessaires (maçonnerie, aqueducs, écluses, ponts) qui justifient cette organisation administrative (12/246-1).

La gestion des biens communaux comme les pâturages suscite des demandes du même ordre. C'est le cas de Barcelonnette, hostile au démembrement de sa vallée (3/155-13). Des vœux identiques sont formulés dans les Pyrénées et dans le Massif Central. Dans la Meuse, Cesse demande son rattachement à Stenay plutôt qu'à Sedan car ses habitants ont droit de vaine pâture sur le finage de Stenay (11/240-31). L'exemple se retrouve dans les départements lorrains.

Certaines localités élaborent un plan de division fondé sur le volume des objets d'administration, ce qui donne lieu à des descriptions des ressources et activités des contrées.

Les députés de Saumur s'entremettent pour que la généralité de Tours soit divisée en cinq départements et non pas quatre (Angers, Laval, Le Mans, Tours). Voici comment ils espèrent en obtenir un :

> « La Touraine, l'Anjou, le Saumurois et le Loudunois, importants par leur situation, par la variété et la nature de leurs productions et par leur commerce, exigent une administration plus divisée, et plus détaillée, que des provinces plus étendues. Cette division est nécessaire pour surveiller parfaitement un pays traversé de rivières en tous sens, commerçant, fertile, très peuplé, percé de grandes routes, payant de fortes contributions et où les villes sont très multipliées et très rapprochées » (10/228-16).

Saint-Malo soumet à l'Assemblée des projets semblables pour la Bretagne (8/208-18) ; Vertus-en-Champagne et Châtillon-sur-Marne en font autant à propos de la formation des districts du département de la Marne (10/232-24 et 4). Decize, en Nivernais, à la suite des démarches de plusieurs communautés pour lui enlever son district et son tribunal, plaide sa cause le 13 octobre 1790 en décrivant l'importance des objets d'administration de son ressort (12/243-1). Si Reims préconise une division de la Champagne qui soit adaptée au volume des ressources, c'est au contraire pour réduire cette fois le nombre des départements à trois, et non pas quatre :

> « La moitié des terres de la Champagne est d'un si médiocre produit qu'en bien des terroirs, dix, quinze, vingt et trente arpents n'en valent pas un bon, de sorte qu'en considérant l'étendue de la Champagne relativement à sa valeur, elle ne forme pas une étendue trop considérable pour trois départements. »

Suivant ce plan, les trois chefs-lieux de département de la Champagne seraient Troyes, Châlons et Reims, le département de cette dernière allant jusqu'à la frontière (10/232-8).

Bien évidemment, il s'agit toujours de se placer en situation aussi favorable que possible pour obtenir un chef-lieu, ou de s'annexer le territoire le plus vaste, les idéaux d'autarcie économique et politique étant, comme nous l'avons déjà souligné, largement représentés. Mais le discours mis en œuvre pour faire valoir ces intérêts a l'originalité, face à l'omniprésence du conformisme historiciste ou naturaliste, d'envisager la planification de l'administration en termes d'administration. Ce n'est sans doute pas par hasard que ces représentations sont issues de manière privilégiée de la moitié nord de la France, où l'administration — dans son sens moderne, conforme à la fois aux idées monarchiques et à leurs héritières révolutionnaires — était le plus solidement instituée. Mais, par ailleurs, ces textes émanent des régions les plus fertiles en échanges économiques (productions, commerce, etc.) et où, par conséquent, les impératifs de la gestion et de l'administration étaient plus présents.

Le conservatisme, voire l'archaïsme des idéologies exprimées, les placent néanmoins sur un pied d'égalité avec les conformismes précédemment décrits. En effet, la logique développée dans ces textes privilégie toujours les options d'un protectionnisme économique. Subsiste la vision d'un territoire cloisonné par des barrières fiscales et juridiques. À l'intérieur de ces frontières, les objets d'administration ne sont pas envisagés comme un patrimoine national mais comme la possession exclusive d'un corps territorial, incarné par les anciens tenants de l'administration, baillis, officiers de maîtrise des eaux et forêts, etc.

NOTES

1. Mavidal et Laurent, *op. cit.*, t. 10, p. 125.

2. *Ibid.*, t. 9, p. 202.

3. P. Bourdieu, « L'identité et la représentation », *Actes de la Recherche en Sciences Sociales*, 35, nov. 1980, p. 63-72.

4. P. Bourdieu a insisté sur la nécessité pour la science de dépasser l'opposition entre représentation et réalité, en montrant que la représentation, étant porteuse d'effets sociaux qui modifient sans cesse la définition de la réalité, était réalité elle-même.

5. M. Roncayolo, texte non publié.

6. Landiras (8/203-39) : « Ce n'est plus le même sol, ce ne sont plus les mêmes productions, le génie des habitants est changé, ils n'ont plus le même langage, jusqu'au pain qu'ils mangent tout est différent, ils n'ont point de commerce, ils recueillent des vins qu'ils vendent dans les landes voisines plus éloignées de la rivière et qui n'en récoltent pas du tout, ces vins sont peu estimés dans le commerce de Bordeaux, ils cultivent des seigles, des millades, principalement des pins et ils ont quelques bois taillis. Tel est le tableau de leur production, ils ne doivent leur faculté qu'à leur parcimonie qui est leur caractère dominant, à leur industrie dans l'agriculture... [...] Ils seront réunis aux habitants de la rivière qui se trouvent disposés à mépriser ceux des landes comme les habitants des villes se croient supérieurs à ceux des campagnes. Ce sera un sujet d'humiliation pour nos habitants et un inconvénient plus grand c'est que par la fréquentation les hommes contractent les habitudes les uns des autres. Nos citoyens réunis avec les riverains dans les assemblées qui sont toujours plus longues qu'on ne pense pourront contracter leur goût pour la dépense, l'oisiveté, le luxe : ils abandonneront leur frugalité, leur activité, leur industrie, ils rapporteront chez eux un goût de dissipation qui ne s'accorde pas avec le besoin du travail, leurs mœurs s'altéreront et leur sol ne leur fournissant pas les mêmes ressources que sur les bords de la rivière, leurs facultés s'anéantiront et leurs champs deviendront incultes. »

7. Le territoire situé autour des villes de Draguignan, Lorgues et Fréjus devait former deux districts. Draguignan avait l'assurance d'obtenir un chef-lieu et Fréjus demande le deuxième. C'est alors que Lorgues proteste : ce plan l'obligerait à dépendre de Draguignan, situation impossible en raison de leur rivalité et parce qu'elles sont toutes deux chefs-lieux de viguerie. Lorgues invoque par ailleurs la règle fixée par les députés provençaux, suivant laquelle tous les chefs-lieux de viguerie doivent être transformés en chefs-lieux de district. Draguignan réfute ces arguments conservateurs au nom du principe d'homogénéité naturelle qui dicte la division adéquate (18/293-20).

8. Mavidal et Laurent, *op. cit.,* t. 11, p. 170 (12 janvier 1790).

9. On se reportera à ce sujet à M. de Certeau, D. Julia et J. Revel, *Une politique de la langue : la Révolution française et les patois,* Paris, Gallimard, 1975.

10. Mavidal et Laurent, *op. cit.,* t. 11, p. 363.

11. *Ibid.,* p. 209.

12. *Ibid.,* p. 208-209 et AN, 12/243-12 et 6.

13. Un cas similaire se présenta ensuite pour la réunion du faubourg de La Guillotière à Lyon. Les limites départementales devaient reprendre les limites provinciales entre Dauphiné et Lyonnais, c'est-à-dire le cours du Rhône (décret du 28 janvier 1790). La Guillotière, depuis plusieurs siècles en procès avec Lyon, et ayant démarché pour en rester séparée, se réjouit de cette décision. Et lorsque le comité concède à ce décret pour unir La Guillotière à Lyon, le 6 février 1790, il insiste sur le caractère d'exception de ce choix, arrêté uniquement pour ne pas nuire à la ville de Lyon. Mavidal et Laurent, *op. cit.,* t. 11, p. 441.

14. [Ph.] Buache, « Essai de géographie physique, où l'on propose des vues générales sur l'espèce de Charpente du Globe, composée de chaînes de montagnes qui traversent les mers comme les terres », *Mémoires de l'Académie Royale des Sciences : mémoires de mathématiques et de physique,* 1752, p. 399-416. Buache avait présenté à l'Académie des Sciences une tentative de division du globe terrestre fondée sur les bassins fluviaux.

15. On consultera notamment : P. Vidal de La Blache, « Des divisions fondamentales du sol français », *Bulletin Littéraire,* 1888-1889, p. 1-7 et 49-57.

16. Patriae Amans, « Les départements français : étude de géographie administrative », *Revue de Géographie*, 2, juil.-déc. 1889, p. 35-43. On pourra également lire P. Foncin, *Régions et pays*, 1903, p. 21 sq., et J. Fèvre et H. Hauser, *Régions et pays de France*, Paris, Alcan, 1909, p. 3-4.

CHAPITRE III

Le modèle parlementaire : fidélité et transgression

Dans leur souci d'assurer la parfaite maîtrise de l'espace administrable, les représentations que nous venons d'étudier se faisaient l'écho d'un des idéaux exprimés par le comité à propos de la réorganisation des institutions, même si elles s'en démarquaient par leur préoccupation autarcique.

Certaines localités font explicitement leurs les idées développées par le comité, tout en les associant étroitement à la poursuite d'intérêts particuliers. Il faut d'ailleurs souligner qu'un grand nombre de lettres rendent hommage à la Révolution et aux travaux de l'Assemblée Nationale, quelle que soit la teneur de la demande qui suit[1]. Il s'agit souvent de localités défavorisées, ou simplement tenues à l'écart des avantages durant l'Ancien Régime, et pour qui les possibilités offertes par le nouveau régime sont d'une meilleure ressource que le conservatisme, en l'absence de prérogatives acquises.

1. Les bases du découpage

Les députés du Bourbonnais s'insurgent contre le tracé de la limite entre leur département et celui de Basse-Auvergne, telle qu'il est demandé par les députés auvergnats. Leur raison est que la Basse-Auvergne aurait alors 380 lieues carrées et le Bourbonnais seulement 336. Par ailleurs, la densité de population, d'après les chiffres de Necker, est de 1 077 habitants par lieue carrée dans la première et de 723 dans le second. Aussi les députés se réclament-ils des principes d'égalité fixés par le comité pour modifier la délimitation (3/149-19).

Les mêmes idées conduisent le député du Vivarais, M. de Saint-Martin, à s'opposer à ce que Bourg-Argental soit uni au Forez aux dépens du Vivarais : le Forez et le Lyonnais ont 400 lieues pour former leur département alors que le Vivarais n'en a que 280[2]. Saint-Malo affirme que la Bretagne devrait comporter sept départements car, d'après les chiffres de Necker, elle en renferme six en territoire et huit en population (8/208-18), et Mur-de-Barrez refuse son rattachement à l'Auvergne en raison du déséquilibre qui en résulterait entre la Haute-Auvergne et le Rouergue (4/165-11). Les districts suscitent les mêmes

Voir notes p. 193.

interventions. Embrun réclame, contre les visées séparatistes de plusieurs communautés de son district, l'égalité avec le district de Gap : « Que la force de l'un soit balancée par celle de l'autre » (3/151-16). Pertuis demande un district en disant que son territoire représente plus du 1/27ᵉ de la Provence en étendue, population et contribution. Elle applique à la lettre la règle du comité : comme la Provence doit être divisée en trois départements, chaque district doit équivaloir au 1/27ᵉ de la province, si l'on suit la progression fixée (chaque département ayant neuf districts) (5/167-16).

Toutes ces prises de position, on le voit, servent adroitement les intérêts des localités et témoignent de la remarquable attention portée au débat parlementaire, dans ses moindres détails. Ainsi Seyne, dans les Basses-Alpes, qui garde en mémoire la défense de la base d'étendue par le comité, affirme l'irréductibilité du territoire : à un pays pauvre et sans hommes, il reste quand même son étendue (3/152-12).

2. *Le nombre de divisions*

Le stéréotype déterministe qui sous-tend la conception des rapports entre espace et pouvoir est repris dans les mêmes termes que lors du débat parlementaire.

Certaines localités sont favorables à la multiplication du nombre des districts prévus pour leur département. Pézenas conteste la fixation à quatre du nombre des districts du département de Montpellier (Montpellier, Lodève, Béziers et Saint-Pons). Le député de sa sénéchaussée, Mérigeaux, cite de longs passages des discours de Thouret démontrant la nécessité de corps intermédiaires entre l'assemblée de département et les assemblées primaires. On retrouve les idées centralisatrices du comité ; mais Mérigeaux fait également référence au souci de rapprocher l'administration des administrés et aux vues décentralisatrices de la réforme. Il s'appuie sur le vœu de vingt-sept communautés avoisinantes. En réalité, l'enjeu est le diocèse d'Agde dont l'administration siège à Pézenas : cinquième diocèse du département projeté, c'est le seul que l'on n'a pas transformé en district. Mais les négociations de Mérigeaux n'aboutiront pas (8/206-14).

Les paroisses qui environnent Saint-Symphorien en Beaujolais demandent un district pour cette ville, alors qu'il était prévu de n'en établir qu'un pour tout le Beaujolais, à Villefranche. À la différenciation territoriale de deux régions, fondée sur la topographie, la pédologie et l'identité culturelle, ces paroisses ajoutent des considérations d'équilibre politique :

« Pour le bon ordre il ne faut pas une administration qui régisse une surface trop considérable parce que les ordres sont trop lents à parvenir et que les bureaux sont trop chargés. Il y a souvent de la confusion et même des erreurs. Il ne le faut pas pour l'intérêt du pays parce que l'administration pouvant difficilement connaître une grande surface [...] peut moins la veiller » (16/271-10).

Ainsi, ces localités en appellent à la bonne maîtrise du territoire qu'il faut réaliser, reprenant à leur compte les préoccupations de l'instance nationale elle-même. C'est toujours l'équilibre des pouvoirs politiques qu'invoque Mâcon en se défendant contre les visées expansionnistes de Chalon sur son district : « L'influence d'un district trop étendu peut avoir des suites dangereuses, en ce qu'il établit un point de force supérieur qui ne peut qu'accroître la faiblesse des autres districts, que les administrations plus petites ne tardent pas d'être subjuguées par de plus grandes » (16/274-3).

On remarque que ces représentations naissent volontiers dans des situations de rivalité où une localité s'estime lésée par rapport à d'autres. Dans le Cotentin, plusieurs localités se mobilisent pour demander le maintien du bailliage de Saint-Sauveur-Landelin, toujours au nom des bienfaits d'une administration plus divisée (10/230-63 et 64). Dans la Corrèze, Treignac — qui n'est pas au nombre des quatre districts — se manifeste en faveur d'une multiplication de ce nombre. Dans l'Orne, Sées et Gacé n'ont pas obtenu de district et s'en plaignent. Gacé écrit le 2 janvier 1790 à l'Assemblée :

> « Une grande considération qui tient à l'ordre public et à la sûreté des individus, c'est que les distances entre les tribunaux ne soient pas excessives ; outre que les frais sont moins dispendieux pour les plaideurs, c'est que l'exemple du châtiment effraye, le glaive de la loi imprime la terreur, émousse l'aiguillon du crime, énerve les facultés qui portent à le commettre ; lorsque le magistrat au contraire est éloigné, il semble que la distance serve de rempart au crime et l'espoir de l'impunité le multiplie » (12/249-32).

Mais Alençon, qui défend une division en six districts (dont ne font pas partie Sées et Gacé) en raison des faibles ressources du département, et sans doute parce qu'elle espère obtenir le district le plus étendu possible, soutient l'idée contraire, qui était également présente dans la pensée du comité :

> « En effet si les assemblées administratives embrassaient un territoire d'une trop petite étendue, il serait à craindre qu'en multipliant les roues, le mouvement ne se trouvât embarrassé, et l'on ne pourrait guère espérer que l'émulation des administrateurs se soutînt ; d'un autre côté, la plupart des travaux publics se trouveraient contrariés par des vues et des prétentions différentes, quelquefois par des intérêts opposés [...]. Les administrés ont incontestablement un bien plus grand intérêt à ce que les tribunaux de justice ne soient pas trop multipliés. Qui pourrait, en effet, calculer les maux

qu'ont produits les petites juridictions ? Il faut en avoir été témoin ou victime pour les bien connaître. Et c'est principalement sous ce rapport que l'abolition des hautes justices produira les plus heureux effets » (12/249-19).

Les multiples facettes du stéréotype déterministe, telles que nous les avons analysées à propos du débat parlementaire, apparaissent dans cette correspondance, chacune étant étayée par un objectif particulier. De même que cette démarche mentale permettait aux uns et aux autres de formuler des revendications politiques au sein de l'Assemblée, elle est utilisée ici pour justifier les demandes ou les refus d'octroi d'un pouvoir administratif. Et comme dans le débat qui précède, on affecte à des circonscriptions d'étendue variable des vertus identiques : pour obtenir une bonne maîtrise du territoire, on préconise tantôt de multiplier les divisions, tantôt d'en réduire le nombre. Nous avons donné de multiples exemples de cette première option. Les députés extraordinaires de la commune d'Alençon, qui recommandent la seconde, ne sont pas isolés.

Le député de la Haute-Marche rédige au nom d'Aubusson des conclusions semblables :

> « Il importe essentiellement en effet à ce département peu spacieux que le nombre des districts ne soit pas étendu au-delà du besoin, et que tout au plus ce nombre soit fixé à six. En créer une plus grande quantité, ce serait affaiblir l'autorité administrative par la trop grande multiplicité de ses ressorts, compliquer le travail des Assemblées et du Directoire du Département, retarder la marche du service, et enfin, en augmentant les frais d'administration, et conséquemment la masse déjà accablante des impôts, transformer en un mal très réel, le moyen même destiné à régénérer la prospérité publique » (6/185-2).

On propose ainsi un moindre morcellement pour assurer une meilleure centralisation administrative. Mais dans le même texte, ce député demande pour Aubusson l'alternat[3] avec Guéret : « La division du pouvoir administratif de département peut seule en effet prévenir la renaissance du régime arbitraire, et ses effets destructeurs. » Autrement, « cette administration deviendrait promptement tyrannique, surtout quand elle se trouverait concentrée dans un foyer trop étroit ». C'est bien alors un morcellement qui est demandé, précisément pour lutter contre une centralisation excessive. Comme on le voit, les contradictions présentes au sein de la pensée constituante ont leur écho localement.

Par ailleurs, si la plupart des représentations s'articulent autour de la notion de centralisation — s'agit-il d'abonder dans le sens du projet constituant pour obtenir le meilleur succès, ou bien est-ce la véritable conception de députés urbains cherchant à restaurer, à travers la centralisation administrative, les privilèges et le pouvoir des villes : le plus souvent les deux logiques sont liées –, le point de vue des administrés et de la décentralisation est également mis en avant, suivant les mêmes stéréotypes du déterminisme territorial.

La fin de la lettre du député d'Aubusson allait dans ce sens en exprimant la crainte d'une tyrannie centralisatrice. C'est une opinion identique que formule un député du Béarn, redoutant que Béarn, Bigorre, Pays de Soule, Labourt et Basse-Navarre ne forment chacun un pays séparé :

> « Chacune de ces petites provinces allègue des localités ; mais il n'en est aucune qui puisse sauver le grand inconvénient que la réduction infinie des départements doit entraîner. C'est d'un côté l'augmentation des frais d'administration qui seront aussi considérables pour un petit département que pour un grand, et d'un autre le grand danger qu'il y aurait que des petits départements n'étant pas susceptibles d'une résistance ne fussent envahis ou affaiblis par le pouvoir exécutif toujours agissant » (7/258-18).

La correspondance locale apparaît donc comme le reflet fidèle des multiples formes de représentation développées dans le débat national, dans leur caractère divergent ou bien contradictoire. Tantôt l'emprunt aux discours parlementaires est explicite (on se réfère volontiers à Thouret), tantôt il s'agit d'une simple similitude des systèmes d'idées. L'ensemble laisse entrevoir une certaine universalité du mode d'interrogation sur les rapports entre les organes centraux d'administration et les collectivités locales, entre pouvoir et territoire. Cette réflexion se traduit par de nombreuses hésitations ou contradictions attachées à la démarche de pensée déterministe, de même que dans le débat parlementaire, mais celles-ci renvoient plus nettement aux volontés particulières exprimées au niveau local. La multiplication des divisions est demandée par de petites villes qui ne veulent pas être tenues à l'écart de la compétition organisée par les plus grandes pour les chefs-lieux. La limitation du nombre d'administrations vient au contraire de localités souhaitant étendre au maximum leur territoire, celui-ci risquant d'être partagé avec d'autres. On oscille sans cesse entre les deux attitudes forgées autour de l'enjeu de la réforme : pour les uns, tirer parti des possibilités nouvelles pour accéder à une situation plus gratifiante et prestigieuse, pour obtenir des prérogatives que l'Ancien Régime leur refusait ; pour les autres, restaurer les pouvoirs acquis et éventuellement les accroître. Dans tous les cas, le relais d'idéaux, de systèmes d'idées à valeur générale est indispensable pour faire reconnaître le bien-fondé des revendications. Le principe essentiel de la pensée de l'époque laisse en effet toute latitude pour le choix des arguments : fondé sur la notion d'équilibre, il permet à toutes de se faire entendre. Ainsi à l'Assemblée voulait-on multiplier les divisions sans trop les multiplier, centraliser tout en décentralisant. Les localités, pour leur part, peuvent à loisir sélectionner l'un ou l'autre des volets de cette pensée de l'équilibre ou la reprendre dans son ambiguïté originelle, au gré de leurs intérêts. Dans la compétition pour le pouvoir administratif, elles s'affrontent précisément à ce problème de l'équilibre : désirant à la fois exercer leur puissance sans être victime de celle d'en haut, leur représentation s'applique à faire coïncider le point d'équilibre avec leur propre situation. Ainsi Aubusson fait valoir l'idéal centralisateur face aux revendications des villes qu'elle est susceptible de dominer ; elle en appelle à la décentralisation pour asseoir sa position à l'encontre de sa rivale mieux placée, Guéret. À chaque fois le stéréotype déterministe qui associe l'institution politique à l'organisation du territoire est mis en œuvre.

Ces considérations de planification politique — on pourrait dire de science politique — ne sont cependant pas l'unique manière d'aborder la question du nombre de circonscriptions. L'originalité de la correspondance locale est de mettre en avant l'aspect matériel et de parler en termes de commodité, de coût, d'économie. Le débat consiste alors à déterminer si le prix des voyages des administrés jusqu'au chef-lieu, la perte de temps ou le risque sont moindres ou plus élevés que le coût d'une administration (logement et rémunération des administrateurs).

Le problème du recrutement des administrateurs et de leur renouvellement est également posé. Ainsi, les députés d'Angoumois justifient-ils le nombre des districts fixé à six pour leur département, alors que dix-huit ou vingt villes s'étaient mises sur les rangs :

> « Nous pensâmes que si, d'un côté, il est utile aux administrés et aux justiciables d'être rapprochés des officiers qui seront chargés des fonctions publiques, et si, sous ce rapport, il ne fallait pas donner trop d'étendue aux districts, d'un autre côté aussi, les hommes qui joignent à une vertu bien pure, l'aptitude et l'intelligence des affaires, étant rares dans tous les pays, il était essentiel de se ménager les moyens de les trouver plus facilement, sur un nombre de sujets suffisant pour laisser l'espoir de pouvoir faire de bons choix ; et, sous cet aspect, il ne fallait pas faire les districts trop petits » (5/167-7).

Les députés s'appuient ici sur les observations de Dupont de Nemours concernant les principes observés pour réaliser la division[4]. Les préoccupations de salut public qui seront celles de la Révolution jacobine s'esquissent déjà.

Les motifs de compétence ne sont pas les seuls retenus puisque les députés poursuivent ainsi leur compte rendu : « Nous reconnûmes cependant bientôt que la forme oblongue et irrégulière, et l'excentricité de plusieurs des lieux susceptibles de recevoir les nouveaux établissements, ne pouvaient pas se prêter à des dispositions aussi économiques que nous l'aurions désiré. » Ce sont ces représentations de la morphologie et de la localisation qu'il nous faut maintenant analyser.

3. *La centralité*

On se souvient que le premier rapport du comité de constitution prévoyait de diviser la France en carrés uniformes. Par la suite, l'une des seules règles prescrites pour fixer les chefs-lieux administratifs fut de les placer au centre de leur circonscription. Ces deux principes ont suffi à servir de fondement à une multitude de représentations du territoire. Il est peu de lettres qui n'abordent ce thème. De plus, c'est celui qui a suscité le plus de représentations cartographiques. Enfin, il n'est pas à notre sens de notion qui permette mieux d'étudier l'articulation entre ces volontés locales et le projet constituant. Le principe de centralité, par la variété des interprétations auquel il peut donner lieu, ouvre la voie à quantité de plaidoyers, correspondant à des situations très diverses. Nous passons ici de l'analyse des représentations d'un territoire vu comme une simple surface pourvue d'une unité, à celle des conceptions d'un espace centré, où le centre joue un rôle organisateur plus ou moins grand. Nous nous acheminons donc vers des textes qui prennent en considération la ville en tant que telle, où celle-ci n'est plus seulement, par ses notables, le sujet qui représente, mais aussi l'objet de la représentation.

Le carré

Certaines localités proposent des plans de division qui respectent rigoureusement les consignes du projet initial : établir un carré de dix-huit lieues sur dix-huit pour un département, de six lieues sur six pour un district, etc. Les représentations cartographiques auxquelles cette conformité donne lieu sont éloquentes ; ainsi, les habitants de Maîche demandent que leur bourg obtienne le sixième district du département du Doubs à cause de sa position centrale (6/188-27). Le plan annexé en mémoire représente un carré parfait de trente-six lieues carrées, dont Maîche occupe le centre (6/188-30) (Fig. 3). Galan, dans les Hautes-Pyrénées, dresse une carte similaire qui porte le titre suivant : « Plan de la ville de Galan qui fait des réclamations et fait connaître sa centralité pour obtenir l'établissement d'un chef-lieu de district » (15/263-29).

Bar-le-Duc établit son département d'après la règle fixée par le comité de partir de Paris (le comité décidera ensuite de diviser en commençant par le voisinage des frontières). Elle fixe un premier chef-lieu de département à La Ferté (-Milon) ou à Château-Thierry, situés à dix-huit lieues de Paris, un second à Châlons situé à dix-huit lieues des précédents, et enfin un troisième à Bar-le-Duc, le suivant devant être Nancy. Le plan dessine un quadrillage identique à celui de la carte de Robert de Hesseln avec des carrés emboîtés (11/240-16). Dans le Nord, Landrecy dresse un projet semblable en partant de la frontière avec le Hainaut autrichien. Il s'agit cette fois d'un district. Le chef-lieu du premier

serait Valenciennes, du second, Le Quesnoy, et Landrecy aurait le troisième (12/245-21). M. Achard, de l'Académie de Marseille, auteur
d'une description géographique de la Provence, présente le 30 octobre
1789 une esquisse de division de cette province en vingt-deux districts.
Il a réalisé à partir de la carte de Cassini un quadrillage en carrés égaux
qui correspondent chacun à un district (5/167-10).

Ces exemples traduisent un esprit d'application scrupuleux des principes du comité. Le plus souvent, les territoires réunis dans ces carrés
sont hétérogènes. Bar-le-Duc le dit en clair à propos de son projet :
« Nous aurions à la vérité soixante-dix coutumes : mais on en arrange-
rait une qui réunirait les avantages de toutes. » Le district de Galan
regroupe des portions de différents pays (Bigorre, Nébouzan, Quatre-
Vallées, etc.). On a donc affaire à des représentations concurrentes de
celles qui étaient fondées sur un conformisme naturaliste ou sur une
idéologie conservatrice : il s'agit de tirer systématiquement parti de la
table rase territoriale de 1789.

On peut classer dans la même catégorie les propositions fondées sur la
distance. On ne compte pas les localités qui appuient leur demande de
rattachement à un chef-lieu sur leur distance, conforme aux chiffres du
projet, comme à son esprit. L'argument joue d'ailleurs dans les deux
sens, négatif et positif : on exige ou l'on refuse un rattachement en fonction de sa proximité ou de son éloignement. La formule consacrée,
empruntée au comité de constitution, est de « rapprocher les administrés de l'administration et les justiciables de la justice » ; ses occurrences
sont innombrables.

Néanmoins, à côté de ces interprétations fidèles — presque à l'excès
puisqu'une démarche strictement géométrique a finalement été récu-
sée — une masse de pétitions retiennent l'esprit de ce principe de centralité tout en le modifiant dans son expression opératoire.

Le cercle

Au lieu du carré prescrit par le plan d'origine, la figure géométrique
dessinée dans les propositions de circonscriptions est souvent un cercle.
Les exemples cartographiques sont également édifiants.

Dans le département de Troyes, Lesmont demande un chef-lieu de
canton et forme son ressort en regroupant toutes les paroisses situées à
une lieue à la ronde (4/162-9) (Fig. 4). Le carré de deux lieues sur deux
devient donc un cercle de deux lieues de diamètre. Les concurrents de
Lesmont, Pougy et Brienne, présentent des plans similaires, plus géométriques encore, et semblent avoir passé un accord commun contre
leur rival en raison de la parfaite identité des deux représentations
(4/162-38). Dans la vallée de la Seine, Elbeuf demande un district et en
fait le dessin (Fig. 5). La géométrie de la représentation fait alors illusion
car les distances d'Elbeuf aux autres villes et aux localités environnantes

Fig. 3. *Carte des hautes montagnes à l'orient de Franche-Comté.*
(AN, série D IV bis 6/188-30)

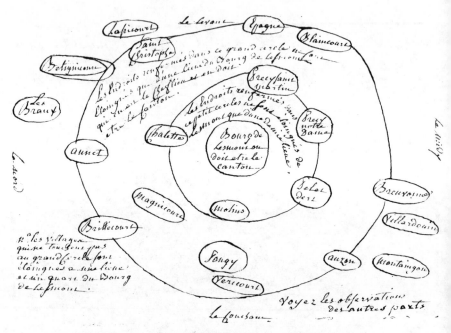

Fig. 4. *Croquis accompagnant la demande d'un canton
par le bourg de Lesmont (Champagne).*
(AN, série D IV bis 4/162-9)

sont très variables. Une notion se glisse sous cette apparence de conformité aux prescriptions du comité : celle de rayonnement, perceptible au
travers de ces représentations en forme de soleil (6/191-6). Elle associe
étroitement les enjeux de la réforme à une vision de la ville. Nous analysons plus loin ce thème. Mornant, en Lyonnais, offre un exemple identique (16/271-18), et Mortagne en Poitou également (18/288-20). Dans
ce dernier cas, la raison géométrique permet à Mortagne de réclamer
non seulement les paroisses dépendant de sa justice, mais celles qui lui
sont nécessaires pour obtenir un cercle parfait.

   La formulation écrite laisse aussi transparaître ce passage du carré au
cercle. Ainsi Château-Thierry ne craint pas d'écrire : « Vous avez
décrété, Nosseigneurs, que les départements auraient dix-huit lieues de
diamètre ; qu'ils partiraient de Paris comme point central ; par cette
division, Château-Thierry placé à vingt lieues de Paris, est destiné par la
nature à former un chef-lieu de département » (3/144-19). De la même
manière, les citoyens de la ville d'Alet (au sud de Limoux) rappellent
que l'on veut « diviser la France en quatre-vingts départements, dont
chacun doit avoir un diamètre seulement de dix-huit lieues » (4/195-5).
Le diamètre et le rayon se substituent fort souvent au côté, signe mani-

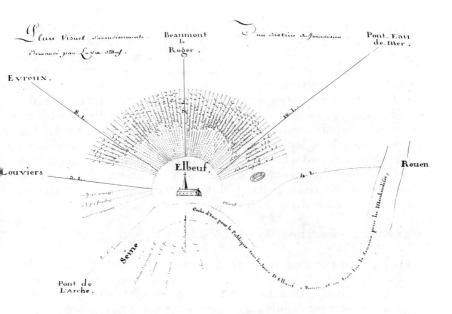

Fig. 5. *Plan visuel d'arrondissement d'un district de juridiction demandé par la ville d'Elbeuf.*
(AN, série D IV bis 6/191-6)

feste d'une représentation qui se fait à partir du centre, et non, comme à l'Assemblée, en envisageant une surface indifférenciée.

Ici, le fait intéressant n'est pas en soi la transgression du projet constituant. Sur le plan géométrique, celle-ci était acquise dès les jours suivant la lecture du premier rapport et au sein même de l'Assemblée, comme nous l'avons vu plus haut. L'image du cercle elle-même n'était pas étrangère à la pensée des membres du comité. Paul Bastid et Georges Gusdorf le signalent à propos de Sieyès[5]. Les métaphores tirées de la physique pour évoquer la centralisation suggéraient également cette idée de rayonnement. Le phénomène intéressant réside dans la construction d'une représentation qui suit deux mouvements : en dessinant des cercles parfaits, on paraît respecter l'esprit géométrique à la lettre — c'est-à-dire au-delà de ses véritables intentions — mais par ailleurs la voie est ouverte à tout un système de références qui était absent ou évacué du débat parlementaire, à savoir l'image de la ville comme élément d'organisation spatiale. La figuration géométrique fonctionne, ici encore, comme un langage ayant pouvoir de légitimation de ce qu'il exprime. L'originalité de la démarche est précisément d'exprimer ce qui va le plus à l'encontre des idées constituantes, c'est-à-dire la reconnaissance du pouvoir urbain d'organisation territoriale, mais elle le fait à travers le propre langage des membres du comité, selon des modalités d'ailleurs diverses. Pour certaines localités, la centralité géométrique est l'argument utilisé pour acquérir un pouvoir urbain jusqu'alors inexistant. Pour d'autres, elle est le moyen d'homologuer une puissance antérieure, celle-ci n'étant pas en tant que telle une justification adéquate au regard de l'idéal révolutionnaire.

Par ailleurs, on peut différencier deux types d'attitude et de représentation. Certaines localités cherchent à tout prix à démontrer leur centralité géométrique et prennent pour cela les points de repère les plus divers. Le schéma logique consiste donc à faire découler la localisation du centre de celle des limites préexistantes, même si l'on comprend que celles-ci sont soigneusement choisies. On retrouve ici des formes de représentation conformistes. L'autre type de raisonnement part au contraire de la centralité et en fait dépendre les limites.

La limite fait le centre

Les représentations que nous proposons ici réalisent un mélange de fidélité au principe du comité d'une part, et de l'autre aux modèles conservateurs ou conformistes que nous avons analysés plus haut : la centralité géométrique y est définie par rapport à des délimitations acquises, de types variés.

Ce peut être une province ou une portion de province : Ambérieux est situé au centre du Bas-Bugey (3/143-4) ; Le Cheylard, au centre du Vivarais (4/156-4) ; Seix, au centre du Haut-Couzerans (4/159-1re) ; Périgueux, au centre du Périgord (6/186-61) ; Les Andelys au centre du Vexin Normand (6/191-13), etc. D'une manière un peu différente, Blois se localise au centre de plusieurs provinces : Vendômois, Beauce, Sologne et Berry (9/217-15), tandis que Douai établit sa centralité par rapport au Boulonnais, à l'Artois, au Hainaut et au Cambrésis (12/244-12).

La localisation peut également se faire par rapport à d'anciennes circonscriptions administratives ou judiciaires : bailliages, vigueries, diocèses, etc. Pour ne retenir l'exemple que d'un seul département, les Basses-Alpes, Seyne, Annot, Castellane, Moustiers, Forcalquier, c'est-à-dire ceux des chefs-lieux de vigueries qui ont écrit à l'Assemblée Nationale pour réclamer des chefs-lieux de district, fondent leur demande sur leur position centrale à l'intérieur de leur viguerie. L'argument se répète partout.

Les limites naturelles servent également de points de repère. Lisieux revendique un chef-lieu de département pour remplacer son diocèse. En l'absence de motifs plus puissants, ses députés invoquent sa situation géographique : « Mais c'est encore moins son importance qui doit mériter à la ville de Lisieux la préférence pour un département. L'arrondissement s'en trouve naturellement circonscrit entre la mer, la rivière de Risle et celle de Dives, et Lisieux en forme précisément le point cen-

tral entre nombre de villes et au moins trente bourgs considérables »
(5/172-9). Parfois, avec moins de précision, les localités se décrivent
comme le centre d'une plaine, celle-ci étant volontiers qualifiée de vaste
ou de fertile. Ainsi Doué en Anjou se situe au milieu d'une vaste plaine,
et réclame à ce titre un chef-lieu de district (10/288-8).

Les points de repère sont souvent donnés par les nouvelles circonscriptions elles-mêmes, lorsque leurs limites approximatives en sont
fixées préalablement à la détermination de leur chef-lieu. Cela permet à
certaines villes de formuler des prétentions que seule leur situation géométrique soutient. La petite ville de Sées réclame le chef-lieu du département de l'Orne contre Alençon en raison de sa position centrale
(5/173-46). Elle n'obtiendra même pas un district, les députés de la province ayant jugé qu'elle était trop près d'Alençon et d'Argentan auxquelles leurs ressources et leur importance doivent assurer l'obtention
d'un district. L'excentricité d'Alençon pourrait expliquer la prétention
de Sées. Pourtant, ce type de démarche se retrouve ailleurs. Dans le Pas-
de-Calais, Béthune convoite le chef-lieu de département que se disputent également Arras et Saint-Omer : « Telle est, en effet, dit-elle, la
situation topographique des villes d'Arras et de Saint-Omer que chacune d'elles se trouve placée aux trois quarts des plus longues distances,
à partir des extrémités, qui leur sont opposées » (14/253-22). Béthune
invoque contre elles sa plus grande centralité. Joigny fait une demande
similaire contre Auxerre et Sens (18/301-11). Un premier plan étendait
le département d'Auxerre vers le sud jusqu'aux environs de Saulieu et
de Semur tandis que la région de Sens n'y était pas comprise. Aussi
Avallon a-t-elle suggéré qu'on lui attribuât le chef-lieu de département,
étant le point central entre Auxerre et Semur qui auraient dû l'accueillir
à tour de rôle (18/301-27). Dans le Var, la petite ville de Lorgues ne
craint pas de formuler une demande identique :

> « La ville de Lorgues doit être non seulement chef-lieu de district mais
> chef-lieu de département. Sa position centrale, et même géographique, lui
> assure la préférence, pour le siège du département, sur toutes les autres
> villes qui doivent en faire partie. Sa position est unique, pour cet établisse-
> ment. Son dernier terme d'éloignement n'est qu'à une journée, en tout
> sens » (18/293-19).

Comme on le voit, l'institution de la centralité géométrique en règle
de fixation des chefs-lieux a suscité de nombreuses ambitions, quelque
peu abusives de la part de villes qui, par ailleurs, ne peuvent faire état
d'une importance politique et économique capable de disputer la prééminence aux capitales régionales promises aux sièges administratifs.

Pour poursuivre l'analyse des représentations de la centralité, telles
qu'elles se font lorsque les futures divisions sont déjà délimitées, il faut
noter l'usage généralisé du procédé de la comparaison des distances.
Plusieurs méthodes sont alors employées.

Dans le futur département de l'Aisne, Coucy, Chauny et La Fère sont en compétition pour obtenir le chef-lieu du district où elles seront toutes trois placées. Les députés de Coucy repèrent le point central du district sur la carte de Cassini. Ils calculent ensuite la distance respective de chacune des trois villes à ce point central. Celle qui en est la plus proche doit recevoir le siège administratif (3/147-3). Ce procédé du calcul de l'écart à la centralité n'est pas le plus répandu. Le plus souvent, il s'agit de comparer les distances qu'auront à parcourir les différentes communautés du district jusqu'à chacune des villes rivales.

Charleville est en concurrence avec Rethel pour obtenir le chef-lieu de département. Voici l'un des motifs invoqués par la première :

> « Le département est composé des districts de Rocroi, de Charleville, de Sedan, de Grandpré, de Vouziers et de Rethel. Or Charleville est à dix lieues de Givet, la dernière ville au nord du district de Rocroi ; à six lieues de Rocroi ; à cinq lieues de Sedan, au levant ; à dix lieues de Grandpré ; à huit lieues de Vouziers et à neuf lieues de Rethel ; tandis que cette dernière ville, que l'on désigne pour être le chef-lieu de ce département, est à dix-neuf lieues de Givet, à quinze lieues de Rocroi, à quatorze lieues de Sedan, à une lieue de différence de Grandpré et à deux lieues de différence de Vouziers » (4/157-10).

Il est joint à cette adresse un « tableau comparatif de la distance des trois villes qui réclament le chef-lieu du département du nord de la Champagne aux chefs-lieux de district » (4/157-11). La troisième ville est en effet Sedan.

À travers l'ensemble de ces représentations se perçoit le très large écho rencontré par le principe de centralité. Considéré tantôt comme une aubaine par les localités qu'une délimitation plaçait dans cette heureuse position, ou comme un recours obligé, par d'autres, désireuses de légitimer leur revendication, la centralité géométrique est l'un des arguments les plus répandus, sinon le premier, dans notre corpus.

La multiplicité des espaces de référence choisis en fait un motif utilisé à armes égales par des villes rivales. Dans les régions de plaine, il arrive souvent que deux petites villes d'importance économique comparable se contestent mutuellement la centralité, chacune prenant des points de repère différents. Ainsi Arcis-sur-Aube et Méry-sur-Seine se disputent-elles pour un district. Arcis a un entrepôt de tabac, un grenier à sel, des relais de poste aux lettres et aux chevaux. Elle fait son commerce par terre et par eau vers Paris et vers les pays méridionaux. Elle est peuplée de trois mille âmes (4/162-3) tandis que Méry n'en a que deux mille. Mais celle-ci possède un siège royal de justice ressortissant nuement au Parlement. Elle est entourée de terres plus fertiles exploitées par des cultivateurs « aisés et industrieux ». Elle a également de grandes routes et un port (4/162-1). Ainsi l'une et l'autre comptent-elles sur leur situation pour s'assurer la priorité. Arcis établit sa centralité par rapport aux limites du département telles qu'elles ont déjà été fixées, et suivant ces points de repère, juge que sa rivale est excentrique. En revanche Méry conteste la limite départementale et démontre sa centralité par rapport à la limite idéale : la localisation de celle-ci est fondée sur la distance des paroisses environnantes aux deux chefs-lieux de département concurrents (Châlons et Troyes). L'Assemblée fixera le chef-lieu à Arcis, tout en réservant aux électeurs du département la possibilité de partager les établissements entre les deux villes lors de la première assemblée.

À côté de ces représentations de la centralité qui prennent appui sur des délimitations déjà connues, apparaît une manière particulière de se localiser qui consiste à faire référence aux villes environnantes. Les démarches traduisent, là encore, une adaptation plus ou moins fidèle des principes du comité.

Pour certaines localités, il s'agit de se décrire comme étant le centre du carré formé par quatre villes environnantes, et de former son district en prenant la moitié de la distance à chaque ville. Un exemple cartographique pourra être fourni par le plan dessiné par Aix-en-Othe (4/162-17) (Fig. 6). Celle-ci affirme être située au centre de trente-cinq paroisses à trois lieues de rayon. Ces paroisses doivent être partagées entre les districts de Troyes, d'Ervy, de Sens et de Nogent-sur-Seine, mais elles sont situées à plus de quatre lieues de leurs chefs-lieux respectifs. Aix est le point central entre ces quatre villes ; elle demande donc un district intermédiaire (4/161-16). Dans la Charente-Inférieure, Fontaine-Challandray propose un plan semblable pour un canton (5/178-3). La revendication se répète de manière identique en beaucoup d'endroits et ces représentations concernent tous les objets de revendication : canton, district ou département. Ainsi Montluçon se situe « au centre d'un de ces [quatre-vingt-un] départements pris à partir de Paris »[6], dont elle réclame le chef-lieu à cause de sa position centrale entre toutes les capitales chefs-lieux de département qui l'environnent (Moulins, Guéret, Clermont, Bourges) (3/149-5).

Le principe de la mi-distance entre la ville demandeuse et chacune des autres villes est très souvent observé pour la formation du district central. Certaines représentations déforment cependant quelque peu ce modèle. Le carré s'étire parfois en rectangle ou en losange suivant la localisation des villes points de repère, ou bien il devient même un simple polygone. Blois se situe entre Orléans, Tours, Le Mans et Châteauroux et demande un département intermédiaire (9/217-15). Mais la forme en eût été plus régulière si elle avait choisi Bourges à la place de Châteauroux. Certaines demandes ne prennent en compte que deux villes-repères ; toutefois leur démonstration revient à reproduire le même modèle. Ainsi, Saint-Paul-Trois-Châteaux demande un district entre Montélimar et Buis (Le Buix, aujourd'hui Buis-les-Baronnies) car elle sait que ces villes obtiendront des districts et qu'elles sont éloignées de douze lieues, ce qui laisse l'espace pour un district intermédiaire

(6/189-30). C'est le même argument qu'utilise Montauban pour revendiquer un département entre Cahors et Toulouse (10/224-8).

Dans tous ces exemples, les villes choisies comme point de repère
sont presque toujours explicitement reconnues comme de futurs chefs-
lieux. Ce n'est pas le cas de toutes les représentations qui procèdent de
localisations par rapport aux villes, et nous verrons plus loin comment
les choix peuvent refléter une conscience de la hiérarchie urbaine et une
conception tout autre de la centralité : non plus son acception géométrique mais l'idée du rôle d'organisation territoriale et de rayonnement
exercé par les villes.

Dans les textes qui nous intéressent ici, ces préoccupations n'apparaissent pas, ou plus exactement, elles sont filtrées par la rigidité du
modèle géométrique. Ces représentations réalisent une remarquable
adaptation de la régularité de l'économie spatiale proposée par le
comité. Mais, alors que celui-ci dissociait les opérations de délimitation
et de fixation des chefs-lieux, la seconde étant postérieure à la première,
les localités les réunissent. L'identification de points de repère précise à
la fois le centre et les limites. La démarche, telle qu'elle est ici formulée,
se rattache bien aux représentations qui instituent les centres à partir des
limites ou références existantes. Mais le fait que ces points de repère
soient des villes et des chefs-lieux à venir renverse la démarche : c'est
alors le centre qui détermine la limite. Par la parité des situations (points
de repère ou localité intéressée, tous seront chefs-lieux) la délimitation
des circonscriptions et l'établissement des centres sont associés. Finalement, et si l'on peut oser pareille formulation et risquer ce télescopage
temporel, la correspondance se fait plus proche du modèle de Christaller
et Lösch que le projet constituant lui-même, dans la mesure où elle
construit le réseau, le maillage, à partir des lieux centraux. Toutefois,
si le procédé de division s'apparente aux modèles théoriques et géométriques de l'économie spatiale, il ne s'accompagne pas dans le discours
d'une représentation fonctionnelle des centres : la géométrie et la régularité du plan ne sont pas justifiées par une analyse des lois économiques
et sociales qui régissent le territoire.

En bien des endroits le modèle de localisation par rapport aux villes
s'assouplit. Il s'agit toujours de montrer la centralité d'une position
géographique en prenant repère sur les villes environnantes, mais le
nombre de celles-ci est très variable (de une à dix) et leur statut vis-à-vis
de l'administration également. L'esprit est toujours de tirer profit de la
rationalité géométrique prescrite, et la distance à elle seule fait foi, ainsi
que l'espacement régulier des chefs-lieux, laissant de côté la réalité de
l'influence urbaine elle-même.

En revanche, certaines localités choisissent comme points de repère
les villes de statut égal vis-à-vis de l'administration, de futurs chefs-
lieux de district ou d'anciens sièges de bailliages, encore que ce choix ne
soit pas toujours explicite. Dans la Drôme, Nyons se localise par rap-

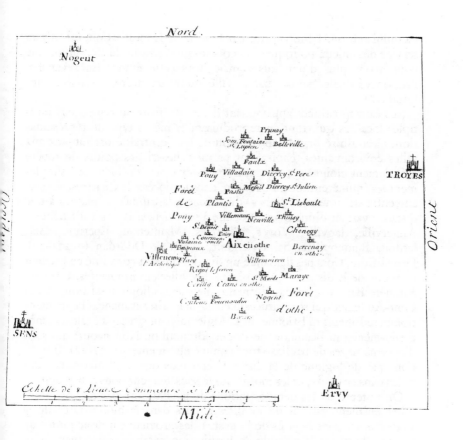

Fig. 6. *Plan du district
demandé par les habitants d'Aix-en-Othe.*
(AN, série D IV bis 4/162-17)

port à quatre villes inégalement éloignées, mais qui toutes doivent recevoir des chefs-lieux de district (Die, Le Crest, Montélimar, Orange)
(6/189-38). Dans l'Eure, Nonancourt se situe au centre de six anciens
sièges de bailliages et demande un district en remplacement de son
propre bailliage (6/191-10). Mais elle fait à ce titre exception car, dans la
majorité des cas, la ville qui écrit n'est pas elle-même siège de bailliage
et ne deviendra pas chef-lieu de district. C'est sa position géométrique
qui lui permet d'appuyer sa demande : située au centre d'un espace
intermédiaire entre des villes équivalentes, elle devient par là même
équivalente à ces points de repère ; elle est donc en droit de réclamer des
prérogatives semblables, alors que sa seule consistance la place en deçà
de la compétition. La centralité géométrique apparaît donc une fois de
plus comme un instrument d'accession au pouvoir urbain que constitue

l'administration. Le territoire, par le biais de la localisation, est mis au service des enjeux politiques et économiques, suivant le stéréotype que nous avons plus d'une fois signalé dans cette étude. En revanche, l'action véritable exercée par la ville sur le territoire est laissée dans l'ombre.

Ces caractéristiques apparaissent d'autant mieux au regard des multiples localités qui, tout en reproduisant le même type de représentation, c'est-à-dire une démonstration de leur centralité par rapport aux villes environnantes, choisissent parmi celles-ci des points de repère inégalement éloignés et de statures très diverses, ou bien tout simplement les énumèrent toutes. Auneau, dans le diocèse de Chartres, se situe au centre de douze localités — du village à la capitale — placées à une distance variant d'une lieue et demie à sept lieues. Il s'agit d'Étampes, Angerville, Janville, Voves, Chartres, Maintenon, Épernon, Gallardon, Rambouillet, Saint-Arnoult, Ablis et Dourdan (9/221-22). Dans l'Eure, Conches demande un district qui soit constitué en prenant la moitié de la distance qui la sépare des villes environnantes. Conches énumère Bernay, Évreux, Verneuil, mais leur adjoint aussi Louviers et Pont-Audemer qui sont situées bien au-delà. En revanche, elle ne mentionne ni Elbeuf, ni Brionne, ni L'Aigle qui sont situées à égale distance d'elle-même, ni Beaumont-le-Roger, Breteuil ou Nonancourt qui sont d'anciens sièges de bailliage tout comme elle-même (6/191-22). Il n'y a donc pas de logique de la distance non plus que de l'importance des villes dans ce choix, et les motifs qui le sous-tendent nous échappent.

On notera que les démonstrations de la centralité par rapport à des villes émanent surtout de localités situées dans la moitié nord de la France et dans les régions de l'ouest. Elles proviennent donc plutôt de régions de plaine. Ce mode de localisation paraît se substituer ici au principe des bornes naturelles, qui est fondamental dans les régions de montagne.

L'objectif est toujours de faire coller le schéma géométrique du plan de réforme initial à la configuration existante. Celle-ci s'y prête plus ou moins bien, encore qu'il soit toujours possible de se situer au centre de quelque chose. Présentée comme une situation déterminée par la disposition des lieux — c'est-à-dire, suivant les termes de l'époque, comme une situation « naturelle » — la centralité est bel et bien objet de représentation : on *choisit* les repères qui la mettent en évidence. Lorsque ce sont des villes, elles ne sont conçues que comme de simples faire-valoir topographiques, non comme des pôles d'influence.

Isolés pour les besoins de l'analyse, ces différents modes de localisation et de représentation de la centralité coexistent fréquemment au sein d'une même requête. La rigueur et la régularité des références au principe de géométrie n'ont d'égale que la souplesse des repérages destinés à le mettre en évidence. Le comte de Montrevel décrit la situation de sa ville :

« La ville de Montrevel est située sur la grande route de Bourg à Chalon à trois lieues au nord de Bourg, trois lieues à l'ouest de la montagne de Bresse, et trois lieues à l'est de la Saône et à trois lieues au midi de la limite de la Bresse. La ville de Saint-Trivier qu'on lui oppose n'est qu'à une demi-lieue de la limite au nord, et étant au sommet de la perpendiculaire des deux triangles de l'est et de l'ouest, et Montrevel à l'autre extrémité, des paroisses de ces deux triangles sont aussi près ou plus près que Saint-Trivier » (3/146-1ʳᵉ).

Par-delà le manque de clarté de cette dernière phrase, on voit apparaître dans cette lettre le souci de respecter les règles prescrites (les trois lieues de rayon et les quatre points de repère formant carré) en même temps que la mobilisation d'éléments de localisation très divers : ville, obstacles naturels et limite provinciale.

La ville de Bourmont, située aux confins des provinces de Champagne, Lorraine et Barrois, mélange également les repères. Au nord, c'est la ville de Neufchâteau qui détermine l'étendue du district. En revanche, Bourmont se plaint du resserrement de celui-ci du côté de l'ouest et propose alors de respecter les limites naturelles et notamment le tracé des rivières et ruisseaux qu'elle énumère dans le détail. Mais elle conclut en ajoutant que c'est

« un arrangement qui est d'ailleurs prescrit par le local puisque Bourmont étant éloigné de neuf lieues de Joinville, de neuf lieues de Chaumont et de neuf lieues de Langres, il est physiquement impossible de ne pas lui assigner pour rayon de son district au moins le tiers de la distance qui le sépare de ces trois villes » (10/239-21).

Sont donc évoqués les principes géométriques du projet, les éléments naturels et la distance aux autres villes, trois données utilisables sur un pied d'égalité pour former la circonscription.

Ce sont tous ces modes de localisation que recouvrent les mots « situation » et « position », utilisés dans ces textes pour annoncer les descriptions que nous avons reproduites tout au long de ce chapitre. La liberté manifestée dans le choix des jalons traduit l'ordre véritable de la démarche adoptée par les localités : derrière le déterminisme des limites, censées fonder la localisation des chefs-lieux, se cache tout un jeu de composition, de faire-valoir suivant lequel les limites sont choisies en fonction de la ville solliciteuse en tant que centre.

Les textes que nous venons d'étudier montrent que le conformisme aux dispositions acquises est plus facile à représenter que la volonté de satisfaire l'intérêt particulier d'une ville. Toutefois, comme nous l'avons vu déjà, la caractéristique de cette correspondance locale est de manifester plus ouvertement que la discussion parlementaire les intentions et les opinions ; ainsi trouve-t-on un assez grand nombre d'adresses où la division est plus nettement envisagée à partir des centres eux-mêmes.

Le centre fait la limite

En dépit de leur caractère exceptionnel, certaines lettres témoignent d'un désir d'effectuer le découpage en prenant repère sur les villes. Castellane le dit expressément :

> « S'il était permis de proposer des idées à raison de la formation des districts, des tribunaux judiciaires et de leurs arrondissements, il semble qu'au lieu de les fixer par une opération géométrique qui détermine leur égalité, opération qui rencontrera une infinité de difficultés, il serait bien plus simple de vérifier et de déterminer quelles sont les villes où ils doivent être établis et d'attribuer ensuite à ces districts les villes et villages qui seraient plus près d'eux que du chef-lieu d'un autre district, de manière que chaque ville ou village dépendrait du district et du tribunal d'arrondissement qui serait établi dans la ville la plus prochaine » (3/153-10).

De leur côté, avec un certain aplomb, les officiers municipaux de Bar-sur-Aube mettent en avant « que malgré que l'Assemblée Nationale eût admis une règle proportionnelle pour la distance d'un département à l'autre, elle n'a pas renoncé à avoir égard pour les placer à l'importance des villes, à l'étendue de leurs relations, à l'avantage de leur position » (4/161-5).

Toutefois, des opinions aussi franches sont rares. En revanche, nombreuses sont celles qui, tout en faisant preuve de conceptions semblables ne laissent pas pour compte la méthode géométrique. Ce sont celles-ci que nous nous proposons d'étudier maintenant.

De multiples villes, parfois petites, se contentent d'arrondir leur ressort autour d'elles-mêmes en affirmant leur centralité. Ainsi, Espéraza sur les bords de l'Aude réclame-t-elle le 21 février 1790 un chef-lieu de canton en disant qu'elle est entourée de vingt paroisses à une lieue et demie (4/163-8). Villepreux, dans l'actuel département des Yvelines, demande un chef-lieu de district car elle est au centre de vingt paroisses à deux lieues de rayon (17/280-27). En effectuant la division à partir du centre, c'est-à-dire d'elles-mêmes, ces localités s'affranchissent des diverses formes de conformisme à l'égard des limites. Celles-ci n'ont pour lors d'autre fondement que la distance au centre, souvent évaluée en temps, comme le fait notamment Desaignes près de Tournon qui se situe au centre de douze paroisses à deux heures de rayon (4/156-6). Notons ici que de tels exemples sont multiples dans tout le royaume : dans les demandes de rattachement aussi bien que dans le calcul par une ville de la distance la séparant des paroisses de son ressort, l'unité est temps de parcours aussi souvent que le nombre de lieues.

Cette méthode de l'arrondissement du district à partir du centre prend parfois une forme caricaturale. Aubusson ose se décrire comme « le centre de tout le royaume puisque à partir de Bellay, frontière de la Savoie, jusqu'à Brouage sur l'Océan et au fond du Roussillon jusqu'en

Picardie, elle est au milieu », et demander à ce titre un département (6/184-41). Et la carte annexée à l'adresse énonce candidement : « Carte de la Haute Marche avec les limites d'un éventuel département tracées de telle sorte qu'Aubusson se trouve à peu près au centre » (6/185-28).

Ce procédé est souvent appliqué de manière plus adroite. Certaines villes profitent du fait que les limites départementales ne sont pas encore fixées pour proposer un arrangement qui les place au centre. On rencontre ce type de projet aux environs de Paris en raison de l'hésitation de l'Assemblée Nationale en ce qui concerne la délimitation de son département. Il était en effet question de savoir si l'on restreindrait celui-ci à la ville *intra muros*, ou bien si on lui accorderait une banlieue[7]. Soissons défend le plan du comité qui réduit le département de Paris à la ville et sa proche banlieue, contre un premier projet qui lui donnait neuf lieues de rayon[8] (Fig. 7) ; dans le premier cas, elle se trouvait sur la frontière d'un département alors que, dans le second, elle serait située au centre et pourrait revendiquer un chef-lieu de département. Mise en situation de rivalité avec Laon, Soissons s'efforce ensuite d'étendre le département vers le sud, afin de faire valoir une position plus centrale que celle de sa concurrente. Les députés de Soissons se manifestent alors en faveur du partage de la région de Provins, celle-ci n'ayant pas bénéficié d'un département particulier entre le département de Melun et Meaux, et celui de Soissons. Cette disposition lui assure en effet la possession de Château-Thierry et d'un territoire s'étendant jusqu'aux environs de Montmirail (3/148-6 et 10). Comme on le voit — et les députés de Soissons l'affirment explicitement — il s'agit de faire en sorte que la ville soit placée dans une position centrale ; pour cela, on fait varier les limites jusqu'à obtenir l'effet escompté. À son tour, Étampes propose plusieurs plans successifs de division de l'Ile-de-France, qui tous lui assurent un chef-lieu de département (17/280-16, 17, 18, 20).

En Bourgogne, Autun bouleverse totalement le projet de division de la province, tel qu'il avait été établi par l'ensemble des députés, et présente un découpage qui lui attribue à la fois la centralité et un chef-lieu de département (16/275-9) (Fig. 8, p. 188-189).

Pour arrêter ici la liste des exemples, une bonne expression du profit tiré de l'incertitude des limites départementales est proposée par la Guyenne. Les députés et le comité lui-même n'étaient pas fixés sur la question de savoir si l'on ferait quatre ou cinq départements de l'ensemble constitué par le Bordelais, l'Agenois, le Bazadais, le Marsan, la Chalosse et l'Armagnac. Cette situation d'indécision fait surgir des adresses de toutes parts. Certaines villes souhaitent un département intermédiaire entre le Bordelais et l'Agenais : ainsi Libourne, forte de vingt-cinq délibérations favorables de communautés environnantes ; sa voisine Sainte-Foy (avec vingt-deux lettres d'appui) ; Bazas ; La Réole (avec dix-sept lettres d'appui) ; Saint-Macaire. La ville de Lesparre demande un département particulier pour le Médoc. Dans les Landes,

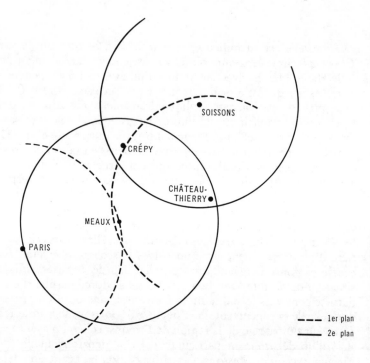

Fig. 7. *Soissons démontre sa centralité.*

« La première carte dressée par l'ordre du comité s'était écartée des principes du comité, en donnant un département circulaire à Paris, qui s'étendait à neuf ou dix lieues en tous sens, en partant de la capitale. Par l'événement de cette opération qui contrariait le plan même du comité qui réduisait Paris à ses murs ou à sa banlieue, Soissons ne se trouvait point au centre de son département. Il n'a été accordé à Paris qu'une banlieue de trois à quatre milles à partir de la cathédrale. On lui a ôté le département circulaire qu'il ne devait point avoir. Meaux qui était à l'extrémité d'un département, qui n'aurait formé qu'un district, est devenu chef-lieu. Château-Thierry a éprouvé un sort contraire mais par une étonnante singularité Soissons est toujours resté dans la même position sur la carte. Cependant par le retranchement du département circulaire de Paris, Soissons devait gagner dans la proportion de Meaux. Château-Thierry et Crespy lui restaient et il devenait centre » (3/146-8).

toutes les villes principales dressent des plans de division qui leur assurent un département : Saint-Sever, Mont-de-Marsan, Tartas, Dax, Bayonne. Condom et Nérac prennent également part au débat.

L'excentricité

Par leur position, certaines localités sembleraient devoir échapper à l'attribution des chefs-lieux. C'est le cas des villes côtières, insulaires et frontalières, mais également des localités que la fixation des nouvelles délimitations a placées dans une position excentrique. Deux types de représentations se font jour à cette occasion. Certaines localités s'efforcent de montrer que, par-delà l'évidence, elles sont tout de même centrales. D'autres critiquent le principe de centralité et font valoir a contrario les avantages de leur position.

Granville offre un exemple du premier mode de démonstration. On a objecté à sa demande d'un district le fait qu'elle soit placée en position excentrique. Le 11 janvier 1790, son maire et député, Couraye du Parc, déclare « que Granville devait être considéré comme ayant un vaste territoire du côté de la mer, puisque au moyen de ses grandes pêcheries, il tirait plus de subsistances de cet élément, que n'en produisait le sol de tout un district » (10/231-17). C'est un moyen astucieux de restituer l'image de la centralité géométrique.

D'une manière plus difficile, La Rochelle doit faire face à la rivalité de Saintes qui est forte de sa centralité. Le plaidoyer est assez original car, au lieu de se contenter de transposer le débat sur un autre terrain et de faire valoir ses propres ressources, La Rochelle cherche aussi à démentir l'idée de son excentricité :

> « L'on verra même [...] que cette dernière ville est bien plus réellement le point central du département que ne peut l'être Saintes.
>
> La Rochelle, environnée de ses superbes rades, compte trois îles qui lui servent en quelque sorte de ceinture : l'île de Ré et l'île d'Aix en Aunis, l'île d'Oléron en Saintonge. Ces îles mettent géométriquement La Rochelle au centre du département. Des bateaux de passage en rendent la communication journalière et presque sans frais ; et dans un vent favorable, il ne faut pas à l'île d'Oléron une heure de plus pour gagner le port de La Rochelle que ses ports ordinaires de déchargement sur la côte de Saintonge. Tous les établissements de la côte de Saintonge, Marennes, Brouage, La Tremblade, etc., jouiront de l'avantage d'aborder par mer à La Rochelle ; on le répète, il n'y a nulle comparaison entre les frais d'un trajet par eau, et ceux d'un trajet par terre ; ainsi l'on voit que la situation de La Rochelle sur le bord de l'Océan, loin d'en faire un point d'extrémité, la rend un point central » (5/178-16).

Dans un autre texte, La Rochelle ajoute aux îles qui forment les points de repère de sa centralité les assèchements du Bas-Poitou (5/178-21). Ces efforts pour faire valoir la centralité trouvent cependant une expression moins scabreuse et plus juste lorsque le député de La Rochelle poursuit en écrivant :

> « Au surplus, la ville centrale d'un arrondissement quelconque n'est point celle qui divise les distances dans la proportion la plus géométrique, mais celle vers laquelle tendent, par une pente d'habitude ou de circonstance, les principales relations d'ordre public et d'intérêt particulier.
>
> On a vu que les relations d'ordre public étaient formées depuis long-

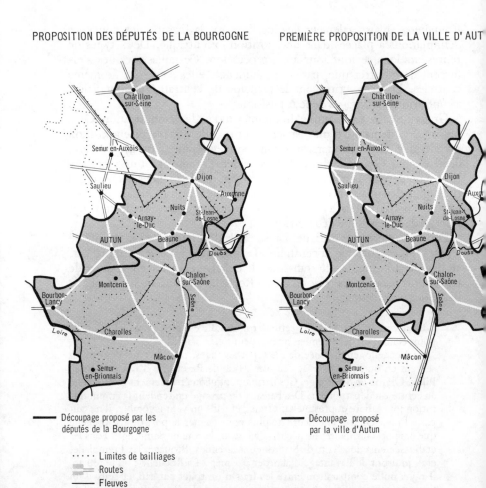

PROPOSITION DES DÉPUTÉS DE LA BOURGOGNE   PREMIÈRE PROPOSITION DE LA VILLE D' AUT

— Découpage proposé par les
    députés de la Bourgogne

— Découpage proposé
    par la ville d'Autun

····· Limites de bailliages
▒▒▒ Routes
—— Fleuves
—+—+— Canaux (inachevés)

0   15   30 km

Fig. 8. *Un département pour Autun ?*

temps à La Rochelle [il est ici fait allusion au siège de généralité et aux édifices disponibles pour loger la nouvelle administration] ; les relations
d'intérêt particulier le sont également par le commerce. Les consommations seules de la ville de La Rochelle offrent un débouché considérable aux
productions de la Saintonge. Les négociants de La Rochelle font acheter
une partie des vins, des eaux-de-vie et des sels de la Saintonge ; ils achètent
presque en totalité les eaux-de-vie de l'île d'Oléron, et les font exporter par
le port de La Rochelle. Ces relations d'intérêts appellent les habitants de la
Saintonge à La Rochelle ; et ils ne pourraient l'être à Saintes que par une loi
de devoir » (5/178-16).

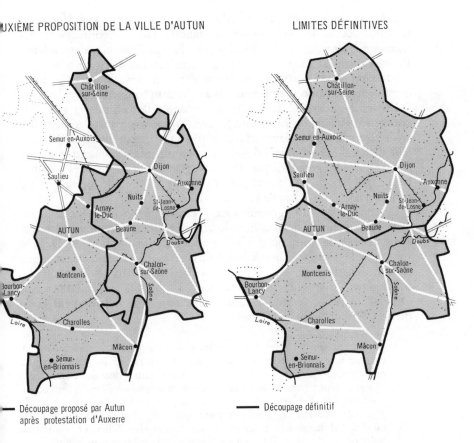

UXIÈME PROPOSITION DE LA VILLE D'AUTUN   LIMITES DÉFINITIVES

━━ Découpage proposé par Autun
après protestation d'Auxerre

━━ Découpage définitif

Fig. 8. *(Suite)*

On passe donc de la représentation d'une centralité géométrique et topographique à celle d'une centralité fonctionnelle, le relais s'effectuant par la référence à la population concernée, envisagée dans sa distance différentielle par rapport aux villes :

« En assujettissant La Rochelle à Saintes, il y aurait cette différence très marquée au préjudice de La Rochelle, c'est qu'ayant, par la population et par son commerce, beaucoup plus d'affaires que n'en aurait la ville de Saintes, les habitants de La Rochelle seraient bien plus fréquemment appelés à Saintes, que ne le seraient les habitants de Saintes à La Rochelle » (5/178-16).

Au travers des détours de cette formulation, il faut retenir la mise en évidence de cette nouvelle forme de centralité qu'est la polarisation urbaine. On aura noté la présence du mot « pente » utilisé pour désigner la zone d'influence urbaine. Les représentants de Saintes reconnaissent eux-mêmes que les eaux-de-vie, les vins et les blés de Saintonge descendent à Rochefort par la Charente (5/177-39). La métaphore du bassin hydrographique est assez souvent employée dans les descriptions de zones d'influence, comme nous le verrons au chapitre consacré à ce thème.

De telles situations de rivalité entre une ville centrale et une ville côtière se retrouvent, par exemple, avec l'opposition entre Aix et Marseille. De même, Le Havre et Montivilliers se disputent le chef-lieu de leur district. Montivilliers développe l'argumentation classique fondée sur la centralité géométrique (17/284-27) et reçoit l'appui des députés, tandis que les officiers municipaux du Havre adoptent le même système de défense que La Rochelle (17/282-4).

Ce couple centralité géométrique – centralité fonctionnelle se manifeste également en dehors des situations extrêmes comme celles que nous venons de voir, où des villes côtières sont impliquées. Dans le Jura, la ville de Saint-Amour essaye de faire modifier le plan de districts de son département, qui attribue les chefs-lieux aux anciennes villes bailliagères. Elle cherche notamment à obtenir la préférence sur Orgelet, mais elle se trouve située à l'extrémité du département et du district. Son député plaide alors :

> « Le point central n'est pas le point qui, pris géométriquement, est au centre ; autrement un hameau serait le point central, un lac, une forêt, des montagnes seraient le point central. Le point central doit donc être défini différemment ; c'est le point où aboutissent le plus facilement les correspondances des lieux environnants ; c'est le point où le commerce se porte le plus naturellement, où les denrées arrivent le plus aisément ; c'est le point où les habitants des campagnes ont l'habitude d'aller et vont plus volontiers ; c'est le point d'où les distances en tous sens sont le plus également rapprochées ; par exemple, où au lieu d'une distance de deux lieues d'un côté et de huit de l'autre, il n'y aura en tous sens que quatre ou cinq lieues » (9/213-2).

D'autres villes emploient des arguments identiques ; parmi les plus éloquentes, citons Castres, Antibes, Saint-Macaire. La correspondance à propos de la fixation des tribunaux de commerce exprime encore plus vigoureusement cette nécessité de passer de la géométrie aux lois économiques. En Côte-d'Or, Semur-en-Auxois et Saulieu se disputent un tribunal. Semur, qui possède déjà le chef-lieu de district, invoque cet acquis et sa position centrale (33/464-8). Mais la municipalité de Saulieu met en avant la possession d'une juridiction consulaire depuis 1609 et sa centralité par rapport aux routes, aux productions et au commerce (33/464-11 et 20). Elle reçoit l'appui de l'assemblée administrative du département qui délibère en sa faveur le 29 novembre 1790, « considérant que les tribunaux de commerce doivent être établis non dans le centre de l'arrondissement du district, mais dans le lieu où le commerce a son centre d'activité » (33/464-7). Dans ces exemples, la spécificité de la compétence juridique justifie un tel raisonnement et lui donne toute son efficace (on doit juger les affaires commerciales dans les lieux où s'effectue le commerce). Il reste qu'il s'agit toujours de défendre une centralité de nature urbaine face au modèle géométrique qui donne des droits à des localités adverses.

Les cas analysés privilégient la représentation d'une centralité fondée sur le commerce et les communications. La population est également fréquemment évoquée. Nous l'avons vue intervenir dans l'argumentaire de La Rochelle. La ville de Montluel, en Bresse, demande un chef-lieu de district parce « qu'elle est au centre numérique de dix-huit mille individus en un cercle de moins de deux heures de diamètre » (3/143-1). Langres érige en règle générale le procédé qui consiste à placer le chef-lieu administratif au centre de la population :

> « Placez le chef-lieu d'une administration au centre d'une surface inégalement peuplée, vous ne le placez pas au centre de la population et comme ce ne sont pas les héritages mais ceux qui le cultivent qui viennent à l'administration, il importe que la population détermine plutôt que la pointe du compas le centre de l'administration » (10/233-18).

Pourtant, malgré l'énergie déployée à mettre en évidence une autre forme de centralité, les localités laissent souvent transparaître un certain respect accordé à la géométrie, comme s'il était difficile de l'ignorer complètement. La dernière partie de la lettre de Saint-Amour en témoigne, revenant comme par acquis de conscience à la notion de distance. Soissons, qui insiste très fortement sur sa centralité par rapport au commerce et aux communications (3/148-17), avait dans un premier temps, comme nous l'avons vu, tenté de faire varier les limites départementales, de façon à être placée au centre géométrique.

Peut-être ces localités percevaient-elles l'incertitude de la suite donnée par le comité à leur plaidoyer. Si Soissons sait et fait valoir que les Ardennes, la Seine-Inférieure, la Seine-et-Marne, l'Oise, l'Orne et le Loiret n'ont pas un chef-lieu rigoureusement central (3/148-14), si Le Havre remarque qu'Alençon est à l'extrémité de son département, Gournay à celle de son district (17/282-38), peut-être connaît-on aussi, ou pressent-on les échecs cuisants de La Rochelle et de Marseille. Le 29 janvier 1790, le maire de Tannay, en Nivernais, qui avait demandé un district au nom de ses ressources, interprète le succès de Clamecy à ses dépens : « Les mêmes raisons qui l'ont emporté pour la ville de Saintes contre les moyens employés par les orateurs qui ont si bien plaidé la cause de La Rochelle à l'Assemblée Nationale étaient les mêmes pour Tannay à l'égard de Clamecy » (12/243-31). En effet, si les exemples de succès de villes excentriques sont assez nombreux, les échecs furent souvent retentissants ; parmi les cas analysés, outre Marseille et La Rochelle (qui bénéficia quand même de l'alternat) il y eut Granville, Le Havre, Saint-Amour. Bien sûr, des considérations autres que la centralité intervinrent dans les décisions prises à Paris, mais cet argument a pu prendre une valeur considérable d'arbitrage dans les cas où les autres critères étaient impuissants à départager des villes rivales. L'ensemble donne évidemment au regard extérieur l'image d'une certaine fantaisie dans l'application du principe de centralité ; mais il faut s'imaginer que, pour les villes qui intervenaient en décembre 1789, il était délicat de se démarquer radicalement de l'idéal géométrique étant donné le crédit dont il bénéficiait au comité et à l'Assemblée. L'impression d'ensemble que l'on garde de ces représentations est à nouveau celle de localités qui essayent de mettre toutes les chances de leur côté, en utilisant successivement différents arguments, ou même en les mêlant dans la même adresse.

C'est une tout autre dialectique que développent les villes frontalières, également défavorisées par leur position excentrique. Elles font appel à des considérations de sécurité nationale et de politique extérieure et montrent que leur position est privilégiée dans la concurrence pour les chefs-lieux. Vervins appuie ainsi sa demande d'un chef-lieu de district : « Sous le rapport de la spéculation avec l'étranger, y aurait-il rien d'aussi impolitique que d'éloigner ainsi de la frontière les forces civiles et co-actives attachées aux chefs-lieux ? » (3/145-16).

Dans les Ardennes, Charleville affirme sa supériorité sur Rethel :

> « Il est très important que l'assemblée de département veille immédiatement sur l'exportation des blés par le Luxembourg et le Hainaut : or Charleville, étant le premier port d'embarcation sur la rivière de Meuse des blés de la province de Champagne, sera le poste d'observation des administrateurs dont la vigilance s'étendra facilement jusqu'à Givet, tandis que s'ils sont placés à Rethel, il leur sera très difficile de suivre exactement l'importation, à moins qu'ils n'étendent l'autorité des administrateurs du district de Charleville sur le district de Rocroi par où se fait l'exportation malgré les soins infatigables des officiers municipaux de Charleville » (4/157-10).

À quoi Rethel, suivant un argument mercantiliste, répond qu'il n'est pas prudent de placer le chef-lieu dans une ville frontière parce que toutes les denrées et le numéraire passeraient à l'étranger, et qu'il faut au contraire créer un mouvement vers l'intérieur du royaume (4/157-1).

Pourtant, là encore, les représentations sont souvent mixtes. Charleville, qui invoque le motif de la surveillance frontalière dans la dernière partie de sa lettre, avait commencé par démontrer sa centralité dans le département en donnant les distances qui la séparent des autres villes. De son côté, Vervins, dans une adresse différente, manifestait son respect de la rationalité géométrique en se localisant « à cinq lieues de toute ville égale et même supérieure » (3/144-3).

Avantage pour les localités qui peuvent en faire état, ou bien obstacle à contourner pour celles qui en sont privées, la centralité géométrique est très rarement absente de ces représentations. Mais la variété des démonstrations mises en œuvre autour de cette notion de centralité traduit, au-delà du respect des principes du comité, la diversité des situations : les différences sont grandes entre les villes qui attendent tout de leur position centrale parce que leur consistance économique ou leurs prérogatives administratives sont insuffisantes, et celles qui sont au contraire bien pourvues mais mal situées. Aussi les arguments de localisation (dans ces textes, on parle de position, de situation, de localité, ces trois termes étant interchangeables) sont-ils souvent associés à de véritables descriptions et évaluations de villes. Alors que de nombreuses adresses ne considèrent la ville que dans sa figuration spatiale, comme un point repérable dans un système de localisation[9], d'autres produisent une représentation de la ville. La réforme est alors assimilée à la fixation de nouveaux chefs-lieux et l'on cherche parmi les caractéristiques de la ville celles qui lui font mériter un établissement. La transgression du modèle parlementaire est alors consommée puisque celui-ci, nous l'avons vu, négligeait très largement cette évaluation urbaine.

Fidélité ou transgression du modèle parlementaire, la notion de centralité constitue à cet égard une charnière : par le biais de la géométrie ou par celui des lois de l'organisation économique et sociale du territoire, elle permet aux villes de faire valoir leurs intérêts.

NOTES

1. Ainsi la ville de La Fère exhorte-t-elle à l'esprit de sacrifice sa rivale pour un district, Coucy : « Coucy se plaint de ses pertes, et cent autres villes ont fait bien d'autres sacrifices. La moitié de la France était sous la dépendance de Paris ; et cette ville, après avoir, à elle seule, rompu nos fers, a vu fixer ses limites à trois lieues de ses murs, et elle n'a fait entendre aucune plainte. Quel effort de patriotisme ! Citoyens, apprenez à devenir libres, Paris vous en a donné l'exemple » (3/148-1). Mais elle demande ensuite un district pour elle-même.

2. Mavidal et Laurent, *op. cit.*, t. 11, p. 317.

3. Le principe de l'alternat fut envisagé pour venir à bout des rivalités urbaines pour lesquelles il paraissait difficile de trancher. Dès le 10 novembre 1789, Pison du Galand en avait montré l'utilité : « Ordonnez ce que les États du Dauphiné avaient déjà réalisé ; ne fixez pas dans les capitales les sessions des assemblées provinciales ; faites-les circuler dans chaque chef-lieu d'arrondissement d'électeurs : par là les déplacements seront réciproques ; toutes les parties des provinces seront vues et visitées ; toutes les plaintes seront immédiatement entendues par les administrations provinciales. » *Ibid.*, t. 9, p. 740.
   Un mois plus tard, le 9 décembre 1789, on décida que le chef-lieu administratif pourrait alterner entre plusieurs villes. Par ailleurs, il fut fixé que les établissements administratifs, judiciaires, religieux et éducatifs ne seraient pas obligatoirement placés au même endroit et qu'ils pourraient être partagés entre plusieurs villes.

Localement, ces mesures furent toujours appréhendées comme une possibilité de dernier recours lorsque l'exclusivité du chef-lieu et la concentration de tous les pouvoirs ne pouvaient être obtenus.

4. *Ibid.*, t. 11, p. 602-605.

5. « Dès le début de l'année 1789, dans son célèbre pamphlet *Qu'est-ce que le Tiers État ?*, Sieyès propose le schéma de sa géométrie politique, en figurant la loi comme le centre d'un globe immense : " Tous les citoyens sans exception sont à la même distance sur la circonférence et n'y occupent que des places égales. Tous dépendent également de la loi, tous lui offrent leur liberté et leur propriété à protéger, et c'est ce que j'appelle les droits communs des citoyens, par où ils se ressemblent tous. " » G. Gusdorf, *La conscience révolutionnaire : les idéologues*, Paris, Payot, 1978, p. 178-179.

À cette image est conforme la représentation d'un cercle sur lequel se trouvent toutes les paroisses dépendantes d'une ville, celle-ci trônant comme la loi, au centre de la figure. Centralité politique et centralité urbaine prennent alors la même expression graphique.

P. Bastid écrit que Sieyès envisageait de disposer l'Assemblée en rond ou en ovale, « afin qu'il n'y ait point de haut bout et qu'aucune province ou aucun ordre ne puisse être regardé comme étant à la suite d'un autre ». *Sieyès et sa pensée*, Paris, Hachette, 1939, p. 363.

6. Dans une autre adresse, Montluçon démontre le bien-fondé de sa demande d'un département en affirmant avoir suivi la méthode géométrique prescrite par le comité : « Nous avons cherché à connaître plus particulièrement notre position, et à la comparer avec le reste du royaume ; à cet effet, nous nous sommes fait représenter la carte générale du royaume faite et levée par les soins du feu sieur de Hesseln, géographe du roi, pour nous rapprocher des décrets de l'Assemblée Nationale, qui fixe la lieue à 2 400 toises tandis que dans la carte du sieur Robert les lieues n'y avaient été tracées que sur le pied de 2 187 toises, nous avons ajouté sept [dixièmes ?] aux six carrés [?] qui doivent suivant la carte former un département, et après avoir couvert cette carte de soixante dix-neuf carrés de papiers coupés, d'après la réunion de six carrés qui forment précisément la représentation de dix-huit lieues carrées composées chacune de 2 400 toises, nous avons trouvé, en levant les carrés les uns après les autres, qu'en partant de Paris comme centre, conformément au décret, nous sommes placés de manière à former un département qui réunit nos intérêts respectifs en tous genres, sans nuire à la formation des soixante dix-huit autres, que l'Assemblée Nationale a décrété de former, celui de Paris non compris » (6/184-15).

7. Gossin proposa le 14 janvier 1790, au nom du comité, « que Paris fasse à lui seul un département, avec sa banlieue de trois lieues de rayon au plus, à partir du parvis de Notre-Dame ». Boislandry jugeait qu'il fallait confiner la banlieue à la première porte de Paris. De leur côté, Duport proposait deux lieues et demie à partir des murs, le comte de Custine, trois mille toises. C'est le projet du comité qui fut adopté. Mavidal et Laurent, *op. cit.*, t. 11, p. 180.

8. Ce plan qui donnait neuf lieues de rayon au département de Paris avait sans doute été dressé à la demande des députés de Paris qui, dans un souci protectionniste, souhaitaient que l'approvisionnement de la capitale soit disponible dans son département même, et voulaient donc lui assurer un territoire suffisamment étendu pour pourvoir à tous ses besoins. Ces idées furent exprimées dans la motion de l'abbé Fauchet, à l'assemblée générale des représentants de la Commune de Paris, sur l'étendue et l'organisation du département de Paris (Motion annexée à la séance du 21 décembre 1789 de l'Assemblée Nationale, *ibid.*, t. 10, p. 701-703).

9. Même les évocations de la centralité autre que géométrique, comme la centralité démographique, commerciale, routière, etc., envisagent la ville comme un point localisé et non dans ce qu'elle recouvre comme activités ni dans ce qu'elle est en propre.

CHAPITRE IV

Les représentations de la ville

Mobilisées pour justifier des demandes d'attribution de chefs-lieux, ces représentations s'attachent à montrer la vocation de la ville à recevoir ce statut. De deux façons essentielles : tantôt, on met en valeur l'image culturelle de la ville, suivant la tradition héritée des siècles précédents : la ville, lieu des élites et de l'urbanité, est remarquable par son ancienneté, sa salubrité, sa beauté. Tantôt, on met en valeur son rôle et ses activités, dans un discours plus fonctionnaliste qui prend en compte les rapports de la ville avec le territoire environnant. Entre ces deux modes de représentation, tous les intermédiaires existent, la plupart des prises de position entremêlant des éléments de l'un et de l'autre. Mais dans tous les cas, il s'agit de démontrer que la ville, par ses attributs, mérite de recevoir l'administration.

1. Le caractère et les signes distinctifs de la ville

Le titre

C'est souvent en vertu même de leur titre de ville que les localités réclament un siège administratif. Ces représentations émanent de petites villes mises en situation de rivalité : leur propre faire-valoir passe par la critique de leurs concurrentes.

Dans l'Aisne, après une longue compétition entre Chauny, Coucy et La Fère, le district avait été provisoirement fixé à Chauny. Les trois localités devaient par la suite se partager les établissements. La Fère poursuit ses démarches en essayant d'exclure Coucy : « Coucy, au contraire, mérite à peine le nom de ville, puisqu'elle n'a même pas deux cent cinquante citoyens actifs dans son sein » (3/147-62). Dans cette adresse, c'est le nombre de citoyens actifs qui décide du caractère urbain.

Dans l'Ariège, Seix et Oust se disputent un chef-lieu de canton. Oust obtient la préférence. Dans une adresse aux officiers municipaux de Seix, le député d'Oust rappelle « le nom d'auguste que lui [il s'agit évidemment d'Oust] donnent tous les dictionnaires de géographie avec le titre de ville, tandis qu'on n'y trouve pas même le nom de Seix »

Voir notes p. 284.

(4/160-6). Quelques jours plus tard, Seix envoie une réponse qui s'inscrit dans la même argumentation :

> « Cependant ce lieu [Oust] ne conserve aucune trace, aucun vestige, aucune aptitude de ville, le site et la nature du sol lui refusent cet avantage [...] car des pierres de gravier bien lavées, d'un brut frappant, de la forme que la nature les fournit, isolées et sans arrangement sur la surface des terres annoncent que ce lieu a été occupé plutôt par les eaux que par une ville. Aussi ne voit-on pas qu'aucune charte donne à Oust le titre de ville, et cela fût-il, il n'en serait pas moins vrai qu'il serait, qu'il est et qu'il sera toujours un chétif village ou un désert. Les dénominations sont souvent inconséquentes, aussi c'est le nom qui est soumis à la chose et non la chose au nom [...]. Substantif ou adjectif, le mot *augusta* aurait désigné dérisoirement le lieu d'Oust. Son étymologie dérive au contraire du nom *ursa*, sous lequel, dit la tradition, on connaissait le lieu d'Oust parce qu'il était couvert d'une forêt qui était le repaire des ours auxquels ont succédé des hommes de loi et des loups » (4/160-7).

Seix raconte ensuite que, lors de la nuit du 4 août 1789, les habitants d'Oust se sont sauvés dans les bois, tandis que ceux de Seix partirent pour combattre l'ennemi. Elle ajoute qu'Oust n'a que de « chétifs cabarets » alors que Seix a de bonnes auberges. La municipalité d'Oust rétorque en faisant valoir que les évêques font la confirmation à Oust, et que l'église y est plus vaste que celle de Seix. Oust est le siège du bailliage de la vicomté de Couzerans dont dépend Seix, et possède des hommes de loi, deux notaires et des prisons.

> « [Il est] situé dans une plaine agréable, riante et saine, et touche au confluent de deux rivières ; il est le point central et de réunion de trois vallées du canton [...]. Seix est engagé dans la montagne et est adossé à celle qu'on appelle le Pueig, qui lui sert de pavillon : aussi l'air y est malsain ; il y a très souvent des maladies épidémiques, et celles de 1752 et 1754 ne seront jamais oubliées ; il y est déjà nuit que le soleil brille encore à Oust. Seix ne paye presque pas d'impôts ; Oust en est surchargé. On respire à Oust l'air du patriotisme le plus pur ; à Seix celui de l'aristocratie la plus raffinée » (4/160-39).

Autour du titre se greffe donc tout un ensemble de critères permettant d'évaluer le caractère urbain. Cette rivalité nous en donne le panorama presque complet. Notons l'attention portée à l'étymologie du toponyme, au site, à l'ancienneté du lieu, à sa composition sociale, à la civilité et au patriotisme de ses habitants, aux équipements publics. Ce sont ces attributs urbains que nous nous proposons maintenant d'envisager.

La composition sociale, les « notables »

C'est fréquemment la composition sociale ou tout au moins la présence de certaines catégories qui fonde le caractère urbain de la localité, et qui organise le plaidoyer. Gardons en mémoire les textes cités ; avant d'en entreprendre le commentaire, nous voudrions en présenter quelques autres.

Avesnes repousse les prétentions de Maubeuge qui lui fait concurrence :

> « On dit pour la ville de Maubeuge que sa population propre est plus considérable que celle d'Avesnes ; cela est vrai.
>
> Mais, premièrement, elle est pour la plus grande partie composée de journaliers, à cause des cloutiers qui y existent ; et celle d'Avesnes est toute de citoyens, domiciliés, propriétaires, payant une contribution directe » (12/246-17).

C'est toujours le même critère qui fonde l'urbanité aux yeux de la ville de Rethel : elle dénigre Sedan en raison de sa large proportion d'ouvriers, ceux-ci n'étant pas considérés comme des citoyens actifs (4/157-1).

La ville d'Entrevaux, dans le futur département des Basses-Alpes, envoie le 16 janvier 1790 un mémoire pour défendre sa priorité sur la ville d'Annot pour l'obtention d'un chef-lieu de district. Elle évoque la « consistance » de la ville d'Annot, composée de six ou sept cents habitants seulement, où « il n'y a que trois avocats, trois notaires, quatre à cinq bourgeois, un curé, un secondaire, très peu d'artisans, et tout le reste ménagers et journaliers », et où les édifices publics font défaut. En revanche, Entrevaux compte mille huit cents âmes, dix avocats, cinq notaires et procureurs, quarante maisons bourgeoises, quarante marchands ou artisans, cent bons ménages de laboureurs, un juge royal, un procureur du roi, un ingénieur, un garde d'artillerie, un aumônier, un entrepreneur des lits du roi (3/152-3).

Toujours contre Annot, Castellane, une autre rivale, déploie la même argumentation et dénombre les notables (3/152-19 et 3/152-10).

Beaune-en-Gâtinais démontre sa supériorité sur Boiscommun en disant qu'elle a plusieurs bourgeois, une communauté de maîtres-chirurgiens, des marchands épiciers, des marchands de draps et plusieurs notables (9/220-13).

On pourrait multiplier ces exemples, qui ont le mérite de souligner l'importance accordée à la notion de citoyen actif. La bourgeoisie urbaine rédactrice de ces adresses témoigne d'une idéologie identique à celle qui fleurit au même moment à l'Assemblée Nationale à l'occasion des débats sur les conditions de l'élection. Plus généralement, ils illustrent la préoccupation de tous les esprits éclairés de la deuxième moitié du siècle, de remettre l'élaboration des lois et l'exercice de l'administration entre les mains de propriétaires, aisés et instruits, domiciliés dans leur circonscription. Ils annoncent la définition consulaire et impériale de la notabilité, par-delà l'épisode démocratique de la Convention montagnarde. Leur intérêt est de lier la désignation des bases sociales de la nouvelle organisation au repérage de leur géographie. On débouche ainsi sur une appréciation sélective des lieux suivant leur caractère urbain : la notion de ville et celle d'élite sociale se fondent l'une dans l'autre.

De la catégorie des citoyens actifs sont donc exclus ceux qui ne peuvent verser la contribution, les journaliers, ouvriers, domestiques. Ceux-ci surtout, même s'ils fournissent à certaines localités un nombre élevé d'habitants, ne suffisent pas à leur conférer le titre de ville. En revanche, outre le groupe de propriétaires, certaines catégories professionnelles sont le signe de l'urbain : gens de loi (avocats, notaires, procureurs, juges), marchands, négociants, chirurgiens. Il faut leur adjoindre les « bourgeois ». L'importance des effectifs joue dans les rivalités, selon des seuils variables. Ainsi sont énumérées les principales composantes de l'élite bourgeoise, tandis que, à l'occasion — comme le fait Oust — on dénonce l'aristocratie subsistante comme marque de l'inaptitude à recevoir les nouveaux pouvoirs.

Cette démarche inaugure la discrimination faite quelques décennies plus tard par le personnel administratif napoléonien, pour les besoins d'une enquête sur la population agglomérée : la présence de propriétaires vivant de leurs revenus, de marchands et de négociants constitue l'un des critères retenus à l'époque pour distinguer la ville du bourg[1]. En 1789, les gens de loi figurent aux côtés des propriétaires plus souvent que les marchands et négociants — signe de la place majeure occupée par les professions juridiques dans la révolution de l'automne 1789 d'une part, mais surtout de l'enjeu que constitue pour les villes la redistribution des administrations et des tribunaux.

La reconnaissance de la bourgeoisie par elle-même dans son identité urbaine est donc un trait remarquable de la correspondance. Il s'agit bien évidemment d'une bourgeoisie cultivée, conformément à une exigence qui fait l'unanimité des réformateurs, de l'avant-1789 jusqu'à Napoléon. Voici Asfeld-la-Ville, qui évoque ses nombreux sujets instruits (Ardennes 4/232-1), Château-Thierry, en compétition avec Meaux pour un chef-lieu de département, qui invoque ses gloires littéraires : « Les hommes que Meaux a produits ? Bossuet est né à Dijon, il est imitable ; La Fontaine, né à Château-Thierry, ne le sera jamais » (3/144-19).

Ainsi, la ville est vue comme le lieu de réunion de la bonne société, des esprits cultivés, érudits et éclairés. L'image est celle de la distinction culturelle. L'esprit public et le patriotisme, vertus plus pragmatiques et plus précieuses au nouveau régime, jouissent également d'un large crédit. Souvenons-nous de l'attitude de la petite ville de Seix, qui se targuait de son comportement lors de la nuit du 4 août, et de la réplique de sa rivale. Et admirons les « motifs » que Charleville invoque pour revendiquer l'assemblée de département :

> « Charleville est plus propre qu'une autre ville du département à façonner les habitants et les administrateurs mêmes du département, à la liberté. Cette ville libre du despotisme ministériel, de celui des intendants, des commandants de province et de place, des agents du fisc, élisant constitutionnellement les officiers municipaux, renferme des habitants accoutumés à la Constitution, et qui se trouvent habitués à l'esprit public qui doit nous animer » (4/157-10).

On ne doute pas que ces arguments soient choisis en raison de leur capacité de légitimation face au consensus révolutionnaire qui s'établit au même moment.

La morphologie urbaine

Dans ces représentations interviennent également pour une bonne part la morphologie urbaine et les éléments architecturaux. L'aspect esthétique s'associe souvent à des considérations de commodité.

Dans le Vivarais, les citoyens actifs de la commune de Saint-Sauveur-en-Rüe demandent que le chef-lieu de canton leur soit affecté, de préférence à Bourg-Argental, car leur localité a longtemps eu le titre de ville et possède de vastes places (4/156-33).

Bar-sur-Seine décrit Les Riceys, son adversaire, comme « trois bourgs ressemblant parfaitement à des villages tant par leurs constructions que par leur population » alors qu'elle-même est peuplée de nombreux honnêtes bourgeois (4/161-56 et 57).

Dans le Maine-et-Loire, Suches a obtenu un chef-lieu de canton. Marcé le lui dispute et prétend être plus grand, mieux bâti. Son église est plus vaste et sa population compte des chirurgiens, des notaires et des marchands (10/229-15).

Le Quesnoy-en-Hainaut demande un chef-lieu de département ou de district. Ses rues sont « bien percées », le logement y est facile ; elle dispose de vastes bâtiments et d'un hôtel de ville ainsi que d'un château qui appartient au roi (12/244-34). Ces arguments de prestige sont les seuls auxquels elle fait appel avec ceux de centralité. Sa possession d'un bailliage royal est également vue comme un titre et un honneur plutôt que comme une fonction urbaine.

Ainsi se met en place une vision essentiellement culturaliste de la ville. Toutefois, on ne croit pas pouvoir dissocier le beau de l'utile. Les vastes places, les rues bien percées, l'alignement témoignent de la rationalité géométrique que chérit la pensée urbanistique de ce 18e siècle. La ville de l'*Encyclopédie*, comme l'a bien montré Jean Ehrard, « est en tout premier lieu un fait architectural, en même temps qu'une organisation raisonnée de l'espace »[2].

La municipalité de Hédé, alarmée par les démarches de Combourg pour obtenir un district, décrit sa rivale comme un « bourg peu habitable et situé dans un fond insalubre et marécageux » tandis qu'elle se voit elle-même dans un miroir flatteur :

> « La ville, assise sur une hauteur, jouit d'un air très pur, ses rues sont bien alignées, ses maisons proprement bâties et ses arrivées d'un facile accès, le sol est parfaitement uni dans tout le côté oriental de cette ville ; on pourrait y bâtir commodément, y percer de nouvelles rues et y faire tous les accroissements que l'on désirerait » (8/208-5).

Outre les considérations de morphologie urbaine, le plaidoyer fait apparaître deux thèmes redondants de cette correspondance : l'évocation du site et celle de la salubrité.

Le site

Avec la mise en valeur du site, nous retrouvons l'association de l'esthétique et du fonctionnel. On vante son agrément et les ressources qu'il offre à la ville. Sur le plateau de Valensole, Riez réclame l'un des districts des Basses-Alpes :

> « Quel site plus riant, au pied d'un fertile coteau, couronné de vignes et d'oliviers, Riez entouré de deux ruisseaux qui fertilisent les campagnes et facilitent tous les genres d'industrie se distingue par la bonté de ses productions, la salubrité du climat, les ressources de toute espèce » (3/153-5).

C'est aussi une évocation esthétique et sentimentale que l'on retrouve dans le mémoire de la ville du Cheylard en Vivarais, daté du 22 novembre 1789 :

> « Quoique au pied de hautes montagnes, heureusement située dans un vallon dont les coteaux se couronnent, dès la saison, de fruits et de pampres, elle est encore au confluent de deux rivières dont les bords sont embellis par de riantes prairies.
> La salubrité de ses eaux, l'affabilité de ses habitants, leurs mœurs, douces comme son climat, pures comme l'air qu'on y respire, finissent par faire regretter son séjour à l'étranger, d'abord rebuté par la proximité des montagnes » (4/156-3).

Symétriquement, l'évocation du site peut servir à déprécier : on ne compte pas non plus les critiques formulées par certaines localités à l'encontre de leurs rivales, situées dans des gorges étroites ou sur des rochers escarpés. Dans les Combrailles, Évaux s'efforce de dénigrer Chambon qui lui dispute le chef-lieu de district :

« Chambon est vraiment un entonnoir — adossé de toutes parts à des montagnes arides, resserré entre deux rivières, sujettes à des débordements — tel que la ville est ordinairement inondée pendant six ou huit mois de l'année ; ce fléau est cause que la paroisse ne peut être desservie, que la collecte des tailles y est très difficile, et que la ville est sujette à des maladies épidémiques » (6/184-19).

Dans ce texte, la peinture du site n'est plus seulement esthétique. S'y joint l'estimation des vocations ou des carences d'un milieu, suivant la démarche écologique : on fait état de ce que le site détermine dans l'organisation urbaine. Les possibilités d'accès et d'accroissement sont souvent envisagées, comme dans la lettre de Hédé citée plus haut. Cette conception écologique apparaît encore mieux dans les représentations hygiénistes.

La salubrité

Dans ces descriptions du site, on trouve fréquemment, comme au Cheylard, des allusions à la salubrité, qui joue elle aussi sa partie dans une évaluation du prestige, de la valeur de la ville. Toutefois, la salubrité, ou plus volontiers l'insalubrité, est souvent envisagée d'une manière plus fonctionnelle, dans ses effets sur le territoire dans son ensemble. Le curé, le syndic et les habitants du Plessis-en-Cotentin, craignent que leur paroisse soit rattachée au district de Carentan s'il ne peut être établi de chef-lieu à Périers :

« Nous aurions près de quatre lieues pour aller à cette ville de Carentan par des chemins très mauvais, abominables, impraticables et quelque chose de bien pire et de bien plus affligeant, c'est l'air empoisonné, l'air mortifère et désastreux causé par les marécages qui l'environnent, par les eaux fétides et bourbeuses qui stagnent sans cesse auprès de ses murs et dans son propre sein. Ce triste séjour déjà trop fatal aux habitants que le ciel y fait naître, l'est bien davantage aux étrangers qui sont obligés d'y paraître et d'y respirer un air si pernicieux. La fièvre comme héréditaire chez les premiers et toutes les maladies analogues ne manquent pas de les accueillir misérablement, mais au moins leur tempérament s'y familiarise en quelque sorte. Il est rare au contraire que les étrangers en puissent échapper sans remporter le germe du trépas ou d'une longue et dure maladie » (10/230-23).

On retrouve ici l'esprit des topographies médicales rédigées au cours du siècle[3], et notamment l'intérêt particulier qu'elles portent au milieu urbain, comme foyer de diffusion de la maladie et de contamination de l'espace environnant. Et c'est dans les caractéristiques du site qu'on recherche l'origine des maux : l'air et l'eau y occupent une place prépondérante[4] ; les fonds marécageux et mal aérés sont la cible privilégiée de ces analyses[5].

Ces prises de position confirment le rôle tenu par les médecins dans le débat sur la ville à la fin du 18ᵉ siècle. On trouve du reste fréquemment un ou plusieurs médecins parmi les signataires de ces lettres, aux côtés des gens de loi, propriétaires, bourgeois et marchands. Mais la réflexion hygiéniste a largement débordé le cadre de la profession. On la rencontre ici au point d'articulation entre la connaissance de la ville et l'action normative d'aménagement. Dans les exemples qui nous intéressent, le problème de l'insalubrité en lui-même n'est pourtant pas pris en compte. Si on laisse implicitement entendre qu'il faut isoler les foyers de contagion, on s'en tient à l'enjeu véritable, l'élimination de l'adversaire. Mais le choix de l'argument hygiéniste n'est pas indifférent, accordé qu'il est à l'esprit du temps.

L'histoire

Faire valoir l'ancienneté de son histoire est encore pour une ville un des meilleurs arguments. Le député de Desaignes — ville du Vivarais qui refuse d'être rattachée à Vernoux et demande un district particulier —, André Gaillard, président du comité de la ville et avocat en parlement, écrit le 29 novembre 1789 une lettre entièrement consacrée à ces considérations historiques, excepté quelques allusions au site : Desaignes est une des villes les plus anciennes de la province ; elle possède un temple romain ; elle fut le chef-lieu d'arrondissement lors de l'édit de Nantes. Ses voisines, Lamastre, « simple hameau susceptible d'être inondé », et Saint-Agrève, située sur une montagne inaccessible, sont des repoussoirs (4/156-7). On voit donc apparaître ici le mythe de la ville ancienne, suivant une représentation courante aux 17ᵉ et 18ᵉ siècles, comme Bernard Lepetit l'a repéré à propos des tableaux et descriptions géographiques de la France[6].

Les exemples sont nombreux. La ville de Montréal, dans le diocèse de Carcassonne, se présente comme la seconde ville du diocèse. Elle met en avant l'ancienneté de son territoire, sa présence aux États de la province, la possession d'une châtellenie royale, et rejette la concurrence de Fanjeaux au nom de sa moindre ancienneté. À ces arguments passéistes, elle ajoute celui de la centralité et ne craint pas d'avouer qu'elle n'a ni commerce, ni biens (4/163-14).

De même, Moret en Gâtinais appuie sa réclamation sur l'enracinement de ses prérogatives dans l'histoire :

> « La ville de Moret, dont le Roi est le seigneur, est une ville forte, très ancienne, entourée de fossés et de la rivière de Loing, fermée de murs considérables en hauteur et épaisseur, ayant au-dedans un château fort et un bailliage royal très ancien secondaire de celui de Melun, lieu de département, avec prisons fortes, solides et saines » (17/285-13).

Cette lettre fait apparaître un principe d'identification du caractère urbain (muraille et château fort) qui a joué un rôle central dans la définition classique de la ville et qui survit encore au 18ᵉ siècle, comme l'ont montré des travaux récents[7]. Mais l'épisode révolutionnaire met dans une lumière particulière le contenu d'un tel discours. Car en faisant dériver le prestige de la ville de sa marque historique et de ses fortifications, gages de sa supériorité dans la hiérarchie territoriale et sociale, ces textes témoignent de la crainte qu'inspirent la table rase révolutionnaire et l'abolition des privilèges. Quand on conçoit la ville comme un lieu privilégié par son élite sociale, par l'accumulation de pouvoirs et de richesses, on la sent aussi menacée par les décisions de l'ordre nouveau. En revanche, la ville ancienne, fortifiée, paraît moins vulnérable, comme si son histoire et ses murs pouvaient lui faire traverser la tourmente révolutionnaire en préservant son intégrité.

L'évocation du pouvoir politique détenu par la ville au cours des périodes passées complète cette mythologie de la fondation. On ne compte pas les adresses où les signalements des villes les donnent comme des capitales et il y a toujours une portion de province, un duché ou une baronnie dont on affirme posséder le commandement. Cernay-en-Dormois se présente comme la capitale du Pays Dormois, pourvue d'établissements religieux, d'une terre titrée et de deux notaires royaux (10/268-2 Marne). Les députés extraordinaires d'Eu en Normandie, pour obtenir le district qui regrouperait les territoires de leur comté, font son histoire et concluent : « C'est avec tous ces titres qu'au nom du comté d'Eu nous nous présentons, Nosseigneurs, pour obtenir un huitième district dans le département de Rouen ; nous ne demandons pas à acquérir, mais à conserver » (17/284-11).

Dans ces exemples, la ville se définit par ses possessions — il faudrait dire par ses privilèges. C'est le titre et non la fonction qui confère le droit, la prétention à ce nouveau pouvoir. Par ailleurs, à l'arrière-plan de cette représentation se profile le mythe de la ville éternelle ; la ville hérite de la durée de ses titres : immémoriaux et inaltérables, ils la projettent hors de l'échelle du temps.

Aussi, partout dans le royaume, des villes s'attribuent le titre de capitale : Saint-Paul-Trois-Châteaux est celle du Tricastin (6/189-40) ; Rue, celle « du canton du Ponthieu appelé le Marquenterre » (17/289-6) ; Montluçon, celle du Bas-Bourbonnais (3/149-5) ; Gap, celle du Haut-Dauphiné (3/151-4). Elles énumèrent les hauts faits de leur histoire.

Les équipements

Le faire-valoir urbain passe par l'énumération de ce que l'on appellerait aujourd'hui les équipements de la ville et que notre corpus désigne souvent sous le nom d'« établissements » : église et bâtiments dépendants, cimetière, hôtel de ville, hôpital, collège, prison, bureau de poste, brigade de maréchaussée, halle, etc., à quoi on peut ajouter les auberges.

Dans les Hautes-Pyrénées, la ville de Montréjeau voudrait avoir la préférence sur La Barthe. Elle lui reproche de n'avoir ni poste aux lettres, ni route royale, ni prison, ni marché (15/266-24). Dans le Maine-et-Loire, la municipalité de Candé, dépendant du district de Segré, veut que le district soit transféré en son sein, ou tout au moins qu'on lui attribue le tribunal. Segré, dit-elle, est une très petite ville mal bâtie, désagréablement située dans un fond entre deux coteaux escarpés, très proche de Château-Gontier et de Craon qui ont aussi des chefs-lieux, tandis que Candé est une ville commodément bâtie, pourvue d'un bureau de poste et d'un marché (10/229-12).

La prise en compte de ces éléments d'équipement public ou commercial situe ces représentations à la charnière de deux façons d'envisager la ville. On sent que s'y maintient, très forte, la conception de la ville comme lieu de civilité et de privilège (les équipements équivalent à des possessions). Il s'agit toujours de trouver des signes distinctifs pour caractériser la ville. La communauté de Bièvre se propose de départager Festieux et Bruyères, qui se disputent un chef-lieu de canton, en accueillant elle-même le siège administratif : « Premièrement, Festieux n'est point un bourg : c'est un simple village qui ne jouit d'aucune espèce de prérogatives ; il n'a ni halle, ni marché, ni foire. » Bièvre ajoute que Festieux est situé dans une sorte d'entonnoir (3/146-21). On trouve ici la définition des dictionnaires de l'époque, et notamment de l'*Encyclopédie,* suivant laquelle le bourg se distingue du village par la présence d'un marché. L'intérêt pour nous est que cette différence soit vue comme une prérogative. La valeur honorifique qui fonde l'échelle de l'urbanité apparaît clairement.

Mais, par ailleurs, la référence à l'équipement urbain paraît inaugurer les préoccupations de planification et de rationalisation de l'organisation urbaine. Le balancement que nous avons repéré entre l'attention au site et la salubrité se retrouve une fois encore. D'un côté, la vision culturelle et esthétique ; de l'autre, le souci urbanistique d'organisation raisonnée de la ville.

Lorsque Saint-Sever, dans les Landes, réclame le siège épiscopal, c'est bien à cette exigence de rationalité qu'elle répond en représentant que son abbaye

> « remplirait parfaitement l'esprit des décrets de l'Assemblée Nationale puisque dans le même bâtiment pourraient se trouver réunis très aisément et l'Église et la maison de l'évêque, le logement de ses vicaires et le séminaire, car pour donner une idée de cette maison abbatiale, elle offre beaucoup plus d'étendue que l'abbaye de Saint-Germain-des-Prés » (9/214-22).

À l'ensemble de ces arguments, il faudrait ajouter celui de la possession d'un pouvoir administratif, qui se joint très souvent à la liste des attributs urbains. Nous retrouverons ce thème.

Ce sont les besoins de l'analyse qui nous ont fait distinguer ces critères d'appréciation de la grandeur et du prestige urbains. En réalité, ils sont fréquemment réunis dans la même adresse. De sorte que l'on peut extraire de cette correspondance un premier type de lettres, qui regroupe les arguments honorifiques, esthétiques, sociaux, etc. Pour ne donner qu'un exemple de ces synthèses, voici la ville du Dorat qui réclame, tout au début de la Révolution, une assemblée provinciale pour la Basse-Marche. Le Dorat a le titre de capitale ; les comtes de La Marche y résident ; elle possède une châtellenie royale.

« [Elle est] bien située, bien bâtie, les rues en sont fort larges et bien pavées ; l'air y est très pur et très sain ; les mœurs des habitants qui l'occupent y sont fort douces, ils sont très honnêtes et affables aux étrangers, et la majeure partie s'attache à l'étude des lettres et des lois ; enfin, l'éducation y est très bonne et la langue française très pure. »

Le Dorat est le siège d'une sénéchaussée. Elle a un chapitre, un cloître de l'ordre de saint Benoît, un hôpital, une filature de coton, un collège, des marchés, des foires aux bestiaux, une poste aux lettres, de belles communications avec le Limousin et le Berry, un présidial créé en 1652 (nous respectons l'ordre de la lettre). Sa sénéchaussée regroupe cent vingt mille habitants, un grand nombre de villes, de bourgs et paroisses ; Le Dorat est situé au centre, à dix ou douze lieues des localités les plus éloignées (18/185-3). On aura remarqué que les quelques éléments de description de l'activité économique (filature, foires, marchés, communications) sont mêlés à la liste des possessions de la ville, témoignant ainsi de la prééminence de cette vision « titulariste » de la ville. Dans la liste des signataires, on voit des avocats, un notaire, des bourgeois, un huissier, des « entrepreneurs », des artisans. On retrouve très souvent ces énumérations flatteuses, qui font parfois penser aux panneaux apposés aujourd'hui par les syndicats d'initiative à l'entrée des villes.

Une représentation culturaliste de la ville ?

Titre, bonne société, site, histoire, stature politique et équipement, tous ces critères se rassemblent pour donner une image culturelle de la ville. Les arguments qui correspondent aux préoccupations plus matérielles et concrètes, comme la morphologie urbaine, la salubrité, la disponibilité en édifices ou en logements, n'échappent pas eux-mêmes à cette évaluation de la grandeur urbaine, et permettent de distinguer la ville par excellence du « trou », caractérisation péjorative déjà commune : Fumay, dans les Ardennes, dit de sa rivale Marienbourg que ce n'est « qu'une espèce de trou inhabité et inhabitable » (4/247-18).
Le processus de légitimation mis en œuvre par la bourgeoisie urbaine pour appuyer sa revendication de commandement territorial passe par la

reconnaissance et la désignation de ces éléments de patrimoine. On retrouvera au 19ᵉ siècle ces manifestations d'identité locale et régionale : les travaux d'enquête administrative, les sociétés savantes, les associations et la presse locales réuniront les notables dans le projet de mettre en évidence ce patrimoine historique, culturel et matériel[8].

Au-delà de ces préoccupations de prestige et de distinction, ces textes laissent parfois entrevoir des préoccupations plus utilitaires à travers les notations d'hygiène, de commodité, de disponibilité en logements ou en édifices. Au seuil de la nouvelle organisation territoriale qui se prépare, les idéaux esthétiques et sociaux des siècles antérieurs s'associent au rationalisme des Lumières, de sorte qu'il n'y a pas antinomie entre le beau (le prestigieux) et l'utile mais, au contraire, liaison étroite de l'un et de l'autre. L'ébauche d'une appréhension fonctionnelle vient ainsi compléter la vision culturaliste classique.

L'attention portée à la commodité, à la rationalité, ne corrige pourtant pas l'impression globale d'archaïsme que laissent nos textes. On mesure mieux cette désuétude si on les compare aux textes contemporains qui envisagent plus nettement la ville dans ses caractéristiques « fonctionnelles »[9]. Sur cette fidélité aux représentations classiques, peut-on formuler quelques hypothèses ?

Le contenu de ces textes prend son sens lorsqu'on se souvient des enjeux de la Révolution. Face à la situation de table rase et d'abolition des privilèges, le conservatisme urbain se développe de la même manière que la résistance provincialiste. Le site, l'ancienneté sont là comme pour enraciner plus fortement la ville et la mettre à l'abri des aléas révolutionnaires. L'image qui en découle est celle d'une ville statique, figée. Mais c'est bien la vision que certaines villes souhaitent donner d'elles-mêmes à l'encontre de ce qu'elles ressentent comme une menace. Il s'agit de présenter le pouvoir urbain comme un acquis inébranlable.

Mais précisément, l'événement révolutionnaire, au-delà du péril que constituent les décisions qu'il engendre, révèle les nouvelles données de la hiérarchie urbaine : en déclenchant cette vaste compétition, il exacerbe la diversité des situations. On observe en effet que cette représentation de la ville fondée sur l'histoire, les titres, le milieu qui la caractérisent, s'établit souvent a contrario : non pas toujours dans l'opposition à une autre ville, rivale, mais plutôt face à une représentation concurrente.

Les villes qui vantent la beauté de leurs édifices, leur salubrité, la civilité de leurs habitants, etc., avouent volontiers la médiocrité de leurs activités de production et de commerce. Il semble bien que le recours à cette image ancienne de la ville ait pour fonction de dissimuler leur carence vis-à-vis du modèle de la ville nouvelle caractérisée par son développement économique. Ces localités s'efforcent donc de ramener l'évaluation des villes, préalable à la fixation des chefs-lieux, aux seules représentations mentales qui répondent à ce passé urbain dont elles décollent avec peine. La ville de Saintes exclut ainsi La Rochelle de la compétition pour le siège de département. Elle accepte de prendre en compte la concurrence de Saint-Jean-d'Angély, mais s'attache à montrer son infériorité :

> Saint-Jean-d'Angély, « par l'étendue de son territoire et sa population, ne peut entrer en parallèle avec la ville de Saintes pour la dignité, la grandeur et l'ancienneté [...]. Cette ville étroite, mal bâtie et si resserrée par son site sera toujours trop peu considérable et trop peu peuplée pour présenter une capitale de vaste province, contenir les individus d'une grande assemblée et l'affluence d'étrangers qu'elle entraînera nécessairement avec elle » (5/177-33).

Dans une autre adresse, les représentants de la province de Saintonge écrivaient encore à propos de Saintes :

> « Notre ville est saine. L'air qu'on y respire est pur, son voisinage est riant et agréable. L'air de La Rochelle au contraire est insalubre, ses alentours sont marécageux, et le séjour de cette ville ne peut qu'être nuisible à des citoyens habitués à vivre sous un ciel plus doux » (5/177-36).

Ces lettres montrent la volonté des députés de cette ville de cantonner le débat au prestige et à l'agrément. L'économique, ils en conviennent, est leur point faible ; mais, précisément, des fonctions administratives viendraient à point pour le compenser.

> « La Rochelle se suffit à elle-même, son commerce enrichit ses habitants, ils trafiquent sur nos propres denrées et les exportent jusque dans le Nouveau Monde ; il ne peut donc y avoir que l'ambition déplacée d'obtenir la suprématie sur nous, qui puisse porter leur amour-propre à nous disputer le siège du département.
> Pour nous, resserrés dans notre enceinte, nous n'avons de ressources que dans l'agriculture et nos denrées ; nous ne commerçons avec aucun de nos voisins ; [...] et si nous demandons les assemblées au milieu de nous, c'est qu'en conservant les convenances de localité, pour tous ceux qui doivent composer le département, nous ne sommes dirigés que par le louable motif d'ouvrir dans notre ville une voie à l'abondance et un encouragement à l'industrie » (5/177-36).

L'aveu de cette insuffisance explique l'acharnement à dresser en regard la liste des atouts positifs. Plaidoyer laudatif d'une part ; d'autre part, aspiration à un dédommagement pour les handicaps naturels ou historiques qu'on reconnaît : ce balancement est caractéristique de nombre de nos textes. Il nous paraît traduire l'importance, dans la conscience des élites urbaines de l'époque, du clivage établi entre deux types de villes : les villes dites de commerce et les autres (dans la lettre des députés de Saintes, la ville de commerce est opposée à ce que Sinéty nous a suggéré d'appeler la ville agricole). L'essor des relations économiques et des échanges modifie la signification du pouvoir urbain en montrant que la prospérité peut venir non seulement des prérogatives politiques, administratives et juridiques (dont la propriété foncière fait partie) mais aussi des activités de production et de commerce. La concurrence devient plus redoutable encore lorsqu'une même ville cumule ces différents pouvoirs, comme La Rochelle, à la fois ville de commerce et siège de généralité. On comprend mieux alors les efforts de Saintes pour pérenniser l'image ancienne de la ville. On doit du reste signaler l'association presque constante de ces descriptions classiques de la ville avec l'argument de la centralité géométrique. C'est le cas pour Saintes mais aussi pour Montluçon, Sées, La Côte-Saint-André.

Ce couplage d'arguments conservateurs avec la rationalité la plus strictement normative peut paraître surprenant. Mais le principe de centralité joue ici son rôle d'arbitre : la position géométrique a précisément pour fonction de valider tout l'exposé. Ce qui se confirme surtout, c'est l'opposition entre une centralité rigide et une centralité définie par rapport aux activités humaines et aux relations territoriales. La centralité géométrique est presque un titre pour la ville qui en bénéficie, elle n'a pas de contenu fonctionnel. Elle renforce l'immobilité urbaine et rend la ville plus invulnérable aux aléas des réformes, et plus apte à la détention du pouvoir. Ainsi, la rationalité géométrique du projet, indifférente aux lois de la localisation économique et sociale dans leur irrégularité essentielle, va bien dans le sens de ces représentations passéistes, toutes faites de méfiance à l'égard des relations économiques, qui menacent l'antique puissance des droits et des privilèges. La norme et le passé se conjuguent pour rejeter l'inconnu du développement urbain, de la ville « nouvelle ».

De même que la centralité, d'autres thèmes permettent de sentir cette articulation entre le droit et la raison, cette volonté de faire coïncider la volonté conservatrice avec les idéaux de la planification révolutionnaire. La sociabilité, la civilité, éléments fondamentaux de ces représentations culturalistes des notables locaux, rencontraient l'exigence parlementaire, héritée des Lumières, de remettre les différents pouvoirs entre les mains d'un personnel éclairé et pénétré d'esprit public. Nous avons vu déjà que la description du site, de la morphologie et de l'équipement urbains contenaient l'ébauche de préoccupations rationalistes concernant l'hygiène, la circulation, le logement, etc. Ainsi, en dépit de son caractère paradoxal, l'accord pouvait s'établir entre un plaidoyer immobiliste, élitiste et conservateur, et l'idéal de refonte complète des institutions.

La tactique mise en œuvre dans ces représentations réalise toujours un équilibre entre la résistance à l'ordre nouveau et l'opportunisme qui cherche à en tirer parti et à placer ses intérêts. Ici, les éléments archaïques de l'image donnée de la ville témoignent de la première, tandis que le crédit consenti au rationalisme traduit cet effort pour prendre pied dans le nouveau dispositif.

Les revendications fondées sur ces représentations furent d'ailleurs assez souvent satisfaites : Évaux l'emporta sur Chambon, Charolles sur Paray-le-Monial, Saint-Sever sur Aire-sur-Adour et, avec plus de retentissement, Saintes obtint le chef-lieu de département aux dépens de La Rochelle... Et ces succès étaient connus des autres localités et les encourageaient à reproduire la même argumentation. Ainsi Verdun-sur-Garonne proteste contre le décret qui a fixé à Grenade le district, et à Beaumont-de-Lomagne le tribunal. Elle fait état de sa population supérieure, de sa position centrale et de son titre d'ancienne capitale et fait observer que « Cahors a obtenu la préférence sur Montauban par son titre d'ancienneté et de ville-capitale » (7/198-3, 4 février 1790). Néanmoins, il n'est pas possible de connaître l'appréciation exacte que le comité et l'Assemblée portaient sur ces représentations : les lacunes documentaires ne permettent pas de dégager une régularité d'attitude chez les parlementaires.

Tenons-nous-en à ce que les sources disponibles nous permettent d'analyser, et au clivage entre des conceptions honorifiques et cultura-listes de la ville et une vision plus fonctionnaliste centrée sur l'activité urbaine et son effet de croissance, clivage qui recouvre à peu de choses près celui qui distingue les villes anciennes vivant de leurs droits et de leurs privilèges et les villes dites de commerce. Nous avons donné jusqu'à présent la parole aux premières. Écoutons les secondes, également conscientes du contraste. La municipalité d'Ambérieux-en-Bugey décrit ainsi les termes de sa concurrence avec Saint-Rambert :

> « On n'a pu invoquer en sa faveur que deux circonstances. La première, c'est qu'il a le titre de ville, tandis qu'Ambérieux n'est qu'un bourg muré : mais qu'importe le nom quand on a la chose ? [...] La seconde circonstance est qu'il a eu longtemps l'exercice de plusieurs justices seigneuriales. »

Ambérieux fait alors remarquer qu'il s'agit d'un despotisme que l'Assemblée veut justement abolir. Elle fait valoir que Saint-Rambert « n'a presque point de territoire utile », possède seulement une tan-nerie, une manufacture de souliers et une de linge de table, tandis que la population et la contribution d'Ambérieux sont plus élevées, qu'elle a de belles routes et que ses habitants sont doués pour le commerce (3/143-4). Ambérieux ne fait pas la liste de ses manufactures, et ne donne pas d'indication permettant d'apprécier rigoureusement sa supé-riorité quant à « la chose », mais l'intérêt de sa lettre vient du fait que le débat est transposé sur un autre terrain que celui des titres. La puissance urbaine est ici évaluée en termes économiques et suivant une perspec-tive plus fonctionnelle.

Mais entre ces deux pôles d'une représentation honorifique d'une part, économique et fonctionnelle d'autre part, s'inscrit tout le jeu des conceptions du rôle administratif des villes : la lettre des députés de Saintes nous en a déjà donné un aperçu.

2. *L'importance démographique*

La population est, dans cette correspondance à propos de l'attribution des chefs-lieux, un argument presque universel. Elle était l'une des bases du projet constituant, ce qui explique certainement en partie cette diffusion mais fait en même temps perdre du poids à l'argument. Car il n'est jamais utilisé seul, comme s'il ne suffisait pas à déterminer la place de la ville dans la hiérarchie.

Les prétentions des villes sont fondées sur des chiffres très variables, lorsque ceux-ci sont donnés (bien souvent les localités ne parlent que de population considérable, immense, etc.). Leur exactitude est d'ailleurs douteuse : on surestime sa population, on sous-estime celle de sa rivale ; ici on inclut et là on exclut les faubourgs, etc. Les villes qui demandent un chef-lieu de département peuvent descendre jusqu'à huit mille habitants comme Laon (3/144-18), voire plus bas comme Sées avec six mille habitants (12/249-25), ou Joigny avec cinq mille habitants (18/301-11). Pour les chefs-lieux de district, l'intervalle se situe entre mille et dix mille habitants. Une étude régionale ferait sans doute apparaître des différences, à l'image des variations de la taille des villes.

Plus significatif que la population de la ville elle-même est le nombre d'habitants de son ressort. Il marque en effet la distinction entre une vision restreinte à la ville seule et une conscience plus large de la territorialité du phénomène urbain. Pour certaines localités, la population est seulement un argument supplémentaire à ajouter à la liste des titres urbains. Mais, souvent, en liaison avec l'ébauche d'une conception de la zone d'influence urbaine, les villes font état de la population qui pourrait composer une nouvelle circonscription. Il s'agit dans la plupart des cas de la population comprise dans une ancienne juridiction, bailliage, viguerie, etc. C'est alors l'attribution des districts qui suscite ces évaluations. Elles sont beaucoup plus rares à l'échelle du département. Cela s'explique sans doute par le fait qu'il n'y avait pas de ressort administratif ou judiciaire d'Ancien Régime de la taille des nouveaux départements, sauf quelques exceptions. Ainsi, la possession d'un présidial permet à Sedan d'évaluer son ressort à trois cent mille âmes réparties dans dix villes murées, quatre cent cinquante bourgs et gros villages et six cent vingt-cinq hameaux (4/157-14), mais ces exemples sont rares. Les petites provinces en fournissent quelques-uns, comme l'Aunis et la Saintonge (5/177-41), le Vivarais (4/156-2), le Forez (16/270-5) ; mais alors le territoire qui supporte cette population n'est pas considéré comme le ressort de la ville, mais comme une individualité provinciale. Néanmoins, pour ces quelques cas, la population avoisine trois cent mille habitants, conformément au projet constituant. Pour les districts, elle peut descendre jusqu'à six mille habitants comme en Jura où les anciens bailliages étaient très peu étendus et la densité de population moyenne (comme à Poligny, 9/212-30). En revanche, elle peut atteindre soixante mille habitants dans le Nord densément peuplé (par exemple à Bouchain, 12/246-1re : châtellenie augmentée de quelques paroisses) ou dans l'Aisne (Aubenton, 3/148-2 : soixante mille habitants à trois lieues de rayon). Ailleurs, elle oscille entre vingt mille et quarante mille habitants.

Dans les rivalités urbaines, les chiffres qui interviennent sont généralement la population de la ville, et non celle de sa région. Les villes se comparent alors deux à deux. Mais il n'y a pas de seuils absolus qui fondent une hiérarchie de prétentions et, de là, une hiérarchie urbaine. Et la différence entre village et bourg, bourg et ville, et entre villes de différents ordres n'est pas appréciée en termes démographiques quantifiés. Les quelques témoignages d'une appréhension du caractère urbain à partir du nombre de citoyens actifs (nous les avons rencontrés plus haut) demeurent isolés ; de plus, leur signification véritable nous échappe ; nous ne savons pas exactement ce que recouvre, pour leurs auteurs, la notion de citoyen actif — dont on connaît l'imprécision et les variations à cette époque. C'est pourquoi nous étendrions volontiers à toute la France les réflexions de Maurice Agulhon à propos de la Basse-Provence, de Bernard Bonnin — appuyé par Louis Bergeron — à propos du Dauphiné, lorsqu'ils montrent la confusion des notions de village, bourg et ville du point de vue démographique dans les textes de la fin de l'Ancien Régime[10]. Nous ne voulons pas dire pour autant que la population n'intervient pas dans la hiérarchie issue des représentations mentales ; le fait que les localités se comparent deux à deux prouve le contraire, mais ce critère ne se suffit pas à lui-même et n'intervient pas seul. S'y adjoignent les symboles de supériorité esthétique, culturelle et honorifique que nous avons évoqués précédemment, et les fonctions, dans leurs différences ou leur accumulation.

À ce titre, la lettre qu'envoie le député d'Agen à l'Assemblée Nationale est une exception. L'auteur propose de fonder l'attribution des chefs-lieux sur la population des villes, qui est pour lui un révélateur de la vitalité des rapports entre une ville et sa région :

« Ainsi, je proposerais 1° de décréter que les établissements divers ecclésiastiques, civils, militaires, d'instruction publique, d'administration, de justice, fussent distribués dans les divers lieux d'un département si la population le comportait. [...]
Dans cet objet, s'agirait-il de se fixer les convenances qui doivent déterminer le choix des lieux où seraient placés les établissements, je regarderais la population comme la base générale la plus sûre pour bien juger des rapports qui doivent exister entre les habitants d'un pays et une ville, qui d'ordinaire ne s'est formée et agrandie qu'autant qu'elle est l'entrepôt

naturel du commerce et du transport des denrées et productions du cru du canton dans lequel elle est située ; à moins que d'autres causes connues ou bien marquées, telles que manufactures, commerce maritime, la réunion ci-devant des établissements politiques et civils dans son sein, la résidence des souverains, ainsi qu'à Pau, Toulouse, Poitiers, Versailles, n'aient donné lieu à leur formation et contribué à leur agrandissement.

Conformément à ces premières bases et au principe général qui veut que les gouvernants soient à la portée des gouvernés, je proposerais de décréter 2° que les villes dont la population s'élèverait à quatre mille âmes environ et dont la position rapprocherait le plus le centre d'un département devinssent le chef-lieu de l'administration et du tribunal de justice suivant les convenances plus ou moins avantageuses qui pourraient en résulter pour l'un ou pour l'autre de ces objets, 3° que toutes les villes dont l'enceinte renfermerait une population de trois mille âmes auraient droit à devenir chef-lieu d'une assemblée de district, ou d'une cour intermédiaire de justice, quelle que fût leur position dans le territoire du district : je ne voudrais pas qu'une ville moins peuplée bien qu'au centre du district obtînt la préférence parce que d'un côté il y a lieu de croire que la population étant moindre, elle réunit moins de rapports utiles aux habitants du canton ; et que d'un autre côté, l'éloignement dans un district ne saurait jamais être considérable » (8/203-40).

Il s'agit d'une opinion tout à fait originale. Cette façon de considérer la population comme un signe était présente dans la pensée de Mirabeau, comme nous l'avons vu. Mais celui-ci se contentait d'en faire le révélateur des subsistances et de la valeur des contributions. Le député d'Agen, lui, intègre la population dans une vision fonctionnelle de la ville : l'importance démographique désigne la fonction de marché exercée par la ville, centre d'organisation du transport et du commerce des productions rurales. Cette vision rejoint dans une certaine mesure la relation établie par Cantillon entre la grandeur, non pas de la ville mais plutôt du bourg, et la richesse du territoire qui l'entoure. Plus celui-ci est fertile, plus il nécessite de cultivateurs : ceux-ci justifient à leur tour un plus grand nombre de marchands et d'artisans, ce qui augmente la population du bourg. L'importance de la ville obéit indirectement aux mêmes processus puisque Cantillon la proportionne au nombre et à la richesse des grands propriétaires terriens. Dans les deux cas, il s'agit bien de faire varier l'importance de la localité en fonction de l'intensité des relations qui l'unissent à son arrière-pays[11]. Ces idées ne sont d'ailleurs pas contredites par les Physiocrates, même si ceux-ci associent à cette analyse l'idée d'un parasitisme urbain et proposent, au terme de leur raisonnement, de limiter cette « grandeur » urbaine.

Revenons à notre député d'Agen (nous ignorons son identité). Il envisage encore une autre cause de croissance urbaine, faisant référence à des influences en quelque sorte exogènes, il faudrait dire ex-territoriales : la possession d'établissements et la résidence des rois sont des facteurs d'agrandissement contingents, décidés d'en haut ; les manufactures et le commerce maritime sont en dehors de ces rapports au territoire environnant, indépendants de cette finalité en même temps que des relations entre ville et campagne, fondées sur les productions rurales. Nous voici tout près de la distinction établie par Sinéty, député de Marseille, entre les villes agricoles et les villes de commerce. Ici, la ville agricole s'oppose non seulement à la ville de commerce mais aussi à la ville de manufactures, d'administration ou de séjour des rois. Nous voyons apparaître une typologie fonctionnelle assez souvent présente dans cette correspondance, et que nous retrouverons.

L'auteur définit alors le modèle démographique de la hiérarchie administrative à établir. On sera frappé de la faiblesse de l'écart de population qui doit coïncider avec le passage du département au district. Ce fait est d'autant plus étonnant qu'une autre adresse évalue la population d'Agen, futur chef-lieu de département, à dix-neuf mille cinq cents habitants (le recensement de 1806 ne lui donne qu'un peu plus de dix mille âmes), ce qui dépasse largement le modèle des quatre mille prévus par ce député (10/225-16). Le dernier point de la lettre s'attache à montrer la supériorité de la centralité fonctionnelle sur la centralité géométrique.

On voit donc les relais d'une telle pensée : il faut distribuer les chefs-lieux suivant la population parce que celle-ci révèle l'importance des relations économiques et que la nouvelle hiérarchie administrative doit entériner les localisations établies par ces relations. En dépit du mystère de ses seuils quantitatifs, ce plan a l'originalité de classer, comme nous le faisons aujourd'hui couramment, les villes en fonction de la population. Il ne délaisse pas pour autant les fonctions urbaines, puisque au contraire il fait du critère démographique le symbole de celles-ci. Gardons-nous cependant d'oublier le caractère exceptionnel d'un telle prise de position.

Ces chiffres furent-ils déterminants au sein de rivalités urbaines ? Nous pouvons difficilement répondre, puisque nous ne connaissons pas les principes observés par le comité et même par les députés provinciaux. Des exemples brillants semblent pourtant montrer que l'argument à lui seul n'était pas décisif, même quand il était indiscutable. Ainsi, la ville par excellence qui pouvait arguer de sa supériorité démographique était Marseille. Un de ses députés, le marquis de Cypières, évalue sa population à cent quarante mille âmes, ce qui est certainement une surestimation (le dénombrement de 1794 ne lui donne pas cent dix mille habitants) ou témoigne d'une délimitation large de la ville. Il remarque que « cette ville forme à elle seule plus de la moitié d'un département, dont la formation était aisée à compléter en prenant des villes et bourgs dans l'orient de Marseille » (5/167-3). Son adversaire, Bouche, député de la sénéchaussée d'Aix, qui n'accorde que quatre-vingt-dix mille âmes à Marseille, dénombre par ailleurs vingt-quatre mille habitants pour sa ville. On sait qu'Aix l'emporta contre Marseille, et il semble bien que la supériorité économique de celle-ci joua contre elle. Bouche, loin en effet de contester ces réalités, s'attacha à démontrer l'équité d'une compensation pour Aix, privée pour sa part de ressources économiques. Son plaidoyer réussit.

De même, la supériorité de La Rochelle sur Saintes, deux fois moins peuplée qu'elle, celle du Havre sur Montivilliers, n'infléchirent pas la décision en leur faveur. On peut sans doute y voir l'expression de la méfiance qu'inspirent alors les grandes villes. Paul Meuriot[12] rappelle que l'*Encyclopédie* — en l'occurrence d'Amilaville — voit en celles-ci des obstacles au développement de la population qui, entassée, dépérit. Cette critique est un lieu commun chez les Physiocrates qui recherchent des mesures permettant de stopper la croissance des villes. Aussi comprend-on l'accueil favorable fait à la demande de Bouche d'équilibrer la puissance de Marseille par l'attribution du chef-lieu à Aix. Cette proposition rejoignait la volonté du comité de constitution et de l'Assemblée Nationale de multiplier les instances et d'équilibrer les pouvoirs. C'est sans doute la raison pour laquelle les députés d'Aix firent basculer de leur côté l'opinion parlementaire initialement favorable à Marseille.

Résumons-nous. La population est un critère insuffisant à fonder une hiérarchie urbaine rigoureuse, qui fournirait un modèle à la répartition des chefs-lieux. Invoquée pourtant systématiquement, elle prend valeur de conformité (par sa mention et non par son chiffre) aux bases du projet plus qu'elle ne sert de principe pour départager des villes rivales. Et lorsqu'il arrive qu'on l'utilise ainsi, c'est souvent, compte tenu de la réticence à l'égard des grandes villes[13], pour favoriser la ville la moins peuplée. L'intérêt principal des réflexions sur la population est de mettre en évidence deux catégories de représentations de la ville : l'une qui ne considère que la ville elle-même, fidèlement à l'image classique ; l'autre qui envisage son rayonnement sur un territoire, celui-ci étant souvent une ancienne circonscription judiciaire, ce qui n'étonne pas lorsque l'on sait que les signataires sont en large majorité des juristes.

On pourrait faire les mêmes remarques à propos de la mention de la contribution, également évoquée plus souvent au moyen d'un adjectif que par une mesure quantitative précise. Cet argument, moins fréquent que celui de l'importance de la population, a par ailleurs une autre connotation. Une forte contribution prend valeur de service rendu à la nation et justifie une récompense qui est alors l'attribution d'un chef-lieu.

3. *Les communications*

Plus nettement que la population et les contributions, les communications s'intègrent à une image fonctionnaliste de la ville, encore qu'elles soient aussi des figures à ajouter au blason de la ville. Lorsque Tarascon évoque sa position sur le Rhône et ses bons chemins, elle fait figurer ces arguments dans une énumération flatteuse : séjour ordinaire des souverains, ville du deuxième rang de la province, qui a nourri les armées pendant les guerres d'Italie (5/168-12) ; aussi, si la conscience des fonctions urbaines existe, elle ne se débarrasse pas de l'appréciation de ces attributs en termes de titres et de possessions.

Mais, dans la plupart des cas, l'évocation des communications témoigne d'une représentation plus territorialiste de la ville. Deux préoccupations coexistent. L'une envisage l'accessibilité urbaine en liaison avec les lois de l'économie administrative. Il s'agit d'évaluer la qualité de l'équipement routier et fluvial, telle qu'elle peut être perçue par les administrés, conformément à l'idéal de commodité mis à l'honneur par les Constituants. Plus concrètes que ceux-ci, les localités nous présentent par portions une description du réseau de communications de l'époque, avec toutes les déformations que l'on peut imaginer. On exagère volontiers le bon état des routes, on étend très en amont la portion de rivière navigable. Comme les précédents, ces nouveaux arguments peuvent servir dans un plaidoyer négatif aussi bien que positif.

Dans le Lot, le corps municipal et le conseil général de Souillac demandent un tribunal de commerce pour cette ville et s'adressent aux administrateurs du département : « Les approches de notre ville sont impraticables. Une chaussée mal tenue sur la grande route rend l'entrée et l'issue de la ville difficile au service public et à celui des habitants » (33/481-2). Il s'agit toujours de la même rationalité de compensation, de dédommagement. L'attribution de l'administration doit venir corriger une inégalité ou une injustice naturelle, historique ou économique.

La description de l'accessibilité intègre, nous l'avons vu, des considérations de relief et de climat, de distance et de coût. Quelquefois sont même évoquées les questions de transport. La ville de Bergues affirme « que toutes les autres villes, bourgs et communes du district ont les unes des pavés ou des chemins commodes et les autres des canaux pour y aborder » et « qu'en tous les temps les habitants du district peuvent facilement s'y rendre et retourner en un jour », et ajoute :

> « Les habitants de Dunkerque ont quatre occasions par jour en été et trois en hiver pour se rendre à Bergues, et autant pour s'en retourner, ceux de Bergues au contraire n'en ont que deux en été et une en hiver. Les voici détaillées.
> À cinq heures et demie du matin part la diligence de Dunkerque à Lille ; elle arrive à sept heures à Bergues ; la place coûte 1 livre 7 sous.
> À sept heures du matin part la diligence de Dunkerque à Ypres ; elle arrive à huit heures et demie à Bergues et coûte 15 sous.
> À huit heures part la barque ; elle arrive à 9 heures et demie et coûte 3 sous 9 deniers.
> À dix heures et demie part une autre barque ; elle arrive à midi et coûte comme la première.

> Les seules occasions au contraire de Bergues à Dunkerque sont en été, la
> barque à huit heures et demie du matin et à une heure l'après-midi, et en
> hiver, celle et unique de huit heures du matin » (34/492-4).

De tels textes nous intéressent moins par les renseignements qu'ils
nous donnent — et que l'on peut trouver regroupés dans d'autres
documents de l'époque, guides, listes et cartes de poste, indicateurs de
messagerie, almanachs — que par la vision qu'ils dénotent de la centralité urbaine. La ville est vue comme le point d'aboutissement des relations par les qualités de son équipement en voies. La représentation du
territoire s'anime, elle ne fait plus de la ville un lieu figé.

L'évocation des communications intervient pourtant moins pour elle-
même que pour valoriser une image de la ville : à preuve la manière dont
elle prend place dans des raisonnements absurdes. La commune de La
Ferté-Milon adresse le 17 février 1791 une pétition au directoire de
département de l'Aisne pour demander qu'un tribunal de commerce lui
soit attribué. « Elle est située sur l'Ourcq, rivière navigable qui communique avec la Marne dans laquelle elle se jette et avec la Seine, ce qui établit une correspondance habituelle d'affaires avec Paris. » Par ailleurs,
une route doit être construite entre La Ferté-Milon et Château-Thierry
où est fixé le directoire de district. Celui-ci se prononce défavorable-
ment à propos de La Ferté. Il fait remarquer qu'il est difficile d'accéder à
La Ferté pour Château-Thierry et les autres localités et qu'au contraire
les habitants de La Ferté pourront bientôt rejoindre sans problèmes
Château-Thierry avec la nouvelle route (33/451-2). En retournant
l'argument, le directoire, qui souhaite la réussite de la ville où il siège,
lui fait perdre tout son sens ; car une bonne communication entre les
deux villes ne peut assurer la supériorité de l'une ou de l'autre en
matière d'accessibilité. L'éminent maire et défenseur de La Ferté-
Milon, Aubry-Dubochet, également commissaire adjoint au comité,
s'empresse de le faire remarquer, manifestant ainsi une plus grande luci-
dité que la plupart des représentants d'autres localités. Il considère
d'une part la situation présente et écrit : « C'est précisément cet éloignement des lieux et la difficulté de se transporter à Château-Thierry
qui nécessitent l'établissement d'un tribunal de commerce à La Ferté-
Milon. » Et il poursuit quant à la route prévue : « D'ailleurs en la supposant bientôt achevée, ne facilitera-t-elle pas autant la communication
de Château-Thierry à La Ferté-Milon que de La Ferté-Milon à Château-
Thierry ? » (33/451-4).

On rencontre en de multiples endroits des incohérences pareilles à
celles que dénonce Aubry-Dubochet. L'exigence de figuration d'une
centralité urbaine optimale aboutit également à des représentations de
ce type : « Quant aux routes, il suffira d'observer que de la plus grande
partie du département il faut passer par Laon pour arriver à Soissons.
Aussi les routes qui communiquent de Soissons à la plus grande partie

du département sont les mêmes que celles qui communiquent à Laon »
(3/144-2).

Plus simplement, un certain nombre d'adresses fondent une demande
sur la présence d'un carrefour de voies centré dans la ville. C'est le cas de
Montargis qui réclame un chef-lieu de département le 10 décembre
1789. Outre son titre de capitale du Gâtinais, elle invoque sa position
sur la route de Paris à Lyon, au point de réunion des canaux de Briare,
d'Orléans et du Loing et au centre du Gâtinais (9/219-26).

La seconde manière d'envisager les communications consiste à montrer les relations économiques dont elles sont l'infrastructure et à établir
la division administrative par rapport à ce réseau.

En Bretagne, un conflit tripartite s'était élevé à propos de la ville de
La Roche-Bernard. Rennes avait demandé la ville de Redon à Vannes,
aussi celle-ci réclamait-elle en dédommagement la ville de La Roche-
Bernard qui devait être comprise dans le département de Nantes. Les
députés du comté de Nantes protestent alors. Ils agréent les motifs invoqués par Rennes :

> « Ces convenances font que Redon est une espèce d'entrepôt pour Rennes
> et qu'il est d'un intérêt très sensible pour cette dernière qu'elle ait l'admi-
> nistration de toute la longueur des canaux dont elle s'occupe depuis plu-
> sieurs années, et qui doivent procurer entre l'une et l'autre ville une
> communication aussi facile qu'avantageuse. »

Mais ils jugent que c'est elle qui devrait dédommager Vannes. Outre
les considérations de limites naturelles qui justifient que La Roche-
Bernard reste dans le département de Nantes, ils invoquent à nouveau
les questions de communications :

> Rennes « veut un commerce et se procurer, à cet effet, des débouchés ; les
> canaux dont elle s'occupe sont, sans doute, à cet égard, de la plus grande
> importance, et d'une nécessité indispensable, mais jamais elle ne remplira
> son objet, s'il n'est pas ouvert des canaux de communication entre la
> Vilaine et la Loire : ce sont ces canaux qui peuvent seuls la vivifier et porter
> dans son sein des tributs qu'elle sera glorieuse de ne devoir qu'à son indus-
> trie. L'ouverture en est facile, mais dispendieuse. Il est donc d'autant plus
> intéressant pour la ville de Rennes, que La Roche-Bernard et le territoire
> d'alentour ne soient pas détachés du département de Nantes, que c'est pré-
> cisément au milieu de ce territoire que doit s'ouvrir un des canaux dont il
> s'agit » (9/218-13).

Ici s'exprime la volonté de calquer le découpage sur les réseaux de
communications centrés sur une ville. Cet équipement routier et fluvial
est toujours conçu comme une possession exclusive : de la conception
d'un budget et d'une gestion locale, on passe malaisément à celle d'une
infrastructure nationale qui organiserait des flux économiques libres.
Versailles et Saint-Germain se disputent le port de Marly et la première

affirme l'avoir fait construire et entretenir à ses frais, ce qui justifierait qu'elle le conserve (17/280-7).

Parfois, cependant, le souci des communications prend place dans un raisonnement plus global qui prend en compte l'ensemble du territoire et non plus seulement la ville. Le problème de la division de la Bourgogne soulevait ces questions. Les députés hésitaient entre un partage suivant une ligne nord-sud ou suivant une ligne est-ouest. Ils envisagèrent d'abord un département oriental et un occidental, puis rejetèrent ce plan qui donnait une forme trop allongée au département de l'est ; ils proposèrent alors la division suivant une ligne est-ouest, mais la ville d'Autun protesta. Comme nous l'avons vu plus haut (Fig. 8, p. 188-189), elle appuyait le premier plan qui la plaçait au centre d'un département, en position favorable pour réclamer un chef-lieu. Outre ces motifs, elle invoque son éloignement de Dijon, contraire à son rattachement à cette ville. Aussi les députés bourguignons prennent-ils à nouveau en compte un partage nord-sud. L'un d'entre eux, Arnoult, avocat et député du bailliage de Dijon, reconnaît les avantages de ce plan du point de vue des relations territoriales :

> « Le département oriental serait à la vérité plus long, mais il serait moins irrégulier, et l'on ne peut dissimuler que le service s'en ferait autant et plus facilement que celui du département réglé par le premier plan [partage est-ouest]. Un pont magnifique construit à Navilly sur le Doubs rapproche la Bresse chalonnaise de Dijon qui, en partant de Cuisery, extrémité la plus éloignée, n'en est distante que de vingt lieues ; tandis que La Mothe-Saint-Jean, extrémité du bailliage d'Autun la plus éloignée, en est distante de près de trente lieues.
> Tout le commerce et toutes les ressources du bailliage de Châtillon se portent à Chalon, il ne produit que des fers qu'il conduit en cette ville dont il ramène en échange toutes ses subsistances. Ce roulage est l'unique industrie des cultivateurs du Châtillonnais dont le sol ne rend presque rien. »

Néanmoins, et toujours du même point de vue, ce plan a des inconvénients :

> « Dans le premier plan, le canal de Charollais se trouve renfermé dans un seul département : au lieu que le nouveau plan le divise en deux portions, l'une sur le territoire du département oriental, l'autre sur celui du département occidental, mais il faut avouer que le même inconvénient existe à l'égard du canal de Saint-Florentin qui, après avoir parcouru le bailliage de Dijon, rentre dans des départements étrangers » (6/182-31).

C'est l'opposition de Chalon, Charolles et Montcenis qui tranchera en faveur d'un partage est-ouest. Mais, quelle qu'ait été l'issue, nous intéresse l'orientation du débat : le souci des communications, bien que moins systématique et moins approfondi sur le plan idéologique, rejoint celui de certains économistes du siècle précédent comme William Petty et Vauban[14], et de l'administration monarchique depuis Sully[15]. Il s'est exprimé dans les écrits des Physiocrates et dans les travaux entrepris sous la responsabilité de l'administration des Ponts et Chaussées ou plus directement du gouvernement monarchique. Et il n'est pas indifférent de noter que la sensibilité à ces problèmes émane souvent de régions marquées par des réalisations récentes. Citons, pour les canaux, la Bourgogne (avec le canal du Charolais), la Bretagne (avec le canal de Nantes à Brest, la canalisation de la Vilaine jusqu'à Rennes), les Flandres. La rationalisation souhaitée par les ingénieurs des Ponts et Chaussées annonce parfois les conceptions d'aménagement de polytechniciens du début du 19e siècle comme Michel Chevalier[16]. À la différence de ces dernières, les textes des notables locaux témoignent pourtant de la persistance d'une vision cloisonnée du territoire. Même si elles accordent beaucoup à la centralité urbaine, ces représentations inscrivent les circuits économiques et sociaux dans le cadre rigide des circonscriptions administratives.

Destinées à faciliter l'exercice de l'administration (par l'accessibilité du chef-lieu[17]) ou à fournir l'infrastructure la plus rationnelle possible aux échanges économiques, les communications constituent l'un des points d'ancrage les plus solides de cette pensée planificatrice en matière de territoire. Mais alors que le projet parlementaire se limitait à une conception quelque peu abstraite de l'accessibilité (fondée sur la centralité géométrique et la durée des déplacements), l'opinion locale associe la question des communications à la réalité de la centralité urbaine et des faits économiques, préfigurant la notion géographique moderne de situation urbaine.

Avec les arguments de population et de situation par rapport aux voies de communication, la ville s'anime et émerge de l'immobilité dans laquelle la figeaient ses titres et ses honneurs. Elle devient une chose mesurable, elle est desservie par des voies, elle se définit par les relations dont elle est le centre. Au seuil de cette nouveauté subsistent pourtant ou se renforcent certaines réticences, certains archaïsmes. Si, d'une manière générale, il est bien porté pour une ville d'avoir une population supérieure à celle d'une rivale, la méfiance à l'égard d'une population trop nombreuse conserve une large place dans l'opinion des élites tant locales que nationales. Et la volonté qui se manifeste en quelques endroits d'adapter la planification au réseau dessiné par les voies de communication et emprunté pour le transport et le commerce des productions, pour moderne qu'elle soit, ne s'intègre pas moins dans une conception féodale des frontières administratives et politiques et dans une vision autarcique de l'économie, très en retard par rapport aux idées des économistes libéraux de l'époque. Jeu d'archaïsme et de modernité, ces représentations reflètent bien le passage de l'ancien au nouveau régime, de la ville ancienne à la ville moderne.

4. *L'administration et la justice*

Le conservatisme

La possession de pouvoirs administratifs ou juridiques sous l'Ancien Régime détermine systématiquement les localités à réclamer un chef-lieu, suivant le conservatisme le plus direct et évident que nous puissions trouver dans cette correspondance.

Toutes les catégories de prérogatives sont évoquées : du point de vue de l'administration religieuse, les sièges de provinces ecclésiastiques et d'évêché ; pour la fiscalité, les sièges de généralité et d'élection, les directions des aides, les juridictions des traites, les bureaux de contrôle des actes, les greniers à sel ; les intendances et les subdélégations ; les maîtrises des eaux et forêts, les bureaux des domaines, les bureaux de poste, les brigades de maréchaussée ; les chefs-lieux d'arrondissement et de département des assemblées provinciales de 1787. Pour la justice, on fait état des parlements, des bailliages et sénéchaussées, des présidiaux, des diverses justices royales et seigneuriales avec les appellations régionales de diocèses civils en Languedoc, diocèses bretons, vigueries provençales, pays pyrénéens, prévôtés et châtellenies dans le nord de la France, vicomtés normandes, etc. Il faut y ajouter les juridictions consulaires.

Il faut en outre savoir que certaines dénominations correspondent à des circonscriptions à la fois administratives et judiciaires, comme c'est le cas des prévôtés, des bailliages bourguignons, lorrains et franc-comtois, etc. La complexité de l'histoire et de la géographie administrative de l'époque se lit clairement dans notre corpus. Les circonscriptions judiciaires paraissent occuper une place privilégiée parmi l'ensemble de ces divisions. On le comprend d'autant mieux que ce sont des hommes de justice qui écrivent à l'Assemblée et que les juridictions, plus que les circonscriptions fiscales et administratives en général, sont un haut lieu de la notabilité locale. En outre, le précédent de la convocation des États Généraux donnait au bailliage la vocation de circonscription électorale (voire administrative avec la nouvelle institution). Tout en tenant compte de cette prépondérance, nous employons volontiers dans les lignes qui suivent le mot administration pour désigner indifféremment les prérogatives ecclésiastiques, judiciaires, fiscales, etc. Cette acception moderne, même si elle constitue un anachronisme, donne néanmoins l'image de l'évolution qui s'accomplit durant cette période. En associant tous les pouvoirs dans la même circonscription, la Constituante donnait naissance à la notion de fonction administrative telle que nous la connaissons aujourd'hui. Cette notion est bien comprise dans son sens général par les localités puisque celles-ci demandent sans distinction un siège administratif, un tribunal, un siège épiscopal, quelle que soit la catégorie de pouvoirs qu'elles possédaient sous l'Ancien Régime.

Les modes de représentation se différencient suivant la prise en compte plus ou moins nette de la territorialité de ces phénomènes. Mais l'identification de ces différences est délicate, tant est ambiguë la notion d'administration : lorsqu'une ville dit posséder un bailliage, on ne sait trop si elle fait allusion au siège de la juridiction, à l'ensemble territorial qui en dépend, ou bien encore aux deux réalités en même temps. Il faut noter d'ailleurs que, pour la revendication de nouvelles institutions, le vocabulaire est tout aussi incertain : les villes prient l'Assemblée de leur accorder un canton, un district ou un département — chef-lieu seul ou bien chef-lieu et ressort ?

On peut pourtant repérer deux modes essentiels de présentation des attributions administratives. Le premier consiste à dresser la liste des prérogatives, dans un catalogue qui s'apparente à la vision héraldique que nous connaissons bien. Voici Pau, décrite par ses maire et officiers municipaux :

> « Son Parlement, ancien tribunal souverain du Pays, était affranchi de la prévention pour la connaissance des différends de ses justiciables originaires, et de ceux de la Navarre ; et dans la gradation des divers emplois de la robe, des hommes laborieux et dévoués à l'étude tâchaient de soutenir avantageusement cette concurrence.
>
> Une chambre de comptes, une cour des aides unies au Parlement, mais avec un ressort plus étendu, une sénéchaussée, une chancellerie, une maîtrise des eaux et forêts, une intendance, un siège d'États Généraux de la Province, une prévôté, une cour et un hôtel de Monnaie contribuaient encore au bien-être de la cité, qui éprouvait également les bons effets d'une université, d'une académie, d'un collège royal et d'un séminaire pour l'entier diocèse » (14/258-2).

Les auteurs continuent avec la description des agréments du site, de la beauté de l'architecture, de l'émulation sociale, etc. L'administration est ici une fonction honorifique, et l'idéologie qui sous-tend l'exposé consiste à vouloir récupérer les institutions abolies par les décisions révolutionnaires. Les nouvelles instances constituent des indemnités, suivant le terme utilisé par les localités elles-mêmes, y compris Pau. Par ailleurs, la ville est considérée isolément, comme un monde séparé, envisagé uniquement au travers du statut et des titres que lui confère le pouvoir central. Pau, par l'intermédiaire de ses gardes nationales, en témoigne très nettement lorsqu'elle évoque la personne d'Henri IV qui fait sa renommée :

> « Ce prince dont les vues sublimes saisissaient les objets dans toute leur étendue et leur valeur intrinsèque, jugea que la ville de Pau était faite pour receler avec succès des établissements publics, et que sans eux elle ne pouvait exister, étant privée de tout débouché de commerce qui pût l'alimenter ; les rois, ses successeurs, n'ont point méconnu cette vérité » (14/258-4).

Dans ce tableau, on sent que la grandeur de la ville provient moins de l'exercice de ces fonctions que de leur simple présence, octroyée, dans la ville.

Dans certains cas, l'étendue du ressort administratif est signalée, sans que cela modifie profondément cette conception honorifique des prérogatives administratives. Noyon n'hésite pas à réclamer un chef-lieu de département en tant que siège d'une subdélégation de soixante paroisses et quarante mille âmes, d'un évêché-pairie, d'un bailliage royal, d'une élection, d'une maîtrise des eaux et forêts et d'un grenier à sel (12/248-27).

Les espérances que leur fait concevoir la réforme amène les localités à tenter de récupérer des pouvoirs perdus. En Normandie, Condé-sur-Noireau a perdu en 1773 son élection, rattachée à celle de Vire, son quart-bouillon, et sa subdélégation. Elle escompte que l'attribution d'un district la régénérera (5/249-38). Montoire, en bas Vendômois, a été érigée en siège royal en 1713 et a conservé ce titre jusqu'en 1718. Elle demande son rétablissement (9/221-5). Maubeuge se querelle avec Avesnes pour un chef-lieu de district. Cette dernière possède un bailliage royal. Mais Maubeuge rétorque que si elle n'a qu'une prévôté, celle-ci est de première classe et ressortit nuement au Parlement. D'ailleurs, son territoire est beaucoup plus grand que celui du bailliage d'Avesnes : soixante-douze villages et deux bourgs au lieu de trente-six paroisses et deux petites villes. En outre, Maubeuge a été chef-lieu d'une intendance jusqu'en 1719 ; Avesnes en dépendait (12/244-24).

De telles réclamations, communes à des villes très inégales, révèlent leur attachement à ces prérogatives administratives, comme signe de distinction politique et historique. Dans certaines régions, ce conservatisme est général. Dans le futur département de l'Eure, toutes les villes chefs-lieux de bailliage demandent en remplacement des sièges de district. Dans le département d'Aval de la Franche-Comté (Jura), le nombre prévu de districts ayant été fixé à six, la ville d'Arbois fait observer que :

« Les villes bailliagères sont au nombre de sept dans le département d'Aval. On priverait donc une de ces villes de la prérogative d'être la résidence d'un district, ce qui serait tout à la fois l'humilier et la ruiner » (9/212-29).

Nulle trace de désintéressement ici : avec neuf lieues carrées et le bailliage le plus petit, Arbois était évidemment la ville condamnée.

Il y a une deuxième manière de faire valoir ces attributions administratives, qui témoigne d'une plus grande attention prêtée à leur expression spatiale, leur ressort. Mauriac écrit à l'Assemblée Nationale pour établir les « motifs qui doivent déterminer la ligne de démarcation entre le district d'Aurillac et celui de Mauriac ». Elle pose d'emblée que

« l'arrondissement des deux districts est fait par celui ancien des élections ». Aurillac cherche à lui ravir le territoire de la ville de Pleaux, c'est pourquoi Mauriac s'abrite derrière ce principe conservateur (5/174-45). Le conservatisme touche ici non seulement le pouvoir dans son point d'origine, mais aussi le territoire sur lequel il s'exerce et les délimitations acquises.

Un exemple similaire peut être trouvé dans l'adresse de Crépy-en-Valois, siège de bailliage, d'élection, capitale du Valois, et chef-lieu de la coutume de ce nom.

> « Elle se flattait que dans un moment où l'Assemblée Nationale s'occupait du soin important de rapprocher les juges des justiciables et de l'observation des convenances et des habitudes de ces derniers, elle serait traitée aussi favorablement qu'aucune des villes du royaume et elle se fondait sur ce qu'elle est environnée de toutes paroisses, bourgs et villes soumis à la coutume de Valois dont elle est le chef-lieu et la capitale, tous dépendant de son élection et la plupart de son bailliage. »

Or le territoire de Crépy, situé dans le département de Beauvais, a été amputé au profit du département de Soissons et Laon pour donner un district à La Ferté-Milon qui est défendue par Aubry-Dubochet. Une autre portion en a été distraite au bénéfice du département de Meaux. Crépy proteste et demande que l'Assemblée respecte les convenances locales. Elle sollicite que Villers-Cotterêts et La Ferté-Milon fassent partie de son district à cause de leur appartenance à sa coutume ; il en est de même à propos d'une paroisse que Compiègne lui dispute (12/248-16, 18 et 21).

Ces démarches traduisent donc nettement la reconnaissance d'un territoire juridiquement et administrativement dépendant de la ville. On pourra en trouver encore un exemple dans les observations des députés du bailliage de Laon, qui font état de ressorts ayant des délimitations qui coïncident : bailliage, élection et diocèse, qui « dirigent » les habitudes vers Laon (3/144-18).

Le thème des « habitudes » revient souvent dans cette correspondance pour désigner la notion de zone d'influence. Ces habitudes sont mises en relation aussi bien avec les juridictions seigneuriales qu'avec les bailliages, les bureaux de perception fiscale, etc. On trouverait une bonne description de la consistance de ces habitudes dans l'étude de Bernard Bonnin sur le Dauphiné :

> « Ainsi, la ville contrôlait administrativement la campagne. Ce qui se traduisait d'abord, conséquence la plus apparente, par la nécessité où étaient les ruraux de se déplacer fréquemment vers la ville ; en premier lieu, les officiers et les notables des communautés, pour apporter régulièrement, souvent par quartiers trimestriels, l'argent des impôts royaux aux officiers des élections, pour soutenir et suivre une affaire judiciaire engageant leur

communauté devant un tribunal royal subalterne ou le Parlement, pour exposer un problème ou présenter une requête à l'intendant ou au subdélégué ; mais aussi, n'importe quel habitant de la campagne, ayant à passer devant un tribunal royal ou seigneurial, même pour une affaire mineure, un de ces nombreux petits délits ruraux, ou de ces innombrables contestations entre parents, voisins ou habitants du même village, devait faire le voyage à la ville, pas toujours la plus proche. »[18]

Lorsqu'on choisit d'insister sur la domination administrative exercée par la ville sur un territoire, il arrive souvent qu'on joigne à l'adresse rédigée à l'intention de l'Assemblée, une liste des communautés qui pourraient former le district et qui constituent le ressort de l'ancienne circonscription, bailliage ou juridiction seigneuriale.

L'intérêt fondamental de ces représentations est qu'elles révèlent la conscience de l'une des origines du pouvoir de domination citadine sur l'ensemble du territoire. Élément de dignité équivalant à un fleuron supplémentaire à ajouter à la couronne urbaine ou bien légitimation d'une possession territoriale, l'administration contribue pour une part très importance à faire de la ville un lieu privilégié et à lui conférer sa supériorité. C'est ainsi que la voient les villes qui tirent argument de la détention ancienne du pouvoir administratif, pour en demander le maintien. C'est également très nettement dans les enjeux dont fait l'objet le pouvoir à acquérir que se révèle la façon de représenter la ville.

L'absence de ressources économiques

Parmi l'ensemble des localités qui mettent en œuvre ces démarches conservatrices s'individualise en effet, par le raisonnement qu'elle déploie, une très vaste sous-catégorie. Les villes de ce groupe s'appliquent à montrer que l'acquisition des nouvelles institutions administratives leur est indispensable en raison de l'absence de ressources économiques. De cela découle une vision à la fois plus économiste et plus fonctionnaliste de la ville, en même temps qu'une conception plus finaliste de l'administration. Celle-ci est dépeinte comme la raison d'être de la ville, ce qui la fait vivre à l'exclusion de toute autre activité. On trouve cette représentation à tous les niveaux de la hiérarchie urbaine.

C'est le cas de grandes villes susceptibles de devenir chef-lieu de département, dont Aix-en-Provence pourrait être le prototype. Le député d'Aix, Bouche, développa cette argumentation avec une particulière éloquence. Avec l'abolition de l'ordre ancien, Aix perdait son archevêché et la direction ecclésiastique de toute la Provence, son parlement, le siège des États provinciaux. Et c'était bien là une catastrophe, car :

« Aix a un terroir peu étendu et son aridité extrême épuise les bras et les ressources des cultivateurs ; elle n'a ni commerce, ni manufactures, ni

entrepôt, elle tire tout de l'abord des étrangers ; si on lui enlève cette ressource par la privation du département et de la justice, elle est perdue de
fond en comble » (5/167-7).

On trouverait une même exigence de compensation à Douai qui, suivant les dires de sa municipalité, ne vit que par son parlement, son
arsenal et son université, à Arras, Saintes, Albi, Lavaur (voir
l'Annexe II). C'est sur la base des propriétés rurales de ses habitants et
de l'appartenance sociale de ceux-ci que Lavaur appuie sa demande.
Même chose à Bazas, qui demande l'établissement d'un chef-lieu de
département intermédiaire entre Bordeaux et Agen comme « la seule
ressource qui peut la soutenir. Elle ne possède ni manufactures ni
aucune branche de commerce. L'agriculture et la production des terres,
voilà son patrimoine, l'unique ressource des citoyens » (8/203-3).
   Ces textes dessinent une hiérarchie des fonctions urbaines. Ils semblent en effet établir un constat d'insuffisance de la domination foncière
comme source de prospérité. Alors même qu'ils signalent ce moyen
d'existence, ils en font valoir le caractère médiocre. Le texte de la municipalité de Douai met ainsi côte à côte les propriétaires et les pauvres. Si
Lavaur accorde indirectement un large crédit à ce critère, en évoquant la
considération réservée aux nobles et aux bourgeois qui la peuplent, c'est
seulement une rectification qu'elle apporte à un tableau qui serait sans
cela d'un vide absolu. Et que l'agriculture soit l'« unique ressource » de
Bazas n'empêche pourtant pas que sa « seule ressource » soit un département. L'administration apparaît donc comme un élément de vitalité
urbaine bien supérieur à la rente foncière.
   Toutefois, gardons-nous d'attacher trop de prix à ces restrictions.
Elles sont inséparables des procédés discursifs qu'engendre cette vaste
compétition. La rationalité de compensation amène les localités à déva-
loriser ce qu'elles possèdent et à valoriser l'objet convoité, l'administration.
   La constante de ces textes est qu'ils font observer l'absence de manufactures et surtout de commerce. Et si l'on peut parler d'identification
d'une hiérarchie fonctionnelle, c'est plutôt entre ces activités et toutes
les autres ressenties comme inférieures ou « faute de mieux ». C'est le
cas, outre les exemples déjà cités, de Lunéville qui demande le chef-lieu
de département en raison de sa position centrale, de ses édifices somptueux. C'est la ville la plus considérable après Nancy et l'accès en est
libre à toute heure du jour et de la nuit. Citons aussi le cas des villes qui
réclament des sièges de district comme Gap, Saint-Paul-Trois-
Châteaux, Buis-les-Baronnies, Valensole qui se donne l'appellation de
ville en dépit de la dispersion de ses habitations et de sa pauvreté, Forcalquier, Draguignan, Alet, Montréal, Lourdes, Saint-Sever (Landes),
Saint-Benoît-du-Sault, Hédé, Beaumont-le-Roger, Pont-de-l'Arche,
Neufchâtel-en-Bray, Eu, Montdidier, Le Quesnoy, Darney.

D'une manière un peu différente, Plélan-le-Grand, en Ille-et-Vilaine, justifie la nécessité de conserver ses établissements par l'absence de revenus de la terre. Il affirme par ailleurs avoir des manufactures et un commerce de fer, fonte, fil blanc, toile, cuirs, grains, fourrages, bois, etc., mais paraît tenir ces activités pour secondaires puisqu'il prétend que, « s'il était totalement privé d'établissements [...], ne pouvant compter sur les productions du terrain, Plélan deviendrait nécessairement un lieu désert et misérable ». C'est donc reconnaître l'incapacité de l'industrie et du commerce à assurer la prospérité, et accorder, une fois encore, la palme à l'administration.

Il y a d'autre part des villes pour soulever le problème du reclassement des personnes qui vivaient jusque là des établissements administratifs et judiciaires. Dans les Landes, Tartas demande le chef-lieu d'un département formé avec sa sénéchaussée. Son représentant insiste sur le fait que l'agriculture et le commerce ne lui donnent aucune ressource.

> « La plus grande partie de ses habitants sont attachés par leur profession à tout ce qui tient au pouvoir judiciaire ; le défaut de ressource pour le commerce leur a fait la loi de cette profession aussi utile qu'honorable, c'est dans son exercice qu'ils payent à la patrie cette dette d'utilité que chaque citoyen a contracté envers elle. »

Ils ne peuvent pas aller exercer leur métier ailleurs et loin de chez eux (9/126-5).

Le maire d'Avesnes, Gossuin, est encore plus précis :

> « On ne pourrait lui ôter le tribunal sans la ruiner, car elle n'existe pour ainsi dire que par lui. Elle a très peu de commerce, point de manufactures, et la principale ressource est le passage des étrangers et le séjour des justiciables ; eux seuls font valoir les subsides, font vendre les marchands, et occupent les ouvriers.
>   Plus de soixante familles tiennent par leur état au siège royal ; l'émigration de ces familles, l'abandon des maisons, la détérioration des héritages, et la diminution des subsides, seraient la suite inévitable de la translation du siège » (12/245-19).

On saisit ici l'importance des enjeux. Les juridictions, avec les multiples offices qu'elles comprenaient, entretenaient un nombre considérable de personnes : procureurs, avocats, juges, consuls, greffiers, huissiers, notaires, etc.[19] L'impact social et professionnel de la redistribution des sièges administratifs et judiciaires explique la mobilisation de ces catégories qui redoutent de perdre leur situation et de devoir s'exiler. Les officiers municipaux de Pau abandonnent ainsi la description héraldique et louangeuse des prérogatives urbaines pour un langage plus réaliste :

« Parmi ces neuf cents citoyens actifs, un recensement exact sur les tableaux imprimés à l'occasion des assemblées primaires, et que la ville a l'honneur de mettre sous vos yeux, attestera que plus de deux cents remplissaient des fonctions plus ou moins importantes auprès des tribunaux judiciaires. Leur état est perdu par la suppression de ces tribunaux sans remplacement d'aucun autre qui puisse exercer leur activité ; et comme c'était là l'état prédominant, il n'est pas possible que leur chute n'imprime la plus violente secousse sur la fortune des sept autres neuvièmes actifs, bien plus encore sur les facultés bornées des non actifs dans la classe desquels la plupart devront être relégués, s'ils ne se déterminent même à abandonner leurs foyers, sans pouvoir consulter leur âge, leur éducation, ni leurs habitudes pour se procurer ailleurs un meilleur sort » (14/258-2).

Ainsi le danger de l'amovibilité vient-il soudain ébranler l'enracinement dans les âges de cette fortune urbaine. Il est remarquable à cet égard de voir mobiliser les deux registres d'argumentation, vision fonctionnelle et vision culturaliste. Blason ou ressource urbaine, on sent que toute image paraît bonne pour appuyer la revendication, quand il y va du salut de la ville.

L'administration, dédommagement pour ce qu'on perd, est aussi une compensation pour ce qu'on n'a jamais eu. Lavaur ou Bazas, privées de fonctions administratives, ne les en réclament pas moins. Le maire de la ville de Neuf-Brisack, en Alsace, Zaiguelius, écrit à l'Assemblée pour plaider la cause de sa ville, construite à l'initiative de Vauban mais restée inachevée à la mort de celui-ci : « Un tiers de la ville n'est pas bâti ; l'herbe croît dans les rues et sur la place. » L'auteur demande un tribunal de justice pour empêcher la ruine définitive de la ville. Il insiste sur sa vocation militaire mais souligne qu'elle n'a ni commerce, ni possessions territoriales, ni grandes routes, ni juridictions (16/268-11).

Le pouvoir inducteur de l'administration

La représentation d'un organisme, la ville, qui ne peut subsister que par cette fonction vitale, l'administration, commande donc ce discours quasi biologique. Mais les textes se préoccupent aussi d'apprécier précisément quels sont ou quels seraient les effets bénéfiques de l'acquisition d'un siège administratif. Notons pourtant le tour fréquemment négatif que prend la description, attachée à faire ressortir ce qui se passerait si par malheur la ville n'obtenait pas le chef-lieu.

Pour mettre en évidence le lien nécessaire entre la fortune urbaine et l'administration, le mieux est encore de poser le caractère premier de cette fonction et d'en faire découler toutes les autres suivant une chaîne d'interdépendance plus ou moins compliquée. Suivant les termes utilisés à l'époque, l'administration est censée être une source de vivification pour les autres activités (voir l'Annexe III). Une fois encore, Bazas nous fournit un exemple particulièrement éloquent, sous la plume de son député, Lavenue, dont tout le plaidoyer est soutenu par le principe de l'homogénéité territoriale :

> « L'économie, la patience des habitants acclimatés ; d'autre part, une administration toujours active et présente, économique et intéressée, peuvent vaincre tous les obstacles. [...]
> Ce n'est qu'en établissant dans ce pays une administration provinciale, ce n'est qu'en faisant des Landes un seul département, que l'on peut donner aux habitants le goût du travail, et l'émulation nécessaire pour sortir de leur paresse et de leur engourdissement. Ce n'est que par là qu'on réussira à ouvrir dans ce pays des sources de richesses, qu'on excitera la multiplication des bêtes à laine et des abeilles, les préparations du brai, du goudron, de la térébenthine et de la résine, la culture du seigle, du chanvre, du millet et du panis, et l'exploitation des forêts immenses qui couvrent ce pays.
> Partager ces Landes de manière à en attribuer une partie au Marsan, une autre au Bordelais, une autre à l'Agenais, c'est les dévouer pour jamais à la paresse, à la misère qui la suit, à la grossièreté des mœurs, au découragement et à la nullité pour l'État. Occupés de leurs jouissances, les habitants des riches pays voisins dépriseront toujours les Landes ; les administrations provinciales ne s'en occuperont jamais ; les districts des Landes seront dans l'impuissance de rien entreprendre » (8/204-6).

Par-delà les intérêts particuliers qui apparaissent très nettement dans la démarche de Bazas (cette ville, nous l'avons vu, demande le chef-lieu d'un département entre Bordeaux et Agen), ce texte traduit une volonté d'organisation globale du territoire qui rend solidaires la ville et la campagne par la chaîne qui relie l'administration à l'agriculture en passant par le commerce. On retrouve ailleurs cette volonté cumulée de satisfaire un intérêt urbain tout en réalisant l'aménagement et la prospérité du pays environnant, surtout, semble-t-il, dans des régions disgraciées. D'autres villes landaises, comme Dax et Tartas, proposent en effet des raisonnements semblables et insistent sur l'impulsion que l'administration pourra donner à la mise en valeur de ces terrains stériles. De même, la ville de Luçon fait état du rôle exercé par son abbaye dans l'aménagement du marais poitevin en même temps qu'elle demande le maintien de ses établissements dont dépend sa prospérité. Plusieurs villes des Vosges décrivent également leur action vivifiante sur les campagnes, tout en faisant de l'administration la raison d'être de la ville.

Le schéma idéologique est le suivant : l'administration, par le personnel qu'elle nécessite, fait augmenter la population, celle-ci fait prospérer le commerce et l'artisanat, et l'ensemble profite à l'agriculture en lui fournissant une clientèle. Par ailleurs, l'accumulation de la propriété foncière et des fonctions administratives entre les mains des mêmes hommes favorise les intérêts de l'agriculture qui à son tour accroît le profit urbain. Le mythe de la ville parasite se dissipe alors pour faire place à l'image harmonieuse de l'union entre la ville et les campagnes, fondée sur l'interdépendance des fonctions. Proches des idées d'économistes libéraux comme Condillac ou Adam Smith, elles sont évidemment moins élaborées en ce qui concerne la valeur et le volume des échanges, les circuits monétaires, etc. Leur originalité, en revanche, est d'intégrer l'administration dans la chaîne des fonctions et circuits économiques au moyen de quelques relais : elle est considérée tantôt du point de vue de la quantité de consommateurs qu'elle met sur le marché, tantôt dans son expression sociale, les administrateurs étant aussi des propriétaires, ou encore dans le rôle institutionnel de commandement qu'elle a pouvoir d'exercer sur les activités proprement économiques. Mais, dans tous les cas, c'est elle qu'on place à l'origine de cette chaîne déterministe.

Cette influence inductrice de l'administration semble avoir fait l'objet de véritables campagnes d'opinion de la part des villes auprès des communautés environnantes. L'objectif était visiblement de faire en sorte que les villages fissent écho à cette représentation de la nécessité de l'administration. Exemples très nombreux, mais d'un intérêt inégal. En effet, les communautés qui écrivent à l'Assemblée Nationale sous la pression des députations urbaines se contentent souvent de faire état des habitudes d'affaires (juridiques et administratives) et de commerce qui les lient à une ville, sans proposer une théorie des répercussions de la localisation de l'administration. Le cas de la ville de Périers, dans la Manche, et de ses campagnes environnantes est plus explicite. Cette ville craint que la perte de son bailliage royal ne soit pas indemnisée par l'attribution d'un chef-lieu de district et d'un tribunal secondaire (voir Annexe III). Très certainement à son initiative, une trentaine de paroisses proches d'elle se manifestent. Les adresses sont toutes éloquentes (voir notamment Saint-Sauveur-Landelin), mais nous avons particulièrement retenu celle d'Angoville qui, le 17 janvier 1790, appuie la demande de Périers en vue de l'obtention de l'administration et de la justice :

« Le bonheur ou le malheur universel de plus de cinquante paroisses, au centre desquelles il est situé, en dépend absolument.
En effet, s'il n'y a point de district ni de tribunal à Périers, les marchés considérables qui s'y tiennent toutes les semaines tomberont infailliblement. Quel sera alors le sort de plus de quarante mille habitants des paroisses qui l'environnent ? Ils seront forcés d'aller vendre leurs denrées aux marchés des villes qui l'entourent ou plutôt ils ne les y porteront point, car la distance étant trop considérable, les chemins impraticables, surtout pendant l'hiver, les frais de voyage absorbant le profit, l'agriculture se trouvant par là négligée, la valeur des terres et des productions tombant, le découragement, le désœuvrement s'empareront des cultivateurs et cette classe d'hommes si précieux à l'État croupira dans la plus affreuse misère. Il ne lui restera pas même l'espérance de pouvoir jamais s'en relever. [...]
En formant des districts d'une trop grande étendue, c'est-à-dire tels que le seraient ceux du Cotentin s'il n'y en a que dans les villes de Valognes, Carentan, Coutances et Saint-Lô, il en résulterait des maux et des abus

infinis. [...] Ainsi, les pouvoirs des villes qui domineront sur un territoire immense sera toujours funeste et redoutable aux campagnes. Ce sera dans le sein de ces villes que seront pris les membres qui composeront les districts et ceux-ci par un entier dévouement absorberont, sacrifieront tout pour l'embellissement de ces villes et de leur chimérique splendeur. Les paroisses les plus proches qui profitent de leur proximité du chef-lieu seront les plus favorisées, la répartition des impôts ne sera jamais faite équitablement. Les paroisses écartées, quoique les plus à plaindre, seront toujours les plus vexées, sans pouvoir espérer de soulagement » (10/230-22).

Les auteurs évaluent ensuite à trente mille cultivateurs et vingt mille habitants des campagnes le nombre des personnes concernées. On aura noté cette idée que les campagnes les plus éloignées sont les plus défavorisées, idée répandue dans les analyses des économistes du 18ᵉ siècle, depuis Cantillon.

L'intérêt de tels textes est d'associer étroitement le sort des campagnes à celui des villes, tout au moins de celles où les premières ont leurs habitudes, auxquelles elles peuvent accéder en un temps et avec un coût « raisonnable » (le coût n'est jamais évalué précisément, mais l'aller et retour doit toujours tenir dans moins d'une journée). L'image se dessine d'un équilibre des échanges entre ville et campagne, la seconde bénéficiant du marché de consommation fourni par la première et celle-ci augmentant ses revenus fonciers, commerciaux et artisanaux.

La majorité des adresses, pourtant, traduit des préoccupations tournées presque exclusivement vers la ville. Et si l'on évoque l'agriculture, c'est pour faire valoir la perte d'un marché rural et la diminution de la rente foncière. Des villes comme Marle dans l'Aisne, Puiseaux et Lorris dans le Loiret, Arbois dans le Jura, Montélimar et Buis dans la Drôme, Ajaccio, Saint-Sever dans les Landes, Mareuil en Vendée, Fécamp, sans compter Aix, Lisieux, Saintes, Saint-Jean-d'Angély, Langres nous en fournissent des exemples très clairs. Il s'agit seulement pour elles d'identifier ce qui profite à la ville.

Dans le cas des petites villes, cela correspond souvent à une réaction à l'égard de la fixation du nombre des districts par les députés du département, ce nombre étant inférieur à celui des anciens sièges de bailliage. La ville et municipalité du Monastier-Saint-Chaffre, située au pied du mont Mézenc, déclare le 7 mars 1790, n'avoir

« d'autre ressource qu'une abbaye. Elle a déjà subi le malheur de la suppression successive de plusieurs maisons religieuses. [Elle craint] d'être privée de sa dernière ressource, du siège d'arrondissement qui y faisait circuler encore quelque numéraire, y favorisait l'apport des provisions, y procurait le débit des denrées, et y entretenait un faible reste de commerce. »

Elle demande donc un tribunal de district, affirmant abriter le plus grand nombre de notables après Le Puy :

« Cette ville est, par sa situation, par le nombre des avocats, des gradués, des notaires et des praticiens qui l'habitent, très propre à servir de chef-lieu d'arrondissement aux juridictions voisines, soit parce qu'on y tient deux marchés par semaine et plusieurs foires dans l'année, soit parce que cette ville est le fréquent rendez-vous des habitants des montagnes. [...] Si ce district lui était refusé, nous le disons avec amertume, Le Monastier serait ruiné sans ressource ; dès ce jour de calamité qui lui enlèverait son arrondissement seigneurial, cette ville, réduite aux seuls avantages de la consommation intérieure, et à la culture d'un sol ingrat et borné, verrait son peu de commerce détruit, sa culture moins animée, ses facultés plus resserrées, ses marchés déserts, ses ouvriers sans occupations, et nombre de ses familles tomber dans l'indigence par l'inaptitude de leurs chefs à d'autres professions, et par le peu d'espoir qu'ils auraient de trouver de l'emploi ailleurs... Elle deviendrait d'une nullité absolue, et perdrait bientôt cette considération qu'elle s'était acquise » (9/222-37).

On tient ici un exemple de la manière de mêler une vision culturaliste (par l'attention portée à la composition sociale de la ville) à une conception plus fonctionnaliste, la raison d'être de la ville étant sa fonction administrative : l'urbanité devient fonction par le biais de ce pouvoir inducteur de l'administration. Le texte cité est parmi les plus prolixes de cette correspondance, mais on pourrait en citer beaucoup d'autres, et également en deviner.

À travers tout le royaume, qu'il s'agisse d'une châtellenie ou d'une vicomté, d'un duché-pairie ou d'une viguerie, d'un bailliage ou d'une juridiction seigneuriale, d'une élection ou d'une subdélégation, la perte en est toujours ressentie comme le prélude à la ruine de la ville, ruine globale puisqu'elle touche non seulement la population vivant des établissements, mais celle qui est engagée dans le commerce ou la production, sans oublier les citadins vivant des revenus agricoles. On aura remarqué que, si ces représentations sont plus communes dans les villes moyennes ou petites (autour de trois mille habitants), on peut les rencontrer également dans les capitales provinciales ou les villes importantes comme Aix, Lisieux, Saintes, etc. Par-delà leurs différences hiérarchiques, ces villes ont donc une manière uniforme de percevoir leur situation à l'égard du commerce (on pourrait en dire autant à propos de l'artisanat ou des manufactures, mais ces activités sont plus rarement évoquées). Toutes ont conscience de n'avoir qu'un commerce de consommation. Et leur façon de l'exprimer préfigure la différenciation que feront économistes et géographes entre fonctions banales et fonctions spécifiques. Voici l'autoportrait de Chaumont-en-Vexin qui possède un bailliage de soixante-douze paroisses et de trente mille âmes :

« La ville de Chaumont n'a ni manufactures, ni commerce autre que celui nécessaire pour la consommation de ses habitants ; elle n'est pas non plus une ville de passage, elle n'a aucune route de communication d'une grande ville à une autre.

Ce qui forme donc la presque totalité des consommateurs, ce sont les personnes attachées à la juridiction par leur état et celles que leurs affaires contentieuses y appellent, de façon que Chaumont privé du siège de la juridiction ne pourrait plus exister » (12/248-25).

L'administration (judiciaire) constitue donc la fonction spécifique, le commerce n'en est que dérivé. Il faut remarquer que c'est en les confrontant l'une à l'autre que ces fonctions peuvent être qualifiées de « basic » ou « non basic ». Leur distinction ne provient pas, en effet, de leur emprise territoriale. Si l'on considère celle-ci, l'administration et le commerce sont tous deux spécifiques et banals puisqu'ils prennent en charge à la fois la ville elle-même et sa zone d'influence. Mais gardons-nous de plaquer la terminologie d'aujourd'hui sur ce corpus ancien. Retenons seulement la différenciation constante entre une fonction première et des fonctions secondaires dérivées. Un dernier exemple, celui de Clermont en Auvergne. Le 19 décembre 1789, cette ville apprend que la cour souveraine sera placée à Riom. C'est une fausse nouvelle mais la municipalité, qui l'ignore encore, écrit aux députés : « Notre ville est perdue. On parle de son commerce ! Eh ! Ce commerce ne crée pas, ne forme pas la ville. C'est le maintien de notre ville qui peut soutenir ce commerce. »[20]

Ainsi s'esquisse un premier type urbain. On ne peut comprendre la portée véritable de sa représentation sans la replacer dans le cadre des rivalités urbaines. En invoquant la faiblesse de leurs ressources économiques, en réclamant l'administration qui seule pourrait les susciter, ces villes tiennent compte dans une très large mesure des autres profils urbains qui entrent en concurrence avec le leur.

Les villes commerçantes n'ont pas besoin de l'administration

Les villes que nous avons évoquées jusqu'à présent ont une conscience aiguë de ce qui les distingue des villes de commerce. Elles décrivent leur propre activité marchande comme vouée à la seule consommation de leurs habitants, alors qu'elles repèrent chez leurs rivales un commerce « qui se suffit à lui-même ». L'appellation de ville de commerce correspond précisément à cette notion et nous renvoie de nouveau à la distinction entre fonction banale et fonction spécifique. D'une certaine manière, les villes qui nous occupent reconnaissent le commerce comme une fonction banale chez elles, spécifique chez leurs adversaires.

Nous avons fait figurer dans l'Annexe IV des exemples éloquents de ces représentations. On y retrouve de très célèbres rivalités. À côté de lettres qui réclament seulement qu'on réserve l'administration aux villes dépourvues de ressources économiques (et affirment par ailleurs que leurs rivales commerçantes et manufacturières n'ont rien à gagner en l'obtenant) on rencontre des adresses plus nettement conscientes de l'opposition entre fonction commerciale banale ou spécifique. Coucy consomme son vin sur place tandis que Chauny exporte ses productions par l'Oise. Dans l'Aveyron, Peyrusse n'entretient de rapports qu'avec ses campagnes voisines alors qu'Aubin vend à d'autres provinces. Saumur a un « commerce d'entrepôt », tandis qu'Angers n'a qu'un « commerce de consommation ». Épernay vend ses vins dans tout le pays alors que Châtillon-sur-Marne n'a de débouchés que dans les provinces voisines. Il en est de même pour Mâcon, en retrait par rapport à Chalon, etc. Dans certains de ces textes, la distinction fonctionnelle se double d'une représentation précise de son expression territoriale. Le mémoire de la ville de Castelnaudary est remarquable à cet égard :

> « Carcassonne n'a presque aucune relation avec les autres villes du département ; bornée à la fabrique des draps, elle pourrait tout au plus avoir quelque légère communication avec Limoux, mais elle est comme étrangère à Castelnaudary et à Narbonne qui sont des villes entièrement agricoles.
>
> C'est entre ces deux dernières que le département doit alterner, soit pour les indemniser des pertes qu'elles font, soit parce que leur position sur la ligne de la poste leur ouvre la communication, et les met en relations d'intérêts et de commerce avec tous les autres lieux. [...]
>
> Ces deux villes par la nature de leurs productions appellent beaucoup de commerçants ; au lieu que les villes purement manufacturières sont bornées à de simples expéditions, qui n'ont presque toutes pour objet que le commerce étranger. »
>
> Castelnaudary ajoute qu'elle aurait préféré être réunie à Toulouse plutôt qu'à Carcassonne : « Les usages locaux, les inclinations des habitants, celles des uns se tournant vers la fabrique, celles des autres ne tendant qu'à l'amélioration des terres et à perfectionner l'agriculture, ne leur donnaient pas ensemble beaucoup de communication » (4/163-29).

On voit apparaître ici l'opposition entre les villes dont les activités ne créent pas de liens avec leur arrière-pays, et les villes dites « agricoles » suivant l'expression que nous avions rencontrée chez Sinéty, député de Marseille, dans ses interventions dans le débat parlementaire. Dans cet exemple, les premières sont traitées avec une franche hostilité. On repère cette même opposition dans les adresses de Montivilliers contre Le Havre, d'Autun contre Chalon et Mâcon, etc. Contre ces villes qui « enjambent »[21] leur région, et entretiennent la plupart de leurs relations avec des villes et provinces « étrangères », voire au-delà des frontières françaises, en vante l'idéal physiocratique de la solidarité des intérêts ruraux et urbains au sein d'unités spatiales de petites dimensions afin de minimiser les distances et les coûts de transport. La vertu de la consommation locale se rattache à cette idéologie. On aura remarqué que parmi ces exemples beaucoup concernent une rivalité entre un port maritime et une ville administrative plus continentale : ainsi, Saint-Malo et Dinan, La Rochelle et Saintes, Le Havre et Montivilliers, Cherbourg et Valognes, Marseille et Aix. Cette dernière ville, avec plus de détachement que les localités précédemment citées, dépeint la vocation

différentielle des ports de commerce comme Marseille et des autres
villes : les premiers ont une fonction nationale et extérieure qui n'a rien
à voir avec l'administration intérieure (voir Annexe IV).

> Aussi, « il ne convient peut-être pas, indépendamment de tout autre
> danger, que le siège de l'administration soit transféré dans une ville trop
> bruyante et trop considérable, où les plaisirs laissent peu de temps aux
> affaires, où les grands objets peuvent faire perdre de vue les détails, où
> l'esprit de commerce et de gain peut étouffer tout autre esprit. Un corps
> administratif [...] doit avoir son siège dans une de ces villes du second ordre
> d'où l'on peut, avec justesse et dans le calme, apprécier tous les intérêts et
> tous les besoins » (5/168-18).

À cette idée s'associe souvent celle de compétence professionnelle,
l'esprit de commerce étant réputé incompatible avec celui des affaires
(nous rappelons que le terme d'« affaires », lorsqu'il n'est pas accom-
pagné d'un adjectif, désigne toujours le domaine juridique).

Le choix rationnel, pour ces textes, consiste donc à placer l'administration dans les villes qui ont un rôle local. L'expression territoriale de
l'administration — qui est une surface regroupée autour d'un centre —
doit coïncider avec une image semblable donnée par les rapports économiques et sociaux. Alors que le grand commerce dessine beaucoup plus
des flux, des lignes correspondant aux circuits privilégiés de transport,
de vente et d'achat, mais laisse de côté les espaces interstitiels, les marchés ruraux donnent une image beaucoup plus « aréolaire » de l'organisation de l'espace. L'opposition s'établit en quelque sorte entre villes
avec ou sans hinterland.

C'est en effet un peu à cette schématisation et à cette déformation que
se livrent ces députés de villes de moindre importance économique,
notamment ceux de Castelnaudary, nonobstant la complexité de l'articulation des différentes aires d'influence : urbaine, internationale,
régionale et locale[22]. Plus justement, certains reconnaissent aux villes
commerçantes et manufacturières leur rôle local mais leur refusent le
cumul des fonctions.

La ville de Laon ne nie pas que Soissons possède comme elle un bailliage, un présidial, une élection et une maîtrise des eaux et forêts[23]. Mais
elle affirme que les siens sont plus étendus, et surtout que

> Soissons a « une existence suffisante par son commerce, tandis que la nature
> a interdit tout commerce à Laon, et qu'il faut que cette ville soit chef-lieu,
> ou qu'elle soit anéantie » (3/144-18).
> « Si cette ville n'obtient point l'établissement que le vœu de la province
> lui promet, elle perd tout puisqu'elle n'a de ressources que dans les
> consommations. La ville de Soissons au contraire a des ressources immenses
> dans un commerce lucratif qui fournit à tous ses habitants la faculté de faire
> valoir leurs fonds avec avantage » (3/144-2).

De même Chauny a des établissements identiques à ceux de Coucy, mais elle a en outre l'avantage de son commerce. C'est aussi le cas d'Argenton vis-à-vis de Saint-Benoît-du-Sault. Certaines villes mises en accusation ont même plus d'établissements ou des pouvoirs plus importants que leurs rivales : Carcassonne a un bailliage, un présidial, une élection et un évêché tandis que Castelnaudary n'a qu'une maîtrise des eaux et forêts en plus de son bailliage et de son présidial ; Châtillon-sur-Marne n'a qu'un bailliage alors qu'Épernay a en plus une élection, un bureau des Fermes, une maîtrise des eaux et forêts, un grenier à sel, une subdélégation. On pourrait multiplier les exemples.

C'est donc contre l'accumulation des avantages que s'élèvent ces villes défavorisées, tirant profit de la philosophie des Lumières mise à l'honneur par l'Assemblée. Hanotin, maire de la ville de Mézières, choisit comme épigraphe à son mémoire un extrait du *Contrat social* : « Peuplez également le territoire, étendez-y partout les mêmes droits, portez-y partout l'abondance et la vie, c'est ainsi que l'État deviendra tout à la fois le plus fort et le mieux gouverné qu'il soit possible. » Mézières n'a que l'avantage d'être au centre du département et d'avoir été choisie comme lieu de première assemblée des électeurs du département, étant considérée comme ville neutre et écartée des prétentions pour le chef-lieu. Mais elle ne l'entend pas ainsi et proteste. Hanotin fait d'abord valoir qu'« il importe singulièrement à l'intérêt des habitants des campagnes que les départements ne deviennent pas le partage des villes susceptibles d'acquérir, par les relations de leur commerce, une prépondérance sur les cantons ». Il en appelle ensuite au précédent de la rivalité entre Aix et Marseille et remarque que les députés marseillais « n'ont pu prévaloir sur la nécessité de revivifier une cité sans industrie et qu'on aurait anéantie, si on l'eût privée de l'établissement qui lui était contesté ». Enfin, il décrit tous les avantages que Rethel, Sedan et Charleville retirent de leurs manufactures et de leur négoce et conclut :

> « Vous ne pouvez pas accumuler dans des villes opulentes les établissements réclamés par les besoins de celles que vous devez régénérer. Citoyens de tous les cantons, et vous surtout habitants des campagnes, si vous voulez jouir de toute la plénitude de vos droits, craignez d'augmenter l'ascendant que ces sociétés nombreuses et florissantes ne prendront toujours que trop sur vous ! Croyez que votre intérêt est toujours de favoriser le faible ; qu'en nourrissant sans cesse l'ambition des grandes villes, vous ne réussiriez qu'à faire succéder l'aristocratie des lieux à l'aristocratie des personnes, qu'à entretenir la monstrueuse inégalité qui se trouve entre les fortunes et qu'à former dans le royaume des colosses de puissance qui deviendraient, tôt ou tard, funestes à votre liberté » (4/158-1).

La rationalité de compensation est ici manifeste. À l'égard des infériorités constitutives de certaines villes (rappelons-nous que c'est la nature qui interdit le commerce à Laon), l'aménagement volontaire a un pouvoir de correction ; il peut réduire les inégalités entre les villes et, conformément aux canons de l'économie libérale de l'époque, il doit égaliser la répartition des richesses à travers le territoire et limiter la puissance et la domination urbaine. Ainsi comprend-on le paradoxe qu'il y a à mobiliser des thèmes inspirés de la physiocratie, pour soutenir des intérêts urbains.

C'est donc le cumul des fonctions qui est dénoncé et devient l'argument privilégié de villes jouant un moindre rôle dans l'armature urbaine et désireuses de l'accroître. La petite ville de Saint-Gervais, située dans la sénéchaussée de Béziers mais dans le diocèse de Castres, demande un chef-lieu de district. Elle n'a pour elle que son ancienneté et ses relations de commerce avec les communautés environnantes, et elle ne fait même pas état de concurrences. Mais elle s'appuie pourtant sur cette idéologie :

> « D'autres villes peuvent se glorifier de leur richesse territoriale, de leur commerce, de leurs manufactures, ce sont déjà des avantages immenses dont elles jouissent. Si à cela elles viennent adjoindre l'administration civile et judiciaire, elles écraseront, absorberont à l'avenir tout ce qui les environne ; elles s'écraseront à la fin elles-mêmes ; peut-être même, d'ici là, l'ordre civil et judiciaire souffriront-ils de cette réunion incohérente, nous osons le dire, car l'expérience de tous les siècles, de tous les peuples a démontré que l'esprit du commerce et celui des affaires civiles ou judiciaires ont presque toujours été incompatibles, qu'ils s'affaiblissent l'un l'autre ou que l'un d'eux anéantit l'autre » (8/291-13).

Ne retrouve-t-on pas là, du reste, les principes mêmes de l'Assemblée ? Certaines villes, comme Castelnaudary, l'affirment :

> « L'intention de l'Assemblée Nationale est aisée à saisir, elle se manifeste dans tous ses décrets ; elle ne veut point que les établissements se concentrent dans un même lieu, afin de prévenir la prépondérance qu'il pourrait acquérir à la longue ; c'est par la division des établissements que l'esprit d'égalité s'établit, que toute rivalité disparaît, et que l'influence devient nulle, par le parfait équilibre qui résulte lorsque les établissements sont partagés » (4/163-29).

De même, Avesnes affirme que la volonté de l'Assemblée « ne peut pas être de porter les richesses de préférence où elles sont déjà, et d'attirer tout au même lieu, encore moins de dépouiller ceux qui en ont peu, pour avantager encore ceux qui en ont beaucoup » (12/246-17). On trouverait encore un texte très éloquent, sur cette nécessité de vivifier les villes pauvres, dans l'adresse de la municipalité de Ham en Picardie (17/289-4).

C'est surtout le grand commerce et les manufactures qu'il paraît injuste de cumuler avec l'administration. Mais un environnement de terres fertiles est également un avantage suffisant pour ne pas être encore accru par la possession de l'administration. Aux frontières entre la Limagne auvergnate et son homonyme bourbonnaise, la différence pédologique suscite des jalousies. Suivant le tracé de la ligne de démarcation entre le Puy-de-Dôme et l'Allier, soit Aigueperse soit Gannat sera privée de chef-lieu de district car elle se trouvera trop proche de cette limite. Gannat essaye de faire basculer les décisions en sa faveur et dit de sa rivale : « La supériorité de son sol sur le nôtre lui assure plus de moyens d'aisance, et entretient plus de fortunes particulières qu'il n'y en a dans la nôtre » (3/149-13).

On rencontre des exemples semblables dans l'argumentation de Barsur-Seine à propos des Riceys, de Saint-Rémy à propos de Tarascon, etc. Mais ces accusations sont moins fréquentes que celles qui visent les villes commerçantes et manufacturières. Les villes qui les portent, en effet, doivent reconnaître, même en la minimisant, la ressource que constitue la terre pour leur compte propre. Elles ne peuvent donc critiquer le cumul de la rente foncière et des fonctions administratives, qui correspond au profil qu'elles-mêmes cherchent à atteindre. Et sans doute jalousent-elles le commerce et les manufactures de leurs voisines, considérés comme sources d'un profit plus abondant que le revenu tiré de la terre.

Objet d'une volonté de préserver, pour les villes anciennement dotées de pouvoirs administratifs, ou d'une volonté d'acquérir, pour les villes qui y voient l'occasion de développer un commerce de consommation et d'augmenter quelque peu leur rayonnement, l'administration constitue un enjeu extrêmement mobilisateur, qui fait l'unanimité sociale : les gens de loi, tout autant que les négociants, marchands, rentiers, artisans, médecins, etc., en font la condition de leur prospérité et de leur maintien. En prenant la parole avec leur compétence de plaideurs, les nombreux hommes de justice qui signent ces lettres servent l'idéologie de cette élite urbaine dans son ensemble.

La critique adressée à la distribution du pouvoir administratif héritée de l'Ancien Régime ne doit donc pas faire illusion : elle émane toujours de villes qui se mêlent elles-mêmes à la compétition pour l'affectation des chefs-lieux et tribunaux.

La critique des villes administratives

La ville de Saintes — que nous avons déjà rencontrée et qui ne craint pas d'invoquer la présence de son évêché, de son présidial — s'insurge contre l'un des arguments de La Rochelle pour obtenir le chef-lieu du département, à savoir la possession du siège de généralité :

> « Heureusement pour la France, un grand nombre de villes seront dépouillées, avec justice, de ce qu'il plaît de considérer comme la propriété de la ville de La Rochelle. Heureusement de grandes villes, abîmes sans fond, où

le sang des peuples engraissait la cupidité, et alimentait le luxe, n'auront plus leurs iniques administrations, leurs nombreux tribunaux ; dix villes autour d'elles se partageront leurs dépouilles, et deviendront les égales de leurs tyrans. [...]

Le passé n'est rien, les convenances, les raisons d'intérêt général, voilà ce qu'il faut juger. »[24]

La violence de la dénonciation n'a d'égale que la force des prétentions de Saintes, qui les croit en consonance avec la table rase révolutionnaire. La difficulté de cette ville à défendre ses ambitions venait de ce que La Rochelle bénéficiait non seulement de son grand commerce mais aussi de pouvoirs administratifs importants. La rationalité de correction préconisée par la capitale saintongeaise touche alors non seulement les inégalités économiques mais aussi les vices de la répartition des pouvoirs administratifs héritée de l'Ancien Régime.

En Franche-Comté, plusieurs villes s'insurgent contre la division en bailliages que les députés se proposent de prendre comme modèle pour le découpage en départements et en districts. C'est le cas de Morteau (6/188-23 et 16), de Nozeroy (9/212-38 et 37) et de Saint-Amour (9/213-2). Il est clair que ces villes, qui précisément n'avaient pas été érigées en sièges de bailliage, cherchent à l'occasion de la réforme à se rattraper et, lorsqu'elles critiquent les abus de l'Ancien Régime, c'est pour se donner les moyens d'assurer à leur tour leur domination.

La ville de Pertuis est consciente qu'en obtenant un district elle priverait Apt d'une partie de sa viguerie, « mais d'abord, il n'est plus question de l'Ancien Régime, ou du moins, il n'en est question que pour le corriger » (5/167-18). En Basse-Normandie, Villedieu craint que les districts soient attribués exclusivement aux anciennes villes bailliagères, dont elle ne fait pas partie. Elle prétend que « l'antique possession des sièges et des pouvoirs ne sera pas une raison de la leur conserver si elles ne réunissent pas les conditions que [l'Assemblée a] prises pour régler dans la division du royaume » (10/230-6). Chambon, dans les Combrailles, prévoit « le mécontentement du plus grand nombre des administrés si Évaux est désigné chef-lieu de district, parce qu'on craint encore l'ancienne influence des villes d'administration et surtout le despotisme des délégués du pouvoir arbitraire » (6/184-18).

De la part de ces villes qui étaient dépourvues des principaux établissements administratifs (Saintes mise à part), l'hostilité à l'égard des villes d'administration et de justice déguise leur propre ambition. Elles font souvent la distinction entre villes commerçantes et villes administratives. Ainsi, dans le Quercy, Moissac refuse de dépendre de Lauzerte, ancien chef-lieu de sénéchaussée, parce que

« il se fait dans Moissac un commerce sur les farines, on ne peut plus digne d'être protégé, et que ce commerce vivifiant tomberait bientôt par l'émigration de ceux qui le font, ou par un dégoût, présage certain de la cessation, si Moissac n'ayant point de district, les affaires de commerce, qui ordinairement sont pressantes, et pour le jugement desquelles il faut un tact particulier, devaient [...] être portées à une distance infinie du tribunal, c'est-à-dire, qui serait établi dans la ville de Lauzerte, où le commerce est absolument nul, où l'idée même du commerce n'existe pas, où par conséquent il serait impossible de former des juges, où les étrangers ne trouvent d'ailleurs presque aucune ressource absolument » (9/223-1).

Plus qu'à l'administration elle-même, c'est donc à la répartition de ses sièges que s'adresse la critique : preuve supplémentaire du privilège accordé à cette fonction. L'exemple de Moissac, toutefois, est particulier. Si la ville propose une rationalité de correction vis-à-vis des dispositions d'Ancien Régime, elle manifeste par ailleurs un conformisme à l'égard des localisations économiques existantes, puisqu'elle préconise la fixation de l'administration dans les lieux du commerce.

5. *Les relations économiques*

Qu'elles se préoccupent de garder ou d'acquérir, les villes précédemment évoquées avouaient volontiers la faiblesse de leur activité économique, où elles voyaient une raison de leur attribuer un nouveau chef-lieu. C'est une tout autre démarche qu'adoptent les localités qui demandent que la division respecte les circuits économiques et valorise les villes exerçant des fonctions associées à ces relations.

Il y a bien des motifs de faire valoir les activités commerciales et manufacturières. Pour une ville secondaire, un bourg ou un village, il peut s'agir de choisir un rattachement. Parfois une délimitation, départementale ou autre, est préconisée parce qu'elle est conforme aux réseaux de relations. Plus souvent encore, l'objectif est l'obtention d'un chef-lieu.

On peut également distinguer les villes qui présentent les relations économiques de façon à soigner leur image de marque, mais sans prêter attention à l'expression territoriale de ces rapports, et celles qui au contraire approchent de plus près la notion moderne de zone d'influence et de centralité urbaine. La séparation n'est pas toujours très aisée à établir entre ces niveaux de représentation, et la variété des exemples rend quelque peu périlleuse une classification stricte.

Courants d'échanges et centralité urbaine

Certaines localités s'efforcent d'infléchir le choix des délimitations de telle sorte que soient respectés les courants d'échanges qui leur profitent. La ville de Pradelles et sept paroisses voisines demandent à ne pas être détachées du Vivarais pour être réunies au Velay :

« La contrée de Pradelles ne peut prospérer que par son commerce des grains et des bestiaux, toute autre industrie lui est interdite par sa position dans un climat extrêmement froid ; le seul débouché qu'elle ait, est le Vivarais et la partie des Cévennes qui lui a été jointe ; c'est avec le produit de ses grains et de ses bestiaux qu'elle retire du même pays toutes ses autres denrées nécessaires à la vie dont il résulte des échanges continuels et une réciprocité d'intérêt qui exige la confiance la plus intime. »

Le mémoire évoque ensuite la « réciprocité d'intérêts que la nature a mise entre cette contrée et le reste du Vivarais » et affirme que Pradelles n'a jamais eu aucun lien avec les autres villes de la Haute-Loire (9/222-1ʳᵉ).

Angoulême cherchait à s'annexer les juridictions de Montguyon, Montlieu et La Roche-Calais. Mais celles-ci, aux dires d'un député de Saintonge, refusent au nom de leurs relations avec Libourne et Bordeaux :

« Il serait injuste d'obliger ceux qui ont toutes leurs relations dans la Guyenne depuis plusieurs siècles à rétrograder à une distance de douze postes dans le milieu des terres, où il n'y a ni ports, ni rivières navigables, où ils trouveraient des juges totalement étrangers à leur coutume, et des administrateurs qui n'auraient pas le moindre intérêt à favoriser la circulation ou le débouché de leurs denrées qui se portent toutes sans exception à Bordeaux : blés, vins, eaux-de-vie et bois » (5/177-48).

Cette répugnance est confirmée le 24 décembre 1789 par Montguyon qui prétend que, malgré son appartenance institutionnelle à la Saintonge, elle a toujours eu ses relations de commerce avec Libourne et Bordeaux. Il y a donc ici une volonté de corriger l'absence de coïncidence entre l'appartenance politique et l'appartenance économique. On entrevoit aussi l'idée de bassin économique, à l'image du bassin hydrographique et se calquant même sur celui-ci : « Libourne et Bordeaux sont situées sur des rivières navigables où toutes leurs denrées et par conséquent toutes leurs affaires aboutissent. » Ainsi, le drainage économique se fait vers la Dordogne et la Gironde et non vers la Charente.

L'analogie entre réseau hydrographique et pente économique est encore plus flagrante dans l'adresse de Montcrabeau, petite localité de l'Agenois :

« Considérant que tout ici suit la pente douce qui mène à Nérac, blé, vin, eaux-de-vie, toutes les denrées et même les ruisseaux, les rivières, que tout attache Montcrabeau à Nérac, l'usage, l'habitude, l'intérêt, le commerce, le même esprit, le même patriotisme [...]. Qu'aller au contraire à Auch par Condom c'est rétrograder, c'est aller à contresens et gravir pour ainsi dire les montagnes qui sont au-delà » (20 février 1790 10/200-57).

On trouverait des représentations semblables émanant de municipalités de la même région qui refusent d'être réunies au canton de Duras, qui les met en relation avec la Dordogne, alors que leurs habitudes les dirigent vers la Garonne (10/226-25).

Nous voyons réapparaître ici la caution d'une philosophie de la nature, sans laquelle l'argumentation paraîtrait ne défendre que des intérêts particuliers. Pourtant au-delà de cet artifice rhétorique, ces revendications mettent en évidence l'agencement des circuits économiques suivant des localisations privilégiées, et surtout la prééminence des villes dans cette organisation. Pour ces localités qui réclament un rattachement, l'objectif est de maintenir la rationalité de leurs rapports commerciaux, c'est-à-dire le lien avec les villes qui leur offrent un marché et un débouché pour leurs denrées suivant la moindre difficulté d'accès. Dans le cas de Pradelles, la ville et sa prospérité sont directement en cause. Les députés de Pradelles, qui souhaitent pour leur ville un chef-lieu de district, pensent qu'ils auront plus de chances en le demandant dans le département du Vivarais plutôt que dans celui du Velay (pour lequel il n'est prévu que trois districts). C'est pourquoi ils font état de relations économiques qui ne paraissent guère avérées, si nous en croyons la réponse donnée au mémoire de Pradelles par l'assemblée administrative du district du Puy, le 15 novembre 1790. Celle-ci rapporte que le commerce de Pradelles se fait au contraire avec Le Puy, dans ses foires et marchés, où elle vend ses denrées et se fournit « en gros sel et en détail pour la draperie et les toiles ». Il faudrait consulter d'autres sources pour départager les deux textes. Il reste que la démarche des députés de Pradelles traduit un désir d'augmenter les pouvoirs et les ressources de la ville en acquérant un chef-lieu.

On retrouve donc le décalage qui rend impossible de prendre comme donnée certaine le contenu d'un discours destiné à objectiver une situation, à la rendre plaidable. Néanmoins, son originalité vient de ce qu'il transpose le débat sur le terrain économique et révèle la manière de concevoir le rôle de la ville dans ce domaine. Toujours empreints de conformisme naturaliste, ces textes abordent cependant résolument le problème de la centralité urbaine.

Ce trait est plus manifeste encore dans les demandes de chefs-lieux lorsque les villes fondent leurs droits sur leurs activités économiques. Dans le Loiret, Châtillon-sur-Loing revendique une justice royale. Elle invoque sa population de trois mille âmes et son commerce étendu, facilité par le canal de Briare et le Loing. Elle fait état de la possession de deux ports considérables où se débitent les charbons, les bois à brûler et de charpente, le blé, le vin, les fruits, etc. Elle a un marché et cinq foires.

> « Ce commerce va infailliblement augmenter par un grand nombre de ruisseaux que l'on dirige à la rivière de Loing. Ainsi donc, la ville de Châtillon-sur-Loing est non seulement un dépôt pour ses environs, mais encore pour

les provinces qui sont arrosées par la Loire, et il est si vrai que ce dépôt est précieux à la ville de Paris, que pour la sûreté de son approvisionnement, cette capitale y a établi une juridiction. »

Celle-ci comprend trente paroisses (9/436-27). Par cette volonté de transformer une justice seigneuriale et municipale en justice royale au nom de la croissance de son commerce, cette ville témoigne d'une conception des fonctions urbaines tout à fait différente de celles que nous avons analysées jusqu'ici, puisqu'elle pose la nécessité de leur accumulation. Elle partage pourtant avec les villes précédentes l'idée de l'interdépendance des fonctions. Mais alors que celles-là attendaient de l'administration qu'elle soit le moteur des autres activités, celle-ci ne lui demande que de sanctionner la fonction première de la ville qui est le commerce.

C'est encore au nom de la défense de l'influence économique de leur ville que les députés d'Orléans présentent leur plaidoyer pour garder Beaugency dans leur ressort. Cette ville est revendiquée à la fois par Orléans et Blois ; cette dernière a envoyé des députés à Beaugency pour lui faire valoir qu'elle recevrait un district plus grand dans son département que dans celui d'Orléans car celle-ci se trouve située trop près de la limite départementale. Les députés d'Orléans ripostent le 12 janvier 1790 :

« Les relations de commerce sont en raison de l'étendue du commerce ; il y a cinq ou six fois plus de commerce et de commerçants à Orléans qu'à Blois. Les relations ne peuvent donc être les mêmes relativement à une ville placée entre les deux et qui trouve dans Orléans bien plus de branches de commerce et de facilités que ne peut lui en offrir Blois » (9/221-38).

Ils ajoutent enfin que Beaugency dépend du présidial et de la coutume d'Orléans, de son évêché, etc. Dans ce texte s'affirme ainsi un désir de maintenir intacte la zone d'influence économique urbaine, et de la rendre plus solide en lui superposant les limites d'un ressort administratif.

À travers ces quelques exemples, on peut apprécier l'originalité des représentations du territoire qui prennent en compte les rapports économiques. Elles annoncent des notions qu'utilise la géographie urbaine actuelle : description des rapports entre une ville et ses campagnes environnantes, identification de la zone d'influence urbaine, appréhension des relations des villes entre elles, d'un réseau urbain, voire de la hiérarchie urbaine. Elles témoignent d'une conscience beaucoup plus nette de l'expression spatiale, de la territorialité des phénomènes liés à la ville. Cette conscience, qui se manifeste de manière privilégiée dans une vision à la fois fonctionnaliste et économiste de la ville, n'en exclut pas pour autant les prérogatives administratives. L'identité de la ville ne tient pas ici à une activité urbaine particulière. Alors que nous avons rencontré tant de villes qui, par opposition aux villes commerçantes et manufacturières, cherchaient leur propre spécificité dans l'administration, celles-ci intègrent la possession de pouvoirs administratifs, lorsqu'elle existe, dans l'argumentation fondée sur les rapports économiques. Pour elles, l'identité ne réside plus dans la spécialisation des fonctions mais dans leur cumul.

Les relations villes-campagnes

On retrouve ici la notion d'habitudes. La présence de marchés ou de foires dans la ville voisine suffit à justifier la nécessité de faire partie de son canton ou de son district. Les adresses de communautés rurales sont d'ailleurs très souvent rédigées à l'initiative de députations urbaines qui font la revue des campagnes voisines pour récolter des signatures. La présence du marché coïncide souvent avec celle d'une justice seigneuriale, d'un bureau de perception fiscale, et lorsqu'une communauté affirme faire toutes ses affaires avec la ville ou le bourg de X, il s'agit de l'ensemble de ces recours. Nous avons évoqué ces types d'organisation spatiale à propos de la ville de Périers et des paroisses environnantes. Nul doute qu'on ait affaire à un cadre fondamental de fonctionnement des relations à l'échelle locale — ce que Étienne Juillard définit comme la région des habitants[25] — étroitement liée dans ses dimensions aux conditions d'accessibilité de l'époque, et nécessairement variable suivant les régions. Aussi est-ce par centaines que l'on peut dénombrer les lettres intégrant ces trois éléments — facilité d'accès, dépendance administrative ou juridique, et fréquentation des marchés — pour demander un rattachement. Les exemples sont difficiles à choisir, tant ils sont nombreux.

Citons cependant l'adresse de la communauté de Quinson, dans les Basses-Alpes, qui réclame son rattachement à la ville de Riez :

« Nous vous dirons que la ville de Riez est pour nos cantons le centre du commerce ; c'est là que nous allons puiser toutes les ressources dont nous avons besoin soit pour nos messages, nos habillements, soit pour la vie animale ; c'est là que nous portons toutes les denrées quelconques que nous avons à vendre ; c'est là que nous trouvons des artistes, des ouvriers en tout genre ; c'est à ses foires que nous faisons nos spéculations ; c'est sa police sur les grains qui règle le prix de notre pain ; c'est à son collège que nous mandons nos enfants pour apprendre les belles-lettres ; c'est à ses ouvriers que nous les donnons pour faire leur apprentissage ; c'est à son séminaire qu'on instruit nos ecclésiastiques ; c'est à son siège épiscopal que nous prenons nos dispenses ou autres objets relatifs » (20 janvier 1790 3/153-3).

L'énumération des « services » offerts par la ville sert à préciser la demande campagnarde. En vis-à-vis, les villes dressent la liste des équipements dont elles peuvent faire bénéficier les campagnes environnantes. Le bourg de Vandeuvre, dans les Ardennes, se présente comme le chef-lieu de trente à quarante villages. La notion de chef-lieu renvoie alors à la présence de foires et de marchés, d'un bureau de poste, d'un bureau de contrôle des actes, d'une brigade de maréchaussée, d'un siège de bailliage (subdélégation) (19 novembre 1789, 4/157-9). De même Elbeuf, qui a été placée dans le département de Rouen et voudrait être réunie à celui d'Évreux, proteste que « tout le terrain qui l'environne est fixé dans le département d'Évreux ». Elle demande qu'on n'enlève pas « à ces paroisses leur correspondance avec une ville qui répand dans leurs campagnes l'abondance, fait fleurir l'industrie, alimente une partie des habitants en même temps qu'elle est le dépôt de leurs productions dont elle procure la consommation et le débit et devient pour chaque cultivateur une ressource avantageuse ». Elle fait état des liens créés avec ces paroisses par sa fabrique de draps.

Certaines adresses défendent la solidarité des intérêts urbains et ruraux. Ainsi Caussade, dans le Quercy, prend-elle position à propos d'une paroisse qui veut se séparer de sa municipalité :

> « Si chaque ville, chef-lieu de département, de district ou de canton, présente par sa localité les usages, les commodités, les secours nécessaires à toutes les municipalités qui l'environnent, il est juste qu'elles viennent ensemble au secours de ces villes par leurs impositions locales ; et ce fardeau immense pour les villes seules, devient léger quand il est justement réparti sur toutes les terres et les individus qui en recueillent les fruits. [Votre sagesse] voudra bien observer que le commerce et les arts prêtent une main nécessaire à l'agriculture, et que, sans les villes, les campagnes seraient bientôt réduites à l'ignorance et à la misère, fléaux de la liberté que vous avez procurée à la France » (10/247-14).

On voit toutefois qu'au sein de cette solidarité, les pouvoirs de décision, de commandement appartiennent à la ville, les campagnes en étant dépendantes. Outre l'administration, la propriété foncière, le commerce et l'industrie sont les domaines où s'exerce la domination urbaine. On trouve des exemples particulièrement éloquents de description de cette centralité urbaine. Ils émanent de villes très diverses. Il peut s'agir de petites villes (quatre mille âmes environ) comme Saint-Geniez (d'Olt) ; celle-ci, qui a quatre mille cinq cents habitants, fait un exposé très détaillé de son rôle dans l'organisation territoriale de toute sa campagne environnante :

> Elle est le « débouché de plus de quatre-vingt mille pièces d'étoffes de laine fabriquées dans son enceinte et dans d'autres parties du Rouergue. Cependant les ouvriers employés à cette fabrication sont en même temps agricoles, ils ne s'occupent de la fabrique que pendant une partie de l'année ; ce commerce joint à celui des tanneries porte dans le Rouergue le numéraire suffisant pour l'acquit des impôts et pour l'achat des denrées qui ne sont pas de production locale.

Cette industrie donne de la valeur aux laines du pays ; l'importation des étoffes fabriquées dans les campagnes dont Saint-Geniez est l'entrepôt, celle des chaînes et trames qui sont nécessaires à ces manufactures attire journellement dans cette ville tous les habitants de la contrée et c'est leur éviter double frais de voyage que d'établir dans la ville où tant d'intérêts les appellent, le chef-lieu d'une administration avec laquelle ils ont des rapports si essentiels » (4/165-16).

Les députés de Saint-Geniez évaluent dans une autre adresse à douze mille le nombre de ces ouvriers travaillant à la fabrique d'étoffes. Par ailleurs, Saint-Geniez est le siège d'un bailliage s'étendant à la fois sur les montagnes d'Aubrac et sur la vallée du Lot et le causse de Séverac qui la borde au sud. C'est donc un marché d'échange de produits agricoles en même temps qu'un siège de justice.

De la même manière, Condé-sur-Noireau, en Basse-Normandie, dépeint les différentes fonctions qu'elle exerce (organisation d'une industrie textile sous forme d'ateliers dispersés dans la campagne environnante, commerce avec, notamment, deux marchés par semaine et six foires par an, autrefois justice civile, criminelle, de police et commerciale) et rend compte de l'extension de sa zone d'influence (voir Annexe V). « Influence » est le mot même qu'emploie la ville d'Uzel, dans les Côtes-du-Nord, pour décrire le rayonnement de sa manufacture de toiles.

L'évocation des manufactures de textiles est du reste l'occasion privilégiée de décrire les liens qui unissent les villes et les campagnes, par l'organisation du travail à domicile autant que par l'utilisation d'une main-d'œuvre rendue disponible par la stérilité du sol, ou simplement surabondante. On en trouvera des exemples particulièrement nets dans les adresses des communautés situées autour de Ganges dans l'Hérault, de Bouchain dans le Nord, de Cambrai, de Beauvais, d'Alençon, de L'Aigle, de Laval, d'Ambert, d'Amiens. Un village proche de cette dernière ville décrit de façon très précise l'organisation du travail manufacturier qu'elle réalise (pour tous ces exemples, voir l'Annexe V).

On y verra confirmation du développement pris par l'industrie textile rurale dans la deuxième moitié du 18e siècle. Nos textes, malgré leur caractère lacunaire, dessinent la carte de cette activité : Nord, Picardie, Normandie, Bretagne, Bas-Maine, Languedoc. Il nous manque des exemples lyonnais (Saint-Chamond fait cependant état de ses liens avec Lyon pour le moulinage de la soie : 30/423-14) et provençaux (dévidage et filature de la soie). Notons par ailleurs que les citations ont été sélectionnées en fonction de leur éloquence : bien d'autres villes font état de leurs manufactures, mais sans montrer comment ces dernières établissent des rapports avec les campagnes voisines.

La ville de Vervins prononce le mot de « centralité » pour qualifier ces rapports :

« Pour démontrer la centralité, elle observe que huit messagers y correspondent trois fois par semaine ; deux manufactures en laine et linons y mettent en activité plus de trente mille âmes, tant au dedans qu'au dehors ; la
dernière surtout dont les objets s'exportent presque en entier à l'étranger »
(3/144-3).

Pourvue d'une prévôté, d'un tribunal d'exception et d'une subdélégation, elle évalue son « arrondissement » à 51 268 personnes non
compris les enfants de moins de huit ans.

Toutefois, dans la majorité des cas, la mise en évidence de relations
entre une ville et les campagnes voisines fait référence à la fonction commerciale. La place faite à l'industrie textile n'est pas contradictoire avec
la prépondérance du commerce puisque à la tête de l'organisation du
travail manufacturier se situe le marchand citadin qui vend la matière
première à l'ouvrier rural et lui achète le produit fini ou semi-fini (voir
notamment l'exemple de Ganges). Henri Sée a montré que le développement de l'industrie rurale à cette époque était le fait des négociants
qui suscitaient précisément l'hostilité des artisans urbains et des corporations, ceux-ci leur reprochant de s'annexer injustement le statut de
fabricant[26]. Ainsi, la domination urbaine sur les campagnes s'établit
principalement avec la rente foncière, l'administration et le commerce.
C'est souvent avec le vocabulaire de la physique newtonienne qu'est
décrite l'action d'organisation du territoire environnant par la ville. On
retrouve une formulation classique chez Vauban. La ville de Riez en
Provence fait ainsi observer que :

« Dans le moral comme dans le physique, la force active d'un rayon s'affai-
blit en proportion de la distance : la perte du temps, les frais, les incommo-
dités du transport retiennent nécessairement dans une espèce d'inertie les
parties les plus éloignées, tandis qu'en approchant du centre, on rencontre
toujours plus d'activité et de force » (3/153-5).

Il y a là la reconnaissance d'un territoire polarisé par la ville. La mesure
du rayonnement est fondée sur les distances et les coûts, conformément
aux analyses des économistes des 17ᵉ et 18ᵉ siècles. Aux confins du
Velay et du Forez, la ville de Saint-Didier rivalise avec Monistrol :

« Il serait aussi absurde, et surtout dans le siècle de la raison, de faire ressortir Saint-Didier à Monistrol que de faire ressortir un tout à sa moitié ou
le nombre de quatre à celui de deux. On lui dirait que les lois générales de
l'attraction doivent faire sentir leur pouvoir et leur effet dans l'ordre social
et politique comme dans celui de la nature ; que Monistrol n'étant qu'à une
lieue de Saint-Didier, il y est attiré en raison directe des masses et des distances et qu'il a un chemin superbe pour suivre l'impulsion imprimée par la
puissance attractive et pour ne venir faire qu'un tout un peu plus considérable avec un tout qui l'est déjà beaucoup plus que lui » (9/222-48).

Pourtant cette référence à l'attraction urbaine paraît être hors de proportions avec l'étendue des fonctions de la ville de Saint-Didier. Celle-ci ne fait état que de sa population et de sa bourgeoisie, supérieures à celles de Monistrol, et de sa position « plus à portée des climats doux où règne l'urbanité ». Néanmoins, même si la centralité urbaine est ici plus culturelle que fonctionnelle, et certainement surestimée, elle n'en est pas moins très clairement identifiée dans son expression spatiale.

La fonction d'échange — qui consiste le plus souvent pour les paysans à vendre leurs produits agricoles et à acheter les denrées ou les produits artisanaux qui leur font défaut à la ville voisine — est mise dans un relief particulier lorsque le marché est situé au contact de régions de productions différentes. Ainsi la proximité conjointe de la plaine et de la montagne est ressentie comme une position privilégiée par les villes qui en bénéficient : c'est alors que la fonction commerciale prend toute sa valeur. C'est le cas pour la ville de Poligny dans le Jura :

> « Le district placé à Poligny suivant la division en six, les habitants des montagnes mêmes y trouveraient tout de l'avantage.
> 1° Parce qu'ils conduisent habituellement à Poligny des planches, des bois de construction et des fromages.
> 2° Parce qu'ils chargent en retour des grains, des vins et toutes les marchandises qui leur sont nécessaires ; enfin parce qu'ils y traitent en même temps de leurs affaires » (9/212-30).

Poligny rivalise ainsi avec la ville de Nozeroy qui est enclavée dans les montagnes et ne peut invoquer pareille fonction d'échange.

Les communautés rurales elles-mêmes prétendent choisir leur débouché urbain en fonction d'une complémentarité ressentie comme bien préférable à l'homogénéité. Le corps et les communautés de Berchères-sur-Vesgre, Saint-Lubin, La Haye, La Ville-l'Évêque et Marchefroy-Saint-Ouen désirent que leur canton soit réuni à Montfort-L'Amaury et à Versailles plutôt qu'à Dreux et Chartres : leurs affaires les appellent principalement à Versailles, à la capitale et aux environs, pour la vente de leur vin, fourrages et grains — « denrées de première nécessité dont ils ne trouveraient aucun débit dans les villes de Dreux et de Chartres qui en sont pourvues par leurs territoires mêmes et par ceux circonvoisins » (17/281-16).

Avec ces exemples, nous passons à un type de relations qui repose sur une appréhension plus élaborée de l'offre et de la demande. Le rapport entre ville et campagne se complique de la loi du meilleur profit, l'aire où s'exerce la fonction urbaine n'est plus seulement locale, elle est interrégionale. Ainsi la ville de Murat, qui présente cette vocation d'échange de denrées, étend-elle ses relations sur d'autres provinces. Si elle est le « rendez-vous naturel et habituel de toute la partie qui doit former ce district », permettant aux campagnes voisines de traiter leurs affaires dans sa prévôté et son bailliage royal, de vendre leur fromage et d'acheter du blé dans ses marchés et ses foires, elle attire aussi les marchands d'autres provinces : « Ce commerce très considérable (il se vend à Murat environ quinze mille quintaux de fromage) se fait avec les Languedociens et les Provençaux, qui viennent chercher ses fromages et apportent des vins, des savons, des huiles et autres marchandises » (5/174-7).

Les relations nationales et internationales

Comme Murat, beaucoup de villes font état non seulement de leur rôle dans l'organisation du commerce local, mais aussi de fonctions économiques les mettant en relation avec des territoires plus éloignés. Nous en avons de très nombreux exemples, dont les plus significatifs appartiennent aux archives concernant la fixation des tribunaux de commerce. Témoin cette adresse des maires et officiers municipaux de la ville de Tarascon :

> La situation « de cette ville est si favorable que les assemblées administratives n'ont pas hésité à manifester leurs vœux par arrêté. Avantageusement placée sur le bord du Rhône, elle est le point de réunion des denrées de première nécessité qui descendent le fleuve, qui remontent par la mer, ou qui sont expédiées des départements voisins par le canal ci-devant nommé canal du Languedoc.
> C'est à ce seul et unique point de réunion que se rendent nécessairement tous les habitants du district qui forment une population de cinquante mille âmes. C'est ici qu'ils achètent à meilleur marché que partout ailleurs le blé, avoine, légumes, sel, bois de construction, charbon de terre, et généralement toutes les denrées de première nécessité. Nous disons qu'ils s'y rendent *nécessairement* parce qu'ils ne peuvent trouver ailleurs ces objets de consommation plus abondamment et à meilleur marché ; parce que tous ceux qui les revendent ailleurs les ont achetés ici et qu'ils sont obligés d'en augmenter le prix [*sic*]. [...]
> À cette première raison dont le département a reconnu toute la force, il faut joindre la faveur que méritent les manufactures établies dans cette ville ; elles fournissent non seulement aux pressants besoins des habitants du district, mais elles sont tellement recherchées dans tout le royaume, que le grand nombre d'ouvriers qu'on y emploie ne peuvent suffire à la main-d'œuvre. [...]
> Des relations aussi importantes avec une nombreuse population, avec toutes les villes commerçantes de la Méditerranée, avec toutes celles qui bordent le cours du Rhône et de la Saône amènent sur notre port quantité d'étrangers ; c'est d'ici que partent ces envois si considérables de grains et légumes expédiés pour les villes d'Aix, Marseille et Toulon, soit par la voie de la mer, soit par terre pendant les six mois d'hiver » (33/457-22).

De telles descriptions abondent, souvent si développées qu'elles mériteraient une étude particulière impossible à envisager ici. Nous voudrions seulement souligner la place qu'y tiennent les ports maritimes et les villes proches de la côte. Outre Granville, déjà cité, c'est le cas dans les Bouches-du-Rhône de Marseille, Martigues, La Ciotat ; dans le Var, d'Antibes ; dans l'Hérault, de Sète ; en Charente-Inférieure, de La Rochelle, Rochefort, Marennes ; en Ille-et-Vilaine, de Saint-Malo ; dans le Calvados, d'Isigny ; en Seine-Inférieure, de Fécamp, Saint-Valéry-en-Caux, Eu et Le Tréport ; dans la Somme, de Saint-Valéry qui prétend être abordée par trois cents navires marchands par an ; dans le Pas-de-Calais, d'Étaples ; dans le Nord, de Dunkerque. Cette liste ne correspond une fois encore qu'aux exemples les plus significatifs de cette dualité fonctionnelle. Il manque à nouveau un grand nombre de villes pour lesquelles l'attribution du tribunal de commerce n'a pas laissé de traces dans les archives, sans doute parce qu'elle venait remplacer sans conteste une juridiction consulaire.

Ces villes affirment toutes être le débouché et la source d'approvisionnement non seulement de leurs campagnes voisines mais de toute leur province, voire de plusieurs provinces ou du royaume entier, effectuant l'importation et l'exportation à la fois par voie maritime, terrestre et souvent fluviale.

La situation sur une rivière navigable inspire des exposés similaires, qui cependant ne mettent en avant qu'un rôle interrégional et national. Ainsi, La Ferté-Milon invoque sa position sur l'Ourcq, « rivière navigable qui communique avec la Marne dans laquelle elle se jette et avec la Seine ce qui établit une correspondance habituelle d'affaires avec Paris ». Elle expédie à Paris le blé et le bois de charpente et de chauffage (33/451-2). Ce commerce sera cependant jugé insuffisant pour justifier la fixation du tribunal, conformément à l'avis du directoire de district (21 février 1791). De son côté, Libourne fait valoir sa position au confluent de deux rivières navigables qui en font le débouché de toutes les denrées du département qui sont expédiées « pour l'étranger » (33/472-1).

Le cumul de la desserte fluviale et routière engendre chez les villes qui en bénéficient la conscience d'exercer un rôle encore plus éminent dans le commerce.

L'importance accordée aux voies de communications d'une part, aux (autres) villes situées sur ces voies d'autre part, détermine le contenu de ces exposés qui approchent de très près les notions géographiques de situation urbaine et de réseau urbain. La ville de Soissons prend position pour une division qui respecterait ces réalités[27], tout en montrant son rôle de relais, vers Paris pour les communautés du département et vers diverses provinces du royaume, en assurant le débouché du commerce d'autres villes comme Saint-Quentin et Château-Thierry. De même que Soissons, un grand nombre de villes situées non loin de Paris insistent sur leurs rapports avec la capitale pour l'approvisionnement de celle-ci. C'est le cas de Dourdan, Étampes, Poissy et Saint-Germain en Seine-et-

Oise, de Montereau, Provins et Nemours en Seine-et-Marne, de Roye
dans la Somme, de Villeneuve-le-Roi dans l'Yonne, etc.

C'est un autre mode de relations que décrit Ambert, à propos du
commerce lié à ses fabriques (papier, fil de laine, chanvre et lin), en donnant une image remarquable du réseau urbain ainsi créé ; ce sont ses
négociants qui écrivent :

> « Elle tire toutes les matières premières dont elle a besoin de la Basse-
> Auvergne ; les commissionnaires et commis qu'elle emploie pour en faire
> les achats suivent à cet effet toutes les semaines les foires et marchés des
> villes et bourgs d'Olliergues, Cunlhat, Courpière, Thiers, Châteldon,
> Lezoux, Clermont, Billom, Saint-Amand-Roche-Savine, Saint-Germain-
> l'Herm, Montboissier, Sauxillanges, Ardes, Besse, Égliseneuve-d'En-
> traigues et autres endroits de cette province. Elle fait les envois des mar-
> chandises qu'elle a fait fabriquer dans toutes les provinces du royaume, dans
> l'étranger et même dans les colonies. Elle reçoit en paiement des effets sur
> Paris et Lyon ; comme les villes de fabrique n'ont besoin que du comptant
> soit pour l'achat des matières premières, soit pour payer les ouvriers, les
> commerçants de la ville d'Ambert envoient ou portent lesdits effets aux
> banquiers et négociants de Clermont. Cette ville étant un entrepôt général
> de toutes les marchandises qu'elle tire de l'étranger, et qu'elle débite dans la
> province pour payer les correspondants, a besoin de tels effets » (14/256-
> 38).

De tels développements sont, il faut le dire, exceptionnels, surtout
quand ils appuient comme c'est le cas ici une simple demande de rattachement administratif.

À l'image d'un réseau urbain, s'ajoute donc dans ces textes l'idée
d'une hiérarchie urbaine. Par son importance, elle mérite un développement particulier, bien qu'on ne puisse pas la dissocier des autres thèmes,
comme ces textes le prouvent. Mais nous voudrions d'abord évoquer la
manière dont nos villes, après avoir décrit leurs fonctions économiques,
introduisent dans leurs lettres leurs revendications. C'est du reste une
première approche du thème de la hiérarchie puisque ces villes, de
même que les « non commerçantes », établissent souvent leur argumentation en fonction d'une concurrente.

Donner l'administration aux villes commerçantes

Au nom de cette centralité urbaine qui est rapportée non seulement à la
possession, lorsqu'elle existe, d'établissements d'Ancien Régime, mais
surtout aux fonctions économiques, les villes demandent l'attribution
d'un chef-lieu administratif ou judiciaire. Comment se fait la médiation
entre la justification et la revendication ?

Nous avons évoqué cette nouvelle occurrence de la philosophie naturaliste que représente le conformisme économiste. L'idéologie qui sous-
tend ces textes affirme qu'en modelant la nouvelle organisation territo-

riale et administrative sur les réseaux de relations économiques, on respectera un ordre naturel. La ville de Villedieu, en Basse-Normandie, qui appuie sa réclamation d'un chef-lieu sur les rapports de commerce la liant aux campagnes situées à trois lieues à la ronde (fréquentation de ses foires et marchés), adopte ce système d'idées lorsqu'elle fait écrire par son député qu'en donnant un district à Villedieu, « vous rétablirez l'ordre naturel des choses que le régime féodal avait si bizarrement contrarié. » La rationalité révolutionnaire, en promouvant une division fondée sur les rapports de proximité, vient opérer un juste retour à l'ordre naturel des relations sociales et économiques. Le fait que « par un heureux hasard », la zone d'influence de Villedieu coïncide avec l'extension conforme aux bases du projet constituant parfait cette vision de l'« aménagement du territoire » qui entremêle le rationalisme et l'hédonisme (10/230-1 et 5).

Pourquoi donc réclamer l'administration ? On devine que l'objectif est la réunion de plusieurs fonctions urbaines. Dans d'autres textes en effet, l'idéologie qui est mise en avant vante les mérites du cumul des fonctions urbaines. Dans certains cas, la logique invoquée consiste à réunir au même endroit les différents pouvoirs pour économiser le temps et l'argent des administrés. C'est ce que fait valoir la ville de Gournay contre Lyons qui, selon ses dires, n'a aucun commerce :

> « Quoi qu'on fasse, on n'enlèvera pas à Gournay son commerce. Dès lors en plaçant ailleurs le chef-lieu de district, le tribunal de justice, on obligera les habitants des campagnes à un double déplacement ce qui leur serait infiniment préjudiciable, ce qui répugne même aux principes de l'Assemblée Nationale » (17/283-10).

De telles représentations, extrêmement répandues dans les textes de villes soi-disant commerçantes, prennent une importance particulière dans les pétitions à propos des tribunaux de commerce, les villes cherchant à montrer que le siège de justice doit être placé le plus près possible du lieu où se produit une contestation ou un litige, afin de ne pas retarder l'expédition des affaires commerciales. C'est fréquemment le cas pour les villes maritimes et fluviales. Martigues, préoccupée par le règlement des naufrages, des rixes entre marins, des disputes pour les pêcheries, s'interroge :

> « Comment sera-t-il possible de courir à six ou sept lieues loin pour y chercher des juges qui, manquant certainement de connaissances locales, malgré toutes les lumières possibles et leur meilleure volonté ne prononceront qu'en tâtonnant... [...] Il ne se passe presque point de semaine que des navires soit français, soit étrangers, qui ont essuyé des dommages en mer, ou fait des jets considérables de marchandises soient obligés de faire leur constat par-devant l'amirauté. Ce constat doit être fait dans les vingt-quatre heures, suivant les ordonnances, et attesté au moins par la moitié des

équipages ; comment sera-t-il possible que le capitaine se transporte à six lieues ; qu'il prive son vaisseau de la moitié de son équipage, dans un temps où il lui est le plus nécessaire et où sa présence peut empêcher la perte totale de son navire et de sa cargaison ? » (33/457-24).

Ces préoccupations de commodité des administrés ne dissimulent pas, pourtant, que la volonté de réunir l'administration au commerce répond à un intérêt plus directement urbain. On retrouve ici la préférence accordée, sur la centralité géométrique, à la centralité du commerce et des communications. L'idée est de placer l'administration là où le volume des affaires à administrer est le plus important. Mais les villes s'attachent en outre à représenter que le commerce a besoin de l'administration pour se maintenir dans son état. C'est dans ce sens qu'écrit la ville de Reims, évoquant non seulement son commerce mais aussi ses manufactures :

> « La manufacture de Reims est celle de la France qui soutient le mieux la concurrence avec les manufactures étrangères qu'elle imite souvent avec avantage. [...] La ville de Reims est située dans un terrain stérile absolument infertile ; c'est à la culture, aux travaux des habitants et aux engrais qu'il doit la fécondité qu'il a acquise, des vignes, des terres qui donnant du froment et d'excellents seigles ont remplacé des landes et des friches. Une population nombreuse a couvert ces lieux précédemment arides et presque inhabités ; on ne peut se dissimuler que cette métamorphose ne soit due à l'aisance qu'a produit le commerce. Tant que cette cause subsistera, les mêmes effets dureront mais si l'activité en est affaiblie peu à peu la terre perdra de sa fertilité. [...] C'est ce qui arrivera si on place le département dans une autre ville [...]. Le commerce ne peut se soutenir (encore moins les manufactures) sans numéraire. Toutes les fois qu'on enclavera une grande partie d'une ville de manufactures, le commerce languira. Cette exportation aura lieu pour Reims si le département n'est pas fixé dans cette ville » (10/232-10).

C'est encore en tant qu'elle réunit le numéraire que l'administration favorise le commerce suivant les affirmations des négociants de Saint-Dizier (10/223-25) et de Nairac, député extraordinaire du commerce de La Rochelle. Celui-ci demande qu'on ne dépouille pas sa ville de ce qu'elle mérite, « pour en investir une ville inférieure, sans aucune sorte d'industrie et d'activité » (il s'agit bien entendu de Saintes), et poursuit :

> « Une ville de commerce a nécessairement besoin du mouvement des caisses publiques pour le placement de son papier, et la régénération du numéraire que ses achats consomment sans cesse : les caisses publiques ont besoin, à leur tour, du commerce pour la facilité de leurs remises. Ces besoins, ces secours mutuels et indispensables ne trouveraient aucun aliment à Saintes ; sans commerce et sans papier, il faudrait voiturer les espèces, ou subir la loi d'un agiotage qui s'établirait bientôt, et le commerce

de La Rochelle, réduit aux plus onéreux expédients, serait frappé d'une langueur dont les tristes effets atteindraient promptement l'agriculture » (5/178-16).

Même son de cloche dans les lettres de Sedan qui évoque surtout sa manufacture, de Lassay (Mayenne) qui distribue le lin aux campagnes pour la filature et le revend ensuite aux marchands des villes manufacturières, de Saumur, de Castres (voir Annexe VI).
L'ensemble de ces villes réclame l'administration pour garantir la prospérité du commerce. On aura remarqué qu'elles signalent souvent la stérilité du sol qui afflige leur arrière-pays. Souvent, comme c'est le cas de Castres et de Sedan, elles font de la présence de manufactures et d'un commerce étendu une conséquence de cette médiocrité agricole, lien causal cher aux économistes et que dès le 16e siècle on trouvait chez Jean Bodin[28]. Plus tard, les Physiocrates reconnaîtront la nécessité des manufactures dans les pays infertiles, où la population manque de subsistances. Dans notre correspondance les villes observent volontiers que les manufactures et le commerce sont leurs seules ressources. Mais certaines décrivent leur situation comme plus fragile encore, ces ressources se maintenant à grand-peine ou déclinant. Ainsi Cambrai, qui vante sa réussite dans la fabrication des toiles et son rayonnement sur les campagnes, reconnaît qu'elle n'a pas de grosses branches de commerce et qu'elle « a perdu de son lustre depuis la révocation du trop fatal édit de Nantes ». Elle affirme qu'un tribunal de commerce lui est nécessaire pour retrouver « sa splendeur » (34/492-6).
C'est sur un registre un peu différent que d'autres villes commerçantes font valoir leurs droits. Selon elles, l'administration est nécessaire pour surveiller le commerce. Les villes maritimes ou proches de la frontière se font l'écho de cette idée. C'est notamment le cas de Saint-Malo :

« L'existence politique de la ville de Saint-Malo et de son commerce tient à la place qui lui sera assignée dans la nouvelle division du royaume. Réunie à un département intérieur trop éloigné son commerce manquera de cette précieuse surveillance, qui peut seule le faire prospérer, et la sûreté d'une ville, qui est la clef de la Province, pourra être négligée » (8/208-14).

Mais ces représentations émanent également de villes intérieures, comme Soissons ou Saint-Dizier. Celle-ci demande

« un district dont le directoire surveille activement et continuellement les travaux, le bon ordre, l'augmentation et la sûreté de ses ports [...]. Un directoire qui serait établi sous la surveillance du département auquel il serait attaché aura le plus vif intérêt à l'accroissement d'un commerce qui vivifie tout le cours de la Marne, et dont les ramifications s'étendent jusque dans la capitale et la Normandie » (10/233-9).

Il y a là une certaine fidélité au dirigisme économique. L'esprit mercantiliste se manifeste dans la volonté de surveillance des frontières et de protection du commerce et des productions nationales. Les négociants de Saint-Geniez-d'Olt, qui veulent un tribunal de commerce, reprennent ce thème dans une adresse-fleuve aux administrateurs de département :

> « Ces manufactures ainsi que toutes les autres de ce département ont besoin de l'attention tutélaire et de la protection constante de l'administration. Sans elle, les efforts de l'industrie deviendraient nuls. Nous avons besoin, et notre province n'est pas la seule, de machines plus parfaites pour nos filatures, nos tissages, nos teintures et surtout pour nos apprêts. Vous pourriez, Messieurs, inviter par des récompenses et des encouragements, les ouvriers et les artistes étrangers à venir nous éclairer du flambeau de leur expérience. Depuis longtemps il existe en Rouergue des fabriques d'étoffes de laine. Le changement de goût dans la manière de s'habiller a concouru à diverses époques, avec les progrès du luxe, à multiplier surtout à Saint-Geniez le nombre et les qualités des marchandises qu'elles ont fournies. Nous avons lieu d'espérer que, par vos soins, elles se perfectionneront assez un jour pour remplacer une partie des étoffes qui nous viennent des provinces du nord et du midi et principalement celles qui nous sont importées de l'étranger. Votre œil attentif protégera l'établissement des nouvelles fabriques. Par vos encouragements, elles acquerront de la consistance, et de leurs progrès rapides naîtra la prospérité de tous. L'augmentation de nos moyens d'existence produira nécessairement l'accroissement de notre population, et par suite le défrichement de nos terres incultes » (33/456).

Outre ce large pouvoir conféré à l'administration sur l'économie, on retrouve ici et dans la plupart des lettres de villes commerçantes la chaîne de l'interdépendance des fonctions. Toutefois, si la conception du rôle moteur de l'administration est très voisine de celle que développent les villes économiquement peu actives, elle s'en écarte par l'appréciation de la place tenue par le commerce dans la base fonctionnelle de la ville. Les villes de la première catégorie attendaient de l'administration qu'elle fasse naître un commerce inexistant ou qu'elle maintienne le niveau de la consommation reposant sur les établissements d'Ancien Régime. Mais, comme l'exprimaient les représentants de Clermont en Auvergne, le commerce ne faisait pas la ville, la base de celle-ci étant l'administration ou la justice.

Les textes que nous envisageons maintenant reconnaissent le commerce comme une fonction urbaine essentielle et font état d'un rayonnement économique important. L'administration vient donc comme un adjuvant, un moyen de développer les germes présents dans la ville. On pourrait presque parler de possibilisme à propos de ces représentations. Les Sables-d'Olonne se décrivent comme la seule ville dont le port pourrait se prêter aux spéculations du commerce et prendre la relève de celui de La Rochelle qui se comble de vases (18/294-28).

L'administration est le révélateur de ces potentialités, elle accroît le commerce mais celui-ci constitue bien la fonction essentielle, spécifique de la ville.

Aussi voit-on certaines villes établir une hiérarchie fondée sur une typologie fonctionnelle des activités commerciales, système de valeurs qui inverse celui que défendaient les villes « non commerçantes ». Il préconise en effet de placer l'administration dans les villes qui possèdent un commerce « extérieur » par opposition à un commerce de simple consommation. Compiègne en fait un argument pour triompher dans la rivalité qui l'oppose à Crépy :

> « Crépy n'a d'autre commerce que le commerce mercantile qu'il fait avec ses propres habitants, et Compiègne a un commerce extérieur en bois de construction, et en bois à brûler, en construction de bateaux et en manufacture de cordages pour les équiper. Compiègne a de plus un commerce extérieur en grains, farines et fourrages, en toiles et en lainages dont il a également des manufactures » (12/248-28).

Compiègne ajoute que Crépy est isolée alors qu'elle-même a cinq grandes routes. Cette qualité urbaine fondée sur ses caractéristiques fonctionnelles ne rompt pas avec les valeurs culturelles et sociales de l'image traditionnelle puisque l'auteur de la pétition fait valoir que la ville a été le séjour des rois, que sa situation est agréable et belle, et qu'elle possède une garde nationale de cinq cents hommes « pris dans les bourgeois commerçants et artisans sans avoir puisé dans ce qu'on appelle vulgairement le petit peuple ni dans les citoyens de ses faubourgs ».

Charleville reprend le même type d'arguments contre Rethel :

> « Le marché des blés de Charleville qui nourrit les prévôtés de Rocroi et de Château-Regnault, et tout le cours de la Meuse jusqu'à Givet, c'est-à-dire environ soixante lieues carrées de pays, donne à cette ville des relations nécessaires d'approvisionnement et de subsistances avec tous les contribuables de ce même pays, tandis qu'il n'en existe aucune entre eux et la ville de Rethel. Son commerce d'entrepôt des cuivres, des quincailleries établit journellement des relations de commerce entre Sedan et Charleville ; l'approvisionnement du marché de Charleville y amène toutes les semaines les laboureurs des districts de Vouziers, de Rethel ; il procure à ces districts l'avantage inappréciable des voitures de retour en clous et en ferronneries qui non seulement payent le voyage des laboureurs, mais payent encore au-delà la consommation de la nourriture de leurs chevaux [...]. Rethel ne réunit aucun de ces avantages ; il est borné à sa simple consommation, il la trouve abondamment dans son district, et n'attire aucun contribuable étranger » (4/157-10).

On retrouve ces distinctions dans les demandes d'attribution de tribunaux commerciaux. Dunkerque s'insurge contre les prétentions de Bergues qui n'a qu'un commerce de détail et d'achat par commission des productions du pays, qui n'a « ni change, ni bourse, ni manufacturiers, ni banquiers, ni négociants », toutes possessions dont elle-même peut s'enorgueillir (34/492-4). Poissy, appuyée par les communes voisines, reproche également à Saint-Germain (en Laye) de n'avoir qu'un commerce « intérieur et borné à sa propre consommation ; ainsi elle ne peut se réputer ville de commerce » (34/503-3). Poissy, en revanche, fait un commerce de bestiaux assurant l'intermédiaire entre les fournisseurs normands et les marchands de Paris et des environs. Notons que Saint-Germain se défend en disant que le commerce de Poissy ne consiste qu'en « marchands passagers » alors qu'il faut des « marchands résidents » pour former les tribunaux de commerce (34/503-7). À son tour, Villeneuve-le-Roi s'exclame : « Sera-ce dans une ville de simple consommation où l'on trouvera ces vastes lumières ? Non sans doute, Messieurs [...]. Il est donc de la plus haute importance de fixer ces tribunaux dans des villes qui ont un commerce intérieur et extérieur » (34/512-9). Elle proteste alors contre les démarches de Joigny. Dans tous ces exemples les villes commerçantes s'opposent à des concurrentes qui les ont supplantées pour l'obtention des chefs-lieux de district.

Dans les Bouches-du-Rhône, Marseille veut acquérir le seul tribunal de son district. C'est pourquoi son directoire de district émet une opinion défavorable sur les prétentions de La Ciotat qui désire un établissement pour elle-même :

> « Les consommateurs de ces divers articles fabriqués à La Ciotat n'emploient que rarement ou presque jamais l'entremise des négociants commissionnaires ; on peut même dire qu'il n'en existe aucun à La Ciotat, ou s'il en existe, ce sont des commissionnaires ambulants qui [...] ont plutôt les fonctions de courtiers que de négociants commissionnaires. [...] Les intérêts concernant La Ciotat et les communautés de Roquefort et de Cereste ne roulent donc que sur l'exploitation des productions de leur sol, laquelle se fait presque en totalité dans la ville et le port de Marseille » (33/457-19).

Marseille témoigne ainsi de la prééminence sociale et économique du négoce spécialisé dans la commission. Les commissionnaires, souvent armateurs de surcroît, se situaient en effet au sommet de la hiérarchie commerciale par le volume des affaires qu'ils traitaient, et par leurs bénéfices. La Ciotat obtiendra quand même un tribunal de commerce grâce à l'appui du directoire de département.

On trouve dans ces archives des oppositions fondées sur d'autres distinctions ; Béziers, par exemple, privilégie ses négociants vendeurs contre les acheteurs de Montpellier. Retenons ce clivage majeur établi entre le commerce de consommation et de détail et le commerce dit « extérieur », ce dernier étant au 18e siècle, comme on sait, le plus lucratif. La hiérarchie imaginée coïncide donc assez bien avec la hiérarchie réelle.

Pour les villes qui bénéficient de ce commerce spécifique, revendiquer un tribunal de commerce est, en raison du volume des affaires à juger, chose normale. Plus surprenante, la demande d'une administration ou d'un tribunal ordinaire, qui traduit une volonté de cumuler les pouvoirs et de les concentrer en un même lieu. Ce système d'idées est plus proche de la pensée d'économistes comme Petty ou Vauban et, d'une manière générale, des mercantilistes, que des doctrines libérales du 18ᵉ siècle. L'idée que l'administration doit surveiller et développer le commerce et la volonté de concentrer les pouvoirs dans l'espace marquent cette argumentation. On peut y voir un trait d'archaïsme qui ressort aussi de la conception même de l'administration. Nous avons vu le crédit accordé par Compiègne à son image de marque culturelle et sociale, à ses signes de distinction honorifique. Pour l'ensemble des villes évoquées dans ce chapitre, il semble que l'administration, si elle ne détrône pas le commerce comme base fonctionnelle, conserve sa valeur de prestige et de confirmation urbaine. Elle a le statut de fonction vassale destinée à assurer la prospérité du commerce ; on peut alors comprendre l'apparition de signataires négociants aux côtés des hommes de loi, les premiers attendant des seconds qu'ils favorisent leurs intérêts. Mais l'administration est toujours, dans une très large part, un facteur de dignité urbaine, l'équivalent d'un privilège.

Parfois même, le discours destiné à justifier la revendication qui fait de l'administration la garantie de la prospérité économique, prend un caractère quelque peu spécieux. Un mémoire rédigé par la ville de Béthune présente le compte rendu de la réunion des électeurs du département pour choisir le chef-lieu :

> « La ville de Saint-Omer, par une inconséquence frappante, fit dépendre l'augmentation de son commerce, déjà florissant, de la cause à laquelle elle attribuait l'anéantissement de celui d'Arras ; Arras disait-on avait perdu ses belles manufactures, ses correspondances mercantiles, par l'accumulation des tribunaux de justice et d'administration et l'on voulait que cette accumulation fût pour Saint-Omer le principe générateur d'un commerce comparable à celui des plus grandes villes du royaume » (14/253-23).

On voit ainsi que l'administration reste un enjeu en elle-même, indépendamment de son rôle inducteur. La dernière remarque que suggèrent ces textes concerne l'individualisme qu'ils manifestent. L'intérêt particulier y est en effet remis à l'honneur par-delà les principes révolutionnaires. La ville de La Rochelle et son comité permanent font remarquer que :

> « Les cités, comme les hommes, ne doivent le sacrifice de l'intérêt particulier que quand il est en opposition avec l'intérêt général : mais quand ces

deux intérêts concourent, attaquer l'un, c'est détruire l'autre, c'est alors une violation manifeste du pacte social » (5/178-21).

À propos de la ville d'Anduze, dont elle appuie la demande d'un tribunal de commerce, l'assemblée administrative du département du Gard écrit le 3 décembre 1790 :

> « Considérant en outre, qu'un des premiers principes et des plus sûrs appuis de la constitution est d'en répartir les bienfaits parmi le plus grand nombre de communes et de lier le bonheur de l'Empire à l'intérêt individuel des citoyens... » (33/470-2)

Il y a là un renversement par rapport à l'idéologie d'un homme comme Sieyès : alors que, selon lui, le bien des individus résidait dans le bien public, c'est ici l'intérêt particulier qui est d'abord envisagé, et qui constitue même dans ce dernier exemple la base du « bonheur de l'Empire ». Éventuellement en opposition avec le libéralisme économique par le dirigisme et le protectionnisme qu'elles sous-entendent, ces représentations sont néanmoins profondément en accord avec la défense de l'intérêt individuel — paradoxe qui est le fruit d'un décalage entre les motivations réelles, et l'argumentation qui a pour objet de les faire aboutir. Les négociants-fabricants qui régissent l'industrie rurale, les marchands en gros sont des catégories professionnelles qui échappent le plus souvent à l'organisation des métiers et corporations, qui sont même opposées à ce régime et favoriseront l'avènement des théories libérales[29]. Pourtant, leurs mémoires réclament l'administration pour veiller sur le commerce. Ces ambiguïtés sont caractéristiques non seulement de toute cette correspondance mais aussi de la période : soucieuse de mesure et d'équilibre, elle refuse à la fois le despotisme et l'anarchie. La liberté encadrée par la loi et la planification apparaît comme l'idéal vers lequel doit tendre la réforme.

Il faut dire quelques mots de la manière dont ces textes se situent par rapport aux idées développées à l'Assemblée Nationale. Deux groupes se distinguent. Les exemples que nous venons d'analyser laissent apparaître une incompatibilité avec les idées des Constituants. Favorables à la concentration des pouvoirs et privilégiant ouvertement l'intérêt proprement urbain, les auteurs contredisent les principes d'égalisation territoriale, de dispersion des forces locales ; l'administration n'est pas considérée comme un service public mais comme un attribut urbain, et volontiers comme une source de richesse puisqu'elle augmente le commerce. À ce titre, les allusions à la nécessité de surveillance ou d'économie dirigée peuvent être interprétées comme des moyens de réhabiliter des revendications par trop hérétiques.

En revanche, les villes qui insistent sur leurs rapports avec les campagnes sont un écho plus fidèle de la rationalité constituante. Même si leurs arguments font valoir la prépondérance des villes dans ces relations, la notion de service, de desserte locale se taille une plus large place et vient répondre au principe décentralisateur du projet. On trouve surtout ces éléments dans les pétitions de villes petites ou moyennes, pourvues d'une juridiction, d'un marché, parfois de quelque autre établissement. Prenant appui sur les communautés voisines, ces localités se montrent plus soucieuses du bien général dans l'image qu'elles donnent de l'organisation territoriale dont elles sont les acteurs. Ce souci est beaucoup plus rare de la part de villes qui prétendent à un chef-lieu de département. À ce titre, le *Résumé des motifs qui doivent faire fixer à Laval le chef-lieu du département du Bas-Maine,* rédigé par un député du Maine, est un texte exceptionnel. Laval y est d'abord décrit comme le centre géométrique (ce qui constitue en soi une qualité suffisante au regard du modèle parlementaire), et le centre « pour tous les genres de commerce et d'industrie ». Le principal de ces genres concerne les toiles :

« Cette fabrique importante et très étendue intéresse tous les habitants de la province. Les fermiers et les cultivateurs parce qu'ils fournissent la matière première ; les capitalistes, parce qu'ils y placent leurs fonds ; les artisans et ouvriers de tous âges et de tous sexes, parce qu'ils y trouvent du travail. »

Une autre fonction consiste dans l'entrepôt des grains, une troisième dans l'exportation des vins, ardoises, résines, huiles, pierres de moulage, bois de marine, et autres par la rivière de Mayenne. Le député poursuit :

« Les députés de Laval ajouteront que le commerce est de la plus grande importance, parce qu'il tire du sol même sa matière première, qu'il met en mouvement une infinité de bras, qu'il fait vivre les dernières classes du peuple et qu'il répand une certaine aisance dans les autres. Or ce commerce si vivifiant dans toutes ses branches ne peut se soutenir sans un fort numéraire toujours en activité. Outre les capitaux des particuliers, il absorbe les deux tiers des recettes de la généralité, du Mans, d'Angers, de La Flèche, de Château-Gontier, de Mayenne même. Il est donc intéressant pour cette place d'avoir encore de fortes recettes dans son sein. [...] Il est vrai qu'il y a dans cette ville quelques maisons riches par le commerce, mais elles ne sont pas nombreuses, et en général le peuple y est pauvre parce que le pays fournit peu de moyens de subsistance. [...] À Laval, la classe dominante est celle des négociants : on convient encore qu'il est des hommes de cette profession, dont le nombre serait peu utile ou même dangereux dans les assemblées administratives. Ce sont ceux qui font le commerce d'entrepôt, ou qui tirent de l'étranger l'aliment de leurs fabriques ou de leurs spéculations ; mais à Laval, les négociants sont tous propriétaires, ils sont intéressés par état aux progrès de l'agriculture, parce qu'elle leur fournit la matière première de leur fabrique, et que la cherté des grains ferait monter la main-d'œuvre, or quiconque s'intéresse aux produits du sol est propre à l'administration » (10/234-1).

Le rôle des manufactures dans l'organisation de rapports privilégiés entre la ville et la campagne apparaît ici, conformément à ce que nous signalions plus haut. Se dessine l'idée d'un bienfait, dispensé par cette activité qui touche toutes les catégories sociales : cultivateurs, capitalistes, artisans et ouvriers, négociants. Par ailleurs, on sent ici la marque des idées physiocratiques. L'auteur — qui veut sans doute par là effacer l'image de la ville riche située dans un pays pauvre — souligne la modération des richesses acquises par le commerce. On retrouve la distinction entre le commerce extérieur, il faudrait dire ex-territorial, hors du territoire environnant, et les circuits qui relient la ville à sa région : ceux-ci jouissent de l'appréciation la plus favorable dans la mesure où ils traduisent un équilibre et une réciprocité dans les échanges. Cette représentation est donc tout à fait opposée à celle qui valorisait le commerce spécifique par rapport à celui de consommation, « banal ». En revanche, elle est proche des idéaux égalitaristes de l'économie libérale et de la politique constituante.

Ces différences dénotent la variété des registres théoriques ou idéologiques auxquels se rapportent ces faire-valoir. En fonction de la situation dans laquelle se trouve la ville, ses représentants choisissent ce qui convient le mieux à leur plaidoyer. La faveur accordée par Laval au commerce local traduit une réalité : l'aire du négoce des toiles était limitée, comme l'a montré Henri Sée, à la France de l'Ouest[30]. En revanche, les ports maritimes ou les grands carrefours continentaux privilégient le commerce extérieur qui constitue leur apanage. En ce sens, il y a bien coïncidence entre la réalité et la représentation qui en est faite, si l'on veut bien mettre à part les multiples déformations touchant la description des relations économiques, généralement surestimées dans leur importance[31].

En montrant le bien-fondé de leur réclamation, en déclinant leur identité, leur qualité, ces villes dégagent une hiérarchie urbaine fondée à la fois sur les fonctions et sur la territorialité de celles-ci. On peut se demander quel fut l'écho de ces représentations à l'Assemblée et quelles réponses leur furent données. Nous avons déjà signalé la difficulté qu'il y a à mener cette enquête. Si, avec la liste des chefs-lieux décrétés, on peut connaître le succès ou l'échec des réclamations, il est en revanche beaucoup plus malaisé de déceler les raisons et les justifications qui sont à la base des décisions finales. Peu de cas furent traités dans les séances de l'Assemblée Nationale, et les papiers du comité de constitution ne gardent aucune trace des débats et réflexions suscités par la réception de cette correspondance. Les monographies départementales nous renseignent mal, pour les mêmes raisons : l'organisation des députations extraordinaires et de la rédaction de mémoires y est précisément relatée, les décrets sont connus mais la transaction l'est beaucoup moins. D'une manière générale, le comité de constitution semble s'être rallié aux vœux des députés de chaque département ; lorsqu'un litige les divisait, le comité et l'Assemblée faisaient preuve d'esprit de conciliation en décidant le partage des établissements, ou l'alternat entre des villes rivales, ou en renvoyant au choix des électeurs réunis en première assemblée la fixation du chef-lieu départemental ou l'augmentation du nombre des districts, etc. À titre indicatif, nous avons passé en revue les indications de décision concernant les villes qui refusaient les chefs-lieux à leurs rivales commerçantes, et celles qui au contraire les réclamaient au nom de leur commerce (Annexes IV et VI). Pour les unes comme pour les autres, les cas se partagent entre échecs et réussites, parfois partielles. Villes hostiles au cumul des fonctions, Ambronay, Montrevel, Coucy, Marle, Beaumont-le-Roger, Pont-de-l'Arche, Saint-Benoît-du-Sault, Saint-Sever, Tartas, Jargeau, Châtillon-sur-Marne, pour n'en citer que quelques-unes, échouèrent dans leurs tentatives. Mais est-ce imputable à leur raisonnement ? Il semble que les nécessités de la localisation centrale et la sélection par rapport au nombre prévu de chefs-lieux aient joué également un rôle. De même, les villes de commerce ou de fabrique sont assez nombreuses à ne pas avoir obtenu satisfaction : c'est le cas de Condé-sur-Noireau, Uzel, Elbeuf, Ganges, Saint-Malo (pour un département), Libourne (également pour un département), Bouchain, Maubeuge, etc. Reims et La Rochelle n'eurent que la possibilité d'alterner, laissée au choix des électeurs.

D'autre part, les réussites totales sont rares pour les unes et les autres : Aix, Douai, Avesnes par exemple, pour les premières ; Vervins, Gournay-en-Bray, Saint-Dizier, Lassay, pour les secondes.

Dans la plupart des autres cas subsistait l'incertitude pour la fixation des chefs-lieux, comme dans l'Aisne, les Ardennes, l'Aude ; ou bien l'on décréta l'alternat ou le partage des établissements entre les villes. Exceptionnellement on donna gain de cause à l'une et l'autre des deux villes rivales : ainsi, Compiègne et Crépy-en-Valois.

Muet, au début de la réforme, sur les règles à suivre pour fixer les chefs-lieux et trancher les rivalités, le comité ne paraît pas avoir par la suite précisé ses méthodes. Les faits laissent penser qu'il fut sensible à l'éloquence des députés, extraordinaires ou non, et qu'il fit par ailleurs preuve d'esprit de conciliation. Un document précieux nous est fourni par un écrit datant de l'an IX, rédigé par Pinteville de Cernon qui remplaça Bureaux de Pusy le 3 février 1790 comme commissaire adjoint au comité de constitution. L'auteur dresse la liste des imperfections qui lui semblent être les plus regrettables dans la division qui vient d'être réalisée. Parmi celles-ci figure selon lui le manque de respect des relations économiques. Il critique la formation des départements du Nord et du Bassin Parisien et rend compte des erreurs commises : « C'est parce que Le Carlier était le plus actif député de Laon, Fréteau et Le Tellier, de Melun, [et] que Douai, Arras, Beauvais, Versailles avaient de zélés défenseurs [...] qu'on a tout fait pour ces villes. »[32] Plus loin, il évoque les différentes catégories de villes que nous avons décrites plus haut et indique lesquelles devraient être privilégiées :

« On doit distinguer entre le centre géographique et le centre de relations commerciales ou d'affaires. Ce dernier doit toujours être préféré à l'autre. C'est une erreur de croire qu'en plaçant l'administration dans une petite ville sans industrie, mais centrale, on fait le bien des administrés qui y arrivent plus facilement, et de la ville que cet établissement vivifie.

On nuit aux intérêts des administrés qui, ayant constamment affaire à la grande ville pour la vente de leurs denrées, l'achat de leurs provisions, etc., feraient en même temps toutes leurs affaires auprès de l'administration, tandis qu'ils sont obligés de faire un autre voyage dans la ville où rien autre chose ne les appelle.

En vain on croit avoir augmenté l'industrie d'une ville dans laquelle l'administration attire des commis et des gens de loi. On sait que le commerce ne se fait dans une ville que par son heureuse situation et que les gens de loi ne sont ni commerçants, ni manufacturiers, ni même consommateurs. Les cabaretiers seuls peuvent bénéficier. La centralité géographique ne doit donc pas être préférée, quand il se rencontre dans l'enceinte d'un département une grande ville commerçante, manufacturière, à laquelle un grand pays fournit ses denrées et son industrie [...].

Dans le comité il s'éleva une question qui partagea les avis. Un port de mer peut-il être adopté comme centre d'administration ? Je fus pour l'affirmative, parce que même géographiquement il peut être considéré centre, car il est sur la corde de l'arc et tous ceux qui y arrivent peuvent avoir un rayon pareil à parcourir.

Administrativement une grande ville port de mer est bien réellement le centre d'un grand pays qui par de belles routes y apporte ses produits. De riches commerçants étendent leurs propriétés et appellent à eux des objets de consommation. Donc on suit la marche naturelle des hommes en les appelant à cette ville. »

On voit donc ici préconiser une rationalité d'organisation territoriale qui bénéficie à la seconde catégorie de villes, aux dépens de celles qui sont dépourvues de ressources économiques. Telle est l'opinion de Pinteville de Cernon qui chercha certainement à la faire valoir au sein du comité. Mais, dans cet écrit, il la présente au contraire comme celle qui n'a pas prévalu, et à laquelle il faudrait donner son poids dans les révisions à venir. Il nous semble néanmoins que les choix de 1789-1790 furent assez partagés. Mais nous avons conscience de ne risquer ces affirmations qu'à partir d'informations insuffisantes.

6. *Le réseau et la hiérarchie des villes*

L'emboîtement des espaces et la théorie des lieux centraux

Nous avons vu précédemment qu'un certain nombre de localités identifiaient la présence de liens politiques ou économiques les unissant à d'autres : qu'il s'agisse de communautés demandant leur rattachement à un futur chef-lieu, ou bien de villes faisant état de leurs relations avec d'autres, moindres ou plus importantes. Cette démarche s'assortit souvent d'une représentation hiérarchique, même si elle n'est pas toujours très explicite.

Dans les pétitions de petites communautés, la hiérarchie décrite comprend généralement trois niveaux, parfois quatre, préformés par les principes du projet, c'est-à-dire correspondant au triple échelonnage en cantons, districts et départements. On réclame d'être uni à des villes qui ont acquis ou qui sont susceptibles d'obtenir ces différents ressorts. Nous avons envisagé plus haut les divers motifs qui peuvent être à l'origine de ces demandes : le plus souvent la proximité, les relations économiques et juridiques, mais aussi l'identité de mœurs, de sol, l'appartenance provinciale, etc. Ce qui nous intéresse ici, c'est la généralisation de ces représentations.

En Provence, les communautés demandent fréquemment leur rattachement à un ancien siège de viguerie qui doit devenir chef-lieu de district et à l'une des villes susceptibles de devenir chef-lieu de département. Aux confins départementaux, ces volontés deviennent préférentielles. Ainsi, la communauté de Céreste choisit Apt et Aix plutôt que Forcalquier et Digne (5/168-13). À leur tour, les chefs-lieux de viguerie ou de subdélégation optent pour une capitale : Apt, Pertuis, Manosque, Riez, Moustiers, et même Sault et son comté refusent de ressortir à Digne et formulent des vœux en faveur d'Aix.

En Languedoc, toute localité qui écrit, précise le diocèse dont elle fait partie : certaines revendiquent un chef-lieu de canton à l'intérieur de ce diocèse, d'autres réclament leur réunion à l'un ou l'autre de ces cantons et leur maintien dans un diocèse (transformé en district).

Les députés d'Agen présentent un « précis des motifs qui déterminent le choix des principaux points des limites proposées pour la circonscription du département d'Agen ». La description des relations de toutes les villes du département avec Agen, et des campagnes avec ces villes, nourrit ces « motifs ».

Ainsi, dans certains cas, des relations emboîtées sont mises en évidence ; on voit qu'elles sont étroitement liées aux seuils hiérarchiques que l'Assemblée voulait fixer pour l'administration. Le confirment encore les exemples qui proposent un modèle de fixation des chefs-lieux suivant une économie spatiale adaptée à l'organisation centralisée du pouvoir politique. La ville de Bar-sur-Aube manifeste son désir d'être rattachée à Troyes en raison des relations commerciales qui les unissent, plutôt qu'à Chaumont ou Langres. Elle poursuit son argumentation en préconisant une division qui alignerait les chefs-lieux selon leur hiérarchie, de telle sorte qu'on ne reviendrait jamais sur ses pas :

« La correspondance de Paris à Troyes et de Troyes à Bar-sur-Aube, outre qu'elle sera d'une facilité journalière, sera encore directe, tandis que si Bar-sur-Aube était soumis au département de Langres, les ordres, les instructions destinées à son district, passeraient par Bar-sur-Aube, iraient à Langres, pour revenir ensuite par le même chemin et avec beaucoup de retard, et on sent aisément combien cet ordre de choses serait vicieux, quel obstacle il apporterait à l'expédition des affaires, qui est le premier objet d'une bonne administration » (4/161-5).

Si l'on pousse ce raisonnement à l'extrême, il s'agirait de placer les chefs-lieux dans une position tout à fait excentrique.

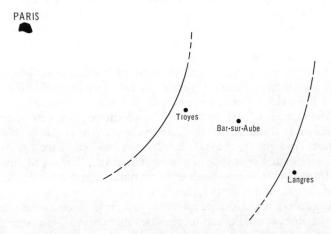

Fig. 9. *Hiérarchie urbaine et localisation des chefs-lieux :*
le cas de Bar-sur-Aube.

Bar-sur-Aube n'est pas l'unique exemple de telles représentations. Langres elle-même demande la préférence sur Chaumont pour le chef-lieu de département, parce qu'elle est plus près de Dijon qui recevra la cour souveraine (10/233-19). À quoi Chaumont répond, suivant le même argument, qu'elle est plus proche de Paris[33]. Dans le département du Cotentin, Saint-Lô, rivale de Coutances pour le siège départemental, fait état de sa plus grande proximité par rapport à Paris : « Si le pouvoir administratif donne des ordres pour être envoyés aux chefs-lieux de district, soit en temps de guerre, soit pour Cherbourg, soit pour d'autres endroits, Saint-Lô les communiquera bien plus rapidement que Coutances » (10/213-12).

Dans le Rhône-et-Loire, Saint-Genest-Malifaux fait coïncider cette localisation par rapport au pouvoir avec la hiérarchie issue des fonctions économiques. Il est plus près de Saint-Étienne que Marthes qui lui conteste un canton. Par ailleurs, « c'est dans Saint-Genest que les marchands de rubans tiennent leur magasin, c'est là où les habitants de Marthes se rendent journellement pour y prendre de l'ouvrage et le rendre, tandis que Saint-Genest n'a aucune relation avec Marthes » (16/270-7).

Cette géométrie spatiale adaptée à la hiérarchie fonctionnelle évoque bien évidemment la théorie moderne des places centrales élaborée par Walter Christaller. Eugène Stevelberg, à l'issue de son étude de ces textes, envisageait la possibilité et la fécondité d'une analyse qui utiliserait ce modèle pour interpréter notre correspondance et les informations qu'elle livre sur l'armature urbaine préindustrielle[34]. À son tour, Ted Margadant expose la conformité de la hiérarchie administrative révolutionnaire au réseau hexagonal fondé sur les principes de marché et d'administration[35].

Il ne nous appartient pas de juger de la validité et de la légitimité de l'application de ce modèle moderne à une situation historique, encore moins de dire si les villes de la France préindustrielle organisaient un réseau conforme aux théories de Walter Christaller : nous n'avons pas choisi comme thème de réflexion la réalité d'un réseau mais ses représentations. Tout au plus pourrions-nous faire nôtres certaines critiques adressées aux expérimentations déjà réalisées à partir du modèle, et qui nous semblent à première vue pouvoir être réitérées ici. Marcel Roncayolo remarque que « l'idée même d'une hiérarchie urbaine en niveaux parfaitement distincts paraît s'opposer au continuum statistique, décelé empiriquement par la loi rang-taille »[36]. Les rivalités urbaines qui s'expriment dans cette correspondance révèlent en elles-mêmes la difficulté qu'il y a à fixer les points d'ancrage d'une hiérarchie. Les concurrences, les campagnes de dénigrement, montrent que la centralité urbaine ne s'exerce pas suivant un réseau régulier et établi de manière stable. Par ailleurs, l'organisation des relations paraît traduire en cette fin du 18ᵉ siècle de singulières inégalités. Si les marchés locaux dessinent un maillage relativement homogène, encore que de sérieuses différences régionales existent dans les dimensions des cellules — le travail qui les ferait apparaître pour l'ensemble de la France reste à effectuer[37] —, le réseau interrégional et national dénote plutôt des discontinuités et ne décrit pas toujours un emboîtement rigoureux. La ville n'organise pas une mais plusieurs aires, qui varient suivant l'activité considérée et la conjoncture[38]. Tout cela paraît démentir la rigidité du modèle christallerien. Mais seule une étude particulière consacrée à ce thème permettrait de dépasser ces remarques sommaires.

Au contraire, si l'on veut bien laisser de côté, dans ces théories, la part de modèle et n'en retenir que les notions, la parenté est alors indéniable entre les représentations des notables de 1789 et l'analyse des économistes allemands. Elle s'établit autour des questions de centralité, d'accessibilité, de coût de transport, de distance (avec notamment le procédé des distances comparées décrit plus haut). De la part des représentants révolutionnaires, la localisation des villes les unes par rapport aux autres exprime incontestablement l'attention portée à l'influence urbaine. Et l'on peut dire que les règles de fixation des chefs-lieux selon le principe de centralisation, telles que nous les évoquions plus haut, préfigurent, par leur géométrie, l'esprit des modèles de Christaller et Lösch. En ce sens, le compromis réalisé entre l'exigence géométrique du projet constituant, et les préoccupations de maintien ou d'accroissement du rayonnement urbain, paraît avoir fourni un terrain de prédilection à la représentation de ces notions.

Mais alors que les auteurs mentionnés plus haut suggéraient de tenter d'appliquer les modèles du 20ᵉ siècle à l'analyse du réseau préindustriel, nous inverserions volontiers leur démarche : cette fin du 18ᵉ siècle annonce des théories plus modernes. Il est d'autant plus indispensable de respecter la séquence chronologique qu'elle permet d'intégrer l'avant 1789, avec notamment les conceptions de Vauban, puis de Cantillon, Steuart et Condillac, et l'après, avec des théoriciens comme Von Thünen ou J. Reynaud[39], même s'il faudra attendre un siècle après ces derniers pour que soient formulées de nouvelles théories.

Une hiérarchie à trois niveaux

Comme nous l'avons dit, c'est à travers des tensions et des rivalités très vives attisées par la réforme que se manifeste la hiérarchie. La structure institutionnelle à trois niveaux avait en effet pour conséquence de regrouper dans un statut égal des villes très différentes par le nombre de leurs habitants, leur histoire, leurs fonctions et leur composition sociale.

— Le canton

Que se passe-t-il au bas de l'échelle ? Les demandes de chefs-lieux de cantons sont assez peu nombreuses dans cette correspondance (par rapport au nombre définitif de cantons) et elles sont la plupart du temps postérieures aux pétitions en faveur des districts. Ceci s'explique aisément par la volonté de ces localités de se placer le plus haut possible dans la hiérarchie des nouvelles institutions. Le canton constitue beaucoup plus une « spéculation de repli », lorsqu'un échec a été enregistré pour le district. L'institution cantonale elle-même ne conférait pas des pouvoirs équivalents à ceux des autres instances : cadre pour la formation des assemblées primaires, elle n'était qu'un ressort de représentation et n'avait en propre aucune fonction administrative. Néanmoins, lorsque ces demandes sont formulées, il s'agit tantôt de localités qui s'attribuent le titre de bourg, tantôt de simples villages comme nous l'avons vu avec la concurrence de Festieux et de Bièvre dans l'Aisne, très rarement de villes. Leurs arguments s'inspirent pour l'essentiel des règles fixées par le comité : l'étendue (on donne la liste des communautés environnantes dans un rayon d'une ou deux lieues), la population (appréciée grossièrement et plus rarement chiffrée), la contribution et surtout la situation au centre des localités qui pourraient constituer le canton. On y ajoute la disponibilité d'un bâtiment pour que se tienne l'assemblée, la possession d'un relais de poste, parfois d'un marché. La raison la plus fréquemment invoquée est cependant l'accessibilité (avec une large part accordée aux conditions naturelles comme les marais ou rivières à traverser).

— Du bourg à la ville

C'est à propos des chefs-lieux de district que se pose la question de la qualité urbaine, de l'accès même au titre de ville. Le clivage entre la notion de ville et celle de bourg apparaît généralement fondé sur plusieurs critères. Les officiers municipaux et le conseil général de Melle, dans les Deux-Sèvres, protestent contre les démarches de Chefboutonne pour obtenir le tribunal dans le district dont Melle est le chef-lieu. À leurs yeux Chefboutonne est un simple bourg tandis que Melle est une ville de la plus haute antiquité, faisant partie du domaine de la couronne depuis les premiers rois, et possédant une prévôté et une subdélégation (17/288-12).

De même, Saint-Léonard, en Limousin, qui demande la préférence sur Eymouthiers, expose ses avantages. Elle est la ville la plus peuplée après Limoges, la plus avantageusement située (climat doux et grandes routes). Elle a beaucoup de gens instruits. Elle dispose de bâtiments et d'auberges, et débite les denrées des paroisses voisines. Elle est aujourd'hui « siège d'un juge royal » et avait autrefois une sénéchaussée. Tandis que sa rivale n'est qu'une « bourgade », mal peuplée, située dans un climat « froid, stérile et désert », et n'a aucune relation de commerce et d'affaires avec les villages voisins (18/296-21). Les critères sont donc honorifiques et le siège d'une ou plusieurs administrations est indéniablement ressenti comme un élément fondamental de discrimination entre les villes et les bourgs. Le commerce est également pris en compte, mais il est plus controversé. Si la présence d'un marché ne nuit jamais à une image de marque, elle ne fait pas la ville. Le mémoire de la ville de Jargeau en témoigne :

> « Il y a lieu d'espérer que Jargeau sera préféré à Châteauneuf [sur Loire] pour être chef-lieu de district, si on considère 1° que l'un est une ville et l'autre un bourg, 2° que Jargeau a besoin d'un établissement de cette nature pour l'indemniser des pertes qu'il a éprouvées dans différents sièges qu'il a soutenus [...] tandis que le bourg de Châteauneuf déjà riche de son commerce, de l'avantage d'y posséder un Prince dont les grandes dépenses et les libéralités remplissent toutes les bourses, et enfin de l'avantage d'une grande route, augmenterait encore son opulence » (9/221-13).

Ainsi, Châteauneuf est riche de son commerce, mais il ne lui donne pas le titre de ville. De même les manufactures et les mines fournissent des ressources, mais ne confèrent pas la qualité de ville. Un décret du 20 août 1790 affectait un chef-lieu de district à Château-Salins et donnait le tribunal du même ressort à Vic-sur-Seille. Cette dernière proteste et réclame les deux établissements. Château-Salins, dit-elle, n'est qu'un bourg peuplé des ouvriers de la saline qui constitue les deux tiers de la population, évaluée à mille cinq cents habitants. Elle ne paie pas d'octrois et n'a qu'une simple prévôté et une subdélégation. Vic, au contraire, peut se vanter d'être la capitale des anciens états de l'évêché de Metz, d'avoir trois mille habitants parmi lesquels des avocats, des magistrats et beaucoup de citoyens versés dans les affaires ; elle paie des octrois, loge les troupes lors de leur passage, est le siège d'un bailliage, d'une maîtrise des eaux et forêts et d'une subdélégation. Mais elle n'a aucun commerce, ce qui l'amène à réclamer dédommagement (11/238-48). Ce sont donc la composition sociale et les prérogatives administratives et judiciaires qui fondent le caractère urbain, encore qu'on ne s'entende pas forcément sur celles qui sont déterminantes. Une subdélégation et une prévôté suffisaient à Melle pour établir son urbanité à l'encontre de Chefboutonne, mais ne donnent pas le titre de ville à Château-Salins, à qui il manque un bailliage et une maîtrise pour être l'égal de Vic-sur-Seille. Aussi, si la possession d'un pouvoir administratif ou judiciaire quelconque suscite toujours une demande de district, elle ne confère pas toujours la qualité urbaine et une rivale mieux placée peut en arguer pour rejeter les prétentions en deçà du seuil que constitue le district.

Il faut remarquer que l'importance prise par le critère de stature administrative vient certainement de l'enjeu de la réforme qui lui correspond. Selon l'idéal conservateur déjà décrit, il s'agit de calquer la nouvelle hiérarchie sur l'ancienne. Suivant les exemples, la catégorie « ville » ne se situe pas au même niveau mais elle marque toujours, dans l'esprit de ces représentations, une meilleure aptitude à recevoir le chef-lieu.

D'une manière générale, lorsqu'il s'agit dans cette correspondance d'apprécier ce qui élève une localité au rang de ville, la représentation procède des différents éléments que nous avons envisagés plus haut à propos de la vision culturaliste et honorifique de la ville. Mais il n'y a pas de notion unifiée de la ville, c'est-à-dire que les critères et le seuil qualificatif varient d'un exemple à l'autre ; on pourrait presque dire que chaque rivalité, à ce niveau du passage du bourg à la ville, choisit son terrain particulier de différenciation, adapté au profil « géographique » des localités intervenantes. En ce sens, il paraît un peu vain de fixer un clivage précis. En revanche, si la notion elle-même est floue, la connotation de hiérarchie qui lui est associée est toujours présente. Toutefois, il faut relativiser l'importance de ce seuil de l'urbain dans ce processus de hiérarchisation. En effet, la manière d'établir la supériorité d'une localité ne diffère pas fondamentalement, à ce niveau, de ce qu'elle est dans les adresses de villes plus importantes. Il semble que la hiérarchie s'établit suivant une échelle progressive d'« urbanité » (suivant un degré croissant de qualité urbaine) qui se caractérise plutôt par un continuum que par de fortes ruptures. Les marques de distinction sont ainsi de même nature entre deux villes, qu'entre une ville et un bourg. Dans les Deux-Sèvres, Châtillon-sur-Sèvre et Bressuire se disputent un chef-lieu de district. Toutes deux sont reconnues comme villes, comme en témoignent certaines pièces du dossier départemental, comme le procès-verbal de l'assemblée électorale du département (24 juin 1790), qui les dénomment ainsi (17/288-11). Et voici comment Châtillon fonde ses prétentions : elle est presque entièrement habitée par des propriétaires, alors que Bressuire n'a que des tisserands, des journaliers et des mendiants. Elle-même perd un siège ducal, une recette des tailles, une commission intermédiaire, une élection, un tribunal des traites, un grenier à sel, un bureau de poste, etc. (17/288-23).

On voit ici une gradation similaire à celle que nous décrivions plus haut : juridiction quelconque contre absence de juridiction, bailliage contre prévôté, justice royale contre justice seigneuriale, les types d'opposition sont de même nature, qu'il s'agisse de comparer une ville et un bourg, ou deux villes entre elles. Notons, pour confirmer le caractère fluctuant de la notion de ville, que le passage du bourg à la ville peut reposer sur un seuil hiérarchique égal ou plus élevé que celui qui différencie deux villes : avec une prévôté, Château-Salins n'est pourtant qu'un bourg, Bressuire est une ville avec une simple justice seigneuriale.

L'élément fondamental paraît donc être la généralité d'une hiérarchisation conçue pour déterminer le droit à un chef-lieu. Au sein de ce classement, la qualité urbaine intervient à un niveau très variable. Si, dans l'esprit de ces adresses, la frontière entre bourg et ville coïncide avec la limite inférieure des prétentions à un district, les décisions finales rejettent plus haut la barre à franchir. Le statut semble jouer a contrario plutôt que dans le sens positif : n'être qu'un bourg exclut d'avoir droit à un district, mais être une ville n'y donne pas forcément droit. Peut-être l'ensemble varie-t-il suivant le degré d'urbanisation du futur département. Dans les Deux-Sèvres, département peu urbanisé[40], Melle obtint le district contre Chefboutonne ; pour Châtillon-sur-Sèvre, ce ne fut qu'une réussite partielle contre Bressuire puisque celle-ci se fit attribuer le tribunal de district, mais nous manquons des informations qui nous permettraient de dire si c'est sa qualité urbaine qui lui valut cette compensation. En revanche, dans le Loiret dont presque 20 % de la population vit dans des villes de 1 000 à 4 999 habitants agglomérés, ce qui la place dans les taux supérieurs à la moyenne pour cette tranche, le nombre de concurrents est beaucoup plus élevé que le nombre de districts prévu (sept). De ce fait, seront finalement éliminés de la compétition non seulement des bourgs comme Châteauneuf-sur-Loire (qui se donne quatre mille habitants : voir 9/213-10) mais aussi des villes comme la rivale de Châteauneuf, Jargeau (environ trois mille âmes), Châtillon-sur-Loing (trois mille âmes), Beaune-en-Gâtinais, Puiseaux, Sully, etc. Parmi les petites villes[41], ce sont celles qui possédaient un bailliage royal qui reçurent les districts, au prix parfois de difficultés considérables puisqu'il s'agissait souvent de villes rapprochées, ayant des ressorts très peu étendus. C'est pourquoi la ville de Lorris n'eut que la possibilité de partager les établissements avec Boiscommun. Les villes et bourgs qui échouèrent, parfois plus importants en population que les villes bailliagères[42] (Châteauneuf a quatre mille habitants tandis que Neuville ne figure même pas sur la carte dressée d'après l'enquête préfectorale de l'Empire), ne possédaient que des justices seigneuriales ou ducales (Sully par exemple). Dans ce département le statut de ville ne préjuge pas de l'accès au rang du district : c'est que les petites villes sont nombreuses et, d'autre part, qu'on se montre peu exigeant dans l'attribution de la qualité urbaine, en considérant comme villes des localités pourvues seulement de juridictions seigneuriales.

De même, dans des départements comme les Bouches-du-Rhône, l'Hérault ou le Nord, la limite entre le bourg et la ville ne coïncide pas avec celle du canton et du district, et un grand nombre de villes sont rejetées au rang de cantons.

Mais il semble que le cas des Deux-Sèvres soit exceptionnel et que, même dans des départements peu urbanisés, toutes les localités qui se donnaient le titre de ville ne pouvaient accéder au rang de district.

— Le district

La réalité de cette urbanisation régionalement variable apparaît mieux au regard des réactions déclenchées par la fixation du nombre de districts. Mais, avant d'en venir là, nous voudrions revenir sur l'argumentation qui est à la base du mode de hiérarchisation.

Lorsqu'il ne s'agit plus d'opposer la ville au bourg, et par là de définir « l'essence » urbaine, comment s'établit la différenciation ? La vision de la ville qui privilégie ses titres, ses honneurs, son rang se maintient ; mais elle est concurrencée par une autre image, plus fonctionnaliste, qui dépeint la situation des villes par rapport aux autres localités, aux voies de communication, aux circuits de la production et du commerce, qui les classe suivant leurs ressources et leurs activités et selon la domination qu'elles exercent sur un territoire[43].

Les deux représentations viennent souvent se heurter. Dans l'Orne, la ville de Gacé s'oppose à une division qui serait fondée sur les titres :

> « La célébrité des villes ne peut être un motif de leur accorder tous les avantages ; le calcul des distances, et de la population, la nature et la fertilité du sol, l'espèce et la somme du commerce doivent servir de base à la création d'un tribunal ou à l'assiette d'une assemblée » (12/249-32).

En revanche, nous avons vu à propos des textes qui prenaient appui sur les titres et la dignité urbaine combien la résistance était grande à la concurrence d'une image plus moderne de la ville.

Mais la plupart des adresses entremêlent les deux représentations, invoquant à la fois les attributs honorifiques de la ville, sa situation et ses fonctions. Ainsi, contre Laval dont le député plaçait la revendication sur le terrain de l'organisation globale du territoire, de l'équilibre des relations entre villes et campagnes, Mayenne essaye d'opposer des arguments qui tiennent plutôt de l'image de marque : son statut de capitale du Bas-Maine, le fait qu'elle a donné son nom à la rivière (ce qui est, à juste titre, contesté par Laval). Mais elle cherche également à reprendre le plaidoyer développé par Laval et à démontrer sa supériorité (pour la centralité, la fabrique et le commerce des toiles, le commerce en général) (10/234-21).

À côté de ces distinctions dans le registre de l'argumentation, on trouve tous les modes de hiérarchisation décrits plus haut à propos des fonctions : villes sans ressources économiques, villes administratives, villes de commerce ; ou bien villes dont le rôle est local contre celles qui ont une influence nationale, sans oublier les différences qu'engendre la position géographique (au centre géométrique ou fonctionnel). La hiérarchie s'inscrit entre des villes rivalisant deux à deux, parfois trois à trois. Mais les multiples cas de figure ne dégagent pas toujours un schéma régional global, si ce n'est dans quelques exemples isolés. On peut évoquer le modèle constitué par la rivalité entre Aix et Marseille : plusieurs villes du département des Bouches-du-Rhône et même de celui des Basses-Alpes utilisent l'idée suivant laquelle les villes de commerce n'ont pas besoin de l'administration. Nous avons mentionné en annexe Apt (contre Pertuis) et Forcalquier (contre Manosque). Avec moins d'éloquence, la rivalité se reproduit entre Aubagne et La Ciotat, entre Saint-Rémy et Tarascon.

Si les représentations de la hiérarchie procèdent pour une large part de ces comparaisons établies par les villes entre elles, deux à deux, elles peuvent prendre une autre forme. Certaines localités conçoivent l'existence de plusieurs rangs de villes par rapport auxquels elles se situent.

Bar-sur-Aube se considère comme une ville de second ordre, de même que Vitry et Chaumont. Elle énumère les villes principales de Champagne : Troyes, Reims, Châlons, Langres (4/161-5). Dans l'Aisne, Coucy distingue les villes secondaires comme elle-même, Chauny ou La Fère et les villes principales comme Saint-Quentin, Soissons et Laon (3/147-3). Nontron se donne le titre de quatrième ville du Périgord après Périgueux, Bergerac et Sarlat (6/187-1). La ville de Cessemon est la seconde du diocèse languedocien de Saint-Pons (8/206-24), Caussade la seconde de la sénéchaussée de Montauban (10/224-23), Figeac la seconde de la province (10/224-7) ; Montargis est la ville la plus considérable entre Orléans et Troyes (9/219-26), Ernée est la ville la plus grande, la plus riche et la plus peuplée (remarquer l'application du principe des trois bases) après Laval, Mayenne et Château-Gontier (10/234-32). Arrêtons là les exemples.

Les espaces de référence varient (province, futur département, division administrative, judiciaire, ou villes-points de repère), rendant une classification nationale difficile à tenter ; ces fiches d'identité n'en témoignent pas moins, de la part de ces villes, de la faculté de distinguer des rangs. Encore que, si le premier et le second ordre sont fréquemment allégués, les rangs inférieurs le sont beaucoup plus rarement. Lorsque Nontron dit être la quatrième ville, elle place en réalité au même rang les trois premières (c'est la possession d'une sénéchaussée qui les distingue des autres), et veut signifier qu'elle est à la quatrième place pour obtenir un district. Souvent encore conçu comme un titre, ce rang prend toute son importance lorsqu'il fonde une revendication par rapport au nombre de districts.

Fréquemment la conscience d'appartenir à une classe de villes prend appui sur la possession d'un pouvoir administratif d'Ancien Régime. Nous avons vu que les localités faisaient correspondre la notion de ville (par rapport au bourg) à un niveau de la hiérarchie administrative ou judiciaire ; mais, d'une manière plus générale, indépendamment du débat sur la notion de ville, les localités établissent volontiers une correspondance entre le rang que leur confère leur « grade » administratif et leur droit à obtenir un district. Les prétentions naissent souvent à l'instigation des députés eux-mêmes qui proposent de modeler la nouvelle division sur l'ancienne armature.

Dans certains départements, le réseau administratif et judiciaire préexistant était plus dense que celui que devaient former les nouveaux districts. Certaines villes sont donc menacées de perdre leur statut antérieur, sans réparation. C'est le cas du Jura, de l'Eure, de la Moselle, dont le territoire était morcelé en bailliages d'un ressort extrêmement réduit. Dans le Jura, la ville d'Arbois luttera en vain pour retrouver l'équivalent de son bailliage. Dans la Moselle, ce sont les petites villes de la frontière possédant chacune un siège qui entrent en compétition (Longuyon, Villers-la-Montagne, Longwy, Bouzonville), sans compter celles qui ne possèdent qu'une prévôté comme Faulquemont. Longwy fait valoir contre Longuyon qu'« une ville offre plus de ressources qu'un petit bourg » (10/242-4). Mais Longuyon se donne pourtant le titre de ville (10/242-5). Seule Longwy obtiendra un district, les autres villes étant réduites à l'acquisition d'un tribunal s'il en est créé dans les districts de Longwy et Sarrelouis. Peut-être le succès de Longwy s'explique-t-il par le fait que les bailliages des autres villes étaient d'anciennes dépendances de sa prévôté. Dans l'Eure, d'anciennes villes bailliagères comme Beaumont, Conches, Pacy, Nonancourt, Pont-de-l'Arche, seront également perdantes. Conches demande à l'Assemblée de ne pas sacrifier l'existence des petites villes et la commodité des campagnes à l'intérêt des grandes villes. Elle ne peut se persuader que sa prudence

« souffre une dévastation générale des petites villes de la France, en concentrant dans les plus grandes les établissements publics qui les font subsister depuis l'origine de la monarchie, et qui étant plus multipliées, portaient la vie en plus d'endroits, et qu'au lieu de rapprocher les justiciables de la justice, ils en soient éloignés par l'effet de division en plus grandes masses » (6/191-22).

On voit ici se manifester l'opinion hostile aux grandes villes, dont nous avons signalé l'importance dans le débat parlementaire. Cette opposition va prendre la forme stéréotypée qu'on lui connaît déjà. Avant d'en examiner les occurrences, revenons à ces décalages entre les prétentions et les acquisitions.

On retrouverait des exemples similaires aux précédents en Provence, avec les vigueries et les subdélégations. La densité de ces instances administratives en Provence était en effet en disproportion avec le nombre des districts (cinq pour les Basses-Alpes, six pour les Bouches-du-Rhône et neuf pour le Var). Les mêmes remarques valent pour le Nord, où les villes « perdantes » furent également nombreuses. Néanmoins, si la subdélégation est toujours mentionnée, lorsqu'elle existe, par les villes qui réclament, elle ne mobilise pas l'opinion comme le font les vigueries, les prévôtés, les châtellenies, a fortiori les bailliages, qui intéressent de plus près les notables locaux.

C'est pourquoi, alors que dans les exemples évoqués ci-dessus les villes, conscientes d'occuper un rang (fixé par le réseau administratif ou judiciaire préexistant), s'efforçaient de le faire concorder avec celui, nouveau, des districts, dans d'autres cas, ce sont plusieurs rangs de villes qui entrent en concurrence. Il n'est pas jusqu'aux justices seigneuriales qui ne soient des motifs pour demander des districts, de sorte que dans certains départements avoisinent pour ces demandes les toutes petites villes qui possèdent ces justices, et les sièges de bailliage, dont font partie les « grandes » villes éliminées de la compétition pour les chefs-lieux de département. C'est le cas notamment, outre le Loiret déjà évoqué, de l'Indre, de l'Indre-et-Loire, de la Haute-Saône, du Rhône-et-Loire, de l'Aveyron, de la Vienne, etc.[44]

Les prétentions sont renforcées lorsque la position est favorable. Dans l'Ille-et-Vilaine, les petites villes, sièges de justice seigneuriale, demandent des districts intermédiaires entre de futurs chefs-lieux : Combourg (mille habitants) réclame au nom de sa position à égale distance de Saint-Malo, Rennes et Fougères (8/208-1). Hédé, qui conteste le titre de ville à Combourg, revendique à son tour un chef-lieu à cause de sa situation au centre de Rennes, Dinan, Dol et Saint-Malo (8/208-5). À son tour, Plélan-le-Grand invoque l'espace disponible entre Rennes, Ploërmel, Dinan et Redon (8/208-12). Bécherel (8/194-23) et Pipriac (8/194-29) s'adressent de même à l'Assemblée. Dans la Sarthe, où le chef-lieu se trouve dans une situation exceptionnellement centrale, les pétitions se multiplient de la part de toutes les villes situées sur le pourtour.

Il appartiendrait à une étude particulière d'envisager chaque département de ce point de vue du rapport entre les prétentions urbaines et les acquisitions. Il faudrait savoir quelles règles furent observées par les députés, réunis entre représentants d'un même département, ou bien à l'Assemblée Nationale, pour accorder satisfaction ou refus aux demandes — ce qui n'est pas facile, en raison du caractère quelque peu lacunaire des sources et de la particularité de chaque département.

Comme notre étude touche plus spécifiquement aux représentations auxquelles donnent lieu ces démarches, nous voudrions privilégier les exemples qui les éclairent le mieux. Dans certains cas, en effet, les villes occupant différents rangs se contestent mutuellement leurs droits et élaborent une règle générale d'organisation spatiale. Les représentations qui en découlent sont très éloquentes, alors que dans les départements cités ci-dessus ce sentiment du rang hiérarchique transparaissait beaucoup moins, chaque ville plaidant pour son compte personnel sans systématiquement inclure de critique à l'égard des autres.

Dans plusieurs départements, les députés des villes les plus importantes faisaient en sorte de limiter le nombre des districts, de façon à constituer des ressorts aussi grands que possible. En Dordogne, les trois villes sénéchales (Périgueux, Bergerac et Sarlat) veulent se partager le département. Cela suscite de multiples réactions d'hostilité de la part de villes comme Mussidan (23 décembre 1789, 6/187-7), Mareuil-en-Périgord (30 décembre 1789, 6/187-12), Belvès (9 décembre 1789, 6/187-19) ou Thenon. Cette dernière fait remarquer « que les trois principales villes envahiraient tout, parce que les cabales, les factions s'y établiraient en proportion des lumières et des intérêts qui s'y concentreraient. [...] Que la gangrène aristocratique, trop profondément inhérente aux grandes villes, pourrait frapper de contagion les habitants des campagnes qui y séjourneraient et détruire l'esprit patriotique » (6/187). Toutes ces villes demandent neuf districts et non trois.

Dans le Lot, la décision des députés du Quercy de n'accorder de districts qu'aux anciens sièges de sénéchaussées fait naître des rivalités semblables. Les villes qui n'ont que des châtellenies s'insurgent contre les « grandes villes ». Saint-Céré s'appuie sur la volonté de vingt communautés qui fréquentent son marché (dix-neuf copies conformes à un modèle de pétition) pour demander un district (9/223-20). Moissac, Montcuq, Caylus, Caussade présentent des pétitions semblables, également soutenues par les vœux des communautés voisines.

La même situation se retrouve dans l'Hérault, où Pézenas proteste contre l'aristocratie des villes diocésaines qui ne veulent créer que quatre districts (8/206-14, 15, 16).

Dans le Cantal, villes bailliagères et sièges de justice seigneuriale se livrent bataille. Là, comme dans l'ensemble des départements montagnards, l'opposition à un nombre trop restreint de districts est d'autant plus virulente que la difficulté des communications rend l'éloignement des chefs-lieux inacceptable. Comme dans le Cantal, les protestations sont énergiques dans la Haute-Loire où seules Le Puy, Brioude et Yssingeaux devaient obtenir des chefs-lieux.

La ville du Monastier-Saint-Chaffre aborde le problème de l'armature administrative en montagne :

> « Contre la multiplication des districts, c'est en vain qu'on allègue une économie dans les dépenses du département, cette économie praticable dans le plat pays, dont l'accès est ouvert de tous temps, n'est guère de mise dans le pays des montagnes, d'où les gens ne peuvent sortir sans courir des grands dangers, et sans être exposés à des dépenses beaucoup plus considérables. [...] Encore une fois, si la ville du Puy réunissait tous les établissements publics, non seulement du département, mais aussi du district dont elle a été déclarée chef-lieu, semblable à un vampire insatiable, elle pomperait toute la subsistance des campagnes, dessécherait insensiblement les petites villes qui y sont répandues, et les ferait bientôt périr de consomption » (9/222-37).

L'adresse se poursuit par une citation empruntée à Bouche, ce député d'Aix en lutte contre Marseille. On retrouve en effet dans ces lettres les grands thèmes du stéréotype antiurbain : la grande ville est vue comme un vampire (rappelons-nous le polype), un lieu de dépenses exagérées provoquant la ruine des campagnes et des petites villes. Les villes « agricoles » sont opposées aux villes de négoce suivant le schéma que nous avons déjà souligné, et l'idée d'une incompatibilité des intérêts agricoles et commerçants réapparaît également.

Cette hostilité des petites villes à l'égard des grandes se double d'un plaidoyer en faveur des campagnes, selon l'idéal physiocratique. Cette argumentation n'est d'ailleurs pas uniquement développée à l'occasion de l'opposition aux capitales ; elle recoupe souvent l'hostilité à la ville en général, exprimée par des villages ou des bourgs[45]. Néanmoins, l'utilisation de ce système d'idées est fondamentalement de provenance ou d'instigation urbaine, à l'image de la correspondance elle-même. Le modèle d'organisation spatiale qui est proposé consiste à égaliser les pouvoirs. Jargeau, dont on se rappelle les démarches contre Châteauneuf-sur-Loire jugée avantagée par son commerce, s'emploie à défendre cet équilibrage :

> « Lorsque le chef-lieu d'un département sera une ville considérablement peuplée, l'Assemblée restreindra l'étendue du district de cette ville, surtout si elle reconnaît qu'au-delà de cette étendue il se trouve des villes et bourgs susceptibles d'être chefs-lieux de district en leur donnant quelques paroisses qui, quoique dans les trois lieues du chef-lieu de département, préféreraient d'être du district d'une petite ville dont elles sont plus proches et où d'ailleurs elles ont des relations plus intimes, soit par rapport à leur commerce, soit par rapport à leurs affaires.
> Il est même à présumer qu'en général, et lorsqu'il serait indifférent aux

paroisses de dépendre d'un ou d'un autre district, on intercalera ces paroisses de préférence dans des districts de campagne ; deux motifs y détermineront : l'un tiré de l'influence toujours trop grande qu'une ville étendue a sur les petits endroits et qu'il est nécessaire de restreindre le plus possible parce qu'elle a d'ailleurs assez de ressources dans sa population, ses richesses, ses lumières, son industrie, l'autre se tire d'un principe d'équité qui exige qu'on fasse participer les campagnes aux avantages qui résulteront de ces nouveaux établissements.

Pour former les districts des campagnes, on s'écartera encore de la lettre des décrets sans néanmoins sortir de leur esprit. 1° Lorsqu'une ville, sans être précisément dans l'éloignement prescrit de la ville capitale du département, présentera plus d'avantages aux paroisses d'un district, qu'une ville ou bourg qui se trouve précisément dans l'éloignement donné, on préférera celle-là à celle-ci. 2° À distances égales, à avantages semblables, on préférera la ville la moins aisée à celle qui est déjà riche, afin de donner à la première les ressources que procureront les opérations qui auront lieu dans le chef-lieu de district » (9/221-13).

Des motifs d'ordre économique sont également allégués pour établir la nécessité de cette égalisation :

> « Avec plus d'égalité entre elles, les émigrations seraient moins fréquentes, les fortunes plus éparses seraient mieux connues, l'assiette des impôts facilitée et par [...] suite plus également répartie, le commerce deviendrait plus actif, les communications étant plus voisines, plus particulières, les rivalités seraient ôtées » (Bellegarde, en Francaleu, 8 décembre 1789, 6/185-10).

Appuyées sur une représentation critique de la ville, ces affirmations, dont on sent la parenté avec les idéaux physiocratiques, visent cependant à favoriser les intérêts urbains. Le paradoxe se dissipe à l'examen de cette hiérarchie : il s'agit bien de l'affrontement de deux catégories de villes, aux coutours mal fixés, il est vrai, puisqu'il faut s'en tenir aux appellations de « grandes » et de « petites » ou « secondaires ».

C'est bien à la grande ville que Château-du-Loir s'attaque le 25 septembre 1790 en protestant contre les démarches du procureur général syndic visant à réduire le nombre des districts. Et, derrière la défense de l'intérêt des campagnes, c'est son propre sort qu'elle défend :

> « Vous y ferez cependant attention, Messieurs, moins il y aura de villes éparses, et plus la misère se fera sentir dans l'intérieur des terres. C'est le luxe et la consommation qui font refluer dans les campagnes le superflu des villes. Plus une campagne est éloignée du luxe et de la consommation, moins ses propriétés ont de valeur, ses denrées de débit, ses bras d'activité, ses habitants de ressources et de moyens, et plus par conséquent la contribution est onéreuse.
>
> Les villes sont et seront toujours le séjour des gens aisés, parce que les agréments et les commodités de la vie s'y rencontrent proportionnellement

au luxe et à la consommation. Détruire les établissements d'une ville, c'est la paralyser » (16/279-2).

Les auteurs ajoutent que la perte du district obligerait cent cinquante familles au moins à émigrer. On voit donc que la domination urbaine n'est aucunement niée mais que, bien au contraire, elle constitue le salut de la campagne. En revanche, la grande ville est ennemie dans la mesure où elle réunit tous les pouvoirs. Comme Château-du-Loir, Luçon en Vendée se prononce contre la réduction du nombre de districts :

> « Si les grandes villes par leur luxe appauvrissent et dessèchent les campagnes, les petites les vivifient, favorisent la circulation, encouragent l'agriculture et tous les soins domestiques pour la conservation des mœurs comme pour la splendeur d'un empire. La saine politique demande qu'on s'occupe également à multiplier les petites villes et à diminuer l'effrayante population des grandes » (18/294-30).

Il resterait à déterminer cas par cas ce que recouvre exactement cette distinction grossière entre grandes et petites villes. Nous avons insisté sur ce qui correspond à la hiérarchie judiciaire (justices seigneuriales, prévôtés, châtellenies contre bailliages et sénéchaussées, a fortiori contre villes multifonctionnelles). Mais, le plus souvent, le clivage s'établit suivant un ensemble de critères où entrent non seulement les prérogatives administratives mais les ressources économiques, la situation géographique, etc. Toutefois, là encore, le stéréotype antiurbain a plus valeur d'outil rhétorique que d'idéologie essentielle : il s'agit fondamentalement de favoriser l'intérêt particulier ; l'hostilité aux grandes villes est un moyen commode de le faire reconnaître mais elle ne vise pas toujours une rivale déterminée, ni ne prend un contenu précis.

L'ubiquité de l'argument antiurbain révèle sa contingence. Nous l'avons vu employer pour l'obtention des districts. Nous le retrouvons dans la protestation des villes contre la réduction du nombre des chefs-lieux (dont les premières tentatives datent de l'automne 1790) comme le montrent ces deux dernières citations. Il en ira de même pour la suppression des districts et leur remplacement par les arrondissements, moins nombreux.

— Le département

La compétition pour l'attribution des chefs-lieux de département suscite elle aussi des prises de position contre « l'aristocratie » urbaine. Dans certains départements, plusieurs villes importantes rivalisent. De nouveau elles mettent au service de leurs intérêts particuliers la défense des campagnes. Dans l'Aisne (où Soissons, Laon, Saint-Quentin et Château-Thierry prétendent chacune obtenir un département) Harmand, député de Château-Thierry, proteste contre le passage de la limite départementale tout près de cette ville, au bénéfice des vœux de Meaux d'une part, de Soissons d'autre part :

> « Sans doute, l'intérêt des villes mérite une grande considération ; elles sont peuplées de citoyens utiles, éclairés et très propres par leurs talents et leur zèle à diriger l'administration. Les villes sont le centre des arts et du commerce ; mais il ne s'ensuit pas qu'il faille leur sacrifier l'intérêt des campagnes, que des cantons entiers doivent être arrachés à leurs habitudes, retranchés de leur province pour rendre une ville plus ou moins centrale. Ce serait rétablir une aristocratie dangereuse et destructive » (3/146-15).

En Dauphiné, Vienne voudrait un département pour elle-même et refuse d'être assujettie à Grenoble :

> « Il serait dangereux de renouveler les abus détruits avec tant de peine si on laissait subsister l'aristocratie d'une ville qui serait le centre d'une grande province, réunirait tous les pouvoirs, dicterait toutes les résolutions, absorberait tout l'or des cantons correspondants et dont la puissance serait d'autant plus formidable qu'elle serait protégée par le glaive judiciaire » (8/211-26).

On retrouve des textes semblables dans les adresses de Mézières contre Sedan et Charleville, de Saintes contre La Rochelle, de Montluçon qui dénonce l'aristocratie des capitales et spécialement de Moulins (6/184-15), etc. Dans tous les cas, il s'agit de villes qui jugent un district inférieur à leur rang, étant donné leur influence qui approche ou égale celle des « capitales » présentées pour être sièges de département. L'alternat ou la réservation du choix aux électeurs de la première assemblée furent fréquemment des moyens de trancher.

L'injustice était ressentie d'autant plus fortement que la capitale était une ville d'influence nationale. Nous avons à plusieurs reprises évoqué l'exemple d'Aix luttant contre Marseille. Le Forez, par l'intermédiaire de son député Delandine, reprend magistralement les idées développées par Sinéty à propos de Marseille en les appliquant à la ville de Lyon (16/272-23).

La vocation rhétorique et discursive des représentations antiurbaines est donc aussi évidente dans la correspondance locale que dans le débat parlementaire. Elles servent toujours à habiller des visées plus profondes. Dans les exemples analysés ci-dessus, elles traduisent précisément la confrontation d'un intérêt particulier à une situation hiérarchique où la supériorité n'est pas acquise. Ainsi s'explique que puissent faire bon ménage une démarche qui doit aboutir au renforcement du pouvoir urbain et une idéologie hostile à la ville.

On ne s'étonnera pas que le comité use du même jeu d'arguments pour répondre aux revendications. Son commissaire adjoint, Gossin, examine le 1er février 1790 devant l'Assemblée les prétentions des villes de l'Eure. C'est un des rares exemples de réponse fournie à un problème local :

> « Le comité pense que les réclamations de ces villes ne sont pas fondées et que la division arrêtée par les députés de Normandie est bien faite. Toutes les subdivisions réclamées n'intéressent que quelques petites villes qui sont trop près les unes des autres et qui ne consultent que leurs intérêts. Les campagnes ne demandent rien et les campagnes ne doivent pas être attribuées comme des propriétés à ces rivalités de clocher. Si les districts ne doivent pas être trop grands, ils ne doivent pas non plus être trop petits, car ce serait écraser les campagnes, au profit des petites villes, en frais de justice et d'administration. »[46]

Le comité renvoie quand même aux électeurs la décision d'augmenter le nombre des districts. Mais ce texte montre la persistance, même une fois le processus de division engagé, avec toutes ses difficultés, d'un mode de représentation qui permet de faire reconnaître les volontés les plus diverses. Ici, pour se débarrasser des revendications trop nombreuses, c'est encore la critique de la domination urbaine qui est mise en œuvre. En outre, on voit se confirmer la tendance du comité à placer le débat sur le terrain des surfaces et non des pôles, en privilégiant toujours le déterminisme de la taille des divisions, suivant la notion un peu floue d'équilibre entre le trop petit et le trop grand.

Il paraît quelque peu présomptueux de vouloir conclure sur ce thème de la hiérarchie, tant sa compréhension est délicate et ses formes d'expression à la fois nombreuses et particulières. Tout au moins pouvons-nous retenir quelques points. La réforme de l'organisation territoriale et administrative est le révélateur de l'armature urbaine en même temps qu'elle suscite son bouleversement[47]. Elle est bien ressentie par la société des villes comme un événement qui remet en question leur avenir, et donne lieu à une mobilisation d'opinion qui rappelle celle des cahiers de doléances. Ted Margadant a évalué à dix mille le nombre des pétitions envoyées à l'Assemblée Nationale à cette occasion (en 1789-1790), représentant les vœux de mille six cents villes. Il faudrait y ajouter plusieurs milliers de pétitions de villages. Par ailleurs, des campagnes d'opinion furent réalisées par environ cinq cents villes auprès de neuf mille paroisses[48].

Créer une hiérarchie à trois niveaux et, pour chacun d'eux, fixer le nombre de représentants rend nécessaire une sélection parmi les villes. D'où la multiplication de textes qui visent à démontrer la supériorité d'une localité et son heureuse vocation pour l'administration. L'échelon du district prend alors une importance particulière parce qu'il met en rivalité des villes d'influence très inégale : de simples bourgs qui espèrent se hisser jusqu'à ce statut et toutes les localités qui portent le nom de ville, y compris les plus importantes puisque même la ville possédant le siège du département est également chef-lieu de district. Les rivalités prennent alors plusieurs formes : elles peuvent se mouler sur l'ancienne hiérarchie administrative, et plus généralement sur les titres et les honneurs urbains ; ou bien la ville, dans son image ancienne, se heurte à la ville moderne, essentiellement commerçante et rayonnant au-delà de sa région proche. Le territoire lui-même est en effet étroitement impliqué dans ces distinctions urbaines, puisque c'est à la fois la fonction et le ressort dans lequel elle s'exerce qui fondent la différenciation. L'idéologie d'égalisation, qui défend les fonctions locales et prône la dispersion des activités, bute sur les lois de l'économie et du profit, que mettent en avant les villes économiquement les plus développées. Mais quels que soient les modes d'argumentation le cliché antiurbain triomphe dans sa double orientation (contre les grandes villes, pour les campagnes), et avec sa finalité, la défense de la ville petite ou moyenne. Ces démarches expriment à la fois la force d'inertie opposée à ce bouleversement, et l'opportunisme. Entre les villes qui veulent préserver leur situation et celles qui essayent d'acquérir les pouvoirs que le nouveau régime leur laisse espérer, entre les villes dont les activités économiques stagnent ou décroissent et d'autres qui participent à l'essor commercial et industriel, il est difficile de fixer des points d'ancrage pour une hiérarchie, plus encore de donner une image synthétique à l'échelle de tout le territoire français. C'est finalement à l'occasion des demandes de rattachement qu'apparaît le mieux le réseau des relations, encore que soit surtout éclairée la demande à l'égard de la ville et non l'organisation territoriale globale qu'elle réalise, soumise aux aléas des initiatives sociales. Une difficulté méthodologique demeure donc, à l'articulation de la monographie et de l'étude générale. Ted Margadant la soulignait en mai 1981 : « Autant de districts, autant de combinaisons différentes de villes rivales, où l'organisation de l'espace et l'action politique ne peuvent être étudiées qu'en décrivant l'histoire de villes particulières. » C'est avec la conscience de n'avoir pu qu'imparfaitement lever cet obstacle que nous achevons ce chapitre.

*

La variété des registres d'argumentation

Nous voudrions revenir d'une manière plus générale sur les modalités de représentation de la ville en les rapportant à la rationalité qui les sous-tend.

Face à la perspective de la réforme, les villes peuvent adopter une attitude de résistance et de conservatisme, ou s'efforcer de tirer le meilleur profit de l'ordre nouveau. Mais le plus souvent, elles marient les deux attitudes. C'est alors qu'apparaît la logique conformiste : l'état ancien fonde un ordre, sur lequel on doit modeler les nouvelles institutions.

On trouve des exemples de villes qui développent une argumentation entièrement positive : elles dressent la liste de tous leurs avantages et possessions. Saulieu sollicite un district qui coïncide avec son ancien bailliage : sa situation (elle est au centre de son ressort et bien desservie par les routes), sa population, ses établissements (grenier à sel et subdélégation), son commerce et ses productions (grains, bétail, bois) l'exigent ; et pour l'ensemble de ces attributs, elle est supérieure à sa rivale, Arnay-le-Duc (6/182-9). Le commissaire du roi, Guiol de Saint-Florent, conteste ces affirmations et notamment la centralité et la fertilité alléguées par Saulieu (6/182-30). Les contre-vérités elles-mêmes traduisent cette tendance à enjoliver les situations.

Une autre démarche consiste à se faire plaindre et à réclamer dédommagement d'une injustice naturelle ou historique. Il s'agit en quelque sorte toujours d'un conformisme, mais inverse du précédent. Dans la Creuse, la ville de Felletin met au premier rang de ses arguments la faiblesse de sa population et la stérilité de son sol (6/185-30). De son côté, Narbonne demande un département : la jonction de son canal avec celui des Deux Mers n'a pas été faite, ce qui empêche son commerce de se développer, et sa viguerie a été diminuée lors de l'établissement des présidiaux. Ces localités cherchent donc à toucher la sensibilité égalitaire des Constituants et à utiliser la vocation corrective et rationalisatrice de l'épisode révolutionnaire.

Entre ces deux pôles, on trouve une masse de pétitions qui procèdent à la fois des logiques de la récompense et de la compensation, et les mêlent au mépris de la rigueur. Beaulieu-sur-Dordogne hésite tout au long de sa lettre entre la peinture de ses atouts et celle de ses handicaps : elle estime d'abord être en léthargie et demande à être régénérée. Mais elle est la capitale de l'ancienne vicomté de Turenne et regroupe plus de trente juridictions seigneuriales. Elle prétend également être l'entrepôt de l'Auvergne et du Limousin. Pourtant, la voilà qui affirme : « Cette ville est presque entièrement privée de tout commerce et du débit de ses denrées. » Elle est située « au centre d'un sol montueux et peu fertile qui ne doit sa production qu'à un travail opiniâtre et aux soins infatigables de ses cultivateurs » (6/180-3). En Dauphiné, La Côte-Saint-André décrit ses alentours :

> « Un grand et vaste pays peu habité, qui produit une immensité de denrées, sans débouché pour s'en défaire, et par sa position, dans l'impossibilité d'y établir aucun commerce, fait pour y recevoir et procurer toutes les aisances, à un grand nombre d'étrangers qui y trouveraient toutes sortes de sûretés, par la douceur, l'urbanité des citoyens qui, malgré tous les troubles qui agitaient une partie du royaume, n'ont jamais démenti leur caractère » (8/211-16).

Ce mélange d'avantages et d'inconvénients se retrouverait en de multiples endroits. Nous avons eu l'occasion d'évoquer la rivalité de Bar-sur-Seine et des Riceys pour un chef-lieu de district. Bar possède tous les établissements (bailliage, subdélégation, maîtrise, élection, juridiction des aides, grenier à sel) mais n'a pas un commerce très développé. Les Riceys n'ont aucune prérogative administrative ou judiciaire, mais ils comptent quatre mille cinq cents âmes (contre deux mille cinq cents pour Bar-sur-Seine), payent cent vingt mille livres d'impositions (contre trente-cinq mille) et ont un commerce de vin assez important. Bar-sur-Seine demande donc conservation de ses pouvoirs et fait état de l'avantage que donne aux Riceys leur commerce. Ceux-ci font valoir cette ressource qui justifie à leurs yeux une sanction par l'attribution du district. Ils préconisent en revanche de ne pas maintenir la concentration des établissements, telle qu'elle existait sous l'Ancien Régime, à Bar-sur-Seine notamment (4/161-56 et 58). Ces deux lettres demandent donc conjointement conformité aux avantages, et régulation par rapport aux handicaps, faisant chacune porter ces différentes logiques sur des objets « inverses ».

La même mixité transparaît dans la rencontre de l'intérêt particulier et des bases du projet constituant. Les localités, nous l'avons vu, dosent la fidélité au principe géométrique et sa transgression. La centralité de sa position peut être l'argument d'une ville de très médiocre influence ; elle peut inversement servir d'habilitation pour une ville plus puissante dont le plaidoyer paraîtrait, sans elle, défendre des intérêts trop particuliers.

Le cas idéal est celui où le modèle géométrique coïncide avec les éléments de centralité urbaine. Laval offre, comme nous l'avons vu, l'exemple d'une ville située au centre de son ressort, dont elle polarise également les relations commerciales. Saint-Omer présente une situation similaire (12/246-18) ; de même, Aups dans le Var :

> « Elle sert de communication entre la montagne et le plat pays. Elle peut et doit devenir l'entrepôt de l'un et de l'autre. On y trouve l'établissement d'un marché pour chaque semaine, et d'une foire pour chaque mois. Ses habitants possèdent des grands domaines dans les communautés voisines. C'est dans la ville d'Aups que toutes les denrées du voisinage sont portées pour y être vendues, de manière que les communautés de son arrondissement, ayant avec elle les rapports les plus intimes, les plus directs et les mieux soutenus, il est impossible de séparer les rayons de cette circonférence du centre commun auquel ils viennent aboutir. [...] On trouve dans la contrée dix-sept communautés qui fournissent la matière d'un arrondissement qui est en quelque manière prescrit par les lois impérieuses de la nature » (18/293-3).

Ici encore, centralité géométrique et polarisation des activités par la ville concordent. Si nous avons toujours en mémoire la tendance des villes à donner d'elles-mêmes une vision à la fois emblématique et fonctionnelle, nous mesurons combien il est fréquent de mêler les registres. Le va-et-vient entre la résistance et l'opportunisme explique d'autre part la liberté que se donnent les pétitionnaires de choisir dans des répertoires d'idées très divers.

Le clivage fourni par la territorialité est plus contraignant. Donner l'administration aux villes d'influence locale ou au contraire favoriser les villes de rayonnement national ou international, égaliser en dispersant ou accumuler, tous ces modèles d'organisation ne peuvent être compatibles et reflètent, par-delà le bouleversement introduit par la réforme, les mutations profondes qu'enregistre le fait urbain en cette fin du 18e siècle. L'administration est envisagée alors par certaines villes comme un moyen de rattrapage par rapport à un développement économique qui leur échappe, par les autres comme une confirmation de leur puissance et une façon de l'augmenter. De sorte que le débat à propos de la nouvelle hiérarchie administrative symbolise celui qui porte sur la ville moderne. Dans tous les cas, il s'agit de réagir au phénomène de la croissance urbaine, et l'on n'est pas étonné de voir figurer, en bonne place dans l'argumentation, la discussion à propos de la grande ville. Résistance au mouvement de concentration et de sélection ou encouragement de celui-ci, telle est grossièrement l'alternative. Statistiquement, il semble pourtant que la première attitude l'ait emporté. Il n'est pas rare, dans ces exemples, de voir défendre le sort des villes au nom des intérêts ruraux et sur la base des idées physiocratiques, notamment dans leur caractère antiurbain. Les possibilités d'alternat des chefs-lieux et de partage des établissements administratifs, judiciaires, religieux et éducatifs entre les villes, le choix laissé aux électeurs dénotent, de la part du comité, un effort de conciliation et de décentralisation plus affirmé que ne le laissait présager le projet initial, qui tournait délibérément le dos à la réalité urbaine. Nul doute qu'un terrain de rencontre fut trouvé entre les villes qui faisaient état de leur rôle de desserte locale avec l'appui des paroisses environnantes, et l'Assemblée, qui voyait dans la dispersion le remède à l'aristocratie et aux privilèges. Néanmoins, les décisions finales furent loin de satisfaire la totalité des demandes formulées, et l'aspect sélectif de la réforme reste l'élément fondamental. Par la suite, la suppression de l'alternat (le 11 septembre 1791), les tentatives de réduction du nombre des districts (automne 1790), et même de suppression (sous la Convention, à l'initiative du comité de constitution girondin), leur élimination effective (Constitution du 5 fructidor an III) et la création des arrondissements (sous le Consulat), furent des mesures qui accentuèrent encore cette tendance et suscitèrent à nouveau les prises de position des villes mises en situation difficile, dans un esprit très proche de celui de ce premier mouvement d'opinion.

Au regard du débat sur le choix à réaliser parmi les villes, la notion de ville (c'est-à-dire l'ensemble des caractères qui permettent de donner à un lieu habité le titre de ville), bien que variable dans ses références, reste résolument tournée vers les titres et le prestige d'ordre esthétique, culturel et social. Il semble que cette acception soit d'une remarquable stabilité quelles que soient les transformations qu'enregistre l'urbanisation dans son ensemble. L'administration impériale l'enrichit du critère démographique (population agglomérée), mais on sait qu'elle prenait également en compte la composition socio-professionnelle et notamment la présence de rentiers et de marchands.

Les textes que nous avons présentés montrent surtout l'étonnante capacité de la bourgeoisie urbaine à faire valoir ses intérêts par l'intermédiaire d'une image valorisante du patrimoine urbain. Les villes, par la voix de leurs notables, s'imposent en tant qu'acteurs sociaux de l'organisation du territoire et elles apparaissent comme les principales intéressées dans les transformations issues du nouveau découpage. Elles appréhendent avec une particulière sensibilité les effets sélectifs de la réforme sur le réseau urbain. La pluralité des registres d'argumentation est elle-même le signe de la gravité des enjeux : tous les moyens sont bons pour assurer l'avenir heureux de ces localités et de leurs élites, ou au moins pour empêcher leur déclin. Il appartiendrait à une recherche complémentaire, difficile à mener au demeurant, de repérer l'identité des notables qui s'approprient la défense de leurs cités et s'en font les porte-parole. La question se pose en effet de savoir d'où proviennent tel ou tel système d'argumentation, telle ou telle proposition d'aménagement. La connaissance précise du milieu d'où sont issus ces auteurs apporterait sans aucun doute beaucoup ; l'origine professionnelle, sociale, politique et culturelle éclairerait non seulement les conditions des polémiques qui s'élèvent autour de la formation des départements mais, plus largement, la manière dont est conçu le rapport de la société au territoire en cette fin de siècle.

NOTES

1. Enquête dite « des 1 000 », AN, F[20] 428 à 430.

2. J. Ehrard, « La ville dans l'*Encyclopédie* : ville ouverte, ville fermée ? », in : coll., *Études sur le 18ᵉ siècle,* Clermont-Ferrand, Société Française d'Étude du 18ᵉ siècle et Association des Publications de Clermont-II, 1979, p. 31-39.

3. Le contenu de la réflexion médicale sur la ville au 18ᵉ siècle a été envisagé dans différents travaux, notamment ceux de M. Foucault et de J. C. Perrot. Les topographies médicales ont par ailleurs fait l'objet d'études particulières autour de M. Roncayolo.

4. On lira notamment les articles de la revue *Dix-Huitième siècle*, 9, 1977 (« Le sain et le malsain », nº spécial), en particulier celui de R. Etlin, « L'air dans l'urbanisme des Lumières », p. 123-134 et celui de B. Fortier, « La maîtrise de l'eau », p. 193-201.

5. On rencontre des exposés semblables à celui de cette paroisse du Cotentin dans les adresses de Combourg opposée à Dol (8/208-1), de Charolles contre Paray-le-Monial (16/274-18) et, de façon moins éloquente mais significative au demeurant, de Saintes

contre La Rochelle (5/177-36), de Saint-Sever dans les Landes contre Aire-sur-Adour (9/214-22), de Lavaur contre Castres (17/206-7).

6. B. Lepetit, « L'évolution de la notion de ville d'après les tableaux et descriptions géographiques de la France, 1650-1850 », *Urbi*, 2, déc. 1979, p. xcix–cvii.

7. *Ibid.*, et B. Lepetit *et al.*, « Les miroirs de la ville : un débat sur le discours des anciens géographes », *ibid.*, p. cviii-cxviii.

8. À ce sujet on se reportera notamment à M. N. Bourguet, *Déchiffrer la France : la statistique départementale à l'époque napoléonienne*, thèse de 3ᵉ cycle, Paris-I, 1983 ; C. Bertho, « L'invention de la Bretagne : genèse sociale d'un stéréotype », *Actes de la Recherche en Sciences Sociales*, 35, 1980, p. 45-62 ; C. Gras et G. Livet, eds, *Régions et régionalisme en France du 18ᵉ siècle à nos jours*, Paris, PUF, 1977.

9. Nous pensons en particulier aux textes analysés par J. C. Perrot à propos de Caen, par M. Roncayolo à propos de Marseille, ainsi qu'à un deuxième groupe de textes issus de notre corpus et analysés plus bas.

10. M. Agulhon, « La notion de village en Basse Provence vers la fin de l'Ancien Régime », *Actes du 90ᵉ congrès national des Sociétés Savantes*, Nice, 1965, Section d'histoire moderne et contemporaine, t. 1, Paris, Imprimerie Nationale, 1966, p. 277-301. B. Bonnin, « Un réseau urbain face à son environnement rural en France au 18ᵉ siècle, place, rôle et influence : l'exemple du Dauphiné », in : Centre Aixois d'Études et de Recherches sur le 18ᵉ siècle, *La ville au 18ᵉ siècle*, Aix-en-Provence, Édisud, 1975, p. 145-151.

11. R. Cantillon, *Essai sur la nature du commerce en général*, Paris, INED, 1952, p. 5-9.

12. P. Meuriot, « La question des grandes villes et les économistes au 18ᵉ siècle », communication à l'Académie des Sciences Morales et Politiques, 28 février 1914.

13. Ces faits étaient connus des petites localités qui déployaient à leur tour cette argumentation d'équilibrage et de compensation : les officiers municipaux d'Oust, dans l'Ariège, dont nous avons déjà évoqué la rivalité avec Seix, observent « que c'est parce que Seix est déjà beaucoup trop, qu'il ne peut pas être davantage ; et que parce qu'Oust ne serait rien, qu'il faudrait qu'il redevînt ou fût quelque chose ; que ces considérations, qui ont à la base des décrets de l'Assemblée Nationale, l'ont déterminée à préférer pour chef-lieu de département Aix à Marseille » (4/160-39).

14. Nous nous référons ici aux analyses de P. Dockès, *L'espace dans la pensée économique du 16ᵉ au 18ᵉ siècle*, Paris, Flammarion, 1969.

15. Les sources pour une histoire de la politique et de l'équipement routiers sont à rechercher dans les ouvrages de E. Vignon, *Études historiques sur l'administration des voies publiques en France avant 1790*, Paris, Dunod, 1862-1880 ; H. Cavaillès, *La route française, son histoire, sa fonction*, Paris, Colin, 1946 ; J. Petot, *Histoire de l'administration des Ponts et Chaussées, 1599-1815*, Paris, Rivière, 1958. Des travaux plus récents renouvellent l'appréciation que l'on peut porter sur le réseau de communications de la fin du 18e siècle : G. Arbellot, « La grande mutation des routes de France au milieu du 18ᵉ siècle », *Annales ESC*, 1973, 3, p. 765-791 ; B. Lepetit, *Chemins de terre et voies d'eau : réseaux de transports et organisation de l'espace en France, 1740-1840*, Paris, EHESS, 1984.

16. M. Chevalier, *Des intérêts matériels en France*, Paris, Gosselin et Coquebert, 1838.

17. Nous avons insisté sur ce thème de l'accessibilité du chef-lieu mais les préoccupations plus policières de la maîtrise du territoire ne sont pas inexistantes, quoiqu'elles apparaissent plutôt dans les considérations d'extention du ressort.

18. Bonnin, *op. cit.*, p. 148.

19. T. Margadant a fourni une liste de références françaises et anglaises à propos de l'organisation de l'administration et de la justice dans différentes régions françaises (« Urban Crisis, Bourgeois Ambition and Revolutionary Ideology in Provincial France, 1789-

1790 », communication au 28e congrès annuel de la Society for French Historical Studies, 26-27 mars 1982, dact. Il donne l'exemple de Bouzonville en Lorraine, qui compte soixante-six hommes de loi pour moins de mille cinq cents âmes, et du Dorat dans la Marche qui a soixante-sept hommes de loi pour deux mille habitants.

20. F. Mège, « Formation et organisation du département du Puy-de-Dôme, 1789-1800 », *Mémoires de l'Académie des Sciences, Belles-Lettres et Arts de Clermont-Ferrand*, 15, 1873, p. 289.

21. B. Lepetit, « Histoire urbaine et espace », *L'Espace Géographique*, 9, janv.-mars 1980, p. 50. F. Braudel évoque à propos des villes « le double jeu de l'espace régional et de l'espace international » et dit que « l'histoire générale enjambe l'histoire locale » (*Civilisation matérielle, économie et capitalisme, 15e-18e siècles*, Paris, Armand Colin, 1979, t. II, p. 161 sq.).

22. Cette complexité a été soulignée dans plusieurs travaux de réflexion historiographique sur les villes, et notamment par L. Bergeron et M. Roncayolo, « " De la ville pré-industrielle à la ville industrielle " : essai sur l'historiographie française », *Quaderni Storici*, 27, sept.-déc. 1974, p. 844-845. Elle a déterminé la problématique de recherches récentes, comme celles qui furent rapportées au 2e congrès de l'Association Française des Historiens Économistes, *Aires et structures du commerce français au 18e siècle*, Lyon, 1975.

23. Elle ne tient pas pour une objection le fait que Soissons soit siège de généralité, affirmant qu'« elle n'a dû cet avantage qu'à sa situation au milieu de la province, et elle doit la perdre avec la circonstance qui le lui a procuré » (3/144-18).

24. Mavidal et Laurent, *op. cit.*, t. 12, p. 335.

25. E. Juillard, « Espace et temps dans l'évolution des cadres régionaux », in : *Études de géograbie tropicale offertes à Pierre Gourou*, Paris-La Haye, Mouton, 1972, p. 29-43.

26. H. Sée, *Histoire économique de la France*, Paris, Armand Colin, 1948, t. I, p. 355 et 372-373.

27. Letellier fils, trésorier de France, à propos de Soissons (20 mai 1790) : « L'agriculture et le commerce étant l'âme d'une administration, il faut encore examiner si la ville sur laquelle on veut fixer son choix est susceptible d'éprouver tous les moyens de les faire fleurir et protéger, si cette ville par sa situation peut être le ralliement de tous les arts, si sa position en permet l'agrandissement, si les routes les plus commodes en facilitent l'accès et si une rivière navigable est à sa proximité » (3/148-14).

28. J. Bodin, *Les six livres de la République* (1576), Lyon, 1693, p. 696-697, cité par P. Dockes, *L'espace dans la pensée économique...*, Paris, Flammarion, 1969, p. 93-94.

29. Cf. M. Bouvier-Ajam, *Histoire des doctrines économiques*, Paris, Plon, 1952, Livre II, ch. 2 et 3.

30. H. Sée, « Le commerce des toiles du Bas Maine à la fin de l'Ancien Régime et pendant la Révolution », *Bulletin de la Commission Historique de la Mayenne*, 43, 1927, p. 81-104.

31. On s'interroge en effet lorsqu'une ville comme Saint-Valéry, dans la Somme, prétend approvisionner non seulement Abbeville, Amiens et l'ensemble du département, mais aussi le Doubs, l'Oise, l'Aisne, la Marne, l'Aube, les Ardennes, la Meuse, le Haut-Rhin, Paris et bientôt la Lorraine et les Évêchés (7 décembre 1790 : la municipalité de Saint-Valéry demande un tribunal de commerce, 34/507-11). On ne s'étonnera pas de ne pas trouver d'indications plus précises si ce n'est que Saint-Valéry est abordé par trois cents navires marchands par an.

32. Cité par J. Bourdon, « Pinteville de Cernon, ses chiffres de population et sa critique des départements », *Annales Historiques de la Révolution Française*, 137, oct.-déc. 1954, p. 346-356.

33. Mavidal et Laurent, *op. cit.*, t. 11, p. 357.

34. E. Stevelberg, *Contribution à l'étude de l'armature urbaine préindustrielle française...*, Paris, EHESS, 1977.

35. T. Margadant, *A Note on International Centers of Administration in Eighteenth-Century France*, avril 1982, multigraphié.

36. M. Roncayolo, article « Citta », in : *Enciclopedia G. Einaudi*, Turin, 1977.

37. Il nécessiterait notamment de mobiliser d'autres sources, comme les enquêtes préfectorales dites « des 1 000 » et « des 2 000 » à propos de la population urbaine (1809-1812) et les études et transcriptions graphiques auxquelles elles ont donné lieu (R. Le Mée, « Population agglomérée, population éparse au début du 19ᵉ siècle », *Annales de Démographie Historique*, 1971, p. 455-510 ; L. Bergeron et M. Roncayolo, « Limites de l'analyse quantitative de la population urbaine d'après les enquêtes de 1809-1810 », communication au 4ᵉ colloque de l'Association Française des Historiens Économistes, 1977, multigr. ; carte de *L'armature urbaine de la France au début du 19ᵉ siècle* par le Laboratoire de Cartographie Thématique du CNRS, 1976 ; travaux de B. Lepetit actuellement en cours, etc.).

38. Nous nous référons ici aux analyses des travaux récents d'histoire urbaine et de réflexion sur ce champ d'étude (voir notes 20, 21, 23, 34 ; on lira également E. Juillard, « L'armature urbaine de la France préindustrielle », *Bulletin de la Faculté des Lettres de Strasbourg*, 6, mars 1970, p. 299-307).

39. Voir M. C. Robic, « Cent ans avant Christaller... une théorie des lieux centraux », *L'Espace Géographique*, 11, 1, 1982, p. 5-12.

40. Nous nous basons sur les faits enregistrés dans l'enquête fiscale des préfets en 1809-1810, sur la population agglomérée. Il convient de tenir compte des précautions méthodologiques soulignées par L. Bergeron et M. Roncayolo (« Limites d'une analyse... », *op. cit.*). Ainsi le département des Deux-Sèvres présente certainement le cas d'une sous-estimation de l'urbanisation si l'on se réfère à la population agglomérée, en raison du mode dispersé de l'habitat.

41. Il fallait compter en plus un district pour chacune des villes des tranches supérieures : Orléans, Gien, Beaugency, Montargis. Pithiviers, qui en obtint également un, dut probablement sa réussite à son élection et son commerce de céréales.

42. Rappelons que l'indicateur démographique intervient peu dans la notion de ville à l'époque préindustrielle, comme l'ont notamment souligné B. Bonnin et L. Bergeron, à l'occasion d'un colloque sur la ville au 18ᵉ siècle, et M. Agulhon dans ses travaux sur la Provence *(op. cit.)*. Nous avons nous-même montré ce qu'il fallait en penser pour cette correspondance *(supra, 2)*.

43. Cette image fonctionnaliste existe aussi en deçà du seuil de la catégorie « villes ». On la retrouve dans les archives concernant les cantons. Elle est alors sommaire. Nous ne voulons pas dire ici qu'elle caractérise une catégorie de la hiérarchie, mais seulement qu'elle n'apparaît pas lorsqu'il s'agit de donner des indicateurs du caractère urbain (par opposition au bourg ou au village), ceux-ci étant recherchés dans les titres et les possessions plutôt que dans les activités.

44. Peut-être le fait que les prétentions émanent d'un aussi bas niveau de la hiérarchie judiciaire s'explique-t-il par la moindre densité du réseau des bailliages. Plusieurs de ces départements sont également caractérisés par la forme de leur urbanisation : proportion de population agglomérée dans des villes ou bourgs de moins de cinq mille habitants, plus élevée que dans la tranche des villes de cinq mille à quinze mille habitants. Cf. Bergeron et Roncayolo, « Limites d'une analyse... », *op. cit.*

45. Elle émane notamment de villages ou de bourgs qui réclament la séparation administrative des villes et des campagnes conformément à une idée défendue à l'Assemblée Nationale (voir 1ʳᵉ partie, ch. v, 2). Dans l'Aisne, le maire de Savignon demande une multiplication des chefs-lieux de cantons : « Il ne paraît pas que ce soit la manière de

penser des habitants des villes. On dirait qu'ils sont habitués à regarder les communes de nos campagnes comme un moyen de lucre, une sorte de propriété et l'objet de leurs spéculations intéressées [...]. L'influence des villes et gros bourgs est trop sensible sur le peuple de la campagne, quand même il y tiendrait ses assemblées à part. C'est l'exposer à la séduction et le laisser dominer par l'ascendant des lumières et du crédit : peu de choses suffit pour gêner la liberté. D'ailleurs, les intérêts sont différents à raison de la diversité des états de ceux qui habitent les villes ou les campagnes, à la ville, des capitalistes et des commerçants, à la campagne, des propriétaires et des cultivateurs. Les uns et les autres doivent avoir des représentants dans un nombre proportionné à leur population, pour défendre leurs droits respectifs » (3/148-18). On retrouve les mêmes idées dans les adresses de Chambon-Colombeau près de Moulins (3/149-26), de Dreuil près de Revel en Haute-Garonne (7/199-23), de Bord près de Boussac (6/185-22), etc.

46. Mavidal et Laurent, *op. cit.,* t. 11, p. 408.

47. Une recherche a été entreprise pour évaluer les effets de ce bouleversement sur le réseau urbain de la première moitié du 19ᵉ siècle : P. Rodriguez Ochoa, *Les rapports entre l'évolution de la structure administrative et le réseau urbain de la France, 1789-1856,* mémoire présenté pour le diplôme de l'EHESS, Paris, EHESS, 1976, dact.

48. Margadant, « Urban Crisis... », *op. cit.,* p. 30.

CHAPITRE V

Quelques bilans

1. La géographie des représentations

Tout au long de notre analyse, nous avons éprouvé la difficulté de trouver un moyen terme entre la recherche de régularités à travers le territoire, et l'utilisation d'exemples plus précisément localisés, monographiques. Le plus souvent, nous avons réuni sous la même enseigne intellectuelle des textes de provenance géographique variée ; c'est la logique d'une étude que nous avons délibérément voulue plus thématique et conceptuelle que régionale. Nous voudrions donner ici un aperçu de l'enracinement régional des arguments développés dans ces textes. Mais, d'entrée de jeu, il nous faut souligner le caractère incertain de cette tentative de régionalisation. Les sources étudiées se caractérisent avant tout par la particularité irréductible des textes qu'elles contiennent, des situations qui y sont défendues. Si des thèmes identiques s'y répètent, ils semblent assez rarement être typiques d'une région. Par ailleurs, il faut se méfier de ce qui apparaît comme un trait régional, alors que c'est en réalité le fruit d'un état documentaire. Cette prudence s'impose spécialement à propos des lacunes. Si la répétition de représentations semblables peut être interprétée comme un type régional, comment être certain de la signification d'un manque ? Par exemple, on remarque que le dossier concernant la Charente-Inférieure est presque entièrement constitué de pièces touchant à la rivalité pour le chef-lieu de département et à la formation des cantons, tandis qu'il n'y a presque aucune trace de la fixation des districts. Cette carence s'explique-t-elle par le fait que cette opération n'a pas donné lieu à des contestations ? Traduit-elle une faiblesse de l'organisation territoriale à l'échelon des villes susceptibles de devenir sièges de district, ou bien un manque d'esprit revendicateur ? Ou bien encore les documents sont-ils conservés aux archives départementales ? Des questions similaires se posent pour chaque dossier, dont la réponse nécessiterait de multiples recherches, pour le moment inentamées. L'intérêt de les mener à bien resterait d'ailleurs à débattre. Il nous semble en effet que la pertinence d'une différenciation géographique des représentations ne peut se concevoir qu'au niveau de clivages très grossiers, si l'on ne veut pas rejoindre la démarche monographique et faire tout simplement l'his-

Voir notes p. 298.

toire de ce que chaque lieu a pensé, voulu et écrit. Ce n'est pas tant l'intérêt d'une science régionale des idées que nous mettons ici en doute que la possibilité de la faire convenablement : la complexité de l'objet, le manque d'informations et le risque de n'appliquer qu'un déterminisme des lieux très réducteur, font peser un doute sur la légitimité et la fécondité d'une telle démarche.

Cette difficulté reconnue, faisons pourtant l'inventaire des régularités. L'un des contrastes majeurs recouvre la différence entre plaine et montagne.

On ne sera pas étonné de trouver dans les départements montagnards les descriptions les plus prolixes des contraintes naturelles. Isolement, inaccessibilité, distance sont les traits mis en évidence, inévitablement assortis d'une rationalité de compensation, de correction des injustices naturelles. L'espace montagnard est cloisonné en petites unités adaptées aux conditions de communication, et chacune d'elles demande sa transformation en circonscription administrative. Dans les Pyrénées (Bigorre, Quatre-Vallées, Nébouzan, Couzerans, Comté de Foix, Comminges, etc.) ou dans le Jura, chaque vallée, même les plus petites, demande une division particulière. Les villes qui se trouvent au débouché de plusieurs vallées, comme par exemple Argelès, revendiquent plus vigoureusement encore des districts. Ce cloisonnement suscite chez les communautés un sentiment d'appartenance très fort ; les demandes de rattachement sont donc nombreuses. Dans le Massif Central et les Alpes, chaque petite ville pourvue d'un marché et d'une juridiction fait valoir le malheur des communautés si on les obligeait à ressortir à une autre ville que des chemins impraticables rendent inaccessible. Aux frontières des provinces, comme entre Velay, Vivarais et Forez, les localités craignent de contribuer à la construction et à l'entretien de routes qui ne les avantageraient pas, tandis que d'autres nécessaires à leur désenclavement ne seraient pas mises en chantier. Ainsi, la paroisse de Riotord, placée dans le Rhône-et-Loire, demande son rattachement à la Haute-Loire car elle pense que Lyon ne fera pas faire la route d'Annonay à Montfaucon, tandis qu'elle l'obtiendra peut-être du Puy (9/222-42).

Les arguments d'uniformité et d'homogénéité territoriale sont invoqués un peu partout mais ils prennent un caractère systématique dans certaines régions. Les pays de droit coutumier veulent calquer la division sur la géographie des aires juridiques. C'est le cas notamment du Poitou, de la Marche, du Berry, du Limousin, de la Normandie (dans ses confins avec l'Ile-de-France et le Maine). La différence de langue constitue également un motif puissant de revendication comme dans le Pays Basque et la Lorraine allemande. Mais, d'une manière plus générale, l'homogénéité est le principe fondamental du plaidoyer provincialiste et particulariste : les pays pyrénéens, les Landes, l'Armagnac, le Périgord, le Gévaudan, le Velay, le Vivarais, le Forez, les Combrailles, la Bresse, l'Artois, les Flandres, etc., nous en fournissent des illustrations significatives. Dans les départements de moyenne ou de haute montagne, la difficulté des communications rend les échanges malaisés. Chaque unité territoriale vit renfermée sur elle-même ; la petite ville est le siège d'un marché où les paysans viennent vendre leurs denrées, elle est le lieu de résidence des propriétaires fonciers et réunit quelques établissements administratifs. Dans ces régions, la représentation de la ville procède donc principalement des éléments de site, d'urbanité, de prestige, etc. La fonction de desserte locale exercée par la ville est également décrite dans certains cas, mais c'est beaucoup plus l'image d'un territoire homogène, délimité naturellement et dont la ville est le centre géométrique, que l'on cherche à donner, plutôt que celle d'un espace véritablement organisé par la ville. On peut retrouver ces dernières caractéristiques dans les départements de l'Ouest (Côtes-du-Nord, Ille-et-Vilaine, Sarthe, Deux-Sèvres, Landes) où la représentation de la ville est aussi plus culturaliste que fonctionnaliste.

Les régions de plaine — et plus particulièrement le Bassin Parisien, la Normandie, les régions du cours moyen de la Loire, le Nivernais, la Bourgogne, le nord et l'est de la France, le Bordelais, la vallée de la Garonne, la vallée du Rhône et le pourtour méditerranéen — privilégient les relations. Les communications sont alors envisagées comme l'infrastructure avantageuse de l'activité commerciale. Si la traversée des rivières et des forêts est toujours redoutée, la localisation d'une ville sur une rivière navigable ou un croisement de routes est un argument qui s'intègre dans une mise en valeur du rayonnement urbain. Le mode de localisation lui-même détrône les points de repère naturels et physiques, concurrencés par l'évaluation des distances aux autres villes. Bien souvent, nous l'avons vu, il ne s'agit que de se conformer à l'idéal de centralité géométrique prescrit par le comité. Mais la part accordée au repérage urbain traduit néanmoins la reconnaissance d'une plus grande influence exercée par la ville sur l'organisation spatiale. La carte de ces représentations coïncide d'ailleurs assez bien avec celle de l'urbanisation, des communications et du développement économique. Si l'on veut bien négliger quelques exceptions géographiques, on y verrait volontiers une nouvelle attestation du partage de la France entre nord et midi, d'ailleurs déjà reconnu à l'époque[1]. Les petites villes qui ne peuvent faire état que d'un petit marché local de denrées agricoles sont nombreuses. Mais ces diverses régions se caractérisent par la présence de villes qui décrivent leur commerce comme une activité étendue au-delà des territoires proches. Dans les départements occidentaux et montagnards en revanche, ces exemples, si l'on excepte les revendications pour les sièges de département, sont rares. Dans le Loir-et-Cher, la ville de Montoire (trois mille habitants environ) affirme avoir le marché le plus considérable de tout le Vendômois ; de son côté, Montdoubleau, moins peuplée mais possédant une foire, dit être un entrepôt pour l'approvisionnement de Paris (9/221-5 et 279-1). La production industrielle, dans la mesure surtout où elle soutient une activité marchande prospère, est également mentionnée. D'une manière générale, les intérêts économiques prennent une large part dans la compétition pour les territoires, alors qu'ailleurs les revendications se limitaient plus étroitement à un particularisme politique visant le maintien de l'intégrité des provinces. Dans la région du Nord, où ce corporatisme politique est très vigoureux, on se dispute aussi les canaux, les rivières, les ports. Tel est le cas de Gravelines, convoité en même temps par les Flandres et l'Artois. Les provinces séparées par une rivière ou un fleuve se heurtent à propos de l'affectation des ports et de leurs faubourgs : les compétitions entre Berry et Nivernais pour La Charité, entre Bresse et Mâconnais pour Saint-Laurent, entre Lyonnais et Dauphiné pour La Guillotière, sont restées célèbres. On s'oppose également pour l'attribution des forêts : le partage éventuel de celle de Villers-Cotterêts, le partage effectif de celle de Lyons, donnèrent lieu à des contestations très vives. L'arrière-plan idéologique de tous ces conflits est très nettement orienté vers le protectionnisme.

En dehors de ces remarques à la fois fragmentaires et générales, nous ne pouvons avec certitude poser l'existence d'autres corrélations entre les lieux et les représentations du territoire qui en émanent. Cet échec partiel d'une tentative de régionalisation soulève plusieurs thèmes de réflexion qui débordent le cadre de nos analyses. Faut-il y voir le signe d'une défaillance des différences régionales ? On est frappé, au terme de cette revue, par la faiblesse relative des revendications provinciales par rapport à la marée de réactions locales ou micro-locales. Comme si, en voulant anéantir les provinces, les Constituants n'avaient fait, comme l'a dit Tocqueville, que frapper des corps déjà tombés en désuétude. En revanche, la similitude des procédés de revendication, de l'outillage mental utilisé au travers de l'ensemble du territoire, traduit l'unité culturelle réalisée par ces élites urbaines. À la réalité foncièrement locale des revendications s'ajoute cet universalisme des formes de représentation : l'ensemble nous laisse l'image d'une France comme uniformisée avant la lettre.

La peinture des différences, telle qu'elle est proposée par les notables qui prennent la plume, ne vient pas contredire ce trait. Bien souvent, ce n'est pas la différence elle-même qui est à l'origine de la revendication mais bien plutôt elle est mise, comme un argument possible, au service d'enjeux autres : maintien du pouvoir urbain sur un territoire, acquisition d'un chef-lieu. La bigarrure du territoire français apparaît beaucoup moins dans son caractère effectif, qui reste à préciser par ailleurs[2], que comme un prétexte pour faire triompher des intérêts sociaux.

2. *Le poids des enjeux*

Le contenu de cette correspondance, son imposant volume, révèlent l'importance des enjeux déterminés par la réforme. La puissance de mobilisation de l'opinion, dont les députés provinciaux sont les instigateurs, confirme l'infléchissement du projet vers la prise en considération des convenances locales. La réaction provinciale se manifeste d'ailleurs presque en même temps que se déroule le débat à l'Assemblée, puisque, dans certaines régions surtout — comme la Provence, les Pyrénées, le Languedoc, la Guyenne et la Gascogne — des adresses sont rédigées et des députés extraordinaires envoyés à Paris dès le début du mois de novembre 1789. L'organisation des revendications paraît en effet avoir été d'autant plus précoce et bien exécutée que la vie municipale était intense. À cet égard, la floraison des prises de position provençales illustre bien ce que Maurice Agulhon décrit comme la « politisation » des communes dans cette province[3].

L'élément majeur réside dans la remarquable distorsion qui existe entre les termes du débat parisien et ceux de la réaction locale. Le premier tourne résolument le dos aux acteurs de l'organisation territoriale, plaçant la polémique sur le terrain de la théorie de l'État. Les considérations abstraites prédominent dans les échanges, étroitement balisés par l'idéologie dominante à l'Assemblée. Les députés adversaires du projet n'échappent pas à cette tendance. Même s'ils font appel à des considérations géographiques et s'appuient sur les caractéristiques du milieu existant pour repousser la régularisation proposée dans le projet, leurs systèmes de représentation ne dépassent pas les bornes imposées par la reconnaissance des idéaux de bien général et d'universalité. La notion de milieu à laquelle ils font référence les place du côté d'un conformisme naturaliste qui déjoue la polémique sans toutefois faire triompher de façon marquante les intérêts réels. Plutôt qu'à une peinture convaincante des différences, ils se livrent à la mise en valeur des homogénéités, démarche équivalente, mais qui s'accorde mieux à l'exigence d'uniformité. Lorsqu'on approche de plus près le débat politique, le discours se tient encore du côté de l'abstraction et de la généralité. L'usage stéréotypé du déterminisme spatial réunit départementalistes et provincialistes sur le terrain d'une géométrie politique indifférente à la réalité des enjeux sociaux et territoriaux.

En vis-à-vis et en contraste, ces derniers se manifestent par la voix des élites locales. C'est guidées par l'intérêt particulier que celles-ci réagissent, avec une intensité passionnelle dont l'Assemblée n'avait pas évalué le poids. La France locale répond avec vigueur au bouleversement introduit dans la répartition des pouvoirs et l'organisation des relations spatiales. Les villes, alors qu'elles étaient à l'Assemblée explicitement dépréciées et disqualifiées dans leur exercice d'un pouvoir de domination, se montrent les principales intéressées dans la réforme. Elles se lancent dans un combat pour maintenir ou accroître leur rôle, révélant les tensions, souvent anciennes, de l'armature urbaine française en cette fin du 18ᵉ siècle. Reproduisant ou utilisant volontiers une argumentation proche de celle de l'Assemblée, les villes et les notables la mettent paradoxalement au service de ces intérêts particuliers qui précisément étaient cloués au pilori dans le débat parlementaire : homogénéité spatiale, centralité, parti pris antiurbain ne fondent plus des rationalités universelles, mais viennent appuyer la revendication d'une annexion territoriale, de l'acquisition d'un pouvoir urbain, ou du maintien d'une solidarité spatiale donnée. Ainsi peut-on mesurer la formidable tension existant entre les deux groupes d'acteurs de la réforme : théoriciens d'une part et intéressés de l'autre.

L'universalisme des principes du projet constituant est battu en brèche par le flot de ces volontés particulières. Mais une question reste délicate à résoudre : celle de l'accueil réservé à ces revendications et, plus précisément, des règles observées pour leur donner suite. Nous nous en sommes expliquée à plusieurs reprises. Il apparaît que le comité et l'Assemblée n'adoptèrent pas une attitude rigide et uniforme. Si, dans certains cas, les bases du projet furent fermement appliquées (la demande de Saumur fut ainsi repoussée parce que la généralité de Tours ne pouvait être partagée qu'en quatre et non en cinq départements), la bienveillance à l'égard des volontés locales semble avoir présidé à de multiples décisions. Laissant de côté le débat théorique, les députés se mettent à l'écoute des doléances et réclamations et y répondent au coup par coup, sans observer de règle rigide. Du moins peut-on penser que les questions furent jugées en fonction de plusieurs critères, mais il est rarement permis de connaître ceux qui furent décisifs. Il apparaît que les membres du comité et de l'Assemblée respectèrent souvent les décisions des députés du département concerné. Lorsqu'un litige les partageait, les décisions étaient généralement remises aux délibérations de l'assemblée des électeurs. Malheureusement, ces procès-verbaux n'enregistrent la plupart du temps que la décision elle-même, c'est-à-dire la liste finale de chefs-lieux de département et de district, ce qui laisse entière la question des motifs de refus ou d'approbation. Pour les mettre au jour, il faudrait de longues recherches. Nous pouvons pourtant observer que le comité eut à cœur de respecter une certaine régularité de maillage (surtout pour le maillage départemental), tandis qu'il corrigea largement son indifférence aux intérêts locaux[4], et s'efforça de les satisfaire dans la mesure du possible. L'image empirique que l'on peut garder de l'articulation entre le plan parlementaire et les vœux locaux, est donc celle d'un compromis complexe entre plusieurs rationalités, que nous avons tenté de définir.

3. *L'arbitraire du découpage en départements*

De l'image d'un compromis, peut-on passer à celle d'une opération arbitraire ? Si l'on s'en tient au premier sens de ce dernier mot — « qui dépend de la seule volonté (libre arbitre) »[5], ce glissement se ferait aisément, plus encore si l'on évoque un autre élément de la famille sémantique, l'arbitrage. Nous nous sommes efforcée de montrer, dans leur diversité, les volontés et les intentions qui ont guidé la réforme. Nul doute que c'est au sein d'un processus d'arbitrage qu'elles furent départagées. Quant on qualifie la départementalisation, ce n'est pourtant pas cette acception qu'on retient mais les connotations d'artifice, d'accident, de caprice.

Ces désignations nous renvoient au jugement porté sur l'entreprise. Au cours de deux siècles d'appréciation de la réforme, ce reproche a été très souvent répété. Si on le trouve de manière courante dans l'opinion commune (combien de fois la presse, à l'occasion des débats sur le récent plan de décentralisation, a-t-elle répété que les départements étaient une création artificielle), il est particulièrement véhément dans certains textes dont Burke, dès 1790, a donné l'idéal-type. La critique dont les départements furent l'objet depuis leur création mériterait une étude systématique. Nous nous contenterons d'insister sur une période — la fin du 19e siècle et le début du 20e siècle — où elle prit une vigueur particulière, la dénonciation du caractère arbitraire et artificiel de la division départementale fournissant une base théorique au mouvement régionaliste. Le centenaire de l'institution est marqué par la publication de la plupart des monographies traitant de la formation des départements, qui prennent également place dans ce contexte idéologique, même si leur vocation est beaucoup moins polémique que celle des véritables pamphlets régionalistes rédigés alors[6]. Souvent œuvres de juristes, ces monographies partagent avec les manifestes régionalistes la préoccupation de l'institution elle-même comme expression d'un mode de rapport entre le pouvoir central et les unités locales. Dans leur appréciation du cadre territorial, ces deux catégories d'ouvrages empruntent beaucoup aux travaux des géographes de l'époque. C'est sur l'apport de ceux-ci que nous voudrions revenir.

L'appréciation du découpage en départements comme une opération arbitraire et artificielle est en effet une composante de bien des ouvrages de géographie de la même période et même postérieure. Dès 1877, Élisée Reclus associe dans une même critique les circonscriptions administratives créées par la Révolution et les provinces d'Ancien Régime, utilisant précisément le mot d'arbitraire[7]. On retrouve celui-ci dans les écrits de Patriae Amans et chez Pierre Foncin, éminent défenseur du régionalisme : « Les départements, en un mot, ne sont que des morceaux arbitraires de provinces et des assemblages incomplets de pays. Ils ne sont ni des unités régionales, ni des unités locales. » Plus haut,

Foncin avait d'abord affirmé : « Sauf exception, ils ont un défaut capital : ils ne correspondent pas à des régions naturelles. »[8] Joseph Fèvre et Henri Hauser qualifient les limites départementales d'artificielles[9]. En 1948, Albert Demangeon écrivait encore dans la *Géographie universelle* que la division départementale « reste cependant le type d'une division artificielle. Rarement un département forme une unité naturelle, soumise à un même ensemble d'influences physiques et économiques. »[10]

Ces jugements correspondent très étroitement aux choix conceptuels de la discipline géographique à cette époque. Il s'agit effectivement, comme nous l'avons vu, d'opposer les divisions politiques aux divisions naturelles. Les géographes d'alors sont donc enclins à ignorer ou méconnaître tout un contenu que l'on peut proprement qualifier de géographique si l'on adopte une conception plus moderne de l'objet de cette discipline.

Il faut dire tout d'abord que, selon les apparences, la correspondance locale est inconnue de ces auteurs. Le débat parlementaire leur est plus familier, encore qu'ils aient tendance à privilégier certains thèmes, et singulièrement le démembrement des provinces. On les voit aussi reprendre la critique des dénominations. Patriae Amans leur reproche de négliger les montagnes ; Élisée Reclus les juge inégalement heureuses et parfois absurdes. La question des dénominations avait été débattue le 26 février 1790. L'idée du comité était de rejeter l'appellation par le nom des chefs-lieux, qui avait prévalu pendant les mois précédents pour certains départements (vingt et un suivant le calcul de Paul Meuriot[11]), les autres portant celui d'une ou plusieurs provinces, ou encore d'une portion de province. Toutes ces appellations étaient suspectes de faire renaître « l'aristocratie ». Finalement le débat fut interrompu et l'opération confiée au comité de constitution, qui choisit les dénominations par les rivières, les montagnes, les côtes, etc. Bien qu'empruntées aux faits physiques, on comprend qu'elles aient déplu aux géographes, dans la mesure où elles ne donnaient pas l'image d'une région, d'un pays. Lucien Gallois juge cette nomenclature « artificielle, géographique seulement en apparence » ; ce n'est pas étonnant si l'on sait qu'il s'apprête à définir la région naturelle comme objet de la géographie et à montrer la valeur des noms de pays[12].

Assez fréquente est l'allusion aux objectifs pratiques et économiques suivis par le comité. Vidal de La Blache évoque cet aspect des choses à propos du caractère variable des divisions régionales. Il fait référence à l'organisation territoriale du passé :

> « Dans ces groupements d'autrefois les routes, marchés, bourgs et villes se combinent de façon à répondre aux exigences de contrées qui cherchent à se suffire à elles-mêmes, à vivre de leur vie propre en empruntant le moins possible au-dehors. La répartition des villes obéit à une sorte de rythme

réglé sur les commodités de circulation ; elle correspond à peu près aux distances qu'il est possible de franchir avec les moyens d'alors, aller et retour, dans une journée [...]. Telles étaient les conditions dans lesquelles l'Assemblée Constituante traça ses divisions administratives. Les cadres nouveaux s'adaptaient à l'état économique et aux moyens de circulation de l'époque. Chefs-lieux de départements et d'arrondissements y sont disposés comme les pièces d'un damier, à distances convenables, chacun avec son rayon limité d'action. Mais voici l'ère des chemins de fer. »[13]

Élisée Reclus avait auparavant insisté sur l'inadaptation du cadre départemental aux transformations des conditions de circulation[14]. En 1920, Jean Brunhes fait à son tour les mêmes remarques[15]. Ces idées étaient par ailleurs largement développées dans les mêmes années par les militants du mouvement régionaliste.

Sur le démembrement des provinces, les géographes de cette époque se divisent : les uns comme Pierre Foncin estiment que ce partage a effectivement été réalisé, les autres comme Jean Brunhes, que les départements ont finalement respecté assez souvent les limites provinciales.

Ces textes géographiques n'aperçoivent donc pas la complexité du débat parlementaire. Ils sont muets, nous l'avons dit, sur la correspondance locale adressée à l'Assemblée. Une exception, cependant : l'étude de René Musset sur le Bas Maine, qui explique comment la délimitation du département de la Mayenne fut faite en tenant compte des relations établies entre Laval et les communautés environnantes pour la fabrication et le commerce des toiles[16]. Mais, d'une manière générale, le contenu géographique des représentations du territoire formulées à l'occasion de la réorganisation territoriale de 1789-1790 est resté méconnu des géographes ; et cela en raison même de leur conception de l'objet de leur discipline. Les critiques qu'ils adressent au découpage révolutionnaire s'accordent bien à une base conceptuelle fortement naturaliste ; le qualificatif d'arbitraire (ou d'artificiel) y trouve sa justification. Dans son texte sur la relativité des divisions régionales, Vidal de La Blache identifie le rôle des villes, de ce qu'il appelle la nodalité, dans l'organisation régionale. Pourtant, lorsqu'il évoque l'œuvre de la Constituante, c'est à propos de la révolution des transports. Il fait état d'une régularité effective de la répartition des chefs-lieux, reprenant l'image même qui avait donné lieu à tant de contestations en 1789-1790, celle du damier — mais le rôle des villes dans cette opération de découpage n'est pas mentionné.

Il faut attendre les travaux d'Étienne Juillard sur la région d'une part, sur l'évolution de l'armature urbaine d'autre part, pour que soient mis en parallèle les « espaces fonctionnels » et l'organisation territoriale réalisée par la Constituante[17]. Et il n'est pas indifférent de voir apparaître cette attention au débat de 1789 à l'occasion d'une réflexion épistémologique sur la géographie[18].

Au cours de nos analyses, nous nous sommes efforcée de montrer la richesse des débats et textes suscités par la réforme, du point de vue des idées concernant l'organisation du territoire. Il ne paraît pas abusif de considérer comme géographiques les représentations de l'unité régionale résultant de l'homogénéité ou de la complémentarité de territoires, ou encore de l'influence urbaine ; les modes de localisation fondés sur le sentiment d'appartenance à une circonscription, les vœux de rattachement à une ville pour confirmer des relations préexistantes, l'identification de limites naturelles, juridiques, linguistiques, etc., l'appréhension des notions de distance, d'accessibilité, de site, de situation constituent également des thèmes proprement géographiques. Enfin, tout ce qui se rattache à la description des villes, à leurs rivalités, nous renvoie aux notions de fonctions urbaines, de réseau, de hiérarchie et soulève le problème de la croissance.

NOTES

1. Sur la représentation de ce clivage, voir R. Chartier, « Les deux France : histoire d'une géographie », *Cahiers d'Histoire*, 4, 1978, p. 393-415 ; sur sa réalité, on se reportera, à titre d'exemple sur un domaine particulier, à l'enquête démonstrative de B. Lepetit, *Chemins de terre et voies d'eau, op. cit.*

2. Cette tentative d'évaluation sera le fondement des enquêtes révolutionnaires et impériales. Voir M. N. Bourguet, *Déchiffrer la France : la statistique départementale à l'époque napoléonienne*, thèse de 3ᵉ cycle, Paris-I, 1983.

3. M. Agulhon, *La vie sociale en Provence intérieure au lendemain de la Révolution*, Paris, Société des Études Robespierristes, 1970.

4. Une hypothèse à examiner pour comprendre ce renoncement serait peut-être que les Constituants ont finalement été rassurés par le caractère très souvent micro-local des revendications et la relative faiblesse des réactions provinciales, qu'ils avaient redoutées davantage. Le comité aurait réussi à désamorcer les arguments provincialistes (ceux-ci s'exprimant à l'Assemblée Nationale) par le poids des idéaux égalitaristes devenus dominants, et n'aurait finalement eu à faire face qu'aux interlocuteurs locaux.

5. Cf. dictionnaire Robert.

6. Une étude critique de ces monographies se trouve dans M. V. Ozouf, *Les monographies sur la formation des départements : étude critique*, mémoire de DEA, EHESS, 1979, dact.

7. É. Reclus, *Nouvelle géographie universelle : la terre et les hommes*, t. II : *La France*, Paris, Hachette, 1877, p. 892.

8. P. Foncin, *Régions et pays*, Toulouse, Société Provinciale d'Édition, 1903, p. 21.

9. J. Fèvre et H. Hauser, *Régions et pays de France*, Paris, Félix Alcan, 1909, p. 3.

10. A. Demangeon, « France économique et humaine », in : *Géographie universelle*, t. VI : *La France*, IIᵉ partie, Paris, Armand Colin, 1948, p. 848.

11. P. Meuriot, « Pourquoi et comment furent dénommées nos circonscriptions départementales », *Séances et Travaux de l'Académie des Sciences Morales et Politiques*, 88, 1917, p. 328-360.

12. L. Gallois, *Régions naturelles et noms de pays*, Paris, Armand Colin, 1908, p. 205 sq.

13. P. Vidal de La Blache, « La relativité des divisions régionales », in : *Les divisions régionales de la France*, Paris, Félix Alcan, 1913, p. 8.

14. Reclus, *op. cit.*, p. 893 sq.

15. J. Brunhes, « Géographie humaine de la France », in : *Histoire de la nation française*, sous la direction de G. Hanotaux, Paris, Plon-Nourrit et Cie, 1920, t. I, p. 408-409.

16. R. Musset, *Le Bas Maine : étude géographique*, Paris, 1917, p. 20.

17. E. Juillard : « La région : essai de définition », *Annales de Géographie*, 1962, p. 483-499 ; *idem*, « L'armature urbaine de la France pré-industrielle », *Bulletin de la Faculté des Lettres de Strasbourg*, 6, mars 1970, p. 299-307 ; *idem*, « Espace et temps dans l'évolution des cadres régionaux », in : coll., *Études de géographie tropicale offertes à Pierre Gourou*, Paris–La Haye, Mouton, 1972, p. 29-43.

18. Nous n'avons pas eu ici la possibilité de faire une revue exhaustive de la littérature géographique depuis un siècle. Il serait pourtant intéressant de reprendre le sujet d'une manière plus complète, en portant notamment l'attention sur des ouvrages de géographie régionale (grandes thèses de la première moitié du siècle et certaines collections récentes comme les *Atlas et géographies de la France moderne*, publiés chez Flammarion). Nous craignons néanmoins d'y retrouver les mêmes remarques, si elles existent, que celles relevées dans les textes analysés plus haut.

Conclusion

Entre la volonté et l'action, entre le projet et la réalisation, les mots, prononcés ou écrits, jouent un rôle de relais, dont cette recherche nous a confirmé l'importance. Typique de la pensée rationaliste des Lumières et de la Révolution, le discours de légitimation apparaît dans toute sa nécessité. Il semble que toute décision ou action doive passer par ce processus de validation et de reconnaissance idéologique ou scientifique.

Mais, dans l'élaboration du nouveau régime, autant l'impératif de rationalité est rigide, autant est varié le registre de l'argumentation. Cette plasticité s'explique certainement en très large part par la composition sociale de cette manifestation d'opinion. Les gens de loi, qui y sont prépondérants, sont rompus à mobiliser tel ou tel système d'idées, selon les besoins de la cause.

Les influences philosophiques varient. La confiance humaniste des Constituants dans leur capacité à faire œuvre de progrès et de raison, en corrigeant les vices de l'Ancien Régime, se distingue d'un courant plus conformiste et conservateur suivant lequel la planification doit respecter l'ordre naturel.

Par ailleurs, les orateurs et les écrivains de 1789 procèdent souvent par analogie. Ils empruntent fréquemment leurs images à la biologie : la dépendance des parties à l'égard du tout défendue par Sieyès, la métaphore du parasite utilisée pour décrire la grande ville, la description de l'interdépendance des fonctions urbaines sont autant d'exemples de l'organicisme de leur représentation de l'espace. La physique les inspire également : centralisation politique et urbaine sont dépeintes avec le vocabulaire de la mécanique.

Conservatisme ou rationalité de table rase, volonté centralisatrice ou décentralisatrice, effort de concentration ou de dispersion et d'égalisation, défense des villes ou parti pris antiurbain, dirigisme ou libéralisme économique : on trouve ici tous les thèmes possibles d'affrontement. Mais la caractéristique de ces textes est de proposer une pensée de l'équilibre et du juste milieu, de telle sorte que se trouvent souvent mêlées dans un même discours des idées contradictoires. Nous avons vu comment, par la taille et le nombre des circonscriptions, le comité voulait à la fois centraliser et décentraliser. De même, les villes petites ou moyennes veulent accroître leur influence mais jugent celle des grandes

Voir notes p. 304.

villes excessive ; leur emploi du stéréotype antiurbain, paradoxal, dissimule mal leur réclamation, qui vise la consolidation de leur propre centralité.

Un paradoxe plus frappant encore caractérise la rationalité constituante, qui veut fonder l'union dans la division, la partition spatiale devant produire l'unification politique. Ce postulat déterministe est l'une des formes de mise en relation du territoire et du pouvoir. Nos textes usent abondamment de ce va-et-vient entre le politique et le spatial. Il ressort des textes que la revendication d'un territoire sert des intérêts politiques, sociaux ou économiques, et que son organisation est pensée en fonction de ces intérêts. Mais, dans leurs représentations, les révolutionnaires n'en présentent pas moins la réorganisation territoriale comme le point de départ de la chaîne causale, non comme son aboutissement.

Pensée du juste milieu, de l'équilibre, l'œuvre territoriale de 1789-1790 est caractérisée par le dialogue et le compromis. C'est l'occasion d'une négociation exceptionnellement riche entre l'universalisme et le particularisme. Le projet national issu d'une volonté « désintéressée » de réorganiser l'ensemble du territoire fait lever une armée de volontés particulières, provinciales et locales. La rédaction des cahiers de doléances est peut-être le seul précédent d'une telle manifestation de l'identité territoriale. Mais l'originalité de la réaction au projet de découpage de la France est de s'approprier le débat sur la place respective du bien général et de l'intérêt particulier. Ainsi, la bienveillance relative dont fait preuve le comité à l'égard des arguments particularistes, souvent habillés de la caution philosophique du naturalisme, a pour symétrique la propension de l'opinion locale à généraliser à partir d'un intérêt particulier, à invoquer les principes mêmes du projet ou, plus largement, ceux des Lumières.

Si la réalisation finale donne l'image d'un manque de cohérence, d'une irrégularité dans les préceptes observés, l'arbitraire ne peut en être affirmé qu'au regard d'un modèle précis. Nous nous sommes efforcée de montrer quelles pouvaient être les logiques, certes diverses, observées dans le choix des limites et des chefs-lieux. Ces éléments de dialogue témoignent aussi du caractère pondéré de l'opération.

Certaines idées ou représentations assurent particulièrement bien le relais entre le caractère normatif du projet et la réalité des intérêts locaux. La notion de centralité, par ses multiples expressions, est l'une d'entre elles : centralisation politique et administrative, centralité géométrique ou fonctionnelle des villes sont tour à tour alléguées au mieux des objectifs visés. C'est à l'articulation de ces rationalités, au point de rencontre de l'idéal constituant et de la volonté particulière, qu'apparaissent certaines représentations que l'on peut qualifier de modernes. Ce qui fait si fortement penser au modèle de localisation des économistes allemands est le mélange de l'esprit géométrique du projet et de l'importance accordée par les localités aux faits de communication, d'accessibilité, de marché. La notion de fonction urbaine naît au confluent de l'idée de desserte administrative contenue dans la volonté constituante d'une part, et de l'effort déployé d'autre part par les villes pour maintenir leur emprise sur les campagnes : la fonction devient donc doublement la raison d'être urbaine. Et la conscience de la hiérarchie des villes est avivée à la fois par le réseau à trois niveaux créé par le décret, et par les rivalités anciennes qui se trouvent alors exhumées.

Nous parlons de notions modernes. Il serait banal de dire que cet épisode révolutionnaire met face à face l'archaïsme et la modernité. Notons cependant qu'à l'alternative suggérée par la réforme (conservatisme ou ordre nouveau) se superpose une évolution plus diffuse, qui se traduit dans les écrits par la coexistence des héritages et des anticipations.

La représentation de la ville révèle également ce trait d'une façon très nette. La définition de la ville prend toujours comme critères la beauté du site et des constructions, la muraille, et la présence d'esprits cultivés et éclairés, conformément à la tradition classique. Mais l'attention portée à l'alignement, à l'accessibilité, à la salubrité ne va pas seulement dans le sens d'une préoccupation esthétique : elle exprime les exigences rationalistes d'une conception qui s'attache aussi au fonctionnement urbain. L'urbanité ne cesse pas d'être un attribut fondamental, mais on énumère les catégories sociales qui la fondent : gens de loi, marchands, négociants, médecins, rentiers. Cette représentation suit l'évolution du pouvoir qu'exercent ces groupes sur la société tout entière, et plus particulièrement sur les villes. Les prérogatives administratives jouissent plus que jamais du crédit accordé aux honneurs et aux titres, mais elles sont aussi envisagées dans leur rôle moteur à l'égard de la puissance urbaine. À cet égard, elles constituent un enjeu considérable dans la lutte que se livrent des villes mises en situation d'inégalité devant l'évolution économique. À la ville vouée à l'immobilité par son enceinte et ses titres, succède la ville appréhendée comme un organisme pourvu de forces et de fonctions, conçue surtout comme une entité planifiable, dont on peut organiser l'évolution et la croissance. S'annonce ici le rôle futur de l'administrateur, de l'ingénieur ou de l'architecte dans l'élaboration d'une pensée normative et planificatrice à propos du territoire et de la ville.

Archaïsme ou modernité, continuité ou rupture : nous plaidons à nouveau, comme on le voit, pour une interprétation mesurée. Certains, comme Jean Brunhes, ont affirmé que l'opération de découpage de la France avait dans un premier temps fait revivre les provinces. Il est certain en effet que la réforme déclenche un processus exceptionnel de prise de conscience d'un acquis et d'une identité, aussi bien de la part des provinces que des villes. Les débats de 1789-1790 composent avec cet héritage, en même temps qu'ils promeuvent les idées nouvelles. Ainsi les villes et petites villes, tout occupées qu'elles sont à garantir des intérêts souvent anciens, contribuent, en se jetant dans la compétition pour les nouveaux chefs-lieux, à la reconnaissance des institutions à venir. On proteste contre la perte d'un bailliage, mais ne plaide-t-on pas plus vigoureusement encore pour l'obtention d'un district ?

Louis XVI, dans la berline qui le ramène de Varennes, se distrait en énumérant les départements traversés. Ne retenons que cet exemple, entre mille, du succès de la réorganisation territoriale, qui prend très vite valeur d'acquis. Les assemblées révolutionnaires suivantes modifieront la réforme sur quelques points, d'ordre administratif plutôt que géographique, mais conserveront l'ensemble de l'œuvre constituante. Napoléon lui-même, à qui l'opinion commune attribue souvent par erreur la création des départements, rendra hommage au travail des premiers révolutionnaires, par-delà les transformations qu'il lui apportera :

> « Il faut remarquer le chaos des assemblées provinciales, les prétentions des parlements, le défaut de règle et d'unité dans l'administration, cette France bigarrée, sans unité de lois, qui était plutôt une réunion de vingt royaumes qu'un seul État, de sorte qu'on respire en arrivant à l'époque où l'on a joui de l'unité des lois, de l'administration et du territoire. »[1]

En saluant l'œuvre de 1789, Napoléon l'infléchit déjà dans le sens qui est conforme à son propre idéal, sans un regard pour l'exubérante diversité des représentations mentales qui ont dominé les débuts du département : c'est elle qu'a tenté d'exhumer notre retour aux textes d'origine.

NOTE

1. Cité par M. Brun, *Départements et régions*, Paris, Les Presses Modernes, 1938, p. 69.

Annexes

Annexe I

CENTRALISATION ET DÉCENTRALISATION : LES EXPRESSIONS DU STÉRÉOTYPE DÉTERMINISTE

Personnalités représentatives	Volonté exprimée	Schéma déterministe Territoire → Régime politique		Solution proposée
Comité de Constitution Duport Comte de Custine	C	trop grandes divisions trop petites divisions petites divisions grandes divisions	→ D excessive → D excessive → C adéquate → C adéquate	81 départements (ou 70 : Duport)
Target	D/C	petites divisions grandes divisions	→ C → D	81 départements
Thouret	D/C	petites divisions grandes divisions	→ D → C	81 départements
Duquesnoy	D/C	trop petites divisions —	→ D excessive → C excessive	81 départements
Pellerin	D	trop petites divisions —	→ D excessive → C excessive	Division par provinces
Bengy de Puyvallée	C/D	trop grandes divisions —	→ C → D	70 départements
Bouche	D	trop petites divisions grandes divisions (= provinces)	→ C excessive → D adéquate	32 divisions
Mirabeau Chateauneuf-Randon	D	petites divisions grandes divisions	→ D → C	120 départements
Mirabeau Pèlerin de La Buxière	C	petites divisions grandes divisions	→ C → D	120 départements
Provincialistes et défenseurs des généralités	C	grandes divisions petites divisions	→ C → D	division par provinces ou par généralités

C Centralisation
D Décentralisation

DONNER L'ADMINISTRATION
AUX VILLES SANS RESSOURCES ÉCONOMIQUES

Demandes de chefs-lieux de département

Aix-en-Provence

Voir IIᵉ Partie, ch. IV, 4.

Douai

Mémoire de sa municipalité, 12 novembre 1789 :
« Tout le monde sait qu'il n'existe aucune espèce de commerce à Douai : entourée des villes de Lille et de Valenciennes, qui réunissent à une industrie propre au local, le commerce avec l'étranger, la commune de Douai fera toujours de vains efforts pour obtenir une concurrence qui puisse lui offrir même l'espérance du moindre succès : les manufactures de camelots et de draps qu'elle a soutenues autrefois, et qu'elle n'a abandonnées que lorsque ses pertes énormes l'y ont forcée en font la preuve. Dès lors les capitalistes l'ont abandonnée, et il n'est resté à Douai que les propriétaires fonciers et les pauvres. » Si elle n'obtient pas le tribunal, elle sera touchée par l'émigration qui commencera par le personnel du tribunal, puis les étrangers, les aubergistes, les marchands, les ouvriers. Le produit des impôts sur les consommations sera anéanti (12/244-12).

Arras

Mémoire pour la ville d'Arras, capitale de l'Artois, siège de l'évêché et d'une élection :
« C'est à ces établissements que cette ville a dû jusqu'ici l'aisance de ses habitants puisque par sa situation, elle ne peut être commerçante. Les établissements publics seuls peuvent conserver son existence » (14/253-18).

Saintes

Évêché, sénéchaussée, capitale de la Saintonge. Voir IIᵉ Partie, ch. IV, 1.

Albi

Exposé des motifs qui doivent déterminer à placer le chef-lieu du département de l'Albigeois dans la ville d'Albi, capitale du Pays Albigeois, siège des États particuliers :

« La ville d'Albi et son territoire est très pauvre, c'est un pays purement agricole, sans aucun moyen d'industrie et de commerce, surtout depuis la construction du canal du Languedoc. La plus sage politique exige que ce pays soit soutenu et vivifié par des établissements publics qui, en appelant les consommateurs, favorisent le débouché et la vente des productions de son sol » (17/291-33).

Lavaur (en rivalité avec Albi et Castres)

Possession d'un diocèse.

« Considérez, Nosseigneurs, que la ville de Lavaur n'a qu'un commerce de consommation intérieure, que ses relations se bornent presque toutes à celles que lui donnent les propriétés rurales de ses habitants, à l'administration d'une justice royale dans son ressort » (17/206-7).

« La ville de Lavaur est de ces trois villes la mieux habitée, celle où il y a plus de noblesse, plus de bourgeoisie, plus d'émulation pour les sciences, pour les arts libéraux, à cause de sa proximité de Toulouse, cela est au point que les [habitants] à Lavaur se regardaient supérieurement urbanisés à ceux d'Albi et Castres plus agrestes à raison de leur voisinage des montagnes » (Devoisin, député de Toulouse qui représente Lavaur, 17/28-10).

Bazas

Voir IIe Partie, ch. IV, 4.

Lunéville

Respectueuse pétition du conseil général de la commune de la ville de Lunéville, 23 août 1790 :

Point central, ville la plus considérable après Nancy, édifices somptueux, accès libre à toute heure du jour et de la nuit, malheurs éprouvés par la ville, patriotisme. « Cette ville bien située et bien bâtie, mais sans commerce et sans manufactures, renferme une population trop nombreuse, sans doute puisque la plus grande partie de ses habitants n'est composée que d'artisans sans occupations ou de malheureux que le séjour de la cour et les secours qu'on pouvait en tirer, ou le luxe de la gendarmerie, y avaient attirés et qui aujourd'hui sans ressources présentent sans cesse, aux yeux attendris du conseil général de la commune et tous les bons citoyens, le tableau déchirant de la misère la plus profonde » (11/235-9). À noter le jugement porté sur la trop grande importance démographique (voir IIe Partie, ch. IV, 2).

Landes : *Saint-Sever*

Sénéchaussée, maisons religieuses, salubrité, arguments esthétiques. Elle « se trouve dépourvue de tout commerce et de toute ressource pour sa vivification » (9/214-25). « Ne pouvant pas trouver des moyens de vivification du côté du commerce, les arts, les sciences, les belles-lettres deviennent sa seule ressource, c'est donc un tribunal suprême qu'il lui faut » (9/214-19).

Landes : *Tartas*

Voir IIe Partie, ch. IV, 4.

Demandes de chefs-lieux de districts

— Hautes-Alpes

Gap
Capitale du Haut Dauphiné, siège épiscopal, chapitre, bailliage royal, justice seigneuriale, élection, subdélégation, grenier à sel, gens instruits et éclairés, agrément et salubrité du site et du climat, beauté des avenues ; mais ni commerce, ni
manufactures (3/151-4).

— Basses-Alpes

Valensole
7 mars 1790. « Son terroir est le plus vaste de la province, celui d'Arles excepté,
et le plus stérile en même temps : une partie de ses habitants est répandue et
éparse sur la surface d'un sol aussi immense qu'aride, et à des distances extraordinaires de la ville. [...] Cette ville est dépourvue de toute espèce de commerce. » Il
faut donc « améliorer son sort » (3/155-9).

Forcalquier
Ni territoire, ni commerce, ni manufactures ; son unique moyen de subsistance :
chef-lieu de viguerie et chapitre important. Position au centre de la Haute Provence (5/170).

Annot
Juridiction royale, chef-lieu de viguerie. Position centrale. Faible population et
contribution. « Que les administrateurs y viennent apprendre que ce sont les
cœurs des pauvres qui sont les plus purs et les plus généreux et que ce sont ceux-
là qu'on doit surtout éviter d'opprimer » (3/152-13).

— Aude

Alet
17 décembre 1789. Stérilité du sol, indigence de la contrée. Ville : ancienneté,
titres, siège épiscopal, position centrale ; mais pas de commerce, ce qui exige un
dédommagement (4/195-5).

Montréal
16 janvier 1790. Deuxième ville du diocèse de Carcassonne, 4 000 âmes, ancienneté de son territoire, entrée aux États de la province, châtellenie royale, collé-
giale. Pas de commerce ni de biens. Demande donc la conservation de sa juridiction et de son corps ecclésiastique (4/163-14).

— Drôme

Saint-Paul-Trois-Châteaux
Capitale du Tricastin, position centrale, évêché, siège royal, subdélégation, personnes instruites, « mais en l'état, cette ville a peu de commerce, peu de débouchés et peu d'industrie ; pour conserver sa médiocre existence, elle a besoin de
ne rien perdre » (6/189-30).
Le Buix (Buis-les-Baronnies)
13 août 1790 (6/190-20).

— Eure

Beaumont-le-Roger
Bailliage, ville susceptible d'embellissements grâce aux carrières de pierres et à la forêt proche (6/191-17).

Pont-de-l'Arche
Ancienneté de la ville, bailliage, position centrale, édifices disponibles (6/192-4).

— Ille-et-Vilaine

Plélan-le-Grand
2 janvier 1790. Position centrale, salubrité, logement des troupes, manufactures et commerce, subdélégation, poste aux lettres et aux chevaux, messageries, foires et marchés ; mais basse qualité du sol. « S'il était totalement privé d'établissements [...], ne pouvant compter sur les productions du terrain, Plélan deviendrait nécessairement un lieu désert et misérable » (8/208-12).

Hédé
27 novembre 1789. Sénéchaussée royale, site, architecture urbaine, patriotisme. « Cette ville serait absolument ruinée si on lui ôtait son district et son tribunal judiciaire, parce qu'étant située dans les terres, elle deviendrait déserte faute de ressources et de commerce » (8/208-5).

— Indre

Saint-Benoist (du Sault)
Justices seigneuriales, subdélégation, grenier à sel. Si on ne lui donne pas d'établissements, elle sera anéantie (8/209-42).

— Nord

Avesnes
Mémoire rédigé par Gossuin, maire et fondé de pouvoir de la ville.
Bailliage royal, siège de maréchaussée, richesse des propriétés rurales (12/245-19) (voir IIᵉ Partie, ch. IV, 4).

Le Quesnoy
Architecture urbaine, bailliage royal. L'administration ferait revivre le commerce qui y est inexistant (12/244-34).

— Hautes-Pyrénées

Lourdes
25 janvier 1790. « Siège du département de la subdélégation de tout le quartier de la montagne, jusqu'à Barèges inclus », capitale du Lavedan, « la seule ville de tout le canton », « ville sans industrie, à qui la nature semble avoir refusé ses dons » ; justice civile et criminelle. Il faut lui donner un district (15/264-4).

— Seine-Inférieure

Eu
Comté, pairie, bailliage, élection, maîtrise des eaux et forêts, amirauté, grenier à sel, maisons religieuses, etc. « Si le comté d'Eu est important par sa forêt et ses productions, ses tribunaux et sa population qui s'élève à près de quarante mille

âmes, la fertilité de son sol et le grand nombre de ses établissements, il l'est peu par son commerce ; il n'en fait d'autre que celui de consommation. Ses habitants et surtout ceux de la ville ont plus de connaissances en administration, ils sont plus familiers avec les sciences, ils ont plus acquis l'étude des lois, qu'ils ne sont versés dans la pratique du commerce » (17/284-11).

Neufchâtel
Précis des motifs qui ont déterminé les députés du département de Rouen à donner au district de Neufchâtel son arrondissement actuel pour repousser les demandes d'Eu et d'Aumale. Bailliage royal, élection, grenier à sel. « L'ingratitude de son sol, coupé en tous sens par de hautes montagnes ; les gras pâturages du Pays de Bray qui lui sont enlevés par le nouveau district accordé à Gournay, son peu de commerce, enfin, en font, dans l'exacte vérité, le plus pauvre district de cette partie de la Normandie » (17/284-8).

— Somme

Montdidier
4 000 habitants, bailliage, élection, département d'assemblée provinciale de 88 lieues carrées et de 223 paroisses y compris la ville de Roye ; « n'ayant enfin d'autre existence que celle que lui donnent les relations d'administration, d'impositions et d'affaires civiles qui déterminent ou nécessitent le voyage et séjour des habitants de la campagne, excitent l'industrie » (17/290-12).

— Var

Draguignan
Position centrale entre la Haute et la Basse Provence. « Aux avantages de cette localité qui, en 1535, déterminèrent à Draguignan l'établissement de la seconde sénéchaussée de Provence, sénéchaussée dont celles de Brignoles, Castellane, Grasse et autres ne furent que des démembrements, à ces motifs qui, lors de l'établissement des trois présidiaux en Provence, décidèrent d'en ériger un à Draguignan, se réunissent les motifs non moins essentiels et aussi dignes de considération, de l'étendue de l'enceinte de la ville, de la salubrité de l'air, de l'abondance des eaux, et loin que le défaut des richesses locales, que l'inertie du commerce, qu'une population moins bornée, quoiqu'elle soit de sept à huit mille âmes, puissent être contre Draguignan des raisons exclusives, ce sont des raisons au contraire de favoriser l'accroissement d'une ville qui en est susceptible » (18/293-11).

— Vosges

Darney
Voir Annexe III.

Annexe III

LE POUVOIR INDUCTEUR
DE L'ADMINISTRATION

— Aisne

Marle

Administration → population. « Marle, par les changements qui vont s'opérer, va se trouver dépouillé de son bailliage royal, de son grenier à sel, de sa juridiction plus étendue que celle de Vervins et de sa direction [des aides]. Quand il n'y aura plus aucune place dans notre ville, sans doute ses citoyens aisés la déserteront. » Elle ajoute qu'elle n'a aucun commerce (3/144-16).

— Bouches-du-Rhône

Aix

Administration → population. « Depuis cent-vingt-quatre ans avant Jésus-Christ, tous les tribunaux civils, religieux, politiques et militaires sont dans le sein de la ville d'Aix. Ces divers établissements attiraient chez elle les Provençaux et les étrangers, et leur concours alimentait ses habitants. Peuplée aujourd'hui d'environ vingt-quatre mille individus, ce serait prononcer contre eux un arrêt de misère et de mort que de ne pas la rendre chef-lieu d'un département et des tribunaux de justice et souverains qui seront établis » (5/167-15).

Pertuis

Administration → commerce → agriculture. « Le siège du district, s'il était fixé ailleurs qu'à Pertuis, attirerait à lui tout le commerce des environs en lui présentant la consommation. Dès lors, Pertuis perdrait tout à fait ses ressources, les fonds diminueraient de leur valeur à mesure que ses débouchés cesseraient, et l'agriculture en souffrirait si l'Assemblée n'appliquait à ce mal un des remèdes qu'elle a en main » (5/168-11).

— Calvados

Lisieux

Les curés et prêtres de cette ville écrivent le 23 décembre 1789 à l'Assemblée pour demander le maintien de l'évêché. Celui-ci et les maisons religieuses et chapitres qui en dépendent font vivre une population considérable. Si on les supprime, la consommation sera moindre, la valeur des propriétés chutera, les denrées deviendront plus chères, le négoce déclinera et on assistera à un « engourdissement des manufactures » (5/172-27).

— Charente-Inférieure

Saintes
Voir IIᵉ Partie, ch. ɪᴠ, ɪ.

Saint-Jean-d'Angély
« Saintes est le siège d'un évêché, elle a des ressources précieuses dans la rivière qui la traverse, et dans la facilité de ses communications. Saint-Jean-d'Angély a besoin d'être vivifié par le mouvement qu'occasionneront les assemblées de département et la séance du directoire » (5/177-41).

— Corse

Ajaccio
Administration → commerce. Citadelle, site, sol fertile, productions agricoles, mais pas de commerce ni d'industrie. « Au contraire, si cette ville devenait la capitale, son commerce doublerait et triplerait » (6/181-15).

— Drôme

Montélimar
Sénéchaussée, tribunal d'élection, aucune ressource agricole. Elle a besoin du chef-lieu qui attirera les habitants des campagnes voisines qui porteront leurs productions dans ses foires et ses marchés. Si elle ne l'obtient pas, ils iront pour leurs affaires juridiques et commerciales dans une autre ville, et les soixante familles occupées à la justice seront ruinées (6/189-40).

Le Buix (Buis-les-Baronnies)
Même raisonnement que Montélimar (6/190-20).

— Gironde

Bazas (8/204-6)
Voir IIᵉ Partie, ch. ɪᴠ, 4.

Lesparre
Administration → agriculture. Demande un département séparé pour le Médoc, et son détachement de Bordeaux. « Ce n'est pas dans une grande ville qu'on juge sainement des besoins des campagnes et celles du Bas Médoc, fertiles au moyen d'une surveillance incroyable et de travaux continuels, pénibles et dispendieux, deviendraient bientôt incultes, si l'œil vigilant, l'intérêt le plus actif ne dirigeaient les administrateurs. Si le Médoc n'était pas sous son propre régime, il n'atteindrait jamais le degré de prospérité que l'intérêt public sollicite si puissamment » (8/204-27). Notons l'idéologie dirigiste en matière économique.

— Ille-et-Vilaine

Bain
Administration → agriculture (8/208-17).

— Jura

Arbois
Même raisonnement que Montélimar (9/212-29).

— Landes

Saint-Sever
Même cas que Lisieux (9/214-22).

Dax
Mêmes idées que Bazas (9/214-18).

Tartas
Mêmes idées que Bazas et Dax (9/216-12).

— Loiret

Puiseaux
Foires, marchés, notaires, artisans, cultivateurs. Demande un bailliage royal. Si elle ne l'obtient pas, sa ruine est infaillible. Les officiers seront obligés d'aller chercher un état ailleurs, les campagnes ne viendront pas à son marché, le commerce et l'industrie déclineront. « Les denrées que cette ville et les campagnes produisent, ne se consomment point. La difficulté de s'en défaire et d'en tirer quelque fruit, entraînera le découragement ; et le sol, aujourd'hui fertile par les soins et les peines des cultivateurs, ne sera plus qu'un sol ingrat » (9/220-1).

Lorris
Même cas que Puiseaux (9/220-23).

— Loir-et-Cher

Montrichard
« D'un autre côté, notre ville et ses environs qui n'ont ni commerce, ni manufactures et dont les seules productions sont les bois et les vins, se trouveraient anéantis par la privation d'un district et de notre bailliage ; au lieu qu'à la faveur de ces deux établissements, notre ville et ses environs peuvent devenir beaucoup plus florissants et trouver des débouchés bien plus faciles pour l'exportation des vins au moyen du meilleur entretien des chemins qui conduiraient des différents points au chef-lieu de district... » (9/210-18).

— Manche

Saint-Sauveur-Landelin à propos de *Périers*
26 décembre 1789. « Si le bailliage de Saint-Sauveur-Landelin séant à Périers est transféré en quelque ville, les malheureux dont les heures sont comptées et dues au travail seront forcés de donner un jour au marché de Périers, un autre et souvent deux au bailliage plus éloigné auquel ils seront forcés d'aller. Ainsi, la culture d'une terre qui ne se féconde que de la sueur du laboureur retournera à sa stérilité première » (10/230-21).

Angoville
Comme St-Sauveur-Landelin. Une trentaine d'adresses de même contenu, provenant des paroisses entourant Périers (10/230-22).

Adresse de la ville de *Périers*
25 décembre 1789. « En détruisant le bailliage, l'on porte en même temps le coup fatal au commerce ; le nombre des consommateurs en sera une première conséquence, la ruine des commerçants une suite nécessaire ; plus d'aliment à l'industrie et sa population, qui dans ce moment est de quatre mille âmes, ne tarderait pas à se fondre dans la misère. Les paroisses voisines, forcées de donner

une nouvelle direction à la vente de leurs denrées abandonneraient un marché qui leur est avantageux et seraient contraintes de les porter à des villes plus éloignées à travers des fondrières qui leur en défendent les approches pendant une grande partie de l'année » (10/230-64).

— Haute-Marne

Langres

2 janvier 1790. « La ville de Langres n'est vivifiée que par la grande population ; [...] la population ne peut se maintenir que par la réunion des établissements publics, et [...] leur suppression sera l'occasion d'une émigration indispensable, et par suite, de la ruine des citoyens qui seront forcés d'y rester. En effet aucune espèce de commerce ne procure de ressources à Langres ; les médiocres fortunes ou plutôt l'aisance des habitants n'est fondée que sur ses revenus en grains et en vin.

La population s'y entretient parce que de nombreux artisans et ouvriers y trouvent la facilité d'y subsister, et parce que le prix des grains et vins fournit aux propriétaires les moyens d'occuper et de salarier les artisans et ouvriers.

Langres sans établissements publics ne peut plus conserver ses citoyens, l'émigration diminuera le nombre des propriétaires ; ceux que les circonstances y fixeront seront hors d'état de procurer un débit suffisant aux marchands, un travail habituel aux ouvriers et des secours aux indigents » (10/233-19).

— Oise

Chaumont-en-Vexin

(12/248-25) Voir II\ᵉ Partie, ch. ɪᴠ, 4.

— Puy-de-Dôme

Clermont

19 décembre 1789. Voir IIᵉ Partie, ch. ɪᴠ, 4.

— Seine-Inférieure

Fécamp

22 août 1790. Haute justice, amirauté, établissements ecclésiastiques. Conserver ces établissements sinon la population, puis le commerce, puis encore la population chuteront (17/282-5).

— Vendée

Mareuil en Bas Poitou

« Bourg qui avait autrefois le titre de ville », deux baronnies... « Ce chef-lieu est la clef de communication de la plaine avec le bocage ; la position est excellente mais son commerce a presque tout tombé par la destruction du pont qui était sur la rivière du Lay au lieu duquel on a établi un bac. La chute du pont ayant fait tomber le commerce de Mareuil, ce n'est plus que la juridiction qui le soutient par le concours du monde qu'elle y attire » (18/294-22).

Luçon

Abbaye et évêché qui ont organisé la mise en valeur du marais (très beau texte) ; les conserver pour maintenir l'économie (18/294-30).

— Vosges

Argument très répandu.

Charmes
(18/298-29).

Darney
Prévôté, gruerie, bailliage royal, maîtrise des eaux et forêts transférée de Mirecourt à Darney. « Le bon effet de ces établissements fut bientôt sensible ; la population s'accrut considérablement, la culture et l'industrie se ranimèrent, les terres obtinrent une grande augmentation de prix, différents genres de manufactures en bois, de forges, de verreries s'élevèrent ou s'étendirent dans la forêt... ; la férocité des habitants causée par le séjour ou le voisinage des bois fut contenue et s'adoucit » (18/299-23).

Châtel-sur-Moselle
(18/299-30).

Annexe IV

CONTRE LES VILLES COMMERÇANTES

— Ain

Ambronay contre Lagnieu et Ambérieux (3/145-4).

Montrevel contre Pont-de-Vaux (3/146-1). « Pont-de-Vaux, ville plus considérable, mériterait la préférence si elle n'était pas située exactement à l'angle occidental et septentrional de la Bresse. Elle en est d'ailleurs dédommagée par son commerce, et par la Saône à laquelle elle va être unie par un canal, qui la rendra le dépôt du commerce surtout si le Mâconnais obtient le faubourg de Saint-Laurent qu'il demande. »

— Aisne

Laon contre Soissons (3/144-2) et contre Noyon et Saint-Quentin (3/144-18).

Coucy contre Chauny (3/144-7). « Toute l'existence de Coucy dépend de la conservation de ses juridictions. Sans elles, cette ville serait absolument anéantie, car la fortune de ses habitants ne consiste que dans la propriété de vignes, qui produisent un vin, qui, n'étant point transportable, ne peut être consommé que dans le lieu. » Chauny a beaucoup d'avantages : elle est située sur l'Oise. C'est un port pour l'embarquement des nombreuses productions locales. Elle a des foires. (Même raisonnement contre La Fère.)

Marle contre Vervins (3/144-16). « Marle n'a aucun commerce. Vervins au contraire a une manufacture. »

— Ardennes

Mézières contre Rethel, Sedan et Charleville (4/158-1).

— Aude

Castelnaudary contre Carcassonne (4/163-29).

Alet contre Carcassonne (4/195-5). « La ville de Carcassonne depuis longtemps livrée au commerce et à la fabrication des draps, si incompatibles avec l'esprit des affaires, et peut-être déjà trop opulente pour le canton... »

— Aveyron

Séverac-le-Château contre Saint-Geniez (4/165-16). « Enfin que Saint-Geniès est une ville entièrement livrée au commerce et que ce serait la distraire de cet objet principal que d'y introduire des administrations et un tribunal de justice dont cette ville n'a aucun besoin ; qu'en un mot, l'intérêt territorial de Saint-Geniès ne peut point entrer en comparaison avec Séverac, auquel toute préférence, dans la discussion actuelle, est évidemment due. »

Peyrusse contre Aubin (4/166-17). « Cette ville a d'ailleurs tant de ressources qu'elle n'a nul besoin d'un district. Les mines de charbon, que ses montagnes renferment dans leur sein, nourrissent à la faveur d'une rivière navigable un commerce très étendu avec l'étranger et les provinces méridionales. Ces mêmes montagnes sont une source de vin qu'elle vend à l'étranger. Cette double branche de commerce entretient une continuelle communication avec les villes voisines et favorise le transport des grains [...]. Tant de ressources font circuler, de toute part, l'argent vers Aubin, et y entretiennent l'opulence. Lui accorder encore un district, ce serait cumuler en sa faveur trop d'avantages, ce serait même infailliblement détruire ou affaiblir dans ses habitants l'émulation pour le commerce qu'ils font avec tant de succès. »
Description de Peyrusse comme d'un petit marché agricole à vocation locale : « Ainsi par un échange réciproque de services et de bienfaits, les habitants de Peyrusse doivent leur subsistance à ses campagnes, et celles-ci doivent à leur industrie et à leurs travaux une foule de commodités, et la plus grande partie de leurs fruits. » Possession d'un bailliage.

— Basses-Alpes
Forcalquier contre Manosque (5/170).

— Bouches-du-Rhône
Aix contre Marseille (nombreuses occurrences de ce thème : 5/167-7, 15 ; 168-18 ; 169-1). « Marseille se suffit à elle-même, elle n'a pas besoin pour sa prospérité, d'un secours qui n'augmenterait pas sensiblement ses richesses et qui n'ajouterait rien à sa gloire. [...] Elle n'y gagnerait rien pour son commerce. Le commerce n'a besoin que d'être libre. Il est à lui-même son propre encouragement, il ne saurait être dépendant des administrations provinciales, il appartient à l'État, au monde entier » (168-18).
« Le commerce est fait pour favoriser le transport et le débit des productions nationales ; et sous ce rapport, il n'y a rien à craindre des principes qui doivent diriger l'administration des propriétés territoriales. Le commerce est fait pour favoriser l'importation des denrées étrangères. [...] Marseille oppose, par ses richesses mêmes, un obstacle sensible à l'établissement de l'administration » (169-1re M. de Boisgelin, archevêque d'Aix).
Apt contre Pertuis (Mavidal et Laurent, *op. cit.*, t. 11, p. 519).

— Cantal
Saint-Flour contre Aurillac (5/175-41). « Enfin, Aurillac a sur la ville de Saint-Flour un avantage considérable en ce qu'il est très commerçant, qu'il a des fabriques, que son sol est le plus riche, et d'un produit plus considérable ; tandis que Saint-Flour est privé de toutes ces ressources, et le vœu exprimé de l'Assemblée est de vivifier les cantons qui en ont le plus besoin. »

— Charente-Inférieure

Saintes contre La Rochelle (5/177-39).

Isle d'Arvert contre La Tremblade (5/177-2). « Chercherait-elle à tirer avantage de son commerce ? Raison de plus pour se passer d'être le chef-lieu. »

— Côtes-du-Nord

Dinan contre Saint-Malo (8/208-15). « Que Saint-Malo qui a une très grande population ainsi que ses environs, qui est riche par son commerce, au lieu que Dinan qui est pauvre, qui ne fait qu'un très petit commerce, résultant de sa situation qui ne lui permet que d'être l'entrepôt des marchandises, qu'on porte des terres à Saint-Malo, et de celles qui de Saint-Malo sont importées dans les lieux qui l'avoisinent, a besoin de continuer à avoir une direction de justice, de finances et d'assemblée pour maintenir ses habitants, qui sans les établissements se trouveraient la plupart sans état et sans fonctions. »

— Creuse

Évaux contre Chambon (commerce de tanneries) (6/184-19).

Guéret contre Aubusson (manufacture de tapisserie) (6/185-34).

— Drôme

Le Buix (Buis-les-Baronnies) contre Nyons (6/190-20).

— Eure

Beaumont-le-Roger contre Bernay (6/191-17). « Concentrer d'ailleurs, dans une petite ville déjà avantagée par son commerce et la juridiction contentieuse et l'administration civile, selon la nouvelle organisation dans les deux genres, que l'Assemblée Nationale laisse apercevoir, c'est lui donner une influence meurtrière sur les autres petites villes qui l'avoisinent. »

Pont-de-l'Arche contre Louviers et Elbeuf (6/192-4).

— Hérault

Saint-Gervais (hostilité qui n'est pas dirigée contre une ville précise) (8/291-13).

— Indre

Issoudun contre Châteauroux (routes, manufactures, ateliers) (8/209-18).

Saint-Benoît (du Sault) contre Argenton (8/209-42).

— Indre-et-Loire

Langeais contre Bourgueil (8/210-1). « La ville de Bourgueil n'éprouvera aucune privation, son commerce, son marché, la fertilité de son sol et la célébrité de son vignoble n'en recevraient aucun échec. » Au contraire, le tribunal est nécessaire pour dédommager Langeais de la perte de son bailliage royal, de ses justices seigneuriales, de son grenier à sel, de sa brigade de maréchaussée.

— Landes

Saint-Sever contre Mont-de-Marsan et Dax (9/214-19).

Tartas contre Dax et Mont-de-Marsan (9/216-5).

— Loiret

Jargeau contre Châteauneuf-sur-Loire (routes, commerce, etc.) (9/221-13).

— Mayenne-sur-Loire

Angers contre Saumur (10/228-4), « commerce d'entrepôt », alors qu'Angers a « un commerce de consommation seulement ».

— Manche

Valognes contre Cherbourg (10/231-7). « La ville de Cherbourg ne réunit-elle pas assez d'avantages, sans en solliciter de nouveaux au détriment de la ville de Valognes ? Riche par son commerce maritime, par les travaux qui ont été ordonnés, elle a vu ses propriétés foncières tripler, quadrupler de valeur dans un court espace de temps tandis que celles de Valognes ont éprouvé une diminution considérable. »

— Marne

Châtillon-sur-Marne contre Épernay (10/232-4). Châtillon : ancienneté, histoire de la ville, bailliage royal, prévôté, maîtrise, bureau de contrôle, vingt-trois notaires... « Les intérêts et les besoins de ce canton sont différents de ceux d'Épernay ; il y a même opposition et rivalité pour le commerce des vins ; ceux des environs d'Épernay plus fins et plus renommés trouvent du débit partout ; ceux au contraire du reste de la vallée à l'occident n'ont de débouchés qu'en Picardie, en Flandres, à Meaux, à Paris. [...] Épernay a d'assez grands avantages, commerce de vins, tannerie, route d'Allemagne, rivière de Marne, voisinage de Châlons, et de Reims. [...] Châtillon au contraire sans bailliage et sans district serait ruiné, le pays sans ressource, une foule d'officiers et de pères de famille sans état, sans fortune et qui ne pourraient même se transférer à Épernay ni ailleurs parce qu'ils ont chacun sur leur territoire quelques propriétés, des maisons qu'ils ne trouveraient ni à vendre, ni à louer, et surtout des vignes dont la culture exige la présence la plus assidue. »

— Meurthe

Vic-sur-Seille contre Château-Salins (la saline) (11/238-48).

— Nord

Douai contre Lille et Valenciennes (12/244-12).

Avesnes contre Maubeuge (12/245-19). « Maubeuge a une foule d'avantages : une rivière navigable, une manufacture d'armes, des fabriques d'étoffes, de savon, de clous de toutes espèces, un atelier en marbre qui occupe un nombre considérable d'ouvriers, des dépôts de charbon de terre, d'ardoises et de fer dont la Sambre facilite les transports. »

— Pas-de-Calais
Arras contre Saint-Omer, Aire et Béthune (14/253-18).

— Saône-et-Loire
Cluny contre Tournus (16/274-9) qui dispose de commerce, routes, Saône.

Mâcon contre Chalon (16/275-8). Mâcon « n'a point de manufacture, point de commerce, d'industrie ; le seul objet de commerce dans le pays est le vin pour l'approvisionnement de Paris ; mais ce commerce n'est point particulier à la ville de Mâcon, toutes les villes, tous les habitants du pays sont appelés à l'entreprendre, et dans cette concurrence, la ville de Mâcon proprement dite n'a aucun avantage particulier. » Chalon bénéficie de son commerce d'entrepôt.

Autun contre Chalon et Mâcon (16/275-9). Elle associe Dijon à son propre sort. « Il faut encore considérer que les villes de Dijon et d'Autun sont très peu commerçantes, que leur sol, celui de l'Autunois surtout, est peu fertile, que Chalon et Mâcon au contraire, placés sur les bords de la Saône, fleurissent par un commerce immense ; ces villes sont l'entrepôt de toutes les productions du midi ; leur sol est excellent ; non seulement elles peuvent subsister par elles-mêmes, mais leur prospérité ne peut qu'accroître. » Risque de désertifier les premières et de donner aux autres une aristocratie dangereuse.

La Claitte contre Marcigny (Brionnais) (6/182-45).

— Seine-Inférieure
Montivilliers contre Le Havre (17/284-27).

— Somme
Montdidier contre Roye (17/248-13).

— Haute-Vienne
Rochechouart contre Saint-Junien (18/297-2).

— Vosges
Darney contre Lamarche, Bourmont, Remiremont, Épinal, Neufchâteau, Mirecourt (18/299-23).

Annexe V

LES RELATIONS VILLES-CAMPAGNES

— Aisne

Vervins
Voir IIe Partie, ch. IV, 5.

— Aveyron

Saint-Geniez
Voir IIe Partie, ch. IV, 5.

— Calvados

Condé-sur-Noireau
Demande d'un tribunal de commerce, juin 1791. « On doit moins regarder à la population qui n'excède pas quatre mille individus, qu'au genre d'occupation auquel les habitants sont attachés, l'agriculture, et une manufacture très intéressante. C'est celle d'ouvrages unis et œuvrés en fil et coton, qui fournit à la fois à la subsistance des hommes dans la force de l'âge, des enfants et des vieillards, par les diverses préparations qu'exigent les matières premières avant d'être mises en œuvre [...]. La fabrique dont on peut, avec raison, considérer Condé comme le chef-lieu, n'est pas seulement renfermée dans son enceinte et [...] au contraire elle s'étend dans les paroisses qui forment ces cantons. Là sont des ateliers qui sont en quelque sorte uniquement alimentés et maintenus par ceux de Condé, de sorte qu'on doit les regarder comme des émanations de ce centre principal duquel on ne pourrait sans danger pour eux, séparer leurs relations commerciales » (33/458-6).
« Avant la suppression de ses juridictions, trois à quatre fois par semaine, les plaideurs de trente-cinq paroisses [...] faisaient dans son enceinte leur consommation et les achats de marchandises et denrées dont ils avaient besoin » (33/458-7).
« Ce tribunal de commerce est d'autant plus nécessaire que tout le commerce de différents endroits à plus de dix lieues de Condé et notamment des cantons d'Aunay, Vassy, Dauvon et Clécy se fait dans l'intérieur de notre ville avec nos commerçants. Nous avons différentes grandes routes, six foires annuellement considérables qui attirent beaucoup d'étrangers et par conséquent beaucoup d'affaires provisoires pour le paiement des billets et autres contestations entre marchands. En outre ces foires, nous avons deux marchés chaque semaine » (33/458-4).

— Côtes-du-Nord

Uzel

21 décembre 1789. Propriétés foncières, marché, dix foires, manufacture de toiles : « Cette manufacture met en circulation dans le canton plus de huit millions, son influence se fait sentir au-delà de ses limites à plus de dix lieues à la ronde » (6/183-4 : demande de district).

— Eure

Paroisses de *Caumont* et *Saint-Ouen de Touberville*
Elles définissent le faubourg : « On peut regarder ces dites paroisses comme étant du nombre des faubourgs de Rouen et elles sont en effet regardées comme telles par quantité de bourgeois de Rouen qui y ont des jardins qu'ils y viennent cultiver et qui leur fournissent tous les fruits et légumes dont ils ont besoin » (6/191-3).

Elbeuf
Voir IIe Partie, ch. IV, 5.

— Hérault

Ganges
Trente communautés demandent un district pour la ville de Ganges ; exemple : Saint-Bauzille-de-Putois, 20 janvier 1790 (8/207-9).
Ganges : lieu de consommation qui leur fournit la possibilité de vendre leurs denrées :
« Qu'à ces considérations s'unissent pour eux celles que mérite une ville qui veille à leur besoin, qui leur fournit une main-d'œuvre considérable dans les diverses manipulations de la fabrique.
Que sans la ville de Ganges qui fournit de la soie et des métiers à toute la contrée, le pays serait réduit à la seule culture d'un sol ingrat qui ne peut pas fournir à la nourriture de ses habitants.
Que sans le commerce de la ville de Ganges qui met en valeur la feuille de mûrier [...] il faudrait renoncer à ce revenu, l'unique du pays. »

— Ille-et-Vilaine

Saint-Malo
8 décembre 1789. « Uniquement dévouée par sa position aux affaires de la mer qui, seules, peuvent la faire subsister, la ville de Saint-Malo répand la circulation et la vie sur tous ses alentours dans la distance de douze à quinze lieues. Ses armements y attirent en grand nombre les habitants de toutes les campagnes voisines et leur procurent un débit assuré de leurs denrées » (8/208-16). Tire sa main-d'œuvre de tous les environs.

— Loir-et-Cher

Contres en Sologne
Cette paroisse, à l'exemple de plusieurs autres, ne veut pas être réunie au district de la ville de Montrichard, qui l'a sollicitée, mais à celui de Blois. Elle a toujours relevé de la justice et des impôts de Blois, la route pour y aller est commode et la distance n'est pas grande. « La presque totalité des propriétaires des biens de ces paroisses ont leur domicile à Blois, de manière que ces propriétaires seraient

forcés de plaider loin de leur domicile devant les juges de Montrichard et de s'y rendre à grands frais par des chemins impraticables » (9/217-5). Le débouché des denrées de Contres (vins, blé, toiles, laine) est à Blois.

— Manche

Périers
L'évaluation de la zone d'influence varie entre cinquante et quatre-vingts paroisses, 40 000 et 55 000 habitants (10/230-19, 21, 53, etc.).

Villedieu
6 000 âmes, manufacture de cuivres (en déclin), hôpital, notariats, poste, messageries, maréchaussée, bureau de contrôle, bureau des aides, foires et marché qui attirent les habitants de soixante-huit paroisses, 50 000 habitants) (10/230-5).

— Mayenne

Laval
Voir IIᵉ Partie, ch. IV, 5.

— Nord

Bouchain
« Elle a des moulins au blé, et qui y attirent journellement du monde des environs. Elle est le centre d'un commerce de fil de musquinerie, qui forme la base de tout le travail des femmes du voisinage » (12/246-1). Marchés, foires, magasins de charbon de terre, bureau de paiement des impôts, bailliage royal, collège ; Bouchain commande tout un réseau de canaux et de rivières, en régit les écluses, les ponts, les acqueducs, etc. Châtellenie : 37 000 âmes.

Cambrai
Demande d'un tribunal de commerce, décembre 1790. Manufacture de toiles : tous les villages travaillent à cette fabrication. Il y a jusqu'à deux et trois cents chefs de famille par village employés dans cette branche (34/492-6).

— Oise

Beauvais
« La ville est non seulement intéressante par la variété et la multitude de ses manufactures, mais les campagnes environnantes qui s'adonnent aussi aux manufactures sans cesser d'être agricoles partagent son industrie ; cependant toutes ces manufactures sont dans l'état le plus languissant depuis notre traité de commerce avec l'Angleterre, il importe à la France en général de les ranimer et elles ont besoin d'une protection soutenue et éclairée qui ne peut être obtenue que si Beauvais est chef-lieu de département » (12/248-16).

— Orne

L'Aigle
Demande d'un tribunal de commerce. Commerce et fournit l'emploi des ouvriers à trois lieues à la ronde (34/494-9).

Alençon
Demande d'une paroisse, Saint-Germain-du-Corbéis, de rester unie à Alençon et non pas d'être placée dans le district de Fresnay dans la Sarthe : « Il importe

essentiellement à leurs intérêts les plus chers de n'être pas privés des différents avantages qu'ils retirent depuis près de six siècles de la réunion de cette paroisse au domaine d'Alençon, à sa coutume locale, et à celle de la province de Normandie, à sa généralité, comme à toutes ses juridictions et à son département provincial. [...] C'est dans cette ville où elle vend toutes ses denrées, où elle porte ses filatures pour la manufacture des toiles, ainsi que les toiles qui s'y fabriquent ; c'est pour le commerce du point de France que beaucoup d'ouvriers sont occupés à ce genre de travail, pour les fabricants de point d'Alençon » (16/277-9).

— Puy-de-Dôme

Ambert

Demande d'un tribunal de commerce par les négociants de la ville, octobre 1790 : « On établit dans la ville un commerce qui, étant très minutieux, occupe des milliers de bras ; les paroisses qui sont à quatre lieues à la ronde y viennent journellement pour l'alimenter et en tirent les premiers besoins de la vie : les profits que font ces malheureux sont bien modiques, ils vivent du jour à la journée et cependant ils peuvent par cette voie se procurer le simple nécessaire et nourrir leurs enfants » (34/496-7).

— Saône-et-Loire

Mâcon

Le Directoire de district prend position à propos de la demande de séparation de plusieurs paroisses pour être réunies au district de Chalon. « Le comité de constitution dans l'exécution de son superbe plan de division de la France n'a pas tracé ses lignes comme il eût pu le faire dans des espaces imaginaires. Il a respecté les propriétés, la possession même. Les paroisses de Ceuves, de Guillenat, de Fleurie, Chiroubles, etc., sont infiniment plus rapprochées de la ville de Mâcon où elles ont leurs relations, leur commerce, où elles débitent les fruits de leur terrain et ceux de leur industrie ; où elles viennent en échange s'approvisionner de blés, que de Villefranche d'où elles dépendent » (16/274-1).

— Somme

Amiens

Le village de Flers demande de rester uni au district d'Amiens et de ne pas être rattaché à celui de Montdidier (17/290-17). Dépendance du bailliage d'Amiens, proximité de cette ville, appartenance à sa coutume, habitudes commerciales dans cette ville. « Toutes les terres de leur territoire qui n'appartiennent pas aux habitants du lieu, sont possédées par des bourgeois de la ville d'Amiens ; c'est des citoyens de la ville d'Amiens qu'ils les tiennent à ferme ; c'est à Amiens qu'ils portent leurs grains et les denrées de leur cru pour s'en procurer la vente ; c'est à Amiens qu'ils vont s'approvisionner des objets de consommation qui leur manquent. Les deux tiers du village sont peuplés d'ouvriers occupés des travaux de la manufacture d'Amiens ; les uns vont travailler chez les maîtres qui les emploient et ne reviennent dans leurs foyers que le samedi ; d'autres fabriquent chez eux les pièces qu'ils reportent après les avoir finies, aux maîtres desquels ils les tiennent ; ils ont pour Amiens des occasions journalières, perpétuelles et peu dispendieuses ; ils n'ont aucune communication avec Montdidier que celle de la poste qui va par Paris » (17/290-17).

— Var

Communauté d'*Aups*

Janvier 1790. Chef-lieu de viguerie, 4 000 âmes. « Elle sert de communication entre la montagne et le plat pays. Elle peut et doit devenir l'entrepôt de l'un et de l'autre. On y trouve l'établissement d'un marché pour chaque semaine, et d'une foire pour chaque mois. Ses habitants possèdent des grands domaines dans les communautés voisines. C'est dans la ville d'Aups que toutes les denrées du voisinage sont portées pour y être vendues de manière que les communautés de son arrondissement, ayant avec elle les rapports les plus intimes, les plus directs et les mieux soutenus, il est impossible de séparer les rayons de cette circonférence du centre commun auquel ils viennent aboutir. [...] On trouve dans la contrée dix-sept communautés qui fournissent la matière d'un arrondissement qui est en quelque manière prescrit par les lois impérieuses de la nature » (18/293-3).

Annexe VI

DONNER L'ADMINISTRATION
AUX VILLES COMMERÇANTES*

— Aisne

Soissons

(3/146-5, 148-3 et 14).

— Ardennes

Sedan

« Les villes et principautés de Sedan et Raucourt sont par la nature de leur sol dans l'impossibilité de nourrir leurs habitants, ce qui y a attiré la manufacture. C'est un établissement qui contribue à leur subsistance et vivifie le pays. Sans son secours, il n'y aurait peut-être pas la sixième partie de la population.

Les progrès qu'a faits cette manufacture l'ont rendue d'abord l'émule de celles de Hollande et d'Angleterre et ensuite supérieure pour les draps fins que les étrangers ont recherché de préférence ; mais serait-elle parvenue à ce degré de perfection sans les encouragements que le gouvernement lui a donnés dans tous les temps ?

Ce sont ces encouragements dont les villes et villages des principautés de Sedan et Raucourt demandent la continuation à l'Assemblée Nationale, en faisant de la ville de Sedan un des départements des administrations provinciales, comme lieu intermédiaire entre les Trois Évêchés et la Champagne et ne pouvant, par la distance, être plus à l'une qu'à l'autre de ces provinces » (4/157-14).

Le présidial de Sedan réunit 300 000 âmes à dix lieues de rayon dans 10 villes murées, 451 bourgs et gros villages, 625 hameaux. La ville a 20 000 habitants. Sa manufacture fait vivre 30 000 âmes et suscite quatre millions de lettres de change sur Paris.

— Maine-et-Loire

Saumur

« Le commerce de Saumur, qui par l'industrie, le travail assidu des Saumurois, commence à devenir si intéressant pour la France, s'anéantirait peu à peu, par la retraite des négociants et des gens riches qui le vivifient. En effet les habitudes des acheteurs et des vendeurs changeraient avec le siège de l'administration ; la

---

* Les textes cités dans le chapitre correspondant (IIᵉ Partie, ch. IV, 5) ne sont pas répertoriés ici.

plupart des personnes qui fréquentent actuellement Saumur, conduites constamment à Angers par le cours des affaires civiles, judiciaires et religieuses, abandonneraient insensiblement les liaisons d'intérêt qu'elles ont à Saumur, pour en former de nouvelles avec Angers, mais Angers n'ayant pas les mêmes facilités, les mêmes débouchés qu'à Saumur, ne pourrait dédommager le royaume de la ruine de Saumur » (10/228-2).

— Mayenne

Lassay

Son commerce est « lié avec celui qui se fait dans les villes de Laval et Mayenne, il est même le soutien des manufactures de ces deux villes. Il consiste dans les lins de Flandre et de Picardie qui y arrivent journellement et de là se répand dans les paroisses voisines où l'on fait la filature ; à chaque jour de marché et de foire, les fabriquants de toile de Mayenne, Laval, Cossé, Château-Gontier, Alençon, Fresnay, Rouen, Lisieux, Vendôme, Condé-sur-Noireau, le Pays de Caux et autres endroits y viennent faire leurs achats et y entretiennent ordinairement des commissionnaires. Ce commerce n'est pas le seul qui y soit en faveur. Celui des bestiaux de toute espèce y est très étendu et se fait en grande partie par les herbagers du Pays d'Auge et les marchands qui en conduisent à Paris, en Picardie, en Brie et en Champagne. Il procure à tout le pays un avantage dont il se trouvera malheureusement privé si la ville est sans district comme sans juridiction » (16/278-50).

— Tarn

Castres

« Cette ville doit sa fortune au génie industrieux et à l'activité forcée de ses habitants. Son sol est mauvais, sans les secours des campagnes fertiles du diocèse de Lavaur, la ville de Castres serait souvent exposée à refuser à la montagne et au diocèse de Saint-Pons les secours qu'elle ne cesse de lui demander pour ses subsistances. [...] Castres perd son évêché, si l'Assemblée Nationale n'en conserve qu'un par département, son chapitre et la maison des chartreux qui était sa grande ressource. S'il perdait son tribunal de ressort, son administration, la caisse de ses impositions, que lui resterait-il, une activité sans moyens, un commerce sans argent, une population sans subsistance, de manière qu'une ville considérable qui mérite quelque protection et quelque encouragement perdrait tous les moyens par les raisons qui devraient les faire augmenter » (17/291-50).

Sources et bibliographie

Archives nationales

D IV bis	Comité de division.
AD XVIII^{C}3 et 4	Organisation et division du royaume sous la Constituante.
F²I 442-443	Division de la France en départements, 1790.
F¹² 792-794	Juridictions consulaires jusqu'en 1789.
BB⁷ 1-4	Élections des juges consulaires. Classement des villes, 1791.
BB³⁰ 157	Pièces relatives à la formation des départements et à la nomination des commissaires chargés d'y procéder (1790), à quelques dispositions de la loi pour la constitution des municipalités et aux décrets sur les bénéfices ecclésiastiques.
NN· 9-14	Comité de division de la France. Décrets et procès-verbaux, 1790-1800.

Pour une recherche plus approfondie, et en particulier pour une étude de la période postérieure à 1790, il faudrait notamment dépouiller les séries suivantes (liste non exhaustive) :

F²I 444-834	(Délimitations et fixations des chefs-lieux.)
ADI 32 et 33	Administration municipale et départementale, 1789-1815.
ADXVIII^b 7-78	Procès-verbaux, 18 juillet 1789 - 30 septembre 1791.
ADXVIII^c 175	Organisation du royaume sous la Législative.
ADXVI	Villes et provinces.
BB³⁰ 74 et 75	Comités contentieux des départements : correspondance relative à l'ordre judiciaire, 1789-1790.

Cartes et atlas

Archives nationales, série NN :

Carte du royaume de France divisée par provinces, 1765 (NN 9/23).

« Carte itinéraire de la France divisée par généralités », Paris, chez Bourgoin, 1782 (NN 37/2).

« La France en des carrés de dix grandeurs uniformes régulièrement graduées par le nombre neuf dont la mesure et le nivellement établis à perpétuité sur le terrain offriront enfin des bases certaines aux propriétaires et à l'administration. À Madame », 1780-1786, par Robert de Hesseln (NN* 6).

« Carte de France divisée suivant le plan proposé à l'Assemblée Nationale par son comité de constitution le 29 septembre 1789 », par L. Hennequin, successeur de M. Robert de Hesseln, topographe du Roi, Paris, chez Dessenne, au Palais-Royal, 1789-1790 (57/1 et 2).

« Carte de France suivant sa nouvelle division en départements et districts, dédiée à l'Assemblée Nationale par les directeurs associés de la carte générale de la France », 1790 (NN 5/81).

« À l'Assemblée Nationale. Carte générale de la France divisée en ses 83 départements », par Capitaine, ingénieur géographe du Roi, Paris, chez Michel, 1790 (NN 28/12).

« Carte de France divisée en 83 départements et subdivisée en districts avec les chefs-lieux de cantons, présentée à l'Assemblée Nationale et au Roi », par Belleyme, ingénieur géographe du Roi, Paris, 1791 (NN 28/14, 24 à 28).

« Carte de France divisée en départements et en districts, vérifiée au comité de constitution, dédiée et présentée à l'Assemblée Nationale Constituante en l'année 1790 par les auteurs de l'Atlas national de France, corrigée en 1792 », par d'Houdan, 1792 (NN 28/7, 8).

« Carte générale de France divisée en ses 83 départements [85] avec le chef-lieu des districts, des tribunaux et l'arrondissement des 10 métropoles, pour servir à l'intelligence de l'Atlas de France », par Louis Capitaine, Paris [1793] (NN 59/1).

« Carte générale de France divisée en ses 83 départements avec le chef-lieu des districts, des tribunaux et l'arrondissement des dix métropoles... », par Capitaine, ingénieur géographe du Roi, 1790 (NN 28/11).

« Carte générale de France divisée en ses 83 départements avec le chef-lieu des districts seulement », par Capitaine, ingénieur géographe du Roi, 1790 (NN 28/10).

Carte des départements : fond de carte de Cassini ; signature des députés ayant procédé à la division, 1790 (NN 66 à 145).

Carte des départements [1790] in : Atlas national de la France, par d'Houdan (NN 215 à 300).

Bibliothèque Nationale :

« Carte de l'ancienne division de la France en 32 gouvernements, comparée à sa nouvelle division en 83 départements en 1790 », Paris, Denaix, 1842 (Ge. C. 6203).

« Le royaume de France divisé en 83 départements, suivant les décrets de l'Assemblée Nationale des 15 janvier, 16 et 26 février 1790, patentés par le roi des Français le 4 mars de la même année, par C. E. Delamarche », s.l., 1790 (Ge. C. 1985).

« Carte de France divisée en ses 83 départements et districts », Paris, Mondhare et Jean, 1791 (Ge. C. 6204).

Divers :

Carte de Cassini.

P. G. Chanlaire, *Atlas national portatif de la France,* Paris, 1791.

P. Vidal de La Blache, *Atlas général, histoire et géographie,* Paris, Colin, 1894.

A. Brette, *Atlas des bailliages ou juridictions assimilées ayant formé unité électorale en 1789, dressé d'après les actes de la convocation conservés aux Archives Nationales,* Paris, Impr. Nationale, 1904.

Atlas départemental, Paris, Larousse, 1914.

Atlas historique : Provence, Comtat Venaissin, Principauté d'Orange, comté de Nice, Principauté de Monaco (Atlas Befram), Paris, Colin, 1969.

Atlas historique français : Anjou, Paris, IGN, 1973.

Atlas historique français : Savoie, Paris, CNRS, 1979.

Carte des généralités, subdélégations et élections en France à la veille de la Révolution de 1789, par G. Arbellot, J.-P. Goubert, J. Mallet et Y. Palazot, Paris, CNRS, 1986.

Dictionnaires et encyclopédies

Dictionnaires topographiques des départements, notamment : Cantal, Côte-d'Or, Drôme, Eure, Yonne.

Diderot D., *Encyclopédie, ou dictionnaire raisonné des sciences, des arts et des métiers, par une société de gens de lettres. Mis en ordre et publié par M. Diderot, et quant à la partie mathématique par M. d'Alembert,* Paris, 1751-1780.

Expilly Abbé J. J., *Dictionnaire géographique, historique et politique des Gaules et de la France,* Paris, 1762-1770, 6 vol., incomplet (s'arrête à la lettre S).

George P., *Dictionnaire de la géographie,* Paris, PUF, 1970.

Hesseln R. de, *Dictionnaire universel de la France, contenant la description historique et géographique des provinces, villes, bourgs et lieux remarquables du royaume...,* Paris, 1771, 6 vol.

Joanne P., *Dictionnaire géographique et administratif de la France et de ses colonies,* Paris, Hachette, 1890-1905.

Martinière (de La), *Grand dictionnaire géographique, historique et critique,* 10 vol., La Haye, 1726-1739.

Journaux révolutionnaires

L'Ami du Peuple ou le Publiciste Parisien, journal politique et impartial par M. Marat.
Gazette de Paris.

Ouvrages collectifs et anonymes

Almanachs royaux, Paris, Houry, notamment années 1790 et 1791.

Les constitutions de la France depuis 1789, Paris, Garnier-Flammarion, 1970.

Région et régionalisme en France du 18ᵉ siècle à nos jours, Colloque de Strasbourg, octobre 1974, Paris, PUF, 1978.

« Le sain et le malsain », *Dix-Huitième siècle,* 1977, 9 (numéro spécial).

La ville au 18ᵉ siècle, Colloque d'Aix-en-Provence, 29 avril-1ᵉʳ mai 1973, Centre Aixois d'Études et de Recherches sur le 18ᵉ siècle, Aix-en-Provence, Édisud, 1975.

Villes et campagnes, 15ᵉ-20ᵉ siècles, université de Lyon-II, Centre d'Histoire Économique et Sociale de la Région Lyonnaise, Lyon, Presses Universitaires de Lyon, 1977.

Monographies

Ain :

Dubois, E., *Histoire de la Révolution dans l'Ain,* Bourg, Brochot, 1930-1932, 2 vol.

Aisne :

Matton, A., *Notice historique sur la formation du département de l'Aisne et de ses arrondissements,* Laon, Caquet et Stenger, [1865].

Desmasures, A., *Histoire de la Révolution dans le département de l'Aisne, 1789...,* Vervins, Flem, 1869.

Bercet, C., « Les limites du département du Vermandois et du Soissonnais aujourd'hui département de l'Aisne, 1790 », *La Thiérache,* 21, 1904-1905, p. 50-55.

Hennequin, R., *La formation du département de l'Aisne en 1790,* Soissons, Nougarède, 1911.

Allier :

Biernawski, L., *Un département sous la Révolution française : l'Allier de 1789 à l'an III,* Moulins, Grégoire, 1909.

Laguerenne, H. de, *Une page d'histoire régionale : pourquoi Montluçon n'est pas devenu chef-lieu de département, d'après le registre du comité permanent de cette ville (1789-1790) et certains autres documents inédits,* Moulins, Grégoire, 1919.

Rougeron, G., *La formation du département de l'Allier,* [Montluçon, Grande Impr. Nouvelle], 1961.

Hautes-Alpes :

« Les événements de 1789. Gap : chef-lieu du département des Hautes-Alpes »,
Annales des Alpes. Recueil Périodique des Archives des Hautes-Alpes, 3, 1899,
p. 109-136.

Meizel, J., *Essai historique sur les Hautes-Alpes des origines à 1820, suivi d'une éphé-
méride des principaux événements de 1821 à 1926,* Gap, Louis Jean, 1927, t. 11.

Alpes-Maritimes :

Tisserand, E., *Histoire de la Révolution française dans les Alpes-Maritimes,* Nice,
1878, Mémoires de la Société Niçoise des Sciences Naturelles et Historiques, I.

Moris, « Organisation du département des Alpes-Maritimes formé du ci-devant
Comté de Nice et de la ci-devant Principauté de Monaco, mars-avril
1793 », *Annales de la Société des Lettres, Sciences et Arts des Alpes-Maritimes,*
23, 1914-1915, p. 203-302.

Combet, J., *La Révolution dans le Comté de Nice et la Principauté de Monaco, 1792-
1800,* Paris, Alcan, 1925.

Ardèche :

Jolivet, C., *La Révolution dans l'Ardèche, 1788-1795,* Paris, Largentière, Mazel,
1930.

Reynier, E., « Du pays du Vivarais au département de l'Ardèche », *Revue du
Vivarais,* 1942, p. 243-254.

Ardennes :

Gailly de Taurines, Ch., *La formation territoriale du département des Ardennes en
1789-1790,* Paris, Imprimerie Nationale, 1933.

Leflon, J., « Formation du département », in : *Les Ardennes,* Paris, Delmas,
1960, p. 116-122.

Ariège :

Casteras, P. de, *Histoire de la Révolution française dans le Pays de Foix et dans
l'Ariège,* Paris, Thorin, 1876.

Espenan, C., « Le Comminges et la nouvelle organisation administrative de la
France, 1789-1790 », *Revue de Comminges,* 16, 1901, p. 62-67.

L'Estoile, Lt de, « À propos du choix du chef-lieu du département de
l'Ariège », *Bulletin de la Société Ariégeoise des Sciences, Lettres et Arts,* 13,
1901, p. 23-27.

Arnaud, G., *Histoire de la Révolution dans le département de l'Ariège,* Toulouse,
Privat, 1904.

Combes, L., « Les circonscriptions territoriales et administratives du département de l'Ariège depuis la Révolution », *Bulletin de la Société Ariégeoise des
Sciences, Lettres et Arts,* 17, 1926-1930, p. 343-349.

Aube :

Peyre, M. *Le département de l'Aube : son origine, ses transformations jusqu'en l'an VIII*, Troyes, Paton, 1929.

Aude :

Tissier, J., « Narbonne pendant la Révolution : la formation du département, l'alternat et le siège épiscopal », *Bulletin de la Commission Archéologique de Narbonne*, 13, 1914-1915, p. 415-458.

Blaquière, M., « L'influence de la tradition dans la forme du département de l'Aude », *Folklore (Aude)*, 2, juil.-août 1939, p. 283-285.

Plandé, R., *Géographie et histoire du département de l'Aude*, Grenoble, Les Éditions Françaises Nouvelles, 1943.

Bouches-du-Rhône :

Arrizoli, A., *Le chef-lieu du département des Bouches-du-Rhône d'après les documents inédits*, Aix-en-Provence, Mokaire, 1901.

Fournier, J., *Histoire politique du département des Bouches-du-Rhône, 1789-1914*, Marseille, Société Anonyme du Sémaphore de Marseille, 1928.

Calvados :

Le Brethon, P., *La formation du département du Calvados et son administration, décembre 89-octobre 92*, Paris, Larose, 1894.

Cantal :

Faucher, B., *Formation et organisation du département du Cantal, 1789-an III*, Abbeville, Paillart, 1910.

Charente :

Boissonnade, « Géographie historique de la province d'Angoumois du 17ᵉ au 19ᵉ siècle », *Bulletin de la Société Archéologique et Historique de la Charente*, 5ᵉ série, 11, 1889, p. 3-180.

La Bastide, L. de, « La formation du département de la Charente », *Bulletin et Mémoires de la Société Archéologique et Historique de la Charente*, 1933, p. XCIX-CXXVII.

Du Chambon, P., *La formation du département de la Charente*, Ruffec, Dubois, 1934.

Charente-Inférieure :

Delayant, L., *Histoire du département de la Charente-Inférieure*, La Rochelle, Petit, 1872.

Cher :

Mater, D., « Formation du département du Cher : sa division en districts et en cantons », *Mémoires de la Société Historique, Littéraire, Artistique et Scientifique du Cher*, 4, 14, 1899, p. 112-213.

Bruneau, M., *Les débuts de la Révolution dans le Cher et dans l'Indre*, Paris, Hachette, 1902.

Corse :

Albitreccia, A., *La formation du département de la Corse*, Paris, Gibert, 1938.

Côte-d'Or :

Chabœuf, « Le département de la Côte-d'Or : comment il a été constitué en 1790 », *La Correspondance Historique et Archéologique. Organe d'informations mutuelles entre archéologues et historiens*, 1896, p. 175-179.

Côtes-du-Nord :

Dubreuil, L., *La Révolution dans le département des Côtes-du-Nord*, Paris, Champion, 1909.

Creuse :

Villard, F., *Guéret en 1789*, Guéret, Delage et Joucla, 1889, p. 68-128 : « Formation du département de la Creuse ».

Dordogne :

Villepelet, R., *La formation du département de la Dordogne : étude de géographie politique*, Périgueux, Joucla, 1908.

Doubs :

Meynier, Dr., *Formation du département du Doubs*, Besançon, Dodivers, 1906.

Eure :

Boivin-Champeaux, L., *Création et formation du département de l'Eure, 1789-1790*, Paris, Impr. Impériale, 1868.

Eure-et-Loir :

Jusselin, M., *L'administration du département d'Eure-et-Loir pendant la Révolution : la législation, les hommes, aperçus sur la politique, 4 juin 1790-21 mars 1800*, Chartres, Lester, 1935.

Gard :

Rouvière, F., *Histoire de la Révolution française dans le Gard*, Nîmes, Catélan, 1887-1889.

Haute-Garonne :

Connac, E., *Histoire de la Révolution à Toulouse et dans le département de la Haute-Garonne*, Toulouse, 1902.

Portet, M., « Une lettre relative à la première formation du département », *Revue de Comminges*, 27, 1912, p. 183-188.

Gers :

Pagel, R., *Note sur la formation du département du Gers*, Auch, Cocharaux, 1903.

Debats, R., « Formation territoriale du département du Gers en 1790 », *Bulletin de la Société Archéologique du Gers*, 1940, 41e année, p. 225-232.

Hérault :

Rouvière, Ch., *La formation du département de l'Hérault*, Montpellier, Firmin et Montane, 1917.

Ille-et-Vilaine :

Gautron, S., *La formation du département d'Ille-et-Vilaine*, Rennes, 1952, thèse de droit, dact.

Bricaud, J., *L'administration du département d'Ille-et-Vilaine au début de la Révolution, 1790-1791*, Rennes, Impr. Bretonne, 1965.

Indre :

(Voir : Cher).

Hubert, E., *Archives Départementales de l'Indre : répertoire numérique de la série L*, Châteauroux, Impr. Badel, 1933, xx + 164 + 74 p. : « La formation du département de l'Indre », p. 1-xx.

Indre-et-Loire :

Boucheron, L., « Les origines du département d'Indre-et-Loire », *Bulletin de la Société Archéologique de Touraine*, 25, 1931-1935, p. 149-150.

Leveel, P., *Le partage de la généralité de Tours et la délimitation du département d'Indre-et-Loire, 1787-1790*, Tours, Société Archéologique de Touraine, 1964.

Isère :

Blanchard, M., « Contribution à l'étude de la formation du département de l'Isère », *Recueil des Travaux de l'Institut de Géographie Alpine*, 2, 1914, p. 411-426.

Jura :

Sommier, A., *Histoire de la Révolution dans le Jura*, Paris, Dumoulin, 1846.

Landes :

Gouron, M., *La formation historique et politique du département des Landes*, Dax, Labêque, 1927.

Larroquette, A. et Prigent, E., *Histoire des Landes*, Mont-de-Marsan, Lacoste, 1933, 1re partie : *Des origines à 1789*, p. 157-162.

« Note sur la création du département des Landes », *Bulletin de la Société Archéologique du Gers*, 1940, p. 231.

Bourdon, J., « Aux origines du département des Landes », *Annales du Midi*, 1951, p. 263-264.

Loir-et-Cher :

Bourgeois, A., « Études sur l'histoire de la Révolution en Loir-et-Cher », *L'Indépendant de Loir-et-Cher*, 12-22-29 nov. et 6-16-20 déc. 1891.

Arfaut, D., « La formation du département du Loir-et-Cher », *Annales Historiques de la Révolution Française*, 1957, 146, p. 34-49.

Loire :

Guinet, G., « La formation territoriale du département de la Loire », *Bulletin de la Diana*, 28, 1876, p. 133-165.

Prajoux, J., « Études historiques sur le Forez. Création du département de la Loire. État des villes et des campagnes du département à la fin du 18e siècle », *La Revue Forézienne Illustrée*, janv. 1902, p. 212-217.

Brossard, E., *Histoire du département de la Loire pendant la Révolution française, 1789-1799*, notes rédigées et publiées par Joseph de Fréminville, Saint-Étienne–Paris, Champion, 1904, 2 vol.

Haute-Loire :

Chassaing, A., « Trois documents historiques relatifs à la Haute-Loire, 1789, 1790, 1793 », *Annuaire de la Haute-Loire*, 1884, p. 432-455.

Rioufol, M., *La Révolution de 1789 dans le Velay*, Le Puy, 1904, p. 138-153.

Loire-Inférieure :

Maltete, L., *Histoire administrative du département de la Loire-Inférieure, depuis sa formation jusqu'à nos jours,* [Nantes, Impr. de Bretagne], s.d.

Poirier, E., « La Bretagne et la division de la France en départements ; le partage des Marches », *Bulletin de la Société Archéologique et Historique de Nantes et du Département de la Loire-Inférieure,* 79, 1939, p. 123-144.

Lot :

Sol, Chanoine E., *La Révolution en Quercy,* Paris, Picard, 1929-1932, 4 vol.

Lot-et-Garonne :

Boudon de Saint-Amans, J. F., *Histoire ancienne et moderne du département de Lot-et-Garonne,* Agen, Bertrand, 1836.

Desgraves, L., « La formation territoriale du département du Lot-et-Garonne », *Revue de l'Agenais. Bulletin de la Société des Sciences, Lettres et Arts d'Agen,* juil.-déc. 1955, p. 17-38.

Lozère :

André, F., « Rapport de M. André sur la formation de la Lozère », *Bulletin de la Société d'Agriculture, Industrie, Sciences et Arts du Département de la Lozère,* 1869, p. 406-410, et *Annuaire Lozère,* 1870, p. 39-43.

Delon, Abbé P. J. B., *La Révolution en Lozère,* Mende, Impr. Lozérienne, 1922.

Maine-et-Loire :

« Pourquoi Saumur demandait à être le chef-lieu du département en 1789 », *L'Anjou Historique,* 3, 1902-1903, p. 176-178.

Uzureau, Chanoine, « Formation du département de Maine-et-Loire », *Andegaviana,* 2, 1904, p. 413-417.

Dauphin, V., « La formation du département de Maine-et-Loire en 1790 : les raisons de la séparation de la sénéchaussée de Château-Gontier », *Mémoires de la Société Historique et Archéologique d'Angers,* 27, 1924, p. 48-52.

Manche :

Lebaindre, A., *La formation du département de la Manche,* Caen, Poisson, 1911.

Marne :

Goby, J. E., « Notes de démographie champenoise : évolution de 1665 à 1962 des structures administratives du territoire formant aujourd'hui le département de la Marne », *Mémoires de la Société d'Agriculture, Commerce, Sciences et Arts du Département de la Marne,* 79, 1964, p. 90-104.

Haute-Marne :

Mettrier, H., *La formation du département de la Haute-Marne en 1790,* Chaumont, Andriot-Moissonnier, 1911.

Méjean, P. et Henriot, M., *La Haute-Marne, le département et son évolution,* Paris, Delpine, 1958.

Mayenne :

Chanteux, H., « Les origines du département de la Mayenne et sa géographie coutumière », *Revue Historique de Droit Français et Étranger,* 1956, 2, p. 305-306.

Meurthe :

Thiry, J. L., *Le département de la Meurthe sous le Consulat,* Nancy, Centre d'Histoire du Droit Lorrain, 1958.

Meuse :

Hug, P., « Les origines du département de la Meuse », *Barrois Vivant,* 1959, 8, p. 20-21.

Mont-Blanc :

Masse, J., *Histoire de l'annexion de la Savoie à la France en 1792,* Grenoble, Impr. Allier, 1891.

Folliet, « Documents relatifs à la réunion de la Savoie à la France en 1792 », *La Revue Savoisienne,* 40, 1899, p. 7-23, 60-108, 171-206, 294-303.

Letonnelier, G., *Les miettes de l'histoire,* Annecy, Impr. Hérisson, 1922, « Le département du Mont-Blanc en 1793 ».

Morbihan :

Jouany, D., *La formation du département du Morbihan,* Vannes, Impr. Ouvrière Vannetaise, 1920.

Vignard, V., « La division de la Bretagne en départements et la formation du Morbihan », *Mémoires de la Société d'Histoire et d'Archéologie de Bretagne,* 50, 1970, p. 75-91.

Moselle :

Chastellux, comte L. E. de, *Le territoire du département de la Moselle, histoire et statistique,* Metz, Malini, 1860, p. 95-105.

Dosdat, G., « Le département de la Moselle : la formation territoriale », *Bulletin de la Société Lorraine des Études Locales dans l'Enseignement Public,* 1962, 19, p. 1-12.

Nièvre :

Meunier, P., *La Nièvre pendant la Convention*, Nevers, Vallière, 1895-1898, t. I.

Nord :

Legrand, L., *De la division du département du Nord et de la création d'un département de l'Escaut*, Valenciennes, Giard, 1870.

Pierrard, P., *Histoire du Nord*, Paris, Hachette, 1979, p. 260-264.

Oise :

Baumont, H., « Le département de l'Oise pendant la Révolution », *Bulletin de la Société d'Études Historiques et Scientifiques de l'Oise*, 2 à 6, 1906-1910.

Pas-de-Calais :

Dehay, C., Dhondt, J., Espinas, G., Fortin, A., Fromont, J., Leroy, C., Lestocquoy, J., Petitot, L., Rodière, R., Sangnier, G., *Histoire des territoires ayant formé le département du Pas-de-Calais*, Arras, Brunet, 1946.

Puy-de-Dôme :

Mège, F., « Formation et organisation du département du Puy-de-Dôme, 1789-1800 », *Mémoires de l'Académie des Sciences, Belles-Lettres et Arts de Clermont-Ferrand*, 15, 1873, p. 175-509.

Basses-Pyrénées :

Zangroniz, J. de, « La création du département des Basses-Pyrénées : Pau choisi comme chef-lieu grâce à l'appui de Pierre-François Gossin député du Barrois », *Bulletin de la Société des Sciences, Lettres et Arts de Pau*, 47, 1924, p. 5-19.

Cazenave, « L'organisation administrative du département des Basses-Pyrénées, 1789-1790 », *Bulletin de la Société des Sciences, Lettres et Arts de Pau*, 55, 1932, p. 211-217 ; 56, 1933, p. 48-68.

Tucoo-Chala, P., « Origine et maintien des enclaves des Hautes-Pyrénées dans les Basses-Pyrénées », *Bulletin de la Société des Sciences, Lettres et Arts de Pau*, 15, 1955, p. 52, 58.

Hautes-Pyrénées :

Labrouche, P., « La formation du département des Hautes-Pyrénées », *Bulletin de la Société Académique des Hautes-Pyrénées*, 2, 1892, p. 185-210.

Ricaud, Chanoine, *La Bigorre et les Hautes-Pyrénées pendant la Révolution*, Paris, Champion, 1894.

Pyrénées-Orientales :

Vidal, P., *Histoire de la Révolution française dans le département des Pyrénées-Orientales,* Perpignan, Impr. de l'Indépendant, 1885-1888, 3 vol.

Bas-Rhin :

(Voir : Haut-Rhin)

Hoffmann, Ch., « La suppression de l'administration et le nouveau régime, 1789-1790 », *Revue d'Alsace,* 60, 1899, p. 58-70.

Kiener, « Essai sur la formation historique du Bas-Rhin : civitas-landgraviat et département », *Annuaire Administratif du Département du Bas-Rhin,* 1928, p. 5-11.

Haut-Rhin :

Véron-Reville, *Histoire de la Révolution française dans le département du Haut-Rhin, 1789-1795,* Paris, Durand, 1865.

Gérock, J. E., *La formation des départements du Haut-Rhin et du Bas-Rhin en 1789,* Thann, Impr. du Journal de Thann, 1925.

Hermann, A., « L'Alsace, ses limites et ses divisions territoriales depuis 1789 », *Annuaire du Club Vosgien,* 4, 1936, p. 125-148.

Rhône-et-Loire :

Bernard, A., *Histoire territoriale du département du Rhône-et-Loire,* Lyon, Vingtrinier, 1865.

Haute-Saône :

Maréchal, Ph., *La Révolution dans la Haute-Saône,* Paris, Champion, 1903.

Girardot, J., « Formation du département de la Haute-Saône », *Bulletin de la Fédération des Sociétés Savantes de Franche-Comté,* 2, 1955, p. 29-39.

Saône-et-Loire :

Siraud, F., « Étude sur la formation du département de Saône-et-Loire et l'emplacement de son chef-lieu », *Annales de l'Académie de Mâcon,* 11, 1894, p. 217-242.

Badet, G., « Fixation du chef-lieu du département de Saône-et-Loire », *Bulletin de la Société des Amis des Arts et des Sciences de Tournus,* 59, 1959, p. 29-45.

Barlet, H. et Magnien, E., *Le département de Saône-et-Loire : étude géographique et historique,* 2ᵉ éd., Mâcon, Renaudier, 1959.

Sarthe :

L'Hermitte, J., « L'assemblée administrative du département de la Sarthe en 1790 et la formation du département », *La Révolution dans la Sarthe et dans les pays voisins,* 1911, p. 161-224 ; 1912, p. 5-22 et 49-92.

Berranger, H. de, « La formation du département de la Sarthe », *Bulletin de la Société d'Agriculture, Sciences et Arts de la Sarthe,* 1941, p. 1-11.

Seine-et-Marne :

Lhuillier, Th., « La formation du département de Seine-et-Marne en 1790 », *Bulletin de la Société d'Archéologie, Sciences, Lettres et Arts du Département de Seine-et-Marne,* 7, 1875, p. 161-162.

Berthoumeau, L., *La formation du département de Seine-et-Marne,* Dijon, Impr. Bourguignonne, 1914.

Seine-et-Oise :

Coüart, E., *Villes, bourgs, paroisses et annexes dont les territoires ont formé en 1790 le département de la Seine et de l'Oise, répartis suivant les bailliages royaux auxquels ces localités ressortissaient en 1789,* Versailles, Cerf, 1901.

Seine-Inférieure :

Maurion, G., *La formation du département de la Seine-Inférieure,* Paris, Sirey, 1913.

Deux-Sèvres :

Arnault, M., *La Révolution dans les Deux-Sèvres,* Paris, Jouve, 1905.

Picard, G., *Histoire du département des Deux-Sèvres,* Niort, Baussay, 1928.

Merle, L., *La formation territoriale du département des Deux-Sèvres : étude de géographie historique,* Niort, Société Historique et Scientifique des Deux-Sèvres, 1938.

Tarn :

« Formation et division du département du Tarn », *Annuaire administratif, statistique, historique et commercial du département du Tarn,* 1903, p. 378-403.

Appolis, E., « La formation du département du Tarn », *Bibliothèque de la Révolution du Tarn* (Albi), 1938.

Var :

Lauvergne, H., *Histoire de la Révolution dans le département du Var depuis 1789 à 1794,* Toulon, Monge et Villamus, 1838.

Poupé, E., *Le département du Var, 1790-an VIII,* Cannes, Gruvès et Vincent, 1933.

Vaucluse :

Saint-Just, Cl., *Les centenaires de Vaucluse : esquisse historique de la Révolution d'Avignon et du Comté Venaissin, et de leur réunion à la France,* Paris, Garnier, 1890.

Vendée :

Barbaud, G., « Note sur la formation du département de la Vendée », *Annuaire de la Société d'Émulation de la Vendée,* 1897, p. 37-44.

Faucheux, M., « Comment fut formé le département de la Vendée », *ibid.,* 1951-1953, p. 27-37.

Vienne :

Roux, marquis de, *La Révolution à Poitiers et dans la Vienne,* Paris, Nouvelle Librairie Nationale, 1911.

Haute-Vienne :

Fray-Fournier, A., *Le département de la Haute-Vienne, sa formation territoriale, son administration, sa situation politique pendant la Révolution,* Limoges, Lavauzelle, 1909, 2 vol.

Desgranges, E., *La formation territoriale du département de la Haute-Vienne, 1789-an X,* Paris, LGDJ, 1942.

Vosges :

Anon, « Formation du département des Vosges », *Documents Rares ou Inédits de l'Histoire des Vosges Publiés par le Comité d'Histoire Vosgienne,* 3, 1873, p. 330-344.

Bouvier, F., *Les Vosges pendant la Révolution,* Paris, Berger-Levrault, 1885.

Yonne :

Porée, Ch., *La formation du département de l'Yonne en 1790,* Paris-Auxerre, Picard, 1903.

Paris :

Bournon, F., *La création du département de Paris et son étendue, 1789-1790,* Paris, Champion, 1897.

Lacroix, S., *Le département de Paris et de la Seine pendant la Révolution, février 1791-ventôse an VIII,* Paris, Société de l'Histoire de la Révolution Française, 1904.

On pourra également se reporter aux dictionnaires topographiques (textes introductifs), et aux monographies départementales de la collection Hexagone publiées récemment par les éditions Bordessoules.

Ouvrages divers

Agulhon, M., « Conscience nationale et conscience régionale en France de 1815 à nos jours », in : J. C. Boogman et G. N. Van der Plaat, eds, *Federalism, History and Current Significance of a Form of Government,* La Haye, Martinus Nijhoff, 1980, p. 243-266.
— « L'héritage jacobin : plaidoyer pour les Jacobins », *Le Débat,* juin 1981, p. 55-65.
— « La notion de village en Basse-Provence vers la fin de l'Ancien Régime », in : coll., *Actes du 90ᵉ Congrès National des Sociétés Savantes, Nice, 1965,* Section d'Histoire Moderne et Contemporaine, Paris, Impr. Nationale, 1966, t. 1, p. 277-301.
— *La vie sociale en Provence intérieure au lendemain de la Révolution,* Paris, Société des Études Robespierristes, 1970.
Arbellot, G., « Deux exemples de circonscriptions intermédiaires à la jonction de l'Ancien Régime et de la Révolution (la subdélégation et le district) : l'apport de la cartographie », communication à la *Table Ronde sur la cartographie des subdélégations françaises à la veille de la Révolution,* 22 avril 1982.
— « La grande mutation des routes de France au milieu du 18ᵉ siècle », *Annales ESC,* 1973, 3, p. 765-791.
Ardouin-Dumazet, *Voyage en France,* Nancy et Paris, 1893-1919, 60 vol.
Argenson, R. L. de Voyer, marquis d', *Considérations sur le gouvernement ancien et présent de la France,* Amsterdam, Rey, 1764-1765.
Aucoc, L., « Controverses sur la décentralisation administrative », *Revue Politique et Parlementaire,* 4, 1895, p. 7-35.
Aulard, A., *Histoire politique de la Révolution française : origines et développement de la démocratie et de la république, 1789-1804,* 3ᵉ éd., Paris, Colin, 1905.
Auxiron, Cl. F. J. d', *Principes de tout gouvernement ou examen des causes de la splendeur ou de la faiblesse de tout État considéré en lui-même et indépendamment des mœurs,* Paris, Herissant Fils, 1766, 2 vol.
Babonaux, Y., *Villes et régions de la Loire moyenne,* Aubenas, Impr. Lienhart et Cie, 1966.
Bancal, J., *Les circonscriptions administratives de la France... leurs origines et leur avenir... Contribution à l'étude de la géographie administrative,* Paris, Sirey, 1945.
Bardet, J. P., Bouvier, J., Perrot, J. C., Roche, D. et Roncayolo, M., « Pour une nouvelle histoire urbaine », *Annales ESC,* 1977, 6, p. 1237-1254.
Bastid, P., *Sieyès et sa pensée,* Paris, Hachette, 1939.
Beaujeu-Garnier, J., « Les villes et la ' fonction centre ' », *Annales de Géographie,* nov.-déc. 1969, p. 710-713.
Beaujeu-Garnier, J. et Chabot, G., *Traité de géographie urbaine,* Paris, Colin, 1963.
Becquet, *Répertoire de droit administratif : décentralisation, département,* Paris, Dupont, 1907.
Bergeron, L., « Histoire urbaine », in : « Histoire sociale », article de l'*Encyclopaedia Universalis,* supplément, Paris, 1980, t. I, p. 748-750.
— « Paris dans l'organisation des échanges intérieurs français à la fin du 18ᵉ siècle », in : coll., *Aires et structures du commerce français au 18ᵉ siècle,* Colloque national de l'Association Française des Historiens Économistes, Lyon, 1975, p. 237-263.

Bergeron, L. et Chaussinand-Nogaret, G., *Les masses de granit : cent mille notables du Premier Empire*, Paris, EHESS, 1979.

Bergeron, L. et Roncayolo, M., « Limites de l'analyse quantitative de la population urbaine d'après les enquêtes de 1809-1810 », communication au IVe colloque de l'Association Française des Historiens Économistes, 1977, multigr.

  — « ' De la ville pré-industrielle à la ville industrielle ' : essai sur l'historiographie française », *Quaderni Storici,* sept.-déc. 1974, p. 827-876.

Berlet, Ch., *Les provinces au 18e siècle et leur division en départements : essai sur la formation de l'unité française,* Paris, Bloud et Cie, 1913.

  — *Les tendances unitaires et provincialistes en France à la fin du 18e siècle : la division des provinces en départements,* Nancy, Impr. Réunies de Nancy, 1913.

Bertaud, J.-P., Leflon, J., Lefranc, G., Melchior-Bonnet, A. et Mermet, P., *La Révolution française,* Paris, Larousse, 1976.

Bertho, C., « L'invention de la Bretagne : genèse sociale d'un stéréotype », *Actes de la Recherche en Sciences Sociales,* nov. 1980, p. 45-62.

Bloch, C., « La nouvelle formation territoriale de la France », in : Vidal de La Blache *et al., Les divisions régionales de la France,* Paris, Alcan, 1913, p. 17-37.

Block, M., *Entretiens familiers sur l'administration de notre pays : le département,* Paris, Hetzel et Cie, 1880.

Boisguillebert, P. Le Pesant de, « Détail de la France sous le règne présent », in : E. Daire, ed., *Économistes financiers du 18e siècle,* Paris, Guillaumin, 1843.

Bonaparte, Napoléon, *Correspondance de Napoléon Ier publiée par ordre de l'empereur Napoléon III,* in : *Œuvres de Napoléon Ier à Sainte-Hélène,* Paris, Impr. Impériale, 1860, t. 5 et 1869, t. 30.

  — *Mémoires pour servir à l'histoire de France sous le règne de Napoléon, écrits à Sainte-Hélène sous sa dictée, par les généraux qui ont partagé sa captivité,* 2e éd., Paris, Bossange Père, 1830, t. 11.

  — *Œuvres littéraires* publiées par Tancrède Martel, Paris, Savine, 1888.

  — *Œuvres littéraires et politiques,* Paris, Delloye, 1840.

Boncour, J.-P. et Maurras, Ch., *Un débat nouveau sur la République et la décentralisation,* Toulouse, Société Provinciale d'Édition, 1905.

Bonnin, B., « Un réseau urbain face à son environnement rural en France au 18e siècle, place, rôle et influence : l'exemple du Dauphiné », in : Centre Aixois d'Études et de Recherches sur le 18e siècle, *La ville au 18e siècle,* Aix-en-Provence, Édisud, 1975, p. 145-151.

Bordes, M., *L'administration provinciale et municipale en France au 18e siècle,* Paris, SEDES, 1972.

  — « Les intendants de province aux 17e et 18e siècles », *L'Information Historique,* mai-juin 1968, p. 107-120.

Bourdieu, P., *La distinction : critique sociale du jugement,* Paris, Éditions de Minuit, 1979.

  — « L'identité et la représentation », *Actes de la Recherche en Sciences Sociales,* nov. 1980, p. 63-72.

  — « Le Nord et le Midi : contribution à une analyse de l'effet Montesquieu », *ibid.,* p. 21-25.

Bourdon, J., « Pinteville de Cernon, ses chiffres de population, et sa critique des départements », *Annales Historiques de la Révolution Française,* oct.-déc. 1954, p. 345-356.

— « Des provinces aux départements », *Revue de Synthèse*, juil.-déc. 1952, p. 183-188.

Bourguet, M. N., *Déchiffrer la France : la statistique départementale à l'époque napoléonienne*, thèse de doctorat de 3ᵉ cycle, Université de Paris-I, 1983, dact.

Bourjol, M., *Les institutions régionales de 1789 à nos jours*, Paris, Berger-Levrault, 1969.

Boussecheiche, J. B., *Description abrégée de la France divisée selon les décrets de l'Assemblée Nationale*, Paris, chez l'auteur, 1790. (Absence constatée à la Bibliothèque Nationale depuis 1948.)

Bouvier-Ajam, M., *Traité d'économie politique et d'histoire des doctrines économiques*, Paris, Plon, 1952-1954, 3 vol.

Braudel, F., *Civilisation matérielle, économie et capitalisme, 15ᵉ-18ᵉ siècles*, Paris, Colin, 1979, t. I : *Les structures du quotidien*, t. II : *Les jeux de l'échange*, t. III : *Le temps du monde*.

— *L'identité de la France*, Paris, Arthaud-Flammarion, 1986.

Braudel, F. et Labrousse, E. (sous la direction de), *Histoire économique et sociale de la France*, t. II : *Des derniers temps de l'âge seigneurial aux préludes de l'âge industriel, 1660-1789*, Paris, PUF, 1970.

Brengues, J., « Charles Duclos, maire urbaniste au 18ᵉ siècle [Dinan] », in : Centre Auxois d'Études et de Recherches sur le 18ᵉ siècle, *La ville au 18ᵉ siècle*, Aix-en-Provence, Édisud, 1975, p. 173-176.

Brette, A., *Les limites et les divisions territoriales de la France en 1789*, Paris, Cornély et Cie, 1907.

Broc, N., *La géographie des philosophes, géographes et voyageurs français au 18ᵉ siècle*, Paris, Ophrys, 1975.

— *Les montagnes vues par les géographes et les naturalistes de langue française au 18ᵉ siècle*, Paris, 1969, Mémoires de la Section de Géographie du CTHS, 4.

— « Peut-on parler de géographie humaine au 18ᵉ siècle en France ? », *Annales de Géographie*, janv.-févr. 1969, p. 57-75.

Brun, M., *Départements et régions*, Paris, Presses Modernes, 1938.

Brunet, R., « Les phénomènes de discontinuité en géographie », *Mémoires et Documents du Centre de Recherches et Documentation Cartographique et Géographique (CNRS)*, 7, 1967, p. 99.

Brunhes, J., « Géographie humaine de la France », in : G. Hanotaux, ed., *Histoire de la nation française*, Paris, Plon-Nourrit et Cie, 1920, t. I.

Buache, [Ph.], « Essai de géographie physique, où l'on propose des vues générales sur l'espèce de charpente du globe, composée de chaînes de montagnes qui traversent les mers comme les terres », *Mémoires de l'Académie Royale des Sciences*, 1752, Mémoires de Mathématiques et de Physique, p. 399-416,

Burguière, A., « Qui avait ligoté la France ? », *Le Nouvel Observateur*, 18 juil. 1981, p. 28-29.

Cahierre, A., *Bibliographie sur la constitution des départements sous la Révolution*, Paris, CNAM, INTD, 1968, dact.

Cantillon, R., *Essai sur la nature du commerce en général*, texte de l'édition de 1755 avec des études et commentaires par A. Sauvy, A. Fanfani, J. J. Spengler, L. Salleron, Paris, INED, 1952.

Carrière, Ch. et Courdurie, M., « L'espace commercial marseillais aux 17ᵉ et 18ᵉ siècles », in : coll., *Aires et structures du commerce français au 18ᵉ siècle*,

Colloque national de l'Association Française des Historiens Économistes, Lyon, 1975, p. 75-106.

Carrière, F. et Pinchemel, Ph., *Le fait urbain en France,* Paris, Colin, 1963.

Cauquelin, A., « Les temps urbains », *Le Monde,* 13-14 mai 1979, p. 16.

Cavaillès, H., *La route française, son histoire, sa fonction,* Paris, Colin, 1946.

Certeau, M. de, Julia, D. et Revel, J., *Une politique de la langue : la Révolution française et les patois,* Paris, Gallimard, 1975.

Chabot, G., « L'armature urbaine en géographie régionale », in : coll., *Urbanisme et architecture,* Paris, 1954, p. 61-74.

— *Les villes,* Paris, Colin, 1948.

— « Les zones d'influence d'une ville », in : coll., *Congrès International de Géographie,* Paris, 1931, p. 432-437.

Champion, E., *Esprit de la Révolution française,* Paris, Reinwald, 1887.

— « Provinces et départements », *La Révolution Française,* janv.-juin 1913, p. 302-310.

Charle, Ch., « Région et conscience régionale en France », *Actes de la Recherche en Sciences Sociales,* nov. 1980, p. 37-43.

Charles-Brun, J., *Le régionalisme,* Paris, Bloud et Cie, 1911.

Chartier, R., « Les deux France : histoire d'une géographie », *Cahiers d'Histoire,* 4, 1978, p. 393-415.

— « Science sociale et découpage régional : note sur deux débats, 1820-1920 », *Actes de la Recherche en Sciences Sociales,* nov. 1980, p. 27-36.

Chassagne, S., « L'histoire des villes : une opération de rénovation historiographique », in : coll., *Villes et campagnes, 15e-20e siècles,* Lyon, Presses Universitaires de Lyon, 1977, p. 217-300.

Chevalier, L., *Classes laborieuses et classes dangereuses à Paris dans la première moitié du 19e siècle,* Paris, Plon, 1958.

Chevalier, M., *Des intérêts matériels en France : travaux publics, routes, canaux, chemins de fer,* Paris, C. Gosselin et W. Coquebert, 1838.

Choay, F., « La ville et le domaine bâti comme corps dans les textes des architectes-théoriciens de la première Renaissance italienne », *Nouvelle Revue de Psychanalyse,* 1974, 9, p. 239-253.

Christaller, W., « Rapports fonctionnels entre les agglomérations urbaines et les campagnes », in : coll., *Congrès International de Géographie,* Amsterdam, 1938, t. II, p. 133-138.

Claval, P., *Espace et pouvoir,* Paris, PUF, 1978.

— *La logique des villes,* Paris, Litec, 1981.

— *Régions, nations, grands espaces, géographie régionale des ensembles territoriaux,* Paris, M. T. Génin, 1968.

Cocula A. M., « Pour une définition de l'espace aquitain au 18e siècle », in : coll., *Aires et structures du commerce français au 18e siècle,* Colloque National de l'Association Française des Historiens Économistes, Lyon, 1975, p. 301-330.

Condillac, E. B. de, *Le commerce et le gouvernement considérés relativement l'un à l'autre,* Paris, 1776.

Condorcet, J. A. de Caritat, marquis de, *Essai sur la constitution et les fonctions des Assemblées Provinciales,* s.l., 1787, 2 vol.

Coppolani, J., *Le réseau urbain de la France, sa structure et son aménagement,* Paris, Éditions Ouvrières, 1959.

Coquebert de Montbret, Ch., *Essai d'une carte agricole de la France, des Pays-Bas et de quelques contrées voisines,* manuscrit présenté en 1825 à la Société de Géographie de Paris.

Custine, A. Ph., comte de, *Cinquième compte rendu par le comte de Custine à ses commettants de ses opinions dans les délibérations de l'Assemblée Nationale du 27 octobre jusqu'au 9 janvier 1790,* Paris, Baudoin, 1789.

Cuvier et Brongniart, « Essai sur la géographie minéralogique des environs de Paris », *Journal des Mines,* 23, 1808, p. 422-423.

Dainville, F. de, *La géographie des humanistes,* Paris, Beauchesne, 1940.

— *Le langage des géographes,* Paris, Picard, 1964.

Delaporte, F., « Des organismes problématiques », *Dix-Huitième Siècle,* 1977, 9, n° spécial : « Le sain et le malsain », p. 49-59, sur corail et polype au 18ᵉ siècle.

Demangeon, A., « France économique et humaine », in : *Géographie universelle,* t. VI : *La France,* IIᵉ partie, Paris, Colin, 1948.

Deschanel, P., *La décentralisation,* Paris, Berger-Levrault, 1895.

Dion, R., *Les frontières de la France,* Paris, Hachette, 1947.

Dockès, P., *L'espace dans la pensée économique du 16ᵉ au 18ᵉ siècle,* Paris, Flammarion, 1969.

Dornic, F., *La France de la Révolution,* Paris, 1970.

Duby, G. (sous la direction de), *Histoire de la France urbaine,* Paris, Seuil, 1983, t. III : *La ville classique.*

Dufrenoy et Beaumont, E. de, *Explication de la carte géologique de la France,* 3 vol., Paris, 1841, 1848, 1873.

Dugrand, R., *Villes et campagnes en Bas Languedoc,* Paris, PUF, 1963.

Dumolard, J. V., *Avantages de la nouvelle division du royaume ou Réponse aux observations de la Commission intermédiaire des États du Dauphiné,* s.l., 1790.

Dupont de Nemours, P. S., *Lettre aux auteurs du Journal de Paris,* 2 juil. 1787, p. 803-804.

— *Œuvres posthumes de M. Turgot ou Mémoire de M. Turgot sur les administrations provinciales...,* Lausanne, 1787.

Dupont-Ferrier, G., « Sur l'emploi du mot Province, notamment dans le langage administratif de l'ancienne France », *Revue Historique,* 160, 1929, p. 241-267.

— « De quelques synonymes du terme Province dans le langage administratif de l'ancienne France », *ibid.,* 161, 1929, p. 278-303.

— *Essai sur la géographie administrative des élections financières en France de 1356 à 1790,* Paris, 1930.

Duport, A. J. F., *Motion pour l'établissement des assemblées provinciales, proposée par M. Duport dans les bureaux,* Paris, Le Clère, s.d.

Ehrard, J., *L'idée de nature en France dans la première moitié du 18ᵉ siècle,* Paris, Sevpen, 1963, 2 vol.

— « La ville dans l'*Encyclopédie* : ville ouverte, ville fermée ? », in : coll., *Études sur le 18ᵉ siècle,* Clermont-Ferrand, Société Française d'Étude du 18ᵉ Siècle et Association des Publications de Clermont-II, 1979, p. 31-39.

Elbaz-Marcovich, A., *Entre les représentations sociales du corps humain et les représentations sociales du corps social, une continuité ? Lecture d'un médecin anglais du 18ᵉ siècle : J. C. Lettsom, 1744-1815,* 3ᵉ cycle, EHESS, 1982, dact.

Etlin, R., « L'air dans l'urbanisme des Lumières », *Dix-Huitième Siècle*, 1977, 9, n° spécial : « Le sain et le malsain », p. 123-135.

Fénelon, « Plans de gouvernement concertés avec le duc de Chevreuse, pour être proposés au duc de Bourgogne » (novembre 1711), in : *Œuvres complètes* Paris-Lille-Besançon, 1851-1852, t. VII, p. 182-188.

Fèvre, J. et Hauser, H., *Régions et pays de France*, Paris, Alcan, 1909.

Fierro-Domenech, A., *Le pré carré : géographie historique de la France*, Paris, Laffont, 1986.

Foncin, P., « Introduction à l'étude des régions et pays de France », *Revue de Synthèse Historique*, 1900, 1, p. 14-20.

— *Régions et pays*, Toulouse, Société Provinciale d'Édition, 1903.

Fordham, Sir H. G., *Les routes de France : étude bibliographique*, Paris, Librairie Ancienne Honoré-Champion, 1929.

Fortier, B., « La maîtrise de l'eau », *Dix-Huitième Siècle*, 1977, 9, n° spécial : « Le sain et le malsain », p. 193-201.

Foucault, M., *Histoire de la folie à l'âge classique*, Paris, Plon, 1961.

— « La politique de la santé au 18ᵉ siècle », in : coll., *Machines à guérir*, Dossier et documents d'architecture, Institut de l'Environnement, Paris, 1976, p. 11-21.

— *Surveiller et punir*, Paris, Gallimard, 1975.

Frémont, A., *La région, espace vécu*, Paris, PUF, 1976.

Furet, F., « L'héritage jacobin, la Révolution sans la terreur ? », *Le Débat*, juin 1981, p. 40-54.

— *Penser la Révolution française*, Paris, Gallimard, 1978.

Furet, F. et Richet, D., *La Révolution*, Paris, Hachette, 1965.

— *La Révolution française*, Paris, Marabout, 1979.

Gallois, L., *Régions naturelles et noms de pays : étude sur la région parisienne*, Paris, Colin, 1908.

Garden, M., « Aires du commerce lyonnais », in : coll., *Aires et structures du commerce français au 18ᵉ siècle*, Colloque national de l'Association Française des Historiens Économistes, Lyon, 1975, p. 265-299.

— *Lyon et les Lyonnais au 18ᵉ siècle*, Lyon, Les Belles-Lettres, 1970.

Gaxotte, P., *La Révolution française*, texte revu avec la collaboration de J. Tulard, Paris, Fayard, 1975.

Gille, B., *Les sources statistiques de l'histoire de France, des enquêtes du 17ᵉ siècle à 1870*, Genève-Paris, Droz et Minard, 1964.

Giraud-Soulavie, Abbé J. L., *Histoire naturelle de la France méridionale*, Paris, Quillan, 1780, t. I.

Goblet, Y., *La formation des régions : introduction à une géographie économique de la France*, Paris, LGDJ, 1942.

Godechot, J., *Les institutions de la France sous la Révolution et l'Empire*, rééd. Paris, PUF, 1968.

Gottman, J., *La politique des États et leur géographie*, Paris, Colin, 1952.

Goulemot, J. M. et Launay, M., *Le siècle des Lumières*, Paris, Seuil, 1968.

Gravier, J.-F., *Paris et le désert français*, Paris, Flammarion, 1972.

— *La question régionale*, Paris, Flammarion, 1970.

— *Régions et nations*, Paris, PUF, 1972.

Guillerme, J., « Le malsain et l'économie de la nature », *Dix-Huitième Siècle*, 1977, 9, n° spécial : « Le sain et le malsain », p. 61-72.

Gusdorf, G., Les sciences humaines et la pensée occidentale, t. IV : Les principes de la pensée au siècle des Lumières, Paris, Payot, 1971.
— Les sciences humaines et la pensée occidentale, t. VIII : La conscience révolutionnaire : les idéologues, Paris, Payot, 1978.
Haggett, P., L'analyse spatiale en géographie humaine, Paris, Colin, 1973.
Hanotaux, G., Histoire de la France contemporaine, 1871-1900, Paris, Combet, 1903-1908, t. II.
Harouel, J. L., « Les fonctions de l'alignement dans l'organisme urbain », Dix-Huitième Siècle, 1977, 9, n° spécial : « Le sain et le malsain », p. 135-149.
Hauriou, M., Précis de droit administratif contenant le droit public et le droit administratif, Paris, Larose et Forcel, 1892.
Hautreux, J., « Les principales villes attractives et leur ressort d'influence », Urbanisme, 78, 1963, p. 57-65.
Hautreux, J., Lecourt, R. et Rochefort, M., Le niveau supérieur de l'armature française, Paris, ministère de la Construction, 1963.
Hazard, P., La pensée européenne au 18e siècle, de Montesquieu à Lessing, Paris, Boivin et Cie, 1946, 3 vol.
Hennessy, J., La réorganisation administrative de la France, Paris, Berger-Levrault, 1919.
Hesseln, R. de, Nouvelle topographie, ou Description détaillée de la France divisée par des carrés uniformes dont les cartes seront accompagnées d'un discours, Paris, Lambert, 1780.
Hincker, F. et Mazauric, C., Histoire de la France contemporaine, 1789-1799, t. I de Histoire de la France contemporaine, 1789-1980, J. Ellenstein, ed., Paris, Éditions Sociales, 1977.
Hirsch, J.-P., « Pensons la Révolution française. Note critique », Annales ESC, 1980, 2, p. 320-333.
Hyslop, B., A Guide to the General Cahiers of 1789 with the Texts of Unedited Cahiers, New York, Columbia University Press, 1936.
Jarry, Abbé E., Provinces et pays de France, t. I : Essai de géographie historique : formation de l'unité française, 2e éd., entièrement refondue, Paris, Charles Poisson, 1950.
Juillard, E., « L'armature urbaine de la France pré-industrielle : pour une carte du réseau urbain et de l'organisation régionale à la veille de l'établissement du réseau ferré », Bulletin de la Faculté des Lettres de Strasbourg, mars 1970, p. 299-307.
— « Espace et temps dans l'évolution des cadres régionaux », in : coll., Études de géographie tropicale offertes à Pierre Gourou, Paris–La Haye, Mouton, 1972, p. 29-43.
— « La région : essai de définition », Annales de Géographie, 387, 1962, p. 483-499.
Juillard, E. et Claval, P., Région et régionalisation dans la géographie française et d'autres sciences sociales, Paris, Dalloz, 1967.
Juillard, E. et Nonn, H., eds, Espaces et régions en Europe occidentale : structure et dimensions de régions en Europe occidentale, Paris, CNRS, 1976.
Kayser, B. et J. L., 95 régions..., Paris, Seuil, 1971.
Labasse, J., L'organisation de l'espace : éléments de géographie volontaire, Paris, Hermann, 1966.
Laubadère, A. de, Manuel de droit administratif, 11e éd., Paris, LGDJ, 1978.

Lebègue, E., *La vie et l'œuvre d'un constituant, Thouret, 1746-1794,* Paris, Alcan, 1910.

Ledrut, R., *Les images de la ville,* Paris, Anthropos, 1973.

Lefèbvre, G., *La Révolution française,* 3ᵉ éd., revue et augmentée, Paris, PUF, 1963.

Lefort, C., « Penser la révolution dans la Révolution française », *Annales ESC,* 1980, 2, p. 334-352.

Lelièvre, P., « La ville au 18ᵉ siècle : expansion et morphologie », in : Centre Aixois d'Études et de Recherches sur le 18ᵉ siècle, *La ville au 18ᵉ siècle,* Aix-en-Provence, Édisud, 1975, p. 135-143.

Lemaître, A., *La Métropolitée ou De l'établissement des villes capitales, de leur utilité passive et active, de l'union de leurs parties et de leur anatomie, de leur commerce...,* Amsterdam, Boekholt, 1682.

Le Mée, R., « Population agglomérée, population éparse au début du 19ᵉ siècle », *Annales de Démographie Historique,* 1971, p. 455-510.

Lenoble, R., *Esquisse d'une histoire de l'idée de nature,* Paris, Michel, 1969.

Léon, P., ed., *Aires et structures du commerce français au 18ᵉ siècle,* Colloque national de l'Association Française des Historiens Économistes, Lyon, 1975.

Lepetit, B., *Chemins de terre et voies d'eau : réseaux de transport et organisation de l'espace en France, 1740-1840,* Paris, EHESS, 1984.

— « L'évolution de la notion de ville d'après les Tableaux et descriptions géographiques de la France, 1650-1850 », *Urbi,* déc. 1979, p. xcix-cvii.

— « Fonction administrative et armature urbaine : remarques sur la distribution des chefs-lieux de subdélégation en France à la fin de l'Ancien Régime », *Recherches et Travaux de l'Institut d'Histoire Économique et Sociale de l'Université de Paris-I,* 1981, 11, p. 19-34.

— « Les formes d'intégration des campagnes à l'économie d'échange dans la France pré-industrielle : le semis des foires », in : N. Bulst, J. Hoock et F. Irsigler, eds, *Bevölkerung, Wirtschaft und Gesellschaft : Stadt-Land Beziehungen in Deutschland und Frankreich, 14. bis 19. Jahrhundert,* Trèves, Auenthal, 1983, p. 169-189.

— « Histoire urbaine et espace », *L'Espace Géographique,* janv.-mars 1980, p. 43-54.

Lepetit, B. et Royer, J. F., « Croissance et taille des villes : contribution à l'étude de l'urbanisation de la France au début du 19ᵉ siècle », *Annales ESC,* 1980, 5, p. 987-1 010.

Lepetit, B., *et al.,* « Les miroirs de la ville : un débat sur le discours des anciens géographes. Compte rendu d'une table ronde », *Urbi,* déc. 1979, p. cviii-cxviii.

Lepointe, G., *Histoire des institutions et du droit public français au 19ᵉ siècle, 1789-1914,* Paris, Montchrétien, 1953.

Lepointe, G. et Vandenbossche, A., *Éléments de bibliographie sur l'histoire des institutions et des faits sociaux, 987-1875,* Paris, Montchrétien, 1958.

Le Trosne, G. F., *De l'administration provinciale et de la réforme de l'impôt,* Bâle, 1779.

Levron, J., *La Révolution française,* Paris, Arthaud, 1966.

Lösch, A., *The Economics of Location,* New Haven, Yale University Press, 1954.

Louis XVI, roi des Français, *Lettres patentes du Roi sur décrets de l'Assemblée Nationale des 15 janvier, 16 et 26 février 1790 qui ordonnent la division de la France en quatre-vingt-trois départements, données à Paris, le 4 mars 1790*, Paris, N. H. Nyon, 1790.

Luçay, comte de, *Les assemblées provinciales sous Louis XVI et les divisions administratives de la France en 1789*, 2e éd., Paris, De Grault, 1871.

— *La décentralisation*, Paris, Guillaumin, 1895.

Lynch, K., *L'image de la cité*, Paris, Dunod, 1969.

Mage, G., *La division de la France en départements*, Toulouse, Impr. Saint-Michel, 1924.

Malte-Brun, *Précis de la géographie universelle ou description de toutes les parties du monde sur un plan nouveau d'après les grandes divisions naturelles du globe*, 5e éd. revue, corrigée, mise dans un nouvel ordre et augmentée, Paris, Bureau des Publications Illustrées, 1845.

Manceron, Cl., « La régionalisation : une idée révolutionnaire », *Le Matin*, 17 juil. 1981.

Margadant, T. W., *A Note on Intermediate Centers of Administration in Eighteenth-Century France*, communication à la Table ronde sur la cartographie des subdélégations françaises à la veille de la Révolution, Paris, EHESS, 22 avril 1982.

— *Urban Crisis, Bourgeois Ambition and Revolutionary Ideology in Provincial France, 1789-1790*, communication au Twenty-Eighth Annual Meeting of the Society for French Historical Studies, 26-27 mars 1982.

Martonne, E. de, *Les régions géographiques de la France*, Paris, Flammarion, 1921.

Mathiez, A., *La Révolution française*, t. I : *La chute de la royauté, 1787-1792*, Paris, Colin, 1922.

Mauzi, R., *L'idée de bonheur dans la littérature et la pensée françaises au 18e siècle*, Paris, Colin, 1960.

Mavidal, J. et Laurent, E., eds, *Archives parlementaires de 1787 à 1860 : recueil complet des débats législatifs et politiques des chambres françaises*, Ire série : *1789-1799*, Paris, Librairie Administrative de Paul Dupont, 1867-1896, 47 vol.

Meuriot, P., « Du concept de ville autrefois et aujourd'hui », *La Vie Urbaine*, 1919, p. 145-153.

— « Pourquoi et comment furent dénommées nos circonscriptions départementales », *Séances et Travaux de l'Académie des Sciences Morales et Politiques*, 88, 1917, p. 328-360.

— « La question des grandes villes et les économistes au 18e siècle », *ibid.*, mai 1914, p. 494-509.

Mignet, M., *Histoire de la Révolution française depuis 1789 jusqu'en 1814*, 18e éd., Paris, Perrin, Firmin-Didot, 1898, 2 vol.

Mirabeau, Victor Riqueti, marquis de, *L'ami des hommes ou Traité de la population*, Avignon, 1758, IVe partie.

— *Mémoire concernant l'utilité des États provinciaux*, Rome, 1750. (Inséré dans *L'Ami des hommes*, IVe partie.)

Mirot, A., *Manuel de géographie historique de la France*, Paris, Picard, 2 vol., t. I : *L'unité française* (par L. Mirot), 1948, t. II : *Les divisions religieuses et administratives de la France*, 2e éd., 1950.

Mirot, L., *Manuel de géographie historique de la France*, Paris, 1930.

Monnet, M., *Atlas et description minéralogique de la France, entrepris par ordre du Roi par MM. Guettard et Monnet*, Paris, 1780.

Mornet, D., *Les sciences de la nature en France au 18ᵉ siècle,* Paris, 1911.

Mousnier, R. et Labrousse, E., « Le 18ᵉ siècle », in : M. Crouzet, ed., *Histoire générale des civilisations,* Paris, PUF, 1953, t. V.

Musset, R., *Le Bas Maine : étude géographique,* Paris, 1917.

Necker, J., *De l'administration des finances de la France,* s.l., 1784, 3 vol.
— *Mémoire donné au roi en 1778,* s.l.n.d. [1781].
— *Œuvres de Mr. Necker contenant : Compte rendu au Roi, Mémoire sur l'établissement des administrations provinciales, De l'administration des finances de la France,* Londres, Thomas Hookham, 1785.

Omalius d'Halloy, *Division de la terre en régions géographiques, conformément aux Éléments de géologie,* Paris, 1839.
— « Essai sur la géologie du nord de la France », *Journal des Mines,* 24, 1808, p. 123-158, 271-318, 345-392, 439-466.

Ozouf, M., *La fête révolutionnaire, 1789-1799,* Paris, Gallimard, 1976.
— « L'héritage jacobin : fortune et infortunes d'un mot », *Le Débat,* juin 1981, p. 28-39.
— « La Révolution française et la perception de l'espace national », in : J. C. Boogman et G. N. Van der Plaat, eds, *Federalism, History and Current Significance of a Form of Government,* La Haye, Martinus Nijhoff, 1980. Reproduit dans *L'École de la France,* Paris, Gallimard, 1984, p. 27-54.

Ozouf, M. V., « La Limagne : évolution d'une notion régionale dans la littérature géographique », *Comité des Travaux Historiques et Scientifiques. Bulletin de la Section de Géographie,* 84, 1979, p. 187-202.
— *Les monographies sur la formation des départements : étude critique,* mémoire de DEA, Paris, EHESS, dact.
— « Politique et géographie lors de la création des départements français, 1789-1790 », *Hérodote,* 40, 1986, p. 140-160.
— « Territoire géométrique et centralité urbaine : le découpage de la France en départements, 1789-1790 », *Les Annales de la Recherche urbaine,* 22, 1984, p. 58-70.
— « De l'universalisme constituant aux intérêts locaux : le débat sur la formation des départements en France, 1789-1790 », *Annales ESC,* 1986, 6, p. 1193-1213.

Patriae Amans, « Les départements français : étude de géographie administrative », *Revue de Géographie,* janv.-juin 1889, p. 401-411 ; juil.-déc. 1889, p. 35-43 et p. 108-116.

Perrot, J. C., « L'âge d'or de la statistique régionale, an IV-1804 », *Annales Historiques de la Révolution Française,* avr.-juin 1976, p. 215-276.
— *Genèse d'une ville moderne : Caen au 18ᵉ siècle,* Paris–La Haye, Mouton, 1975, 2 vol.
— « Premiers aspects de l'équilibre dans la pensée économique française », *Annales ESC,* 1983, 5, p. 1058-1074.
— « Urbanisme et commerce au 18ᵉ siècle dans les ports de Nantes et Bordeaux », in : coll., *Villes et campagnes, 15ᵉ-20ᵉ siècles,* Lyon, Presses Universitaires de Lyon, 1977, p. 187-216.

Petot J., *Histoire de l'administration des Ponts et Chaussées, 1599-1815,* Paris, Rivière, 1958.

Petty, W., *Œuvres économiques,* Paris, 1905.

Peuchet, J. et Chanlaire, P., *Description topographique et statistique de la France*, Paris, 1810.

Pinchemel, G. et Ph., « Réflexions sur l'histoire de la géographie, histoire des géographes », *Comité des Travaux Historiques et Scientifiques. Bulletin de la Section de Géographie*, 84, 1979, p. 221-231.

Prost, M. A., *La hiérarchie des villes en fonction de leurs activités de commerce et de service*, Paris, Gauthier-Villars, 1965.

Pumain, D. et Saint-Julien, Th., « Fonctions et hiérarchies des villes françaises », *Annales de Géographie*, juil.-août 1976, p. 385-440.

Quesnay, F., *François Quesnay et la physiocratie*, Paris, INED, 1958, 2 vol.

Reclus, É., *Nouvelle géographie universelle : la terre et les hommes*, t. II : *La France*, Paris, Hachette, 1877.

Rémond, R., *L'Ancien Régime et la Révolution, 1750-1815*, Paris, Seuil, 1974.

Rioux, J. P., *La révolution industrielle, 1780-1880*, Paris, Seuil, 1971.

Robic, M. C., « Cent ans avant Christaller..., une théorie des lieux centraux », *L'Espace Géographique*, 11, 1, 1982, p. 5-12.

Roche, D., *Le Siècle des Lumières en province : académies et académiciens provinciaux, 1680-1789*, Paris, Mouton-EHESS, 1978, 2 vol.

Rochefort, M., *L'organisation urbaine de l'Alsace*, thèse lettres, Strasbourg, 1958, dact.

— « Méthodes d'étude des réseaux urbains : intérêt de l'analyse du secteur tertiaire de la population active », *Annales de Géographie*, janv.-févr. 1957, p. 125-143.

Rodriguez Ochoa, P., *Les rapports entre l'évolution de la structure administrative et le réseau urbain de la France, 1789-1856*, Paris, EHESS, 1976, dact.

Romanet, vicomte de, *Les provinces de la France*, Paris, Nouvelle Librairie Nationale, 1913.

Roncayolo, M., *Croissance et division sociale de l'espace urbain : essai sur la genèse des structures urbaines à Marseille*, thèse de doctorat d'État, Paris-I, 1981.

— « Mythe et représentation de la ville à partir du 18e siècle », in : « Ville », article de l'*Encyclopaedia Universalis*, supplément, Paris, 1980, t. II, p. 1502-1506.

— Article « Citta », in : *Enciclopedia G. Einaudi*, Turin, 1977.

— Article « Regione », *ibid.*, 1981.

— Article « Territorio », *ibid.*, 1982.

Sagnac, P., *La Révolution, 1789-1792*, in : E. Lavisse, ed., *Histoire de France contemporaine*, t. I, Paris, Hachette, 1920.

Saint-Simon, Louis de Rouvroy, duc de, *Mémoires complets et authentiques du duc de Saint-Simon...*, Paris, Delloye, 1840-1841, 40 tomes en 20 vol.

Schlanger, J. F., *Les métaphores de l'organisme*, Paris, Vrin, 1971.

Sée, H., « Le commerce des toiles du Bas-Maine à la fin de l'Ancien Régime et pendant la Révolution », *Bulletin de la Commission Historique de la Mayenne*, 1927, t. 43, p. 81-104.

— *La France économique et sociale au 18e siècle*, Paris, Colin, 1939.

— *Histoire économique de la France : le Moyen Âge et l'Ancien Régime*, Paris, Colin, 1948.

Sieyès, comte E. J. de, « Délibérations à prendre dans les assemblées de bailliages », in : *Instructions envoyées par M. le duc d'Orléans pour les personnes chargées de sa procuration aux assemblées de bailliages, relatives aux États Généraux*, s.l., 1789.

— *Quelques idées de constitution applicables à la ville de Paris en juillet 1789*, Versailles, Baudoin, s.d. (24 sept. 1789).

— *Vues sur les moyens d'exécution dont les représentants de la France pourront disposer en 1789*, s.l., 1789.

Smith, A., *Recherches sur la nature et les causes de la richesse des nations* (1776), Paris, Édition Française Guillaumin, 1843, trad. G. Garnier.

Soboul, A., *Histoire de la Révolution française*, Paris, Gallimard, 1974, 2 vol.

Stevelberg, F., *Contribution à l'étude de l'armature urbaine préindustrielle française : essai thématique sur les rapports spatiaux d'après le découpage en départements, 1789-1790*, Paris, EHESS, 1977, dact.

Taine, H., *Les origines de la France contemporaine*, Paris, Hachette, 1899.

Thünen, J. H. von, *Der Isolierte Staat* (1826), trad. française par J. Lavière : *Recherches sur l'influence que le prix des grains, la richesse du sol exercent sur les systèmes de culture*, Paris, 1851.

Tocqueville, A. de, *L'Ancien Régime et la Révolution*, Paris, 1856.

Vauban, S. Le Prestre, seigneur de, *Mémoires des intendants sur l'état des généralités*, Paris, 1881.

— « Oisivetés », in : *Vauban, sa famille et ses écrits : ses oisivetés et sa correspondance*, Paris, 1910.

Vidal-La Blache, P., « Les divisions fondamentales du sol français », *Bulletin Littéraire*, 2, 1888-1889, p. 1-7 et 49-57.

— « La relativité des divisions régionales », in : coll., *Les divisions régionales de la France*, Paris, Alcan, 1913, p. 3-14.

Vidal de La Blache *et al.*, *Les divisions régionales de la France*, Paris, Alcan, 1913.

Vignon, E., *Études historiques sur l'administration des voies publiques en France avant 1790*, Paris, Dunod, 1862-1880, 4 vol.

Villat, L., *La Révolution et l'Empire, 1789-1815*, t. I : *Les Assemblées révolutionnaires, 1789-1799*, avant-propos de S. Charlety, Paris, PUF, 1947.

Weber, E., *La fin des terroirs*, Paris, Fayard, 1983.

Woolf, S., « Les bases sociales du Consulat : un mémoire d'Adrien Duquesnoy », *Revue d'Histoire Moderne et Contemporaine*, 31, 1984, p. 597-618.

Young, A., *Voyages en France en 1787, 1788 et 1789*, 1re trad. par H. Sée, 3 vol., Paris, Colin, 1931.

Zeni, C. M., *Urban Networks and the French Revolution in the Nord*, Université de Californie, Davis, 1983, dact.

Table des figures

Table des matières

Achevé d'imprimer sur les presses
de l'imprimerie Darantiere
à Dijon-Quetigny en décembre 1988

Dépôt légal : décembre 1988
Numéro d'imprimeur : 500